W9-BAD-486

一本关于儿童健康的综合指南

西尔斯
健康育儿百科

THE PORTABLE
PEDIATRICIAN

【美】威廉·西尔斯　玛莎·西尔斯
【美】罗伯特·西尔斯　詹姆斯·西尔斯　彼得·西尔斯 / 著
阳　曦 / 译

九州出版社
JIUZHOUPRESS

图书在版编目（CIP）数据

西尔斯健康育儿百科 ： 一本关于儿童健康的综合指南 /（美）西尔斯等著 ； 阳曦译. -- 北京 ： 九州出版社，2015.5（2018.9 重印）

书名原文：The portable pediatrician

ISBN 978-7-5108-3638-1

Ⅰ. ①西… Ⅱ. ①西… ②阳… Ⅲ. ①婴幼儿－哺育－基本知识 Ⅳ. ① TS976.31

中国版本图书馆 CIP 数据核字（2015）第 081916 号

北京版权保护中心外国图书合同登记号：01-2014-6902

西尔斯健康育儿百科：一本关于儿童健康的综合指南

作　　者　（美）威廉·西尔斯；（美）玛莎·西尔斯；（美）罗伯特·西尔斯；（美）詹姆斯·西尔斯；（美）彼得·西尔斯 著　阳曦　译
出版发行　九州出版社
地　　址　北京市西城区阜外大街甲 35 号（100037）
发行电话　（010）68992190/3/5/6
网　　址　www.jiuzhoupress.com
电子信箱　jiuzhou@jiuzhoupress.com
印　　刷　北京荣泰印刷有限公司
开　　本　710 毫米 ×1000 毫米　16 开
印　　张　37
字　　数　600 千字
版　　次　2015 年 8 月第 1 版
印　　次　2018 年 9 月第 3 次印刷
书　　号　ISBN 978-7-5108-3638-1
定　　价　49.80 元

如何使用本书

每位家长都希望给孩子最好的开始——为孩子提供爱、庇护、衣服、食物、教育、乐趣，以及孩子想要、需要的一切。可是有许多家长忘记了在这串长长的名单中加上一样——健康。《西尔斯健康育儿百科》将为你提供你所需要的经验和方法，送给你的第二代或第三代这份弥足珍贵的健康大礼。有许多孩子没有得到应得的健康养育，体质越来越弱、情绪越来越差、体型越来越胖，人们对医疗保险体系的不满情绪达到了前所未有的高潮。当你离开医生的办公室，有多少次觉得问题还是没解决？你希望能有更多时间与医生交流，对孩子的病有更多的了解。除了给孩子吃什么药以外，你还希望知道你能为孩子做些什么，这本书将满足你的所有期待。

《西尔斯健康育儿百科》实实在在地来源于具体的医疗实践。当家长带孩子来看病或是做例行检查的时候，我们就会记录下他们最普遍的担忧和孩子最常罹患的疾病。亲爱的读者，当你们希望知道如何避免孩子生病、充满信赖地翻开本书时，我们期待能让你感觉到，你正坐在我们的办公室里，和我们之中的一位专家医生侃侃而谈。

本书凝聚了我们所有人的经验：总计超过六十年的医疗实践。我们让自己站到家长的立场上，扪心自问："要让我的孩子身体健康，我需要知道哪些事情？如果我的孩子生病了，我需要掌握哪些知识才能帮助他康复？"我们倾向于让本书成为你目前"家长—儿科医生"合作关系的有益补充，并希望帮助家长们成为明智的医疗服务消费者。

在本书中，我们以对家长而言最直接有效的方式来描述各种儿科问题和疾病，告诉你如何照料孩子的健康。这是我们行医的宗旨：帮助家长完美地完成职责。我们会教给你某些特定疾病的知识，因为我们相信，家长对孩子的病了解得越透彻，无谓的担心就越少，照顾孩子的效率也越高。你是孩子的"家庭医生"，我们将教给你久经考验的家庭疗法，让你学会解决许多常见的儿科问题，并提醒你什么时候应该向医生寻求帮助，告诉你能为孩子做的所有事情。

这不是一本教科书，没有“可能性为千分之一”的各种烦人案例，因为你的孩子是一个人，不是“案例”。对于每种疾病，我们都会给出最重要的知识点，尤其会列出在预防或治疗方面，你能够做什么。你可以把每个主题，看作当你离开医生办公室时我们给你的讲义，里面简要总结了本次拜访，并提供更多细节。

如何查阅主题。本书于第三篇列出了病症最常见的医学名称，家长可根据目录查找。另外，本书最后还附有专业术语对照表，便于家长更准确地了解孩子的健康状况。

每个主题的结构。书中每个医学主题都有一个标题，方便你一瞥之下就了解到必要的信息，而副标题通常会告诉你是什么导致了这种行为或疾病，它有哪些症状，什么时候应该引起重视以及你应该做什么等。

如果你还想了解更多，我们在大多数主题下都列出了辅助阅读和网站资源目录。另外，我们有意省略了处方药的具体剂量，因为用药剂量因人、因事而异，请遵医嘱。

有科学依据吗？

我们向你保证，本书中提供的所有医学建议都有坚实的科学基础，我们已经竭尽所能查阅最好的医学参考资料及该领域的最新资讯。孩子是无价的瑰宝，决不能给他们没有科学依据的医疗建议。

预防是最好的治疗。本书第一篇是全书最重要的章节，我们在此为你提供了四件工具来确保孩子的健康。如果你能为家人量身制订保健计划，也许你根本用不着频繁地查阅本书的其他部分了。听起来很美好吧？

随着孩子的成长同步引导。本书的第二篇中，我们提供了从新生儿直至18岁，孩子成长各阶段的健康注意事项，并从各个阶段中孩子的体格、健康、发育等各要点入手，从医生的角度为你提供健康建议。当然，没有什么能够取代儿科医生向你的孩子提供的点对点照料，但我们的建议可对其医疗服务进行补充。

与我们的其他书籍配合使用。“西尔斯育儿系列图书”中的其他书籍，或多或少地涵盖了某些特定疾病或问题，尤其是在发育、纪律和行为等方面。在本书中，我们会简要列出令你担忧的重点信息，提及一些在我们其他系列图书中某些相关的具体描述，同时向你提供其他信息源。

与我们的网站 www.AskDrSears.com 配合使用。医学技术发展迅速，请访问我们的网站，及时获得最新资讯。进入 www.AskDrSears.com/PortablePediatrician/updates，你就能找到关于某个特定主题的最新医学建议，还能在我们的网站上找到疾病症状的照片。

我们希望，如果有人问你："谁为你的孩子提供最主要的健康服务？"而你能够骄傲地回答："是我自己。"如果这本书能让你的家庭更快乐、更健康，那便是我们作为儿科医生的喜悦。

出版社声明

作者在本书中提供的信息和建议，不能代替医生的服务或是医生提出的医疗方案及建议，本书与读者亦不构成医患关系，书中提供的信息仅供读者参考。关于如何照料孩子，尤其是孩子出现任何需诊断或治疗的症状时，你应该及时咨询医生或专业人士。如果医生的意见与本书中的任何信息出现任何冲突，请遵医嘱。本书英文版定稿于 2010 年 11 月，随着研究与实践的发展，可能出现更新的信息，某些产品的成分也可能发生变化，以至于本书中的某些数据可能会失效，你应该从医生或专业人士处寻求最新的医疗资讯和治疗方法。若读者因本书中提供的信息做出任何行为，均出自自己的判断和决定。出版社尊重本书中的所有信息，但这些信息并不代表出版社立场，出版社亦不对其做出任何担保。若读者因使用本书中包含的信息导致直接或间接的损失或损害，出版社不承担任何赔偿责任。

目　录

第一篇　健康育儿四要点

1. 为孩子找到合适的医生：如何选择儿科医生　002

2. 充分利用孩子的每次检查和诊疗　006

3. 多保健，少吃药　012

4. 遵循西尔斯医生的全面健康指南，保障孩子的健康　014

第二篇　健康儿童常规检查：家长如何从与儿科医生的合作中获取最大收益

疫苗　044

新生儿检查　046

一周检查　051

满月检查　056

两个月检查　059

4 个月检查　062

6 个月检查　066

9 个月检查　070

周岁检查　074

15 个月检查　080

18 个月检查　083

两岁检查　088

3 岁检查　092

4 ~ 6 岁检查　096

7 ~ 12 岁检查　099

青春期体格检查　102

运动员体格检查　107

第三篇　儿科健康问题与疾病（196 种）

1. 腹痛 120
2. 痤疮 128
3. 过敏反应（全身性过敏反应） 133
4. 过敏 134
5. 贫血 143
6. 厌食 145
7. 阑尾炎 147
8. 关节炎 149
9. 阿斯伯格综合征 153
10. 哮喘 155
11. 脚气 162
12. 亲密育儿（AP） 163
13. 注意力缺失障碍（ADD） 166
14. 自闭症 171
15. 背部问题 177
16. 口气（口臭） 182
17. 尿床 183
18. 胎记 189
19. 咬伤：人类、动物和昆虫 190
20. 咬人行为 195
21. 膀胱感染（尿路感染） 196
22. 水疱 200
23. 大便带血 201
24. 幼年儿童狐臭 201
25. 疖 203
26. 呼吸困难 205
27. 支气管炎 207
28. 暴食 208
29. 烧烫伤 210
30. 癌症症状 213
31. 口腔溃疡 215
32. 晕车 215
33. 猫抓病 216
34. 蜂窝组织炎 217
35. 胸痛 218
36. 水痘 219
37. 窒息 222
38. 包皮环切术 225
39. 感冒和咳嗽 227
40. 感冒疮 233
41. 婴幼儿肠绞痛 234
42. 脑震荡 243
43. 便秘 245
44. 接触性皮炎 248
45. CPR（心肺复苏） 250
46. 乳痂 252
47. 颅缝早闭 253
48. 哮吼 255
49. 让他哭 257
50. 腿脚弯曲 260
51. 割伤、擦伤和缝合 264
52. 囊性纤维化 268
53. 关于托儿所的问题 270
54. 脱水 273
55. 牙科问题 274
56. 发育迟缓 276

57. 儿童糖尿病 279
58. 尿布疹 281
59. 腹泻 283
60. 骶骨窝 286
61. 流口水 286
62. 诵读困难 287
63. 耳朵痛 289
64. 耳内异物 290
65. 耳部感染（中耳炎） 291
66. 坐飞机时耳朵痛 297
67. 穿耳洞 298
68. 副耳 299
69. 扯耳朵 299
70. 耳垢 299
71. 吃饭问题 300
72. 湿疹 304
73. 多形红斑（EM） 309
74. 眼睛：眼圈乌青 309
75. 眼睛：泪管堵塞 310
76. 眼睛：化学物溅入眼睛 311
77. 眼睛：对眼（斜视） 312
78. 眼睛：眼睑感染 314
79. 眼睛：红眼病（结膜炎） 315
80. 眼睛：睑腺炎 319
81. 眼睛：瞳孔不等大 319
82. 发育不良（FTT） 320
83. 晕倒 324
84. 脚臭 325
85. 发烧 325
86. 扁平足 330
87. 扁头（体位性斜头畸形） 332
88. 流感（流行性感冒） 334
89. 食物过敏 336
90. 配方奶过敏 340
91. 频繁生病 342
92. 真菌感染 344
93. 宝宝胀气 346
94. 胃食管反流病（GERD） 347
95. 地图舌 355
96. 成长痛 355
97. 脱发 357
98. 头痛 358
99. 撞头 359
100. 头部损伤 360
101. 听力问题 362
102. 心脏杂音与心脏缺陷 365
103. 痱子 368
104. 与炎热有关的疾病（中暑） 369
105. 甲型肝炎 371
106. 丙型肝炎 373
107. I 型单纯疱疹病毒（HSV－I） 374
108. 打嗝 375
109. 婴儿髋关节脱臼 376
110. 髋部疼痛 379
111. 荨麻疹 380
112. 声音嘶哑 382
113. 住院 384
114. 脓包病 388
115. 炎症性肠病（IBD） 389

116. 黄疸 392
117. 膝盖肿块，伴有疼痛 395
118. 铅中毒 396
119. 虱子 397
120. 瘸拐 399
121. 肿块 400
122. 手淫 402
123. 麻疹 403
124. 脑膜炎 404
125. 偏头痛 407
126. 粟粒疹 409
127. 痣 410
128. 传染性软疣（MC） 412
129. 单核细胞增多症（单病毒，爱泼斯坦－巴尔病毒感染） 413
130. 口疮 414
131. MRSA：耐甲氧西林金黄色葡萄球菌 417
132. 流行性腮腺炎 419
133. 肌肉萎缩症 419
134. 指甲损伤（手指和脚趾） 421
135. 肚脐外凸 422
136. 颈部疼痛和拉伤 422
137. 流鼻血 423
138. 鼻子受伤 426
139. 鼻内异物 427
140. 肥胖：西尔斯医生的儿童瘦身计划 428
141. 过度使用损伤（重复性压力损伤，RSI） 435
142. 安抚奶嘴的使用 437
143. 阴茎问题 439
144. 蛲虫 442
145. 白色糠疹 443
146. 玫瑰糠疹 444
147. 肺炎 445
148. 毒漆藤和毒葛 446
149. 银屑病 447
150. 青春期问题——青春期提前或迟缓 449
151. 皮疹 453
152. 直肠瘙痒 458
153. 玫瑰疹 459
154. 轮状病毒感染 459
155. RSV：呼吸道合胞病毒 462
156. 疥疮 464
157. 脊柱侧凸（脊柱弯曲） 466
158. 眼睛擦伤 468
159. 尖叫 469
160. 痉挛 470
161. 热性痉挛 472
162. 感觉处理障碍（SPD） 474
163. 性传播疾病（STD） 475
164. 鼻窦感染 483
165. 睡眠呼吸暂停 485
166. 睡眠问题 487
167. 吸烟：二手烟的危害 494
168. 打鼾 495
169. 大小便失禁 497
170. 言语迟缓和说话晚 500

171. 关节扭伤和骨折 502
172. 链球菌性喉炎 512
173. 口吃 515
174. 婴儿猝死综合征（SIDS） 517
175. 晒伤 519
176. 游泳性耳炎（外耳炎） 519
177. 出牙 521
178. 睾丸疼痛和肿胀 522
179. 喉部感染 526
180. 甲状腺问题 528
181. 蜱叮咬 529
182. 嵌甲 531
183. 踮脚走路 532
184. 舌系带过紧 533
185. 扁桃体和增殖腺增大 535
186. 扁桃体炎 536
187. 扁桃体结石 538
188. 斜颈 538
189. 脐疝 541
190. 疫苗反应 542
191. 阴道问题 544
192. 白癜风 547
193. 呕吐 548
194. 疣 551
195. 百日咳 553
196. 酵母菌属感染 555

附录

附录一：喂孩子吃药 558
附录二：专业术语中英文对照表 560

THE

PORTABLE

PEDIATRICIAN

第一篇

健康育儿四要点

在这个部分中，你将学到为了保持孩子的健康，你应该做的四件重要的事情。若做到以下四个要点，家长与儿科医生的合作关系就能获得最大收益：

1. 为孩子找到合适的医生。
2. 充分利用孩子的每次检查和诊疗。
3. 多保健，少吃药。
4. 遵循西尔斯医生的全面健康指南，以良好的营养和平衡的生活方式确保孩子健康。

1. 为孩子找到合适的医生：如何选择儿科医生

35年前，我（比尔医生）完成了儿科学习，准备挂牌执业，一位教授告诉我，家长希望儿科医生拥有三种素质——三“A”：亲和力（affability）、专业能力（ability）和切实有效力（availability）。医疗服务是家长与儿科医生之间的合作，你有职责为孩子寻找一位优秀的合作伙伴，因此，为你的孩子和你自己挑选最好的儿科医生是你最重要的长线投资之一。

在孩子生命之初的5年内，你至少会拜访15次儿科医生，而具体次数取决于孩子对医疗保健的需求。在我的执业生涯中，我面对过不少为孩子寻找合适医生的家长，也经受过他们不少盘问，大多数家长都十分明智，不过也有一些例外。我通过一些家长为自己和孩子寻找合适的医疗服务提供者过程中，学到了一些寻找合适医生的诀窍，同时从医生嘴里也得到了一些小技巧。下面，我们一步一步地告诉你如何选择儿科医生，如何最大限度地发挥儿科医生的功效。

（1）**审视自己**。在与备选的医疗服务提供者面谈之前，先审视自己的内心。你需要孩子的医生拥有什么素质？你是新爸爸/妈妈，是否对常见的儿童发育异常和儿科疾病没有太多经验？你是否缺乏自信（有的新爸爸/妈妈会出现这种情况），认为自己需要一位能深度参与到家庭中的儿科医生，帮助你理解儿童成长和发育的正常阶段，称职地照料孩子的健康？你是否有许多担忧（几乎所有初次为人父母的家长都有这样的担忧），需要一位能够感同身受的倾听者，认真地排解你的顾虑？你是否正在评估各种教养方式，需要一位能够帮助你厘清教养理念的医生？又或者你是一位驾轻就熟的家长，已有一套成熟的教养理念和方式，只需要一位和你思路相似的儿科医生？你认为医院离你家距离的远近重要吗？你希望以更远的车程换取更高的医疗质量吗？还是你需要一位离家或是工作场所较近、能够方便通过乘坐公交或地铁找到的医生？

你或你的孩子有什么特殊的需求吗？比如说，如果你的孩子有糖尿病之类的慢性疾病，你自然会希望选择一位有这方面经验的儿科医生。如果你第一次做妈妈，对母乳喂养非常执着，那么你显然希望选择一位对母乳喂养态度友好的儿科医生。还有，你或你的孩子在交流方面有特殊的需求吗？我最喜欢的家长中有一位盲人名叫南茜，她学会了靠声音和触摸来交流，我从她身上见识到了母亲强大的直觉能力。在一次检查中，我引导她用手抚摸孩子的身体，帮助她建立对正常皮肤和正常肌肉的感觉，同时也帮助她欣赏孩子发育的奇迹。有一次，她带着婴儿到诊所来，说孩子可能得了皮疹，但我没发现任何疹子，然而第二天，她又带着孩子来了，这次孩子身上出现了明显的皮疹。南茜在整整一天之前就感觉到了孩子身上的皮疹，而我直到第二天才能看见。

我还接待过一位聋人母亲，她“听”的方式主要是读唇语。起初我们的交流有些障碍，因为我和她交谈的时候嘴唇的动作不够明显，她不太能明白我在说什么。她礼貌地告诉我，我的唇语不太好读，因此我提高了交流技巧，采用更生动的面部表情语言。哈佛医学院儿科教授理查德 · 凡 · 普拉格是我最喜欢的同行之一，几年前他给我提出了宝贵的建议：“你周围充满了明智而有趣的父母，你应该谦逊地向他们学习。”

（2）**寻求参考**。和那些与你的教养理念相近的朋友交谈，从周围选取最有经验、思路与你最相似的母亲，询问她们对医生的评价。你可以问她们一些具体的问题：“你最喜欢苏珊医生哪一点？”“在你需要他的时候，汤姆医生有空吗？”“劳拉医生给了你足够的时间吗？”“他的合伙人也一样棒吗？”在进行下一步之前，你应至少选出三个名字。如果你是在怀孕末期开始选择儿科医生，还可以咨询你的产科医生，他很可能对你的特殊需求有所感觉，能帮你选择适合你和孩子的儿科医生。

（3）**了解诊所**。比预约的时间提前一点到，观察一下诊所的环境。你还可以和等待室里的其他人聊聊，问问他们喜欢或不喜欢这家诊所或医生的哪一点，同时观察并询问工作人员如何处理疾病可能传染的患儿。许多初次拜访者都会询问诊所里有没有为健康孩子和生病的孩子分别准备的独立等待室，这个问题显然是从生育课堂或是某本书上学来的，因为实际上分设等待室的系统完全不管用，没人想去那间“病孩子”等待室。要最大限度地降低疾病传染的可能性，更可行的方法是只在等待室里留下健康的孩子，将可能传染疾病的患儿立刻领到检查室里，如果条件允许的话，最好通过独立的入口（其实关于微生物的传播，有个令人安心的事实：大多数孩子来看医生的时候已经没有传染性了）。

除了观察办公室以外，你还应针对以下基本信息，将它们与你对其他诊所的了解进行比较：

- 诊所的工作时间是几点到几点？
- 有夜间或周末的值班时间吗？
- 是否有医生或能提供建议的护士24小时随时接听电话？
- 每次检查和看病要花多少钱（如果你没有保险的话）？

（4）**与诊所工作人员面谈**。在你向工作人员自我介绍时，他们友善而热情吗？要知道，你和工作人员打的交道很可能和医生一样多，在家长和医生的面谈中，我喜欢听到他们说："你们的工作人员帮了很大的忙。"要最有效地利用和医生面谈的时间，你应该在会面之前尽可能地向工作人员提问，从他们那里获取你需要的信息，如诊所与医院的从属关系、下班后的值班时间、如何预约，以及你认为重要的其他所有事情。

（5）**与医生面谈**。记住，面谈的目的是确认这位儿科医生是否适合你的家庭。试试下面这些面谈技巧：

- **简短**。大多数医生不会收面谈费，所以5分钟的交谈时间就足够你对他作出评估了。如果你或你的孩子有许多特殊需求，你觉得自己需要更多时间，请向医生预约一次常规检查，而非简短的面谈。
- **精炼**。将你目前最关心的教养问题列成一张清单。如果你的孩子一岁大，那么你就没必要对很久以后才可能出现的问题喋喋不休，比如说尿床或者学习障碍。
- **积极**。避免用"我不希望"这样的句式做开场白，例如"我不希望给孩子打针……"我记得有些家长是这样开始面谈的："我们不希望给孩子用眼药水、维生素K、新生儿注射、新生儿血检、疫苗……"做好功课、规划好医疗流程固然是好事，可是以积极的方式来提问会更好，比如说："医生，您习惯怎样安排免疫计划？"这样你就能够聆听医生的观点，从而打开一扇大门，看到一些你也许并未预先考虑过的东西，为了孩子，你应该保持开放的头脑。消极的开场白会让医生产生负面情绪，因为他们会发现家长的期望和他们的专业信仰之间有落差。
- **给医生留下深刻印象**。有一次，一对家长来考查我这个备选的儿科医生，他们的开场白让我印象十分深刻："我们对孩子进行了详尽的研究。"我立刻兴奋起来，因为这样的表述让我明白，他们的功课做得很全面。这对夫妻都是三十好几，职业发展稳固，现在他们准备安定下来，开始家长生涯，做好每件事。他们精心挑选了产科医生，了解了分娩的各种事项，现在，我是他们的儿科医生最终候选人之一。他们表示，选择儿科医生对他们而言是最重要的事情。这对家长的表现让我知道，他们希望得到更高水平的医疗服务，于是我也有了更加周到、细心地接待他们的动力。我总会告诉家长们一个“供需准则”：你得到的医疗服务水平总是和你要求的一样高。在与医生面谈的时候，所有家庭成员最好都能到场。最近，一个新的家庭搬到我们这个地区，前来与我们面谈。孩子的奶奶也来了，爸爸和妈妈盘问我的时候，她就安静地坐在房间另一头，从奶奶的点头中，我能揣摩出我得到了她的认可。

- **别让医生扫兴。**记住，被挑剔的父母选中会让医生十分骄傲。别让他知道你选择他只是因为“我在黄页上找到的”或者“你在我的保险计划内”。这些开场白可不会给医生留下好的第一印象。
- **相信直觉。**几分钟内你就会凭直觉感到这位医生是否适合你的家庭。这听起来或许有些主观，不过你应该试着去感受这位医生是否真的在乎孩子，是否喜欢他的职业。当我们的两个儿子（鲍勃医生和吉姆医生）加入西尔斯家庭儿科诊所时，我（比尔医生）向两位年轻的西尔斯医生提出建议：“像对待家人一样对待病人。你应该培养自己的教养风格来欣赏自己的孩子；与此同时，你也应该培养自己喜欢的行医风格，因为你会在这一行干很长时间。”
- **发现医生的教养理念。**选择一位赞同或至少支持你的基本教养理念的儿科医生，这非常重要。你可以问几个引导问题，由此推测这位医生未来可能向你提出什么风格的教养建议。比如说，“恐怕我没法用母乳喂养宝宝，这真的那么重要吗？”或者“宝宝不肯好好睡觉的时候，我姐姐就让他哭，哭累了就乖乖睡了，这适不适合我的孩子呢？”又或者“我邻居教育孩子的时候会打屁股，他们发誓说有用。你觉得这法子真能教好孩子吗？”这些问题的答案无所谓对错，不过从医生的回答中，你可以感觉到他的建议和你的想法是否契合。
- **了解医生对药物治疗的基本态度。**你可能会喜欢直接给出标准药物疗程的医生，也可能会喜欢另一种风格：放开眼光，提供药物之外的替代治疗或预防方法。问问医生，他对抗生素和其他处方药感觉如何，他会如何根据你的偏好调整孩子的免疫计划。

- **带上孩子**。如果你刚刚搬到新地方或是正打算更换儿科诊所，可观察孩子的表现。看看医生如何对待你的孩子，孩子又如何反应。儿童对照管人的感觉十分敏锐，其中就包括医疗服务提供者。

2. 充分利用孩子的每次检查和诊疗

现在，你经过深思熟虑，为孩子选择了合适的医生，接下来，我们将讨论如何从你精心挑选的专业人士那里获取最大的收益。记住，孩子的医疗服务是家长与儿科医生之间的合作关系。作为家长，你的职责是做到敏锐地观察和准确地报告；而医生的职责是根据家长提供的线索，制定正确的诊疗方案。你对这样的合作关系越重视，越恪尽职守，你对医生的期待也就越多。经常有母亲向我倾诉："我担心得太多了。"我则开解她们说："担心是你的责任，而我的责任是对情况进行评估，告诉你到底该不该担心。事实上，要是母亲什么都不担心，我才更担心。"

对孩子和家长来说，周期性检查（也叫健康儿童常规检查）是明智的预防措施。检查的时间表按照儿童发育的阶段来安排，会让家长有机会了解儿童发育的正常过程和自家孩子发育过程中独特的小毛病，同时也能尽早发现问题，以便在它恶化之前进行干涉和处置。经过35年的儿科医疗实践，我(比尔医生)觉得常规检查实际上是家长与孩子的共同成长。从婴儿期到青春期，我照料着孩子的成长，也观察家长并与他们讨论如何进一步了解自己的孩子，如何提升教养技巧；与此同时，我对病人全家的了解也在不断深入。在对健康的孩子进行检查时，我的头脑中会对他们的体质形成大概的印象，以便在他们生病时提供更好的诊疗。

多年来我注意到，有的家长和孩子从常规检查中获得的益处比其他人更多。在完成检查的时候，我经常想："哇哦! 短短十五分钟里我们干的活可真够多的!"下面，我将列出十一条小诀窍，帮助你和孩子最有效地利用常规检查和看病的机会：

（1）**做好个人病历**。在家长与医生的合作中，你应该做一份"什么有用"的单子，记录下曾经对孩子有效的建议和疗法。如果孩子患有慢性病，正在更换医生，这份单子尤为有用，因为新医生会迫切需要对孩子病史和治疗史的记录，这非常有价值。比如说，医生要开某种抗生素，你可以主动提出："用了这种抗生素，她拉肚子拉得厉害，不过你上次开的那种好像没有那么厉害的胃肠道反应。"另外，在工作时间之外给医生打电话寻求建议时，你手里的这份个人病历也会很有用，因为这时候医生或代班医生手里可能没有孩子的病历。

（2）**做好功课**。预约检查之前先定一个计划，问问自己："这次检查我想知道些什么？""我希望孩子学到什么？"写一张单子，把你最担心的事情按照优先顺序列出。如果你担心的事情很少，单子很短，那常规检查的时间就够了；如果你觉得你担心的问题要花很长时间来解决，比如说行为问题或学习问题，那就预约一次"长时间诊疗"。

（3）**扮演医生**。打电话咨询医生是否要带孩子一起去之前，先玩一玩角色扮演游戏。你可以把自己想象成医生，问问自己，关于孩子的病你想了解哪些情况？想一想，孩子是什么时候、如何发病的，是否有好转或恶化，你在家里尝试过哪些疗法，自己在家先给孩子做一遍检查。家长明智的观察和敏感的直觉常常能为医生提供有价值的线索，帮助医生做出诊断。我（比尔医生）总是告诉家长："我们之间像是合作关系，我们各自做好自己的工作，为孩子谋求最大的福利。你的职责是做到敏锐地观察和准确地报告，而我的职责是听取你观察到的线索，由此做出正确的诊断。"在孩子接受常规检查的当天，请对孩子进行一次从头到脚的检查，看看有没有不正常的斑点、疹子、肿块，或者哪方面的发育让你觉得担心。如果孩子已经到了上学的年纪，你可以问问他："你身上有没有哪儿觉得痛，想问问医生吗？"

（4）**预约最好的时间段**。婴幼儿检查最好的时间是清晨，最差是傍晚，因为幼儿已经累了。而对学龄儿童来说，最好是在节假日清晨或放学后立刻接受检查。经常有母亲为哭闹的婴儿道歉："他小睡的时间到了。"请确保学龄儿童不会因为检查错过什么有趣的活动，不然孩子会产生反感。

专业人士提示：要保证医生准时给孩子检查，避免长时间的等待，最好预约清晨或下午的第一个号。如果你想预约一次加长诊疗来讨论孩子行为或纪律方面的问题，最糟糕的时间是傍晚，因为那时候家长、孩子和医生都累了。

（5）**检查前给孩子吃饱**。去诊所之前给孩子吃饱，最好别在诊所喂食。如果要带零食，不要带易碎的，这样医生和工作人员就不用追着孩子的屁股打扫，你也不用浪费宝贵的诊疗时间来收拾碎屑。用密封杯装果汁，带适合在办公室里吃的零食，比如酸奶和苹果片。

（6）**高高兴兴去诊所**！想象一下检查开始时的两个场景："他很好，常规检查而已，这里是要填的学校表格。"或者"埃琳和我都盼着这次检查呢。她很想进一步了解自己的身体是怎样工作的，而我有点担心……”你觉得哪种开场白更能激起医生对常规检查的热情？

(7) **尊重孩子，给每个孩子专门的检查时间**。每次检查只带一个孩子。同时带两个或更多的孩子来检查看似明智，很节约家长的时间，但这可能会稀释每个孩子的检查。当你一边筋疲力尽地追逐调皮的幼儿，一边跟医生讨论十几岁的那个孩子，两个孩子都不会觉得自己是特别的。如果你实在没办法每次只带一个孩子来检查，那请一位朋友来替你照顾婴幼儿，这样你和医生就能专心给大一点的孩子检查，幼儿的检查可以安排在大孩子的前面或者后面。如果孩子的问题很复杂、很耗时间，私密的检查就更为重要。6 岁大的孩子也许很不情愿在 4 岁的妹妹面前提起自己尿床的事儿，孩子越大，独立的检查就越有必要。如果你希望在孩子检查之前私下里和医生讨论一些问题，请提前告诉护士，这样孩子在另一个房间里测量身高体重的时候，你就可以和医生交谈。如果检查中出现敏感问题，你想和医生私下里说几句话，请暗示医生，比如:“埃琳，也许你可以出去让护士帮你查查视力。”医生会明白你的意思。

(8) **看图说话**。如果孩子在家里表现出一些行为方面让你担心的小毛病，那么在向医生描述问题时，你最好带上相应的影像资料。曾经有个家长带着两周大的婴儿来检查，她担心孩子的婴儿肠绞痛。为了让我（比尔医生）明白问题的严重性和此问题给家庭带来的困扰，她拍下了晚上婴儿肠绞痛爆发的情景。当我看到孩子和父母那么难过时，我立刻为他们倾注了更多时间和精力，如果没有画面的帮助，我可能不会这么做。偶尔会有家长录下检查中和医生的谈话，以便回去放给不在场的家长听。

最近，有一对家长在检查中和我谈起他们 5 岁大的孩子睡不安稳。我让他们录下孩子睡着时发出的异常声音和翻来覆去的具体场景。下一次诊疗的时候，他们带来了视频，我一看就发现，孩子得的是睡眠窒息症，需要摘除扁桃体。

我喜欢看到家长在检查前拿出一份写着他们担心什么的单子。有时候，他们会给我一份复印件（请务必按照优先顺序排列你的担忧），在这份单子的帮助下，我才好确定他们担忧的事情我都检查过了。写好的单子还能帮助医生管理时间，如果我在单子上看到了某个复杂的问题，例如行为或学校方面的问题，我可能会先解决另一些更直接的问题，然后请家长安排一次更长的诊疗，来解决那些花时间的问题。

(9) **尊重孩子的小情绪**。你和孩子做过几次检查之后，你就会注意到什么有用，什么不好使。如果孩子害怕测量身高体重，那就让护士把这个环节安排到检查的最后。有一次，我（比尔医生）正在检查一位幼儿，打算脱下她的鞋子，结果她紧张起来，发起了脾气，接下来的检查很不顺利。我在她的表格上记录下了这个细节，她的母亲也默默地记住了，下次这个孩子再来检查的时候就是光着脚来的。

健康小贴士：感谢你的医生

写张便条感谢医生。如果你在诊所里遇到了让你特别感激的事情，或是工作人员做了额外的努力让你的问诊更为舒适，请告诉医生。我的办公室曾经收到过一盒自制的小松饼，那位母亲为前一晚半夜吵醒我们致歉。与此同时，如果你有什么问题，也要告诉医生，如果你什么都不说，医生怎么能提高工作人员的服务水平呢？

---

(10) **请勿给我们"惊喜"**。"我的医生老是匆匆忙忙的，还经常迟到。"这似乎是家长最普遍的抱怨之一。我得为"匆忙医生"辩护两句，管理式医疗系统迫使医生们采取"以少换多"的策略——用更少的时间看更多的病人。医生延后检查时间，主要是因为老是有那么一两个常规检查最后会变成半小时的复杂问题研讨会，虽然病人只预约了十分钟的普通检查。如果你知道自己没什么问题要问，孩子大体健康，那么常规检查通常足够；可是如果你觉得自己需要更多时间来讨论一些复杂的问题，最好在预约时提出需要更长的看诊时间。如果你要求（当然，是礼貌地要求）医生给你更多时间，更深入地讨论问题，医生会满足你。可是，要是你在常规检查快要结束的时候突然提起："顺便说一句，学校觉得我的孩子有注意力缺失障碍……"这对医生和孩子都不太公平。

(11) **如果你和医生的意见冲突。**你和儿科医生应该在养育孩子的大方向上保持一致，这很重要。常规检查应该让你抱有期待，而不是抱有抵触情绪。家长和儿科医生之间的分歧主要是关于教养方式，而非医疗服务。有不少家长转到我们诊所来，因为之前的儿科医生不支持家长的教养方式。比如说，你也许喜欢亲密育儿，经常触摸宝宝，对宝宝的表现做出及时的反应，这意味着让宝宝想吃就吃，多抱宝宝，甚至睡觉也要在宝宝身旁。可是从另一个方面来说，你的儿科医生也许喜欢更有计划、更有距离感的教养方式——这更可能来自他自己的私人经验，而不是在医学院里学来的。没错，在教养方式的问题上，你完全可以和医生据理力争。我们经常听到家长抱怨："我的医生很好，专业能力很强，可是我们的教养方式有分歧。"

这种情况通常需要你权衡一番。如果你的孩子有特殊需求，你很满意医生的诊治能力，那就避免谈及教养方式的问题，只要告诉医生，你对自己的做法很有信心，它对你和孩子有用就行了。想想看，如果你喜欢一天好几个小时都用绑带把孩子系在身上，可医生觉得这样会让孩子养成不健康的依赖性。一方面你应该以开放的心态听取医生的意见，可另一方面，你也应该质疑医生，请他谈谈反对的原因。这样，你和医生都能学习到不同的观点，毕竟，你的孩子，你最了解。

总而言之，孩子的成长和行为是对你的教养方式最有力的证明。一旦医生看见你的教养方式产生的效果，亲眼见证你的做法有效，他们很可能会称赞你，而不是对你的教养方式吹毛求疵。许多家长现在与医生的合作关系进展良好，可能在开始的时候彼此也有许多意见冲突。要让你们的关系蓬勃发展，对孩子的养育最后肯定要综合各方意见，毕竟，你和医生有共同的目标：帮助孩子健康快乐地成长。

儿科医生有许多快乐与骄傲，毕竟父母出门时留给临时保姆的电话表上，医生的名字总是在第一个。家长常对我们说：“还记得吗……”这便是长期亲密的医患关系的标志之一。有一次，我（比尔医生）正在给乔纳森做检查，他妈妈回忆起他在婴儿期的时候，我曾经把一根管子插进他的气管来缓解严重哮吼，而当时的小宝宝已经长成了比我还高的少年。另一次，鲍勃医生给一个10岁的小女孩做检查，发现她的肚子上还留着阑尾炎手术的疤痕，那位母亲提醒他说：“那次还是你把她送到急诊室的呢，你说她肯定是得了阑尾炎。你是对的，外科医生说，要是我们晚去一个小时，很可能发生穿孔。”虽然这些事情我们自己可能都不记得了，但孩子和家长肯定不会忘记。找到一个你喜欢的儿科医生，和他一起陪伴孩子成长，直到孩子离家上大学，想想是多么让人欣慰的一件事。你和孩子值得拥有这样的医生。

缓解孩子检查身体的紧张情绪

对小朋友来说，检查身体也许很可怕，以前检查时见过的针头总在眼前闪闪发亮。让我们通过下面的方法，让孩子放松下来，享受检查。

帮孩子预习。在家做个检查游戏，告诉孩子医生可能会做些什么，并向他演示和解说："医生会数数你的牙，看看你的耳朵里面有什么，拍拍你的小肚子，听听你的心跳……"如果孩子曾经表现过不喜欢检查，可以给他买一套医生玩具，带着他先玩玩游戏："查查妈妈的耳朵。""看看妈妈的喉咙。""听听我的心跳。"诸如此类。最后告诉他："苏珊医生给你检查的时候就会做这些事情。"让孩子带上玩具，在检查开始之前先"给医生做做检查。"

给孩子穿上适合检查的衣服。我（比尔医生）给他们脱衣服的时候，有的幼儿会很害怕。家长应该给孩子穿容易穿脱的衣服，比如开襟的上衣就比要从头顶脱掉的好。

给孩子读检查身体的图画书。给孩子读一本关于检查身体的图画书，譬如斯坦·贝恩斯坦和简·贝恩斯坦写的《贝恩斯坦家的小熊看医生》，适合4到8岁的孩子。

"贿赂"一下也没问题。如果孩子在检查过程中的表现不够理想，可以诱惑他："等你检查完了，我们就去吃好吃的"——暗示你希望他好好配合医生。如果你对"贿赂"有道德障碍，那就叫它"激励"吧。

检查时家长要保持快乐的情绪。妈妈是孩子的镜子，你是紧张还是平静，孩子会感受到。我给幼儿做检查时注意到，对于我的行动，孩子的反应和他的母亲是一致的。如果孩子紧抓着妈妈不放，妈妈也把他抱得紧紧的，再加上一句紧张兮兮的"他不会伤害你的"，那么孩子的紧张情绪只会加强，会更紧地抓住妈妈。可是，如果妈妈松开手，轻松地跟我说话，表现出很乐意检查的样子，幼儿反而会松手。如果你感觉到孩子很紧张，就轻轻松松地和医生打招呼，在检查之前高高兴兴地说几句话。我发现，孩子会观察我们的对话，他们会觉得，如果妈妈都觉得医生没问题，那我也觉得医生没问题。一旦孩子觉得我受到了母亲的认可，那检查的气氛就会友好一些。

带上“朋友”来检查。为了缓解孩子的紧张情绪，你可以鼓励他带上最喜欢的洋娃娃或者玩具熊一起来，儿科医生很欢迎这些小伙伴。我经常会给正流行的毛绒玩具做个“检查”，以便赢得紧张的小病人的欢心。如果医生没领会你的暗示，家长可以开口问问他能不能先给娃娃检查一下。为了安抚小病人，我经常会像模像样地给他们的哥哥姐姐做个“检查”，或者让大孩子拿着听诊器和耳镜，称呼他“约翰尼医生”。更小的孩子也常常会加入我们的游戏，让我给他做检查。

孩子在你的腿上更有安全感。如果你的孩子看起来很紧张，问问医生，能不能让他在你腿上做检查，不要躺在检查桌上。对于学龄前儿童，我很少用到检查桌，他们在父母怀抱里得到的安全感和信任感要强得多。

3. 多保健，少吃药

儿科医疗是家长与医生之间的合作，现在，我们将告诉你父母如何做好孩子的“家庭医生”。在医疗服务中，父母们应该了解的最重要的概念之一，就是“多保健，少吃药”。今时今日，许多孩子和成人养成了“吃点药吧”的思维方式。孩子们靠吃药来让自己冷静或活跃，靠吃药来退烧、治疗感冒。成人靠吃药来治疗那些我们称之为“三高”的疾病——高血压、高胆固醇、高血糖。比起改变生活方式和饮食来，他们觉得吞几片药更容易，而我们希望改变这种不健康的态度。

“多保健，少吃药”表示医生还会给病人开药，但与此同时，医生也会教家长和孩子自我保健的方法，帮助孩子的身体产生自身“药物”。在“多保健，少吃药”的模式里，当你走进医生的办公室，不应只问医生“我们该吃什么药？”还应该问“我们该做什么？”如果健康服务提供者看到家长的思维方式是“多保健，少吃药”，那么他们也会采用更健康的态度：“这里是我开的药方，这里是我的保健建议。”

在本书中，对于大部分疾病我们都会采用“多保健，少吃药”的模式来应对，下面这个例子做出了最好的诠释：

史密斯太太带着 8 岁的女儿苏济到我（比尔医生）的办公室来咨询如何治疗慢性哮喘。苏济一直在服用多种药物，而史密斯太太担心两件事：苏济的哮喘一直不见好；长期服用药物会不会带来副作用。听到她的顾虑后，我掏出速写本，画了一幅“多保健，少吃药”的示意图（如下）。我向这位母亲解释，所有慢性病——哮喘、注意力缺失障碍、胃食管反流病、慢性腹泻、反复发烧，以及所有叫作“某某炎”的疾病——必须遵循“多保健，少吃药”的方式，这也应该是目前的医疗思维方式。与此同时，我注意到了史密斯太太的身体语言——“终于有个医生懂我的意思了！”

我继续解释道：“我们的目标是逐渐消除苏济对药物的依赖。我们不知道她何时或能否彻底摆脱药物，不过至少我们很有希望大幅减少她的服药剂量。”我告诉她，我们可以教苏济一些自我保健的方法，从根本上帮助她的身体自行产生“药物”——真正为她的身体量身打造的药物。然后我列出了苏济可以尝试的保健方法。

许多孩子都有点儿小毛病——身体的某个部分或者某个系统就是没法正

药物加保健

随着保健能量的加强，对药物的需求会降低。

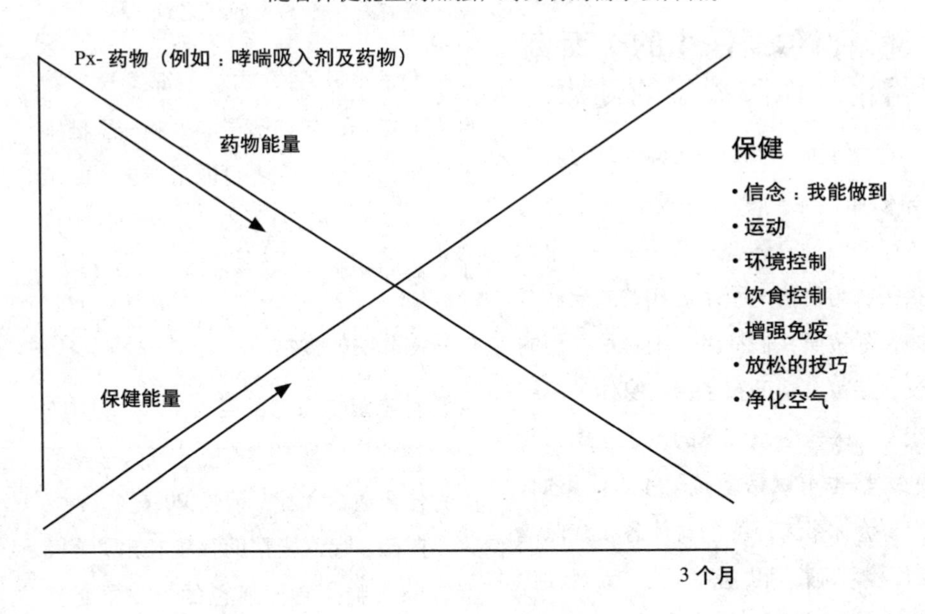

常运作。我们每个人多多少少都有些小毛病，只是某些人的比其他人更严重一些。要解决这些小毛病，我们应该制定一个计划，对问题进行研究，深入地了解它，然后建立自己的工具箱———套由医生设计的保健方法，这套工具箱将一直伴随你。我们会帮助你构建工具箱，装上属于你自己的工具，并告诉你该在什么时候怎样使用它们。比如说，如果你的孩子正在吃消炎药，我们会告诉你如何帮助孩子的身体自行产生消炎成分；如果你的孩子正在服用抗组胺药，我们会告诉你怎样帮助他的身体自行产生抗组胺成分。我们会帮助你和孩子学习“多保健，少吃药”的方法。

4. 遵循西尔斯医生的全面健康指南，保障孩子的健康

在这个章节中，我们将提供建议，指导你如何做到“多保健，少吃药”。在下面介绍的身体各个系统中，如果你的孩子有与任何一个系统相关的疾病或问题，你按照我们提供的极具可行性的建议，就可以帮助孩子保持身体各系统健康；如果这些系统真的出了毛病，我们的方法也可以帮助孩子痊愈。下面，我们将为你带来可靠的身体各系统保健计划，包括脑、眼、鼻、心、肺、肠道、皮肤、免疫系统和内分泌系统。

长出健康脑

下面几件关于脑的事实，你应该知道：

- 孩子的大脑在出生的头五年发育最快，在头两年内，脑的体积会增大三倍，5 岁孩子的脑容量就达到了成人的 90%。
- 营养对脑部的影响——或好或坏——比对身体其他器官的影响更大。
- 婴幼儿从食物中获得的 60% 的能量都用于脑部发育。
- 学龄儿童从食物中获得的 25% 的能量用于脑部发育和构建。
- 对许多孩子来说，注意力缺失障碍就是营养不良的代名词。

营养和生活方式对脑部发育有着巨大的影响。要给孩子的大脑一个健康的开始，正确地喂养可能是最重要的第一步。下面的七种方法可以帮助你的孩子长出聪明脑：

(1) 吃聪明的食物

多吃鱼！海产品与补充 ω-3 DHA 的食物位居“聪明食物”榜首。(海产品为什么适合大脑？请见 P036。)

蓝莓。蓝莓能帮助孩子长出“美极了”的头脑。它深蓝色的果皮中充满

了植物营养素类黄酮，这些抗氧化剂或“植物素”（“植物素”的解释请见 P035）能让孩子的血脑屏障（blood/brain barrier，BBB）保持健康。BBB 是指脑细胞和供血系统之间的一道薄膜，它就像一个过滤器，能够阻止有害物质进入大脑，同时允许健康物质通过。蓝莓能够增强神经递质的功能，或者说，增强神经彼此“交谈”的能力。蓝莓还能消炎，避免孩子变成“红孩儿”（见 P036）。

绿色食物。孩子应该吃的不只有蓝莓，还有绿色蔬菜。上文中提到蓝莓含有多种健脑成分，这些成分也同样存在于绿色蔬菜中，如菠菜、白菜、绿色羽衣甘蓝、芦笋和绿叶莴苣（如长叶莴苣和芝麻菜）。

坚果。疯狂地给孩子吃坚果吧！核桃名列健脑坚果榜首，因为核桃中的 ω-3 含量最高。对于幼儿和学龄前儿童（这个年纪的孩子可能会被坚果噎住），坚果酱是最好的选择。孩子从一岁起就能吃大部分坚果酱了，不过花生酱应该等到两岁以后再开始吃，以预防花生过敏。

“聪明的”碳水化合物。孩子的头脑极度渴望碳水化合物——大脑需要许多糖来构建，可你的孩子需要的是膳食中正确的碳水化合物。两件怪事儿使得大脑对碳水化合物尤为敏感：第一，大脑不需要胰岛素就能利用糖，而身体其他组织则与此相反，它们需要胰岛素才能将糖导入细胞获取能量；第二，与身体其他组织不同，大脑不会储存葡萄糖，所以要构建健康的大脑，我们得稳定提供糖。

什么是“正确的碳水化合物”，什么又是“错误的碳水化合物”？或者说，什么是“好碳水化合物”，什么是“坏碳水化合物”？你可以这样向孩子解释：“聪明的碳水化合物有两个朋友，蛋白质和纤维，它们三个总在一起玩儿。这两个朋友可以防止碳水化合物过快地冲进大脑，让大脑变得过于激动。坏的碳水化合物，或者说垃圾碳水化合物，它没有朋友，只好自己玩儿。你吃下垃圾碳水化合物的时候，没有朋友能拉住里面的糖，所以它一下子就会冲进你的血液和脑子，让大脑过度兴奋。聪明的碳水化合物都在大自然中，包含在水果、蔬菜和全谷物里，而垃圾碳水化合物住在包装袋和瓶子里。最最垃圾的碳水化合物就是加糖饮料。”

钙。钙是一种重要的营养物质，不但有利于骨骼的发育，也有利于脑部发育。乳制品、加钙谷物、深绿色蔬菜与加钙橙汁都是钙的最佳来源。

奶昔。多年前我们认识到，富含蛋白质和营养的奶昔是一天最好的开始，我们诊所里有许多孩子也开始这样吃早餐了。下面我们列出奶昔的基础成分（你

聪明食品 Vs 垃圾食品

巧合的是，对整个身体有益的食品同样也是对大脑最好的食品。

聪明食品	垃圾食品
· 蓝莓 · 深绿色蔬菜 · 坚果 · 正确的碳水化合物 · 三文鱼	· 阿斯巴甜 · BHT 及其他防腐剂 · 纤维含量低的碳水化合物 · 食用色素 · 氢化油 · 水解植物蛋白 · “液态糖”：加糖饮料 · MSG（味精）

可以尝试调整各成分的分量以达到最佳口味）：

- 亚麻籽粉或亚麻油
- 冷冻水果：蓝莓、草莓、芒果、木瓜、菠萝、香蕉、猕猴桃
- 有机奶（牛奶或其他奶）、果蔬汁（石榴、胡萝卜及其他蔬菜）
- 有机酸奶
- 含多种维生素和矿物质的蛋白质粉

加入下列特别添加物，按照口味来调整分量：

- 肉桂
- 海枣
- 蜂蜜（一岁后方可食用）
- 石榴籽
- 花生酱
- 葡萄干
- 菠菜叶
- 豆腐
- 小麦胚芽
- 乳清蛋白质粉

你可以挑选几种基础成分，自由发挥。奶昔开始时可做得简单一点，以免孩子怀疑你偷偷加了什么不好的成分，等到孩子养成了早晨喝奶昔的习惯，再加入那些更健康的添加物。

（2）少食多餐

少食多餐有利于孩子的脑部发育。因为大脑无法储存葡萄糖，所以它需要健康稳定的糖类来源——不多也不少。稳定的血糖意味着稳定的神经机能和情绪。对脑部发育而言，少食多餐营养食物比多食少餐更好。我们通过深入探究食物与情绪的关系得知，健康食品的关键在于稳定的胰岛素水平。在孩子的身体里，各种激素协同工作，犹如交响乐队里的各种乐器，而胰岛素掌控其他激素，犹如乐队中的指挥。当胰岛素水平稳定时，孩子体内的其他化学物质就能保持平衡，或者说激素平衡，奏出美妙的健康交响乐。

要保持胰岛素水平稳定，我们要遵循“2”原则：每天的餐数增加为原来的 2 倍，每餐吃 1/2 的分量，咀嚼 2 倍时间。这是我们最简单也最实用的营养诀窍之一，在本书中，你将多次看到它的出现。要保持稳定的情绪、提高专注力和学习能力、保持体重，这一原则尤为重要。

(3) 吃好早餐

给孩子吃有利于脑部发育的早餐。正如老人们常说的：“早餐是一天中最重要的一餐。”研究表明，营养早餐应富含蛋白质及有纤维的碳水化合物（全谷物、水果、酸奶、燕麦片和蛋），吃营养早餐的孩子上到高年级时在课堂上的注意力更集中、表现更好，因病缺勤的情况也更少。

了解更多

我们出版的书籍《社区里最健康的孩子》(*The Healthiest kid in the Neighborhood*) 是一本极具可读性的家庭健康计划。书中有整整一章讲述了如何为脑部提供合适的膳食，并列出了有利于脑部发育的早餐食谱。

(4) 吃得“纯粹”

各位家长，你的孩子正在发育的大脑无法承受许多加工食品中的垃圾成分。在脑部构建过程中，如果你给孩子的大脑喂垃圾食品，你就会得到垃圾的学习能力和垃圾的行为。许多化学食品添加剂，例如 P016“垃圾食品”名录中列出的那些,会损害脑细胞中被称作“线粒体”的部分，这种小小的细胞器位于细胞中心，其作用类似给细胞提供能量的电池。垃圾食品又被叫作兴奋性神经毒素，它们会让神经递质的活动（大脑的信息处理系统）失衡。我们认为，从未有研究证实过食品添加剂对成人是安全的，而孩子正在发育的大脑比成人敏感得多。就连美国食品药品监督管理局 (Food and Drug Administration，FDA) 也认为食品添加剂的状态为“GRAS”，意思是说“基本可看作安全”。你想把这些仅仅是“基本可看作安全”的玩意儿塞进孩子正在发育的身体与大脑里吗?

有一天，在我们的办公室里，一位妈妈捧着一杯星巴克咖啡问道：“给孩子花那么多钱买有机食品真的值得吗？”我们回答：“你孩子的大脑值多少钱？”要省钱，不如少给孩子买些没用的塑料玩具，他们根本不需要。蔬果中的杀虫剂会损害孩子正在发育的身体和大脑，环境污染物对大脑的毒害尤为显著，这些污染物会储存在脂肪中，而大脑主要是由脂肪构成的。此外，婴幼儿体内的脂肪含量比成人更高（婴儿肥），因此杀虫剂对他们的毒害作用更大。另外，新的研究表明，有机食品中的维生素和矿物质含量更高，花更多的钱买更好的食物，最终会让你省下一大笔医药费（鲍勃医生是 HappyBaby 有机婴儿食品的顾问，是他向我们提出了吃有机食品的重要性）。

（5）运动

运动是最好的健脑方式之一，原因如下：

运动会增加流向大脑的血液。增加流向身体某个器官的血液，尤其是大脑，就像是给花园浇水施肥，更多的血液意味着更多的营养。当你运动肌肉，尤其是剧烈运动手臂和腿部的大块肌肉时，你的心脏会更加有力地搏动，将更多血液泵入脑部。

运动促进脑部发育。运动会刺激身体释放出神经生长因子（nerve growth factor，NGF）。NGF 像是植物的肥料，孩子的每一次运动，都是在给身体中正在发育的那棵最重要的“植物”——大脑——施肥。

运动舒缓情绪。当流向大脑的血液增加，身体会释放出“感觉良好”的生化物质，它有天然的镇静作用。

运动保持胰岛素稳定。稳定的胰岛素意味着稳定的血糖，进而意味着大脑能得到足够的燃料。

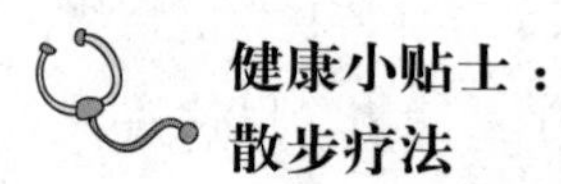

健康小贴士：散步疗法

如果你的孩子看起来有些紧张或焦虑，带他去散散步吧。散步会帮助他的大脑放松下来，让他能够静静地坐下来写一会儿作业。

（6）保持冷静

生物学上有一个不幸的事实：创造最多压力的器官大脑，恰好最不能承受压力。在我们生命的两端——脑部发育最初的五年和大脑老化的最后一二十年，中枢神经系统组织最难以承受血液中高水平、长时间的压力激素带来的影响，它会给脑组织造成损伤。慢性、无法缓解的紧张给发育中的大脑带来的影响被称作糖皮质激素神经毒性（glucocorticoid neurotoxicity，GCN）。这个词儿看起来很复杂，它的基本意思是说，高水平的压力激素会损害敏感的脑组织，降低葡萄糖进入脑细胞的能力，导致脑部神经递质水平下降，使得大脑处理信息的速度变慢，而这一过程又会进一步导致人意志能量降低、情绪不稳定，造成控制力和专注力的波动。

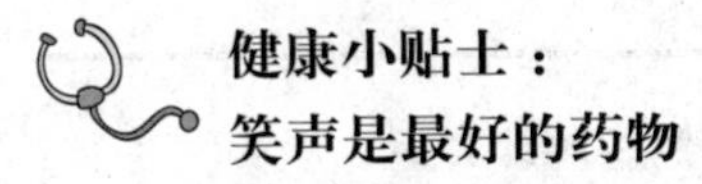

健康小贴士：笑声是最好的药物

让孩子周围充满能让他情绪愉快的人和事，尽可能让他脑子里装满积极快乐的想法。我们对大脑进行正电子发射扫描后发现，如果人表现出积极或消极的态度和想法，中枢神经系统通路就会随之改变。把“别担心，高兴点儿”变成家人的口头禅吧，消极的想法是情绪的毒药。我们还发现，音乐也能舒缓人的情绪。

(7) 让大脑“动起来”

“用进废退”的生物法则不仅适用于肌肉，也同样适用于脑部发育。孩子脑部发育的过程就像是把无数根电线连成网络。我们前面列出的“聪明食品”能帮助这些电线保持绝缘，加速信息传递，同时也能够为电线插上多个接头，与其他电线很好地连接起来，而“垃圾食品”则会导致电线磨损，引发短路。可是除了给大脑提供健康的营养以外，你还必须做一件事情——让孩子的大脑“动起来”，这样才能尽可能地促进孩子的智力发育。要刺激神经的发育和连接，最好的方法莫过于父母与孩子面对面地互动，如读书给孩子听，带孩子玩互动游戏、动手游戏，给孩子讲故事、过家家，一起欢笑，一起唱歌，一起画画，一起上色等。在此，我们要提出最重要的一条建议：在孩子生命的最初两年，关掉电视。研究表明，小朋友看电视或视频越多，长大后出现学习和行为问题的可能性就越大，一些原本意在刺激婴幼儿发育的视频实际上却减缓了脑部发育。如果你不得不偶尔用电视来哄孩子，请控制在 30 分钟以内并选择有音乐的节目。

健康小贴士：发现孩子的特别之处

对于孩子特别的智力天分，你发现得越早，培育得越早，给孩子正在发育的大脑带来的影响就越持久。如把孩子的大脑想象成一个巨大的文件柜，你希望往里面存储什么文件？孩子的大脑里能够存储的文件越多，他接下来的生命中能回放的东西也就越多。如果你的孩子有音乐天赋，尽早让他开始学习。

提高孩子的“眼商”

眼睛的视网膜组织是大脑的一部

分，所以，有利于大脑发育的方法也就有利于眼睛发育。下面，我们介绍四种促进孩子视力发育的方法：

(1)“喂养”发育中的眼睛

和大脑一样，视力的发育也会受到食物或好或坏的影响。

海产品就是“视产品”。视网膜组织有一半是由DHA构成的，野生三文鱼之类的冷水鱼中富含这种主要的ω-3脂肪。保证你的孩子每天摄入至少300毫克DHA，其来源最好是冷水海产品，也可以服用ω-3 DHA补充剂（补充剂见P097）。野生三文鱼体内还有一种粉红色的物质名叫虾青素，对眼睛也很有好处。虾青素是一种强效抗氧化剂，能够避免敏感的视网膜组织磨损撕裂，同时还能保护视网膜不被过于强烈的阳光灼伤，可以把它看作是眼睛里的太阳镜。

“美极了”的好眼睛。蓝莓之类的浆果中的紫色素被称作花青素，它能够帮助眼睛适应光线强度的变化。

绿色食物。类胡萝卜素(在蔬菜中，尤其是绿色蔬菜中的一种营养物质）也能起到自然太阳镜的作用。叶黄素和玉米黄素都是类胡萝卜素，它们能够过滤紫外线，防止敏感的眼部组织受损。要构建类胡萝卜素太阳镜，最好的食物是羽衣甘蓝、绿色羽衣甘蓝、瑞士甜菜、菠菜和西蓝花。将这些绿色蔬菜拌成沙拉吃更好，因为橄榄油中的脂肪能够促进类胡萝卜素的吸收。告诉孩子，要想眼睛好，多吃绿色菜。

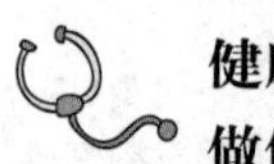

健康小贴士：
做份益视沙拉

把所有最佳的益视食物（比如菠菜、芝麻菜、蓝莓、核桃和橄榄油）拌在一起，最后铺一片野生三文鱼。早点儿开始给幼儿吃这样的食物，他们会喜欢上这个味道。

(2) 遮住小眼睛

你有没有注意到，那些不戴帽子和太阳镜的浅肤色孩子常常会有点儿眯眯眼？因为他们的眼睛一直在试图保护自己免遭晒伤，所以只好眯起来避免太多光线进入眼睛。但是这么做时间一长，眼眶周围的骨头就会看起来像是要遮住了眼睛一样，造成永久性的眯眯眼。发育中的眼睛对阳光的过度照射尤为敏感，夏天我们经常能看到孩子的眼睛晒得又红又肿，像是得了结膜炎一样，这种“日晒性结膜炎”是眼白的内衬对过度日晒的反应。眼科医生建议孩子最好不要戴玩具太阳镜，因为它只能遮住眼睛，导致婴儿的瞳孔放大，从而让更多有害的紫外线进入眼睛。正确的做法是，给孩子戴标有 UVA 和 UVB 防护指数的儿童太阳镜，想了解更多太阳镜，请见 P519。戴帽子也很重要。

(3) 休息小眼睛

过长时间盯着电脑屏幕会导致近视，告诉孩子要经常小憩一下，让眼睛得到休息。

(4) 照亮小眼睛

不恰当的照明会让眼睛疲劳。别让孩子在黑屋子里对着明亮的电脑屏幕发呆，也别让孩子在昏暗的光线下看书。孩子用眼时确保周围有足够的环境光。

保持干净的小鼻子

鼻腔卫生的重要性怎样强调都不为过。要让孩子保持健康，让小鼻子保持干净是最重要也最简单的方法之一，可家长们却常常忽略了。婴儿更喜欢通过鼻子而非嘴巴呼吸，所以他们的鼻子一旦堵住，整个呼吸机制都会停顿，而且小鼻子也是大多数微生物进入身体的"大门"。要保持干净的小鼻子，下面就介绍一些久经考验，同时也是我们在医疗实践中最常用的方法：

"冲鼻子"加"蒸汽浴"

记住小节标题里的这两个短语，因为在本书中你会再三看到它们。我们建议家长尝试下列所有方法，选择对孩子最有效的几种，将"冲鼻子"加"蒸汽浴"进行到底。

(1) 用盐水冲洗小鼻子。你可以自制盐水滴鼻液（1/4 茶匙盐加 230 毫升水）或是从本地的药房、超市购买调制好的喷管式盐水（盐液）。将几滴盐水喷入孩子堵住的鼻腔，再用吸鼻器轻轻将松动的分泌物吸出来，吸鼻器在本地的药房就能买到。经常清理鼻腔的人把这种方便的小玩意儿称作"鼻涕收集器"，大一些的孩子可以学着自己擤鼻子。鼻腔冲洗行业正在蓬勃发展，这恰逢其时，因为多年来它最受忽视却又最有需求市场。市面上有多种鼻腔冲洗设备，能以不同的压力将清水、盐液或是喷雾喷入鼻腔，有点儿像是洁牙用的洗牙器。家长也可以用一种特制的小壶来清理鼻腔，我们的小病人把这玩意儿叫作"阿拉丁神灯"，因为看起来真的很像。十多年来，我们一直向 8 岁以上的儿童推荐这种洗鼻壶，它是冲洗鼻腔、清理鼻窦堵塞的最佳工具，尤其适合经常流鼻涕或鼻窦感染的孩子。洗鼻壶的包装上有使用说明，基本上来说，先将温盐水装进壶里，让孩子的头侧向一边，然后把壶嘴对准上方的鼻孔缓缓倾倒。盐水会流进上面的鼻孔，再从下面的鼻孔流出来，同时冲洗鼻子，带走鼻窦里的黏液。最开始的时候，有些孩子会觉得很可怕，可是只要尝试过一次，家长再好好哄一哄，孩子们会发现洗过以后感觉和呼吸都会好很多，他们会心甘情愿地成为拥趸。

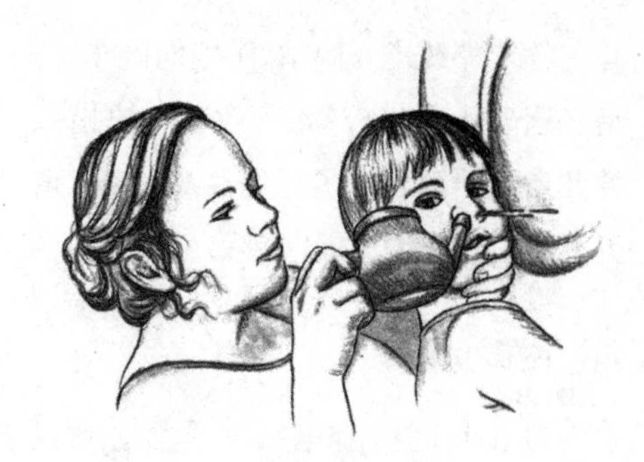

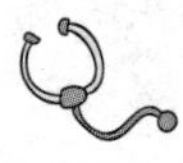

健康小贴士：坐起来冲鼻子

孩子平躺着冲洗鼻子会觉得害怕，所以让他直着坐在你的腿上冲鼻子更好。

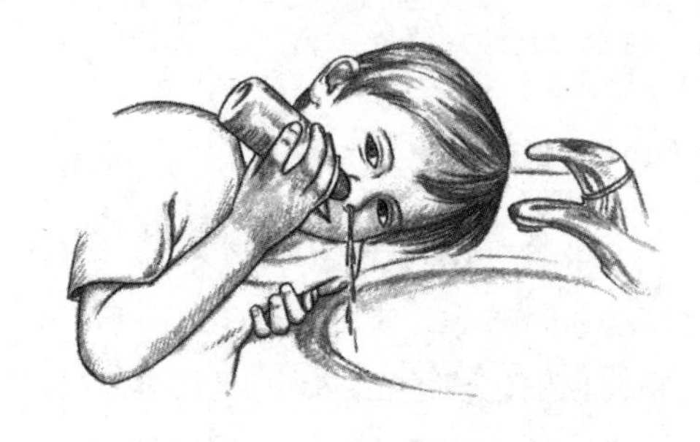

（2）**给气道做个“蒸汽浴”**。把浴室门关上洗个热水澡，在家也可以做蒸汽浴。一边照顾宝宝或是陪他玩耍，一边让他呼吸15分钟聚集的蒸汽，对他的鼻腔清洁很有好处。蒸脸器也很有用，它不但能够最好地清洁鼻腔气道和鼻窦，而且很有趣。首先，家长要让孩子习惯于看到你使用蒸脸器，哪怕你不并需要用它治病，许多女性也使用蒸脸器自己在家美容。用完以后，你要让孩子看到你高兴地夸赞：“啊，我的脸好舒服。”然后让孩子试试。让他坐在电视机前的沙发上，把蒸脸器放在桌上，下面垫几本书，这样孩子就能舒舒服服地坐在沙发上，把脸埋在蒸脸器上看电视，根本就注意不到自己的鼻子正在接受保健。

（3）**加湿器是个好东西**。孩子的鼻子不适合中央暖气。暖气开着的时候，加湿器也应该开着。暖雾加湿器不但能够滋润空气和呼吸道，还能带来双重的好处：将水加热到蒸发能起到消毒的效果，蒸汽凝结的时候又会在房间内放出

热量，让你能够关掉或者调小让空气变得干巴巴的中央暖气。蒸汽可能造成烫伤，所以请把加湿器和电线放在婴幼儿够不到的地方。让孩子卧室的相对湿度保持在 50% 左右，你可以在五金店中购买一个湿度计，很便宜。如果卧室里的湿度过高，可能会导致过敏源与霉斑的形成，而湿度过低则会使皮肤干燥，尤其是在冬天。

拥有健康的心脏

也许你觉得心血管疾病只出现在成年人身上，可事实并非如此。一项在路易斯安那州进行的心脏研究对 14000 位 5 ～ 17 岁的儿童和青少年进行了调查，发现参与调查的大约半数超重儿童和青少年已经有了早期心血管疾病的征兆，或是那些我们称之为“高”的疾病——高胆固醇、高血脂、高血压。研究显示，过度肥胖和冠心病的早期征兆甚至会出现在学龄前儿童身上。因为如今有许多孩子吃了太多错误的食物，且坐着不动的时间太长，他们在发育中早早地出现了“心脏负担过重”的现象。研究表明，胆固醇水平过高的孩子罹患高胆固醇、高血糖、高血压的风险是成年人的三倍，就算是那些在成年期发作的心脏病，它们的源头也多在于童年期。

要预防心血管疾病，长出健康的心脏，我们应遵循两点：

- 吃有利于心脏健康的膳食（请见 P036“多吃鱼！”,P016“聪明食品”和 P038“治愈食品”）。
- 多动！

运动为什么有利于心脏健康

发育中的身体健康程度，取决于为它提供养料的血管的健康程度。让我们做一个有趣的健康练习，带着你的孩子身临其境地去血管里“逛一圈”。对于那些年纪较大的好奇小病人，我们是这样解释的（对 10 岁以下的孩子，你可以再简化一下描述）：

你可以把血管想象成橡胶管。心脏向管子这头泵入血液，血液就会从另一头的许多更细的管子里流出来，滋养身体各个组织。

当然，心血管系统不光是一大堆管子，内皮（血管的内衬）还是人体最大的内分泌器官。动脉内部数以亿计的内皮细胞可不是白吃干饭的——它们会干活。当你运动的时候，血液流经血管内表面的速度就会加快，就像是高峰期过后高速公路上的车流。

血管内衬里有专门的腺体，它就像是你体内的大药房。当血液快速流经这些腺体，小药瓶就会打开，根据身体的需要释放出为你量身定制的药品，进入血液。值得一提的是，这些腺体会产生降低“高”的药品——高血压、高血脂、高血糖——这正是导致心血管疾病的三大原因。

运动能够帮助血管内衬自我修复，就像是高速公路上的养路工修整繁忙的交通造成的路面损伤。如果你的血管生了锈，就会造成堵塞，最终切断血液供应，你的身体器官就无法正常地发育构建。如果你多运动，那么你血管里的养路工就会修复血管，保持通畅，你的大脑、心脏、肌肉和全身所有器官就能得到足够的血液，让你能够好好学习、成长和玩耍。

健康小贴士：
检查孩子的胆固醇

根据美国儿科学会的建议，青春期之前不需要定期检查孩子的胆固醇。不过如果学龄前儿童有下列情况，就应该检查一下胆固醇水平：

- 你或你的父母有心血管疾病史，或是在55岁前罹患心血管疾病。
- 你有高胆固醇血症的家族病史。这是一种胆固醇代谢异常疾病，会导致皮肤及动脉中储存的脂肪过多，它出现的年龄可能会很早。

可是，如果你整天坐在那儿吃垃圾食品，你的血管内壁就会从光滑变得粗糙。约翰尼叔叔（或者家里随便哪个得了心脏病的亲戚）就是这样的。他没有好好照料自己的血管，于是血管就堵住了，他的心脏就出了问题。

你的血管里是什么样？

又闷又堵，粗糙不平，内皮功能失调

血流通畅，内表面光滑，健康的内皮

降低孩子胆固醇的五种方法

（1）**动起来！**运动会增加好的胆固醇（高密度脂蛋白，HDL），同时还可能降低所谓的坏胆固醇的（低密度脂蛋白，LDL）。运动是最有效的降胆固醇的“药物”之一，而且没有任何令人不快的副作用。

（2）**少食多餐！**少食多餐的人比狼吞虎咽（每天吃足三顿大餐）的人胆固

醇倾向更低（少食多餐的好处见 P041；吃饭的“2”原则，见 P027）。

（3）**保持苗条**！减掉多余的身体脂肪，自然就减掉了多余的胆固醇。

（4）**吃含有好脂肪的食物**。不一定要吃低脂食物（脂肪，见 P098）。

（5）**吃低胆固醇食物**。下面这些食物有降低胆固醇的功效：

- 大豆蛋白
- 富含纤维的食物，如麦麸、西梅干和豆类
- 坚果

新的研究表明，胆固醇并非一无是处，这和我们一贯的认识不同，它可能不是心血管疾病的主犯，而且发育中的孩子需要一些胆固醇。事实上，婴儿最好的营养品——母乳中就有中等含量的胆固醇。所以，不要特意给孩子吃低胆固醇的膳食，除非你的医生这样建议。

拥有健康肺

孩子的健康程度取决于他们呼吸的空气。保持肺部健康最重要的两点：呼吸健康的空气，拥有健康的呼吸道。

帮助孩子呼吸洁净的空气

你在精心给孩子吃洁净食物的同时也应该竭尽所能让他们呼吸到洁净的空气，这是一项长期而细微的工作。比如说，你正在开车，前面有一辆大巴或是大卡车正在喷出废气，你的脑子里应立刻亮起警灯：“不能让我的孩子呼吸这样的空气。”于是你超过前面的卡车，或换条路线或摇上窗户；避免选择污染源下风处的托儿所和幼儿园，比如说在高速公路立交桥附近。写一张单子，列出你能做到的所有日常改变，帮助孩子呼吸到洁净空气。如果孩子过敏，请使用空气净化器，尤其是在孩子的卧室里（家庭预防特定过敏，见 P138）。

给孩子湿润的空气

冬天最好关掉暖气，打开热蒸汽加湿器。冬季，中央暖气吹出的干燥空气会使鼻腔和支气管的分泌物变厚，极大地损害婴儿细小的气道，而且就像池塘里的死水一样，黏液在气道内停留的时间过长会引起感染。如前所述，加湿器可以让冬季干燥的空气变得湿润，有利于鼻腔，此外，它还能够充当健康稳定的夜间热源。不过要小心：加湿器可能造成烫伤，请一定把加湿器和电线放在小手够不到的地方。

深呼吸，放松！

你多半听奶奶说过：“深呼吸一下。”从生理学上说，奶奶是对的。悠长的呼吸能够“关掉”神经系统中让你紧张的部分，“打开”放松的部分，从

请勿在儿童周围吸烟！

大家都知道香烟会损害儿童的呼吸系统，不过我们还是要提醒一下：

如果你正打算带着孩子进入一间屋子，这时候你注意到一块牌子，上面写着：警告！本房间中充满有毒气体，该气体中含有四千多种化学物质，其中某些与癌症、哮喘、肺部损伤和婴儿猝死综合征（Sudden Infant Death Syndrome，SIDS）有关。你肯定不会带孩子进去，对吧？可是如果你带着孩子进入一间经常有人吸烟的屋子，面临的正是这样的情况。坐在餐馆的“禁烟区”固然有所帮助，可还是不够，因为禁烟区就像是用氯给半个游泳池消毒，污染物仍会通过空气传播。如果某间餐馆里到处都可以吸烟，那就别光顾，这样的地方对你的家庭不好。事实上，你担心孩子罹患的几乎每一种疾病，其患病风险都和孩子周围的烟雾水平成正比。

家长吸烟的孩子，因为呼吸道感染来看医生的次数超过其他孩子的两倍，原因如下：孩子的呼吸道内壁满是微小的丝状物，叫作纤毛，它们像海底的水草一样来回摇摆，清理气道中的黏液。若有微生物、刺激物或污染物进入气道，这些纤毛和它们周围的黏液就会像微型传送带一样把有害物质搬运到合适的地方，孩子就能通过咳嗽或是喷嚏将它排出。而香烟会麻痹这些纤毛，让传送带停下来，黏液和微生物就堵住了，造成肺部感染（吸烟，见 P494）。

因此，孩子周围，不得吸烟！

而舒缓情绪。悠长、缓慢的呼吸会降低循环系统的压力激素水平，这种简单的情绪舒缓法越早教给孩子越好。

给孩子健康的肠道

肠道紊乱是儿科第二常见的疾病，仅次于呼吸道疾病。也许你觉得肠子不过是一根很长的管子，帮助食物从嘴巴进入血液系统，可实际上，肠道的功能十分复杂。肠道里神经的数量仅次于大脑，所以才有人称之为“肠脑”，它是孩子免疫系统中最重要的组成部分，肠道越健康，免疫系统就越健康。下面有七种方法可以帮助孩子拥有健康的肠道：

（1）**少食多餐**。西尔斯医生的“2”

原则也许是目前最简单的家庭科学肠道保健法：

- 吃 2 倍餐数
- 每餐吃 1/2 分量
- 咀嚼 2 倍时间

这种简单的进餐方法能够让消化道的上端承担更多工作，给下端足够的休息时间。

（2）**健康饮食**。请参考 P431 的营养建议（交通灯饮食法）。进入肠道的食物越健康，肠道的表现就越好。

（3）**小口吃**。孩子喜欢把嘴巴塞得满满的，这不光会导致过度进食，还可能造成消化不良。给孩子一把小叉子，把食物切成小块。

健康小贴士：
流食打造健康肠道

在医疗实践中，我们经常推荐由水果、酸奶和磨碎的亚麻籽调成的奶昔（食谱见 P016）。流食几乎适用于所有肠道不适或疼痛。把食物混合起来可以促进吸收，减少胃灼热，缓解便秘，因为搅拌机完成了大部分的消化工作，减轻了肠道负担，所以减少了未消化的食物进入结肠。纤维对肠道也很有好处。

（4）**细嚼**。急性子的孩子吃东西总是狼吞虎咽，然而食物在嘴里咀嚼得越充分，消化系统另一头的磨损就越少。妈妈们老爱说“多嚼嚼”，这从生理学上说是对的。消化从嘴巴开始，咀嚼会磨碎纤维，将食物混合起来，而消化酶的作用对象是经过充分咀嚼的食物颗粒。咀嚼能够刺激唾液的分泌，润滑食道，让食物更容易通过，同时还能保护食道内壁免遭胃酸刺激。唾液中含有丰富的酶，能够提前消化食物。唾液被称作人体的“健康果汁”，因为它还含有一种名为表皮生长因子的物质，能够帮助修复发炎的肠组织，这也许能够解释动物为什么会舔舐伤口。教会孩子细细咀嚼，每口食物至少嚼十次。

（5）**慢咽**。吃饭要慢，缓慢进食会给消化系统上端留出更多的工作时间，防止过度进食。你可以在孩子吃饭的间隙问他问题，鼓励他回答。如果孩子吃饭太快，胃就没时间给大脑发出“已经够了，我吃饱了”的信号。

（6）**把食物分成小份**。孩子胃的大小和拳头差不多，下次你端出去满满一盘意大利面的时候，最好把盘子放在孩子的拳头旁边，看看大小相差多么悬殊。每次在盘子里装一个拳头大小的食物，如果不够再添，让孩子自己盛饭更好。研究表明，孩子给自己盛的饭通常比别人盛的少。

健康小贴士：

吃小份，好肠道，孩子更苗条

让孩子小口吃小份食物、细嚼慢咽，他们就会更倾向于吃合适的分量，很少过度进食和体重超标。

（7）益生菌：孩子碗里的“益虫”。 也许你并未注意到这一事实：孩子体内最大的免疫器官是肠道，所以你把孩子的肠道照顾得越好，孩子的免疫力就越强。还有一句医学上的老生常谈适用于所有人：“结肠的健康度决定你的健康度。”要保持结肠健康，合适的细菌是最好的“药物”之一。

让我们来看看结肠健康小百科。你的大肠里通常住着数以亿计的细菌，为了报答温暖的居住环境，它们会做一些有益于肠道的工作。我们喜欢叫它们“碗里的虫子”，它们还有个名字叫作肠道菌群，因为它们是培育结肠健康进而培育全身健康的沃土。除了结肠里有益于健康的细菌以外，有害细菌也会通过食物进入人体。这些有害细菌（它们会导致腹泻或胃肠炎之类的肠道紊乱）大部分会被胃酸杀死，不过少数漏网之鱼会进入结肠。要保持结肠健康，就得让健康细菌的数量多于“害虫”。健康细菌又叫益生菌，因为它们有利于健康。

益生菌对肠道的积极作用如下：

- 提高肠道免疫力。胃肠道是人体最大的免疫器官，益生菌能增强肠道内壁的免疫力，促进免疫球蛋白 IgA 的增长，增加肠道黏液的厚度，这些黏液会像防护漆一样阻止有害细菌通过。益生菌还会与有害细菌竞争，从而抑制它们的生长，减轻它们造成的破坏。
- 营造健康的肠道环境。益生菌能产生乳酸，在肠道内营造出更偏酸性的环境，帮助好细菌生长，抑制有害细菌。如果你正在服用抗酸药治疗胃灼热，保持弱酸性的肠道环境尤为重要。
- 减轻肠道过敏。益生菌能够刺激生长因子的出产，抑制过敏反应，广泛地增加肠道内壁对食物的宽容度，从而达到抗过敏效果。这些生长因子有助于减轻胃肠炎、结肠炎和炎症性肠病（inflammatory bowel disease，IBD）。
- 制造健康养分。益生菌能发酵食物中的部分纤维，形成短链脂肪酸（short-chain fatty acid，SCFA），滋养结肠内壁细胞，刺激这些细胞的修复，降低患结肠癌的风险。这些短链脂肪酸还会被吸收到血液里流到肝脏，减少肝脏的胆固醇产量。SCFA 还能抑制肠道中酵母菌与有害细菌的生长。

你也许还听说过“益生元”，它是指喂养益生菌的难消化的碳水化合物，例如纤维。益生元可以看作碗中“益虫”的食物。你吃下益生菌和益生元，从本质上说是在喂养身体的免疫系统，让它更好地工作。

肠道食物推荐。下面，我们推荐几种促进肠道健康的益生菌和益生元来源：

- 多喝酸奶。酸奶和克非尔酸奶酒之类的发酵乳制品是益生菌主要的膳食来源。酸奶生产过程中会添加多种“益虫”，保加利亚乳杆菌和嗜酸乳杆菌便是其中最广为人知的两种。请喝有机酸奶。
- 多吃益生元。含有益生元的食物，成分标签上通常会有碳水化合物——果寡糖（fructooligosaccharides）。另一个关键词是菊粉，这种益生元是多种健康食品的重要成分，例如 Stonyfield Farm 牌酸奶。含有自然益生元的食物包括全谷物、水果和蔬菜（例如洋葱、大蒜、韭葱和洋蓟）。你经常会看到健康食品宣传说“含有益生元及（或）益生菌”，比如 HappyBaby 有机婴儿食品。
- 服用益生菌补充剂。除了建议你一周至少喝几天酸奶以外，你的医生或许还会建议你给孩子吃益生菌补充剂。益生菌补充剂有很多种，最常见的是嗜酸菌类。这些补充剂的功效没有明显的高低之分，形态多种多样，有液体、粉末、胶囊和珠状药丸，可以混合在任何冷的食品或饮料中，按照包装上注明的剂量服用即可。如果生产方没有给出婴儿的服用剂量，通常来说，两个月以上的婴儿按照儿童剂量减半服用是安全的。

科学依据。数百种科学研究表明，益生菌有多种健康益处。医学研究中最常用的益生菌是鼠李糖乳杆菌（Lactobacillus GG，LGG），不过其他大多数益生菌多半也有相似的益处，例如：

- 幼儿园里服用 LGG 的孩子更少罹患呼吸感染，因病缺席的情况也更少。
- 腹泻儿童服用 LGG 能让腹泻的持续时间减半。
- 住院儿童如果服用 LGG 加以预防，发生急性腹泻的可能性会降低 80%。
- 已观察到益生菌能改善湿疹。
- 已观察到罗伊氏乳杆菌能减轻婴儿肠绞痛。
- 服用 LGG 的孩子发生蛀牙的风险比不服用的对照组低 47%。

健康小贴士：
益生菌配合抗生素使用

在儿科医疗实践中，我们通常会给抗生素治疗中的孩子开益生菌，疗程结束后还会给孩子服用至少两周益生菌。抗生素不仅能杀死引起感染的微生物，还有肠道里的有益菌，这便是孩子吃了抗生素以后常会发生腹泻的原因之一。给孩子开益生菌可以补充肠道里被抗生素破坏的健康细菌。

给孩子健康的皮肤

婴儿肌柔软光滑，人人爱不释手，可孩子的皮肤也会起疹子、瘙痒。皮肤受到刺激是孩子夜间惊醒的一大原因，也是家长最常咨询医生的问题之一。首先，我们来学习皮肤知识小百科：

皮肤是人体最大的器官，所以照料皮肤很重要。婴儿的皮肤有其特殊性，更容易起疹子：

- 表皮（外层皮肤）是皮肤的表层，它的厚度和一张纸差不多，主要成分是一种十分坚固的材料——角质，它的作用类似护盾。皮肤的外层细胞会不断脱落，每几周就自我更新一次。所以实际上，孩子的皮肤几乎每个月都会换件新“外套”。而婴儿肌肤的表层更薄，因为它暴露在外接受环境考验的时间还太短。因为表皮层薄，婴儿的皮肤对刮擦之类的刺激更为敏感，当这层薄薄的保护层受损，婴儿肌肤就容易受到感染起疹子。
- 婴儿肌肤不但表层较薄、保护性较差，下层（真皮层）中产生黑色素的细胞也较少，所以更容易晒伤（黑色素能够加深皮肤颜色，保护皮肤免遭阳光中紫外线 [UV] 的损害）。当皮肤暴露在阳光下，这些细胞会快速产生黑色素，加深皮肤颜色，隔绝紫外线的损害。
- 真皮层中含有许多有利于皮肤健康的物质，其中包括胶原蛋白（蛋白质形成的纤维结构）和弹性蛋白（它会像海绵网一样为皮肤提供强支撑）。成人的皮肤薄而下陷，里面的纤维弹性很差，而婴儿肌肤里的纤维就像床垫里的弹簧，让肌肤充满弹性。
- 真皮层富含分泌皮脂的皮脂腺，皮脂通过毛孔的自然通道上升到皮肤表面，形成一层薄薄的油膜。真皮层里满是果冻似的材料，它们会像海绵一样吸水，是皮肤内部的天然润滑剂。汗腺也蜷缩在真皮层里，汗水会涌到皮肤表面蒸发从而冷却皮肤。

关于皮肤功能与健康的新观点：皮肤的变化、对皮肤的刺激有许多是可以避免的，或者至少可以减轻，只要控制两样东西：你抹在皮肤上的东西和渗入皮肤的东西。

健康小贴士：
教会孩子正确地洗手

微生物会通过孩子小手的接触或是手与鼻子的接触传播。要教会孩子饭前便后、擤过鼻涕后洗手，让他们用肥皂和温水彻底清洁小手，包括手背、指缝和指甲缝。你要告诉孩子，洗手的时间应该有 20 秒左右，唱两遍字母歌刚刚好。

要避免孩子的皮肤干燥脱皮或起疹子，可以尝试以下指导原则：

(1) **滋润孩子的皮肤。**润肤霜能从两方面促进肌肤健康：润肤霜中含有凡士林之类的防护剂，能够像密封层一样锁住水分防止皮肤干燥；另外，霜内还有保湿成分，能够将皮肤深层的水分“运送”到表层，保持肌肤湿润。给孩子擦润肤霜，就像是给孩子的皮肤穿了一层防护衣，这点在干燥的冬天尤为重要。干燥的空气和敏感的皮肤相遇，很容易引起冬季皮疹，如果孩子很容易得湿疹或是过敏性皮炎，患皮疹的风险就更大。暖气开着的时候，空气会对皮肤产生很大刺激，而中央暖气会降低空气湿度，令皮肤干枯，造成脱皮和瘙痒，孩子挠痒痒则又会进一步刺激疹子，造成恶性循环。

(2) **锁住水分和营养。**我们推荐滋润与锁水并重的方法。给孩子洗完澡后，用毛巾轻轻擦干皮肤，留一层薄薄的水渗透到皮肤里，然后给孩子擦润肤霜、油膏或是润肤油，锁住水分。

(3) **滋润卧室空气。**在孩子的卧室里放一个加湿器。如前所述，加湿器会增加卧室里的湿度，避免冬季皮肤干燥，孩子卧室里的相对湿度在 50% 左右是最理想的。

(4) **给发育中的肌肤“浇水”。**水是皮肤和皮下组织最重要的成分。干燥的皮肤更容易瘙痒起疹，而且皮肤受到的刺激越多就越容易干燥。确保孩子每天至少喝每千克体重 60 毫升的水。

(5) **喂养发育中的肌肤。**营养对皮肤的影响很大。脑组织和皮肤组织是由相同的基础细胞发育而来，所以有利于脑部发育的食物同样有利于皮肤。吃这些食物有益肌肤健康：

- 吃鱼！海产品是最好的美肤食品。我们从 1999 年起使用 ω-3 处理皮肤问题，效果十分理想。大多数对皮肤的刺激都是由炎症引起的，而 ω-3 是最好的消炎食品（别让孩子变成“红孩儿”，见 P036)。给宝宝的肌肤“加油”不但能防止干燥，还能促进湿疹或皮疹类疾病的愈合。ω-3 脂肪是最佳的美肤营养品之一，所以应确保孩子平均每天吃下 300 毫克 DHA，来源可以是 ω-3 补充剂，也可以是每周三次吃 100 克左右三文鱼之类的冷水鱼。

- 吃坚果！我敢打赌，你大概从来没发现花生酱或杏仁酱三明治也是很棒的美肤食品。坚果中的健康脂肪、蛋白质、维生素和矿物质能为肌肤提供营养。
- 吃鲜艳的食物！水果和蔬菜的颜色越鲜艳，对皮肤就越有好处。植物营养素（简称“植物素”）是抗氧化剂（又叫“防锈剂”），能预防皮肤发炎。让孩子皮肤中的植物素保持高水平就能远离炎症。

健康小贴士：给孩子的话

我们告诉小病人：“不想长成‘鱼皮肤’就多吃鱼！”

(6) **别用爽身粉。**出于三个原因，我们不鼓励给宝宝洒爽身粉：粉末容易在腹股沟之类的皮肤皱褶中结块，这会加重皮疹；爽身粉对宝宝的皮肤没有任何实际好处；而且，过量的爽身粉可能会被宝宝吸进去，刺激宝宝敏感的呼吸道。

(7) **给敏感的肌肤穿合适的衣服。**患有任何一种皮炎的婴儿通常对羊毛和合成面料都很敏感。给孩子穿柔软透气的棉质衣服，用棉质的床单和毯子。新衣服穿之前一定要先洗一遍，以去除可能刺激皮肤的化学残留物。

(8) **保护成长中的皮肤。**漂亮的婴儿肌肤也很容易被晒伤。在婴儿期和童年期避免晒伤有助于孩子预防皮肤癌，皮肤病学家相信，童年期的反复晒伤会增加成年后罹患皮肤癌的风险。如果你拥有一个皮肤白皙、眼睛湛蓝、长着雀斑的孩子更要小心，这样的孩子对阳光尤其敏感。别被防晒霜营造的安全假象所迷惑，千万别让孩子无防护地在阳光下待太长时间。防晒能帮助你的孩子拥有健康的皮肤。试试这些防晒诀窍：

- 在阳光强烈的天气里，让孩子在阳光最弱的时候享受健康的户外活动，一般是上午 10 点以前和下午 3 点以后，避开阳光最强烈的时间段。
- 给宝宝戴宽檐帽。
- 保护宝宝免遭海滩上沙子反射的阳光晒伤，打伞的位置要合适。
- 给孩子穿特制的防晒衣，这种衣服编织得非常紧密，可以挡住许多阳光。

- 使用带 SPF 的唇膏或润肤霜，保护暴露在阳光下的嘴唇。
- 使用 SPF 值介于 15 和 30 之间的防晒霜，抵御 UVA 和 UVB。如果孩子要游泳，记得使用防水型。含有维生素 C 和 E 的防晒霜更有帮助。
- 防晒霜使用前先在宝宝的前臂小范围试用，以防过敏。
- 隔离霜应在日晒之前即时涂抹，而防晒霜应提前 30 分钟涂抹，让它有充分的时间进入肌肤，发挥防晒功效，每隔几小时应该补涂。

防晒小百科

理解隔离霜与防晒霜的区别。隔离霜是隔绝紫外线——包括 UVA 和 UVB——的物理屏障，通常含有氧化锌或氧化钛，类似护臀膏；而防晒霜在皮肤内部起效，在紫外线造成损害之前将它吸收掉。许多防晒霜的有效成分是对氨基苯甲酸（para-aminobenzoic acid，PABA），它能够遮蔽 UVB 射线，但有的孩子可能对 PABA 过敏。防晒霜的 SPF 值代表防晒指数。SPF15 的防晒霜能够遮蔽 95% 的射线，而 SPF30 的能遮蔽大约 97%。SPF 值 15 到 30 一般就够用了。

对于婴儿，我们建议最好使用隔离霜而非防晒霜。6 个月以下的婴儿也能使用隔离霜，因为可能引起刺激的化学成分不会被皮肤吸收，而防晒霜中的化学成分会进入皮肤，所以我们建议家长最好不要给 6 个月以下的婴儿用防晒霜。虽然并未证实防晒霜可能对婴儿有害，但目前对它的研究还不够，给这个年纪的孩子使用不够安全。

虽然防晒很重要，但别让对皮肤癌的恐惧剥夺有利于孩子健康的日晒。孩子的身体健康成长需要维生素 D，它对强健骨骼、健康肌肤和健康的免疫系统尤其重要，而日晒会促进体内的维生素 D 生成。如果孩子在温暖的季节里多晒太阳，那么身体脂肪里就会储存大量维生素 D，帮助他度过日照时间较少的冬天。无论什么季节，请尽量确保孩子每周至少有几次在不擦隔离霜的情况下让双手、手臂和腿部接受至少 15 分钟的日晒（补充维生素 D，请见 P035）。

增强孩子的免疫系统

随着宝宝进入托儿所或幼儿园，他会接触到越来越多的微生物，而增强免疫系统就像是培育孩子身体内部的“医生”。方法如下：

（1）给孩子接种疫苗

疫苗会刺激孩子自身免疫系统产生抗体，对抗引起严重儿科疾病的微生物（对各种疫苗的讨论请见 P044）。

（2）**母乳喂养的时间尽可能长**

母乳喂养是宝宝最初也最重要的免疫工作。新的研究证明了妈妈们长期以来的猜想：宝宝喝母乳的时间越长，就越聪明、越健康。原因如下：

母乳喂养的宝宝更聪明。对母乳喂养的宝宝进行研究后显示，他们趋向于拥有更高的智商。这种智力优势的原因在于，母乳喂养的宝宝不但能得到更多母亲的爱抚和互动，还能从母乳中得到更多聪明脂肪，如二十二碳六烯酸（DHA）。DHA 是神经内膜隔层最重要的原材料，能使神经系统内的信息传递得更快、更有效率。

母乳喂养的宝宝更健康。研究表明，如果采用母乳喂养，孩子成长的身体中所有系统都很可能更健康：视力发育、肺功能（如预防哮喘）、心血管健康、肠道健康和免疫系统。你担心孩子患上的几乎每一种疾病——包括糖尿病、癌症和心血管疾病——在母乳喂养的宝宝身上发生率都更低。

宝宝怎样用肥皂

肥皂能让皮肤表面堆积的油脂和其他脏东西浮起来，更容易洗掉，不过如果在不必要的地方用过多的肥皂，可能造成皮肤干燥、带来刺激。下面揭示用肥皂清洁宝宝肌肤的小秘密：

- 只在分泌物堆积的区域使用肥皂，例如腹股沟、颈部皮肤褶皱和其他明显需要打肥皂的地方。少在脸部用肥皂。
- 有的宝宝皮肤对肥皂尤为敏感，如果你的宝宝容易得湿疹或其他任何皮炎，在情况最严重的区域尽量少用肥皂或完全不用。
- 使用前进行肥皂测试。在宝宝的前臂涂一点点肥皂，确保不会过敏。肥皂中的添加剂越多，越有可能引起宝宝过敏。
- 使用内含滋润成分的肥皂。
- 彻底清洗肥皂时轻轻拍干净，不要用力摩擦皮肤。
- 缩短肥皂停留在皮肤上的时间，尽快彻底清洗。
- 很多妈妈认为，过多不必要的肥皂和其他香精会遮盖宝宝自然的动人体香。

了解更多

请见玛莎·西尔斯作品《西尔斯母乳喂养全书》（江苏文艺出版社，2011）。玛莎是一位护士，也是一位哺乳顾问，她记录了十九年中母乳喂养八个孩子的经验。

母乳喂养的宝宝更苗条。当今最严峻的健康问题是与肥胖相关的疾病盛行，而母乳喂养是最佳的防肥胖药方。长期研究表明，母乳喂养的宝宝更倾向于长成苗条的儿童，而苗条的身材与健康有关。在后面的章节“肥胖”（P428）中你将看到，苗条不代表骨瘦如柴，而是意味着身体拥有适量的脂肪，具体含量因人而异。

（3）“喂养”孩子的免疫系统

准备写作本书时，我们讨论过为什么我们遇到的一些孩子比其他的更健康。最后得出结论，孩子吃得健康，身体就健康。在医疗实践中，我们注意到一部分特殊的妈妈——我们称作“纯粹妈妈”，也有人把她们叫作“健康食品迷”，她们几乎从不允许哪怕一口垃圾食物进入家门，或是进入孩子的嘴巴。我们全都注意到，学龄前我们很少看到这些孩子，因为他们比那些经常吃垃圾食品的孩子更少生病。这些“纯粹儿童”就算生病也会很快痊愈，因为他们的免疫系统更强。

我们注意到，这些“纯粹儿童”入学后很少有各种“障碍”——注意力缺失障碍、学习障碍、情绪障碍等等。他们发育得更健康的不光是身体，还有大脑。

请把食物看作你家的药房。我们挑选出了最佳的“健康食品”，它们已被证明能够增强孩子的免疫力：

水果和蔬菜。多给家人吃植物营养素（简称“植物素”），这是一种在水果和蔬菜中发现的能增强免疫力的物质。植物素赋予了蔬果漂亮的颜色，它能够对抗微生物，还能作为自然的消炎药减缓组织的撕裂和磨损，帮助器官自我修复。总而言之，蔬果颜色越深，“药效”越好。鲜艳的食物——如蓝莓、柿子椒、菠菜、木瓜和草莓——是最好的植物素来源。

补充维生素D。新研究揭示了一个让人担忧的事实：大部分美国人缺乏维生素D。写作本书的过程中，我们测试了许多孩子体内的维生素D水平，大部分偏低。维生素D在许多身体机能中扮演着重要的角色，是健康免疫系统的基础。要让孩子体内的维生素D达到合适的水平，必须让他们持续六个月以上摄入高于普通值的剂量。请咨询你的儿科医生，测量孩子的维生素D水平，如果偏低则给予治疗。你也可以和医生讨论，在测试前先给孩子治疗几个月，因为大部分孩子的维生素D水平都偏低，这个法子颇为保险。

多吃鱼！海产品是最佳的健康食品，尤其是对发育中的孩子。我们全方位地看看“每天三文鱼，医生远离你”这句俗谚有何科学价值。

- 海产品让你更聪明。海产品是最佳的健脑食品。生命最初的五年是孩子脑部发育最重要的时间段，你应该给他最好的食物。ω-3脂肪是构成细胞膜与髓磷脂（覆盖神经的脂肪层，就像电线的绝缘层）的基本材料，能够增强神经传递信息的速度和效率。我们现在将ω-3 DHA推荐给行为与情绪障碍的儿童，因为研究证明，它同样有助于解决注意力和学习问题。
- 海产品带来好视力。海产品就是“视产品”。眼睛里视网膜组织的半数成分是DHA，而这种海产品中的ω-3脂肪同样有益于大脑。
- 海产品促进心脏健康。吃鱼最多的族群罹患心血管疾病的风险大大低于其他族群，这是过去十年来心血管疾病预防领域最大的突破之一。
- 海产品带来健康的修复系统。ω-3能够消炎。孩子的心脏、身体和大脑中遍布动脉，当这些动脉血管敏感的内壁不断受到日积月累的高压冲击，就会出现碎屑，又叫作脂肪沉积或血管斑块。注意，近期研究发现，心血管疾病的发病年龄更小了，现在我们发现许多青少年的动脉内部有脂肪沉积，而ω-3有助于改善这一情况。当孩子的免疫系统发现动脉受损，就会派出维修队修复受损部位，就像维护公路一样。ω-3脂肪会滋养“维修队”——也就是身体的免疫系统——去修复撕裂、磨损的血管。
- 海产品降低癌症风险。研究表明，血液中ω-3水平更高的人群更少罹患肠癌。
- 海产品预防糖尿病。除了消炎以外，ω-3还能稳定血糖，降低糖尿病风险。
- 海产品带来健康肌肤。在介绍湿疹的章节中你将看到，要保持皮肤光滑，ω-3是最佳的自然药物之一（湿疹，见P304）。

ω-3是孩子最好的消炎药，能够对抗一切炎症，例如支气管炎、关节炎、结肠炎、皮炎、耳炎和牙龈炎。

（4）别让孩子变成“红孩儿”

我们把那些容易发炎的孩子称作

健康食品带来健康家庭

最能增强免疫力的食物有：

- 苹果
- 木瓜
- 豆子
- 粉红葡萄柚
- 蓝莓
- 红提
- 西蓝花
- 野生三文鱼
- 哈密瓜
- 香菇
- 红辣椒
- 菠菜
- 小红莓汁
- 草莓
- 亚麻油
- 红薯
- 大蒜
- 西红柿
- 小扁豆
- 姜黄
- 坚果
- 西瓜
- 橄榄油
- 洋葱

"红孩儿"。在过去十年里，"炎症"是成人医学领域的关键词，现在它在儿科中也同样重要。发炎意味着身体的免疫系统和修复系统失衡，当免疫系统处于平衡状态，身体的修复系统正常工作，划伤、挠伤和其他伤口都能正常愈合。孩子的免疫系统就像一队养路工，免疫系统的养路队健康，体内撕裂、磨损的组织就能得到修复；养路队不健康，维修活儿没人干，就会导致炎症。体腔内壁组织发炎会引起相应的病症，例如关节（关节炎）、肠道（结肠炎）、呼吸道（支气管炎）、耳朵（耳炎）、牙龈（牙龈炎）和皮肤（皮炎），这些发炎反应会让孩子变成"红孩儿"。要预防和治疗儿童炎症，应该做好下列五件事：

鼓励锻炼。锻炼能够刺激身体产生更多抗感染物质，增强免疫系统，还能活跃情绪。我们总觉得焦虑和沮丧是成人才会有的情绪问题，可是情绪障碍越来越频繁地在更小的孩子身上出现，这并不稀奇。锻炼不但有利于身体健康，也有利于情绪健康。锻炼会增加流向脑部的血液，促进大脑生成"感觉良好"和"这就对了"的神经化学物质。

锻炼能从三个方面减轻炎症。第一，运动会稳定胰岛素，而血液中的胰岛素水平越稳定，血糖就越稳定，进而促进免疫系统平衡。第二，运动燃烧脂肪，苗条的人免疫系统更平衡。最后，锻炼还会刺激身体产生自己的消炎药。

帮助孩子保持苗条。在实践中，我们经常建议超重的孩子"减减腰围"。人们曾一度觉得多余的腹部脂肪只是有些累赘而已，不过新的研究表明，多余的腹部脂肪还会将一些化学物质"喷"进身体里，引起各种炎症，这些物质被称为促炎化学物（要了解多余的脂肪如何导致孩子多生病，请见"肥胖：西尔斯医生的儿童瘦身计划"，P428）。

给家人吃植物素。植物营养素（植物素）赋予了水果和蔬菜深深的颜色，它们能增强免疫力。事实上，植食物的颜色越深，植物素越强。

换掉家里的食用油。给孩子多吃ω-3油（能消炎），少吃ω-6油（能促炎）。消炎食用油和食品（促进免疫系统平衡）包括鱼油、亚麻籽油、橄榄油、蔬果、红辣椒、冷水鱼（尤其是野生三文鱼）、全谷物、坚果和香料（例如肉桂、生姜和姜黄）。导致免疫系统失衡的促炎食物包括动物脂肪、玉米油、部分氢化油、菜油（例如葵花籽油、红花籽油和大豆油）及高果糖玉米糖浆。我们把消炎食物称作“治愈食品”，促炎食物则叫“破坏食品”。

鼓励孩子少食多餐。少食多餐会使胰岛素和血糖水平稳定，进而保持身体平衡。要保持理想体重，促进免疫系统健康，你能做出的最佳改变就是采用比

治愈食品 Vs 破坏食品

有的食物能增强孩子的免疫系统，有的则会破坏免疫系统。

增强免疫系统的食物	破坏免疫系统的食物
• 牛油果	• 动物脂肪
• 红辣椒	• 人造甜味剂
• 鱼油	• 食物染色剂及色素（例如红色40号，又名诱惑红）
• 亚麻籽油	• 高果糖玉米糖浆
• 亚麻籽粉	• 加工过的油类：尤其是部分氢化油（用这些油加工过的食物有：沙拉调料、法式薯条、起酥油及绝大部分快餐）
• 水果	• 其他油类：玉米油、红花籽油、大豆油、葵花籽油
• 橄榄油	• 加糖饮料
• 坚果和坚果酱	• 反式脂肪
• 海产品：冷水鱼，尤其是野生三文鱼	
• 芝麻油	
• 香料：肉桂、姜黄、生姜	
• 蔬菜	
• 全谷物	
• 野味肉类	

从实质上说，如果吃到嘴里的东西能跑会游或是能够生长，那它多半有利于孩子的免疫系统；而要是它在工厂里逛过一圈，经过加工，那它多半会损害免疫系统。要帮助孩子长出健康的免疫系统，尽可能给家人吃“纯粹”的食物。

尔医生的进食“2”原则：吃2倍餐数，1/2分量，2倍进餐时间。

（5）病中增强免疫系统

除了本章节中我们提供的日常免疫系统增强建议以外，还有几件事能帮助孩子在病中增强免疫力，我们以更少的抗生素更快治愈多种疾病，不过大体来说，不建议6个月以下的婴儿使用（并不是说这些方法可能损害婴儿的健康，而是尚未进行详尽的研究）。

维生素C。这种抗氧化剂能够帮助身体打败病毒和细菌。维生素C补充剂有液体、粉末、咀嚼片和胶囊（咀嚼片可能损害牙釉质，所以吃完后记得刷牙）。维生素C要在刚出现症状的时候立即服用，直至孩子完全康复，剂量如下：

- 6个月至2岁——每次150毫克，每天一到两次
- 2岁至5岁——每次250毫克，每天一到两次
- 6岁至11岁——每次500毫克，每天一到两次
- 12岁及以上——每次1000毫克，每天一到两次

紫锥菊。适当剂量的紫锥菊能极大地增强免疫力，对抗感染。最近，有一项研究试图证明这种草药无效，可是他们在这项针对成人的研究中使用了婴儿的剂量，所以当然不会起效。紫锥菊有婴儿滴液、咀嚼片和胶囊，症状刚出现时我们推荐的使用剂量如下：

- 6个月至2岁的婴儿——每次250毫克，每天三次；两天后减为每次125毫克，每天三次，直至康复
- 2岁至5岁——每次500毫克，每天三次；两天后减为每次250毫克，每天三次，直至康复
- 6岁至11岁——每次1000毫克，每天三次；两天后减为每次500毫克，每天三次，直至康复
- 12岁及以上——每次2000毫克，每天三次；两天后减为每次1000毫克，每天三次，直至康复

锌。这种矿物质中的某些有效成分能够增强免疫力，建议剂量如下：

- 6个月至2岁——每次10毫克，每天一到两次
- 2岁至5岁——每次15毫克，每天一到两次
- 6岁至11岁——每次20毫克，每天一到两次
- 12岁及以上——每次25毫克，每天一到两次

少吃糖，多吃蔬果。孩子吃的任何东西都会影响到免疫系统。生病期间尤其要当心孩子的饮食。

频繁生病。如果孩子生病的次数偏多，可以尝试每天给孩子减半剂量服用上述补充剂，哪怕健康的时候也吃。注意：如果持续服用紫锥菊，应当每隔8周停服两周，以保持它对免疫系统的影响。

平衡孩子的内分泌系统

保持健康的一大要点，是保持孩子身体和大脑的激素平衡。激素是体内穿行的化学信使，它会告诉身体各组织如何保持最佳合作。激素水平平衡的时候表现最好——不多也不少。比如说，激素会告诉孩子什么时候饿了，什么时候吃饱了；还会告诉孩子什么时候累了，该上床睡觉了，什么时候该醒了。人体经常被形容为“化学汤”，如果激素和其他生化物质平衡，身体就会健康。如果孩子体质越来越弱、情绪越来越差、体型越来越胖，原因之一便是发育中的身体生化物质失衡的情况十分严峻。现在你正在学习的健康计划，便是为了让孩子体内的激素保持生化平衡。

不妨把孩子的内分泌系统想象成一支交响乐队，体内的各种激素（如生长激素和甲状腺激素）便是各种乐器，实至名归的“健康激素”胰岛素则是这支乐队的指挥。当血液中的胰岛素处于最佳水平，脑部化学物质平衡或者说激素平衡时，身体就能奏出美妙的健康交响乐。要让孩子身体健康，最重要的目标之一便是保持血液胰岛素水平稳定，促进激素平衡。而促进激素平衡有四个魔咒：运动、少食多餐、快乐、苗条。

孩子体内需要保持平衡的激素有数百种，我们将它们分为两组：发育良好的激素和感觉良好的激素。比如说，生长激素能教导细胞如何利用食物中的营养获取能量，从而帮助细胞休整和生长；它会告诉肌肉细胞吸取从食物中进入血液的氨基酸，组装成构成肌肉的蛋白质，从而促进肌肉生长；它还会在其他细胞需要养料生长的时候，告诉脂肪细胞释放出部分储存的脂肪获取能量，而睡眠和锻炼能够强有力地刺激生长激素的分泌。胰岛素也是一种“发育良好激素”，因为如前所述，它是激素平衡乐队的指挥。

血清素和内啡肽之类的“感觉良好激素”能够保持精神平衡，如果这样的激素过多，孩子可能焦虑或胡闹；过少则会导致悲伤和抑郁。身体和大脑习惯了正常水平的情绪控制激素，它们由运动、少食多餐、快乐和苗条四魔咒调节。

运动。要保持稳定的胰岛素和血糖水平，运动是孩子能做到的最健康的事情之一。记住，胰岛素水平稳定时，整个身体更有可能保持生化平衡。如果你想了解运动如何促进胰岛素稳定，就让我们一起走进孩子的身体细胞里看看。细胞上都有细小的“门”，叫作受点，这些门只会让适量燃料（如糖）进入细胞提供能量。而胰岛素就像细胞的看门人：它打开门，只放进去适量的燃料——不多也不少。人在运动中，通过这些受点的血流就会加快，增加“胰岛素敏感度”，这意味着“门”能够更有效地让适量燃料进入细胞，当体内所有细胞的工作效率提高了，身体就会更健康。运动还能稳定脑部的快乐激素，最近的研究表明，剧烈运动能够稳定孩子的神经化学物质，辅助治疗学习障碍与情绪障碍。

少食多餐“成长”食物。少食多餐有益的食物能稳定胰岛素水平。少食多餐、细嚼慢咽营养食物比多食少餐更有利于脑部激素平衡，因为大脑与身体其他器官不同，不能储存葡萄糖，所以它依赖于稳定的葡萄糖供应——分量要合适。稳定的血糖会带来稳定的大脑神经递质功能，最终带给孩子良好的学习能力与行为。此外，胰岛素与压力激素皮质醇有关，少食多餐既能保持胰岛素稳定，也能帮助压力激素稳定。一旦压力激素失衡，免疫系统也会失衡，让孩子更容易得病。简而言之，少食多餐能稳定胰岛素，而稳定的胰岛素会带来激素平衡。

保持快乐的心情。新研究表明，你脑子里的想法能够帮助情绪激素保持平衡。如果孩子多想积极的事情，快乐激素就会升高，而显著的负面想法则会让快乐激素水平降低。你没法手把手地教孩子怎样保持快乐，但你必须以身作则，做个积极的家长。频繁的鼓励和表扬能建立孩子的信心和自尊心，批评和焦躁则不会。保持愉悦的情绪，多跟孩子互动，能让激素保持积极的平衡。

苗条生活。让孩子保持苗条的身材是家庭保健计划的一部分。但苗条不代表骨瘦如柴，而是根据个人体质保持适量体脂，检查时医生能帮助你评估孩子身体的平衡度。过量的体脂——尤其是腰部——会导致激素失衡，特别是胰岛素失衡。过量体脂还会让细胞越来越抗拒胰岛素的影响，导致胰岛素抵抗或Ⅱ型糖尿病——这种病越来越频繁地出现在年纪很小的孩子身上。因此，苗条是你能教给孩子的最重要的健康秘诀之一。随着孩子身上过量脂肪的增加，罹患这些疾病的风险将成比例增大：

- 痤疮
- 关节炎
- 哮喘
- 注意力缺失障碍（ADD）
- 癌症
- 心血管疾病

- 蛀牙
- 糖尿病
- 湿疹
- 胃食管反流病（GERD）
- 头痛
- 视力问题

家庭保健计划检查表

我们在此总结第一部分中你学到的家庭“药方”。本计划会帮助你在家里为孩子提供基本的医疗保健，如果你在“否”上打了勾，记得要采取措施，确保每一项都勾选“是”。

	是	否
你为孩子找了合适的医生吗？（见 P002）		
你设法从看医生过程中获取最大收益了吗？（见 P006）		
你做好个人病例，写健康日志了吗？（见 P006）		
给孩子按时做免疫了吗？（见 P033）		
为孩子做推荐的周期性检查了吗？（见 P042）		
你用了“多保健，少吃药”的方法吗？（见 P012）		
你给孩子吃健脑食品了吗？（见 P014）		
你周期性地锻炼了孩子的头脑吗？（见 P019）		
你照顾好孩子的眼睛了吗？（见 P019）		
你给孩子吃了增强免疫力的食品吗？（见 P035）		
你用了“洗鼻子”“蒸汽浴”的方法清洁孩子的鼻腔吗？（见 P021）		
你让孩子周围的空气保持洁净，远离香烟和过敏源了吗？（见 P026）		
你的孩子经常做剧烈运动吗？（见 P018）		
你遵循了少食多餐的“2”原则吗？（见 P026）		
你帮助孩子保持苗条了吗？（见 P041）		
你帮助孩子保持皮肤健康了吗？（见 P030）		
你帮助孩子保持快乐的心情了吗？（见 P041）		
你确保“红孩儿”（促炎）食物远离孩子的膳食了吗？（见 P037）		

THE PORTABLE PEDIATRICIAN

第二篇

健康儿童常规检查：家长如何从与儿科医生的合作中获取最大收益

接下来，你将看到美国儿科学会（American Academy of Pediatrics，AAP，提到这个组织时我们通常采用缩写形式）与我们共同推荐的健康儿童常规检查，它是孩子保健计划中的一环，也是预防式医疗服务的重要内容。我们将带你历遍孩子成长过程中的每一次检查，就像是你亲身坐在我们的办公室里一样。当然，我们无法代替你自己的医生亲手照料孩子、面对面提供建议，也许你还会发现，我们的建议与你医生提出的略有不同，但我们热切希望你能从多方面获取信息，在医生的指导下更好地照料孩子的健康。

疫苗

疫苗是儿科健康服务的重要组成部分。家长们常常有许多超出本书内容的疑问，在《疫苗全书：为你的孩子做出正确的抉择》（*Vaccine Book：Making the Right Decision for Your Child*）一书中，鲍勃医生为希望了解更多内容的家长综合介绍了各种疫苗。

下面，我们将简要介绍目前推荐的疫苗和各种疫苗针对的疾病。

百白破疫苗（DTaP）。**白喉**是一种可治愈的重度传染病，可导致严重的呼吸系统疾病。它的传染途径与感冒相同，实际上，白喉现在在美国已经绝迹。

百日咳又名哮喘咳，它的传染途径与感冒类似，会导致儿童剧烈咳嗽1～3个月。且百日咳非常常见，在美国，它总会周期性爆发。对于6个月以下的婴儿，这种疾病非常危险，可能致死或引起脑部损伤，因为剧烈的咳嗽会导致大脑缺氧。有时候，抗生素治疗能缓解咳嗽、缩短病程，详见P554。

破伤风是一种细菌，感染到脏而深的伤口后，可能导致人体严重麻痹，不过它通常也是可治愈的。实际上，这种罕见的疾病几乎不发生会在孩子身上。

肺炎球菌结合疫苗（PCV，**预防肺炎球菌疾病**）。这种疫苗用于预防肺炎球菌，它是婴幼儿脑膜炎、肺炎和血液感染最常见的病因。这种病菌相当罕见，传播途径类似普通感冒，可使用抗生素治愈。

b型流感嗜血杆菌疫苗（Hib，**预防b型流感嗜血杆菌**）。这种病菌在极罕见的情况下可导致婴儿脑膜炎。它的传播途径类似普通感冒，虽然可使用抗生素治愈，但仍是一种可能致命的疾病。

轮状病毒疫苗（RV，**预防轮状病毒**）。它是一种液体口服疫苗。这种病毒是造成婴儿呕吐、腹泻及脱水最普遍也最严重的病因。每年秋冬季节，大约有5万名婴儿因感染这种病毒而入院就医。详见P495。

灭活脊髓灰质炎疫苗（IPV，**预防脊髓灰质炎[即小儿麻痹症]**）。这种病菌可导致约0.5%的患者瘫痪，传播途径类似普通感冒。美国已有20多年未出现过脊髓灰质炎病例，现在它仅在亚洲及非洲某些地区出现。

麻疹、腮腺炎和风疹疫苗（MMR）。麻疹是一种罕见疾病，症状为发烧和皮疹。麻疹通常无害，极罕见的情况下会致命，传播途径类似普通感冒，详见P403。

流行性腮腺炎也很罕见，通常对人体无害，但会导致脸部和颈部淋巴结肿大、发烧和皮疹。传播途径类似感冒，目前没有致命的案例发生，不过在极小概率的情况下会导致成人不育。详见P419。

风疹是一种无害的儿童疾病，症状为发烧和皮疹。不过，如果孕妇患上风疹，可能导致新生儿缺陷。风疹极其罕见，传播途径类似感冒。

甲肝疫苗（Hep A，**预防甲型肝炎**）。这种病毒不会在幼儿身上引起任何可见的症状，但在大一些的孩子或成人身上会出现一两周肠流感症状。这种病毒存在于粪便中，所以，如果被感染者便后不洗手，可能导致传染。餐馆是该病毒最普遍的传染地。见P371。

水痘疫苗（Chicken Pox，**预防水痘**）。水痘会导致患者发烧、皮疹和周身不适，但很少有其他并发症。它的传播途径类似感冒，目前发病率正在下降。详见P219。

乙肝疫苗（Hep B，**预防乙型肝炎**）。这种传播性病毒会导致肝脏衰竭。不过，它只能通过被感染的血液和体液接触传播。详见P478。

人类乳突病毒疫苗（HPV，**预防人类乳突病毒**）。这种性传播疾病会导致生殖器疣及宫颈癌，详见P480。

脑膜炎球菌疫苗（MCV，**预防脑膜炎球菌疾病**）。这种细菌感染会在任何年龄段的人身上引发脑膜炎，它还有一个广为人知的名字——大学宿舍脑膜炎。细菌性脑膜炎详见P404。

流感疫苗（Influenza，**预防流感**）。流感是秋冬疾病，能通过注射式或鼻吸式疫苗预防。虽然大多数人都能顺利痊愈，但每年仍有不少流感致死的病例。详见P334。

上文讨论的许多疾病现在在美国已经非常罕见，或者根本不存在了，这应该归功于“全民免疫计划”。因此，继续推行该计划十分必要。

正常的疫苗副作用

发烧、烦躁、发红、肿胀及注射点疼痛都是常见的疫苗副作用，对出现症状的区域进行加压冷敷对疼痛有所缓解。如果症状严重，3个月以上的婴儿可每6小时服用一次布洛芬，也可用对乙酰氨基酚（任何年龄均可使服用）。MMR和水痘疫苗还可能引发皮疹，出现这种情况无须在下班时间打扰医生（除非孩子症状严重），不过可以在上班时间向医生咨询病情。疫苗反应详见P542。

特殊情况下的疫苗

狂犬病疫苗。这种疾病的传播途

径是被感染病毒的动物咬伤，通常是蝙蝠、浣熊、郊狼、臭鼬等（其他小型动物几乎不会携带狂犬病毒，例如宠物狗和野生啮齿动物）。如果不加治疗，狂犬病一旦出现症状（焦虑、狂躁、麻痹），就很可能致命。症状通常在被咬约两个月后出现，不过潜伏期也可能短至五天或长达一年。如果被高风险动物咬伤，需要在接下来的一个月内注射五剂狂犬病疫苗。如果被确定患有狂犬病的动物咬伤，也可以注射另一种名为狂犬病免疫球蛋白的疫苗。

破伤风疫苗。所有接受过计划内免疫的儿童，其体内的破伤风疫苗足够维持到 20 岁左右，所以如果受到严重的割伤或咬伤，通常无须另外注射疫苗。20 岁时，最后一剂破伤风疫苗（包含在 12 岁时注射的百白破疫苗中）在体内失效。成人受伤时，伤口深度和肮脏度足以把他送进急诊室，而且距最后一次注射破伤风疫苗已有 7 年以上，那就应该再次接种。如果伤口特别深或是特别脏，间隔时间应缩短为 5 年。另外，即使孩子没有接受免疫，普通抓挠和镜片划伤也不需要接种破伤风疫苗。因为如果伤口不必去急诊室清理缝合，它不太可能导致破伤风。

旅行疫苗。国际旅行所需的疫苗区别很大，本书不作详细讨论。如果你要外出旅行，最好至少提前 6 个月与医生联系，讨论旅行中需要哪些疫苗。你可能用得上的疫苗包括黄热病疫苗、伤寒疫苗、日本脑炎疫苗和甲肝疫苗。

新生儿检查

恭喜你！你的生命迎来了最珍贵的礼物——温暖可爱的小生命将为你带来无穷欢乐。下面，我们将介绍新生儿在第一周最重要的保健事宜。

在最初几小时内建立亲密关系

要照顾好婴儿，你需要学习的事情很多，不过现在，暂时忘掉它们吧。别担心洗澡、换尿布、喂奶、哄孩子睡觉、给孩子穿衣服这些事儿，在孩子出生最初的几小时内，你只需做一件事：抱着他。当然，你们夫妻俩肯定得换班，孩子还会花些时间吃奶，不过在剩下的时间里，你们要做的所有事儿就是好好坐着、抱住孩子。如果医院的护士要抱孩子去打针、涂眼药膏或是洗澡，告诉她，现在还不是时候，几小时后有的是时间干这些事儿，这要等你们建立亲密关系以后。父母亲和新生儿在最初几小时内建立联系，会让双方的体质与激素产生变化，从而为与孩子一生的健康关系奠定基础。

营养

母乳喂养

要进行成功的母乳喂养，有许多策略和要点，不过在最开始的几天里，你基本无须刻意做任何事。过去，母乳喂养专家认为，我们需要每隔两小时把乳头塞进婴儿嘴里，并让婴儿保持特定姿势，以教会他们正确地吃奶。不过现在，新研究表明，一旦母亲与婴儿在生育时建立了正常、不受干扰的亲密关系，那么只需要母亲在最开始几天做一点点引导，婴儿就会自己寻找乳房、正确地吮吸，并以正常的频率自然醒来吃奶。

所以，放轻松。和孩子建立亲密关系，让母乳喂养自然发生。不用操心每两小时就唤醒孩子给他吃奶，除非你的医疗服务提供者这样建议。如果只吃了几分钟奶他又睡着了，别担心，他饿了自己会醒的。

不过，这一建议只适用于最初几天。如果到了第三天或是第四天，母乳喂养的理想循环尚未建立，那么婴儿就需要更多的鼓励、教育和指导。如何成功地进行母乳喂养，详见介绍母乳喂养的章节，亦可参阅《西尔斯亲密育儿百科》或《西尔斯母乳喂养全书》。如果你在母乳喂养时遇到了困难，请向有资质的哺乳顾问寻求帮助。

配方奶喂养

在最开始几天，配方奶喂养的方式和母乳喂养相似，你不用操心每天喂孩子几次、隔多久喂一次。只要他醒着，就把奶瓶给他叼着，让他爱喝多少喝多少。第一天，大多数新生儿每次的喝奶量不会超过 30 毫升。如果孩子睡着了，不必叫醒他喂奶，除非他睡了六小时以上，或是医生觉得有理由更频繁地喂奶。

健康小贴士：
如何预防乳头撕裂

预防乳头撕裂的最佳方法是拉开孩子的下唇，让它远离乳头。孩子吸吮的时候，慢慢将你的手指（或者配偶的手指）插入孩子的下巴与乳房之间，然后轻轻将孩子的下巴往下拉。这将使孩子的下唇远离乳头，让他吮吸到更宽广的范围。从侧面看，孩子的嘴唇应该是鱼嘴状。

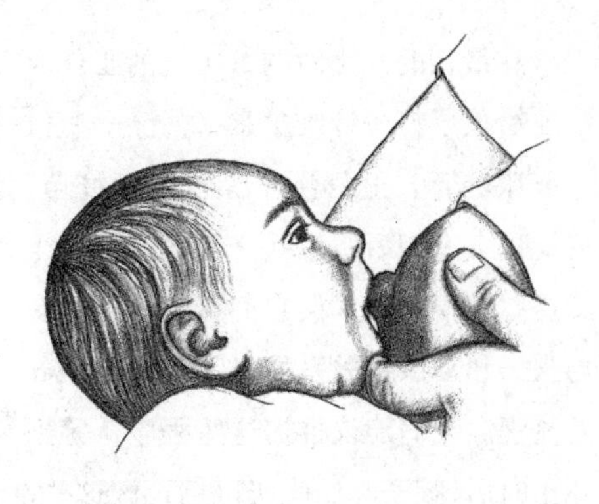

配方奶通常以牛奶为基础，你可以自带，也可以用医院提供的。在接下来的几天里，你会注意到孩子吃的奶越来越多，逐渐形成有规律的循环，每2至4小时就会吃掉大约55毫升奶。按照孩子的体重计算，每千克体重每天应该吃125至150毫升奶。所以，3.6千克重的新生儿每24小时会吃掉450至540毫升奶。不过，大多数婴儿最开始达不到这个量，一周左右才会趋于正常。配方奶喂养的更多信息请见P057。

体重减轻

最开始几天里，所有婴儿的体重每天都会减轻几十克，所以别紧张。婴儿出生时体内有多余的体液，以保证他们在妈妈的乳汁开始分泌之前存活下来。

照顾婴儿的流程

医院的程序

在最初的几小时内，医院的工作人员要给孩子打一针维生素K、涂一些抗生素眼药膏、好好洗个澡、接种疫苗，可能还会在脚后跟上扎一针做血检。虽然这些都很重要，但它们可能干扰最初与孩子建立亲密关系的时间和母乳喂养的流程。我们建议推迟这些程序，等到几小时后，孩子开始吃奶以后再做这些，以避免干扰。根据美国儿科学会的建议，至少应该等到首次哺乳之后再来做这些事儿。

洗澡

婴儿出生几小时后，在你与他建立了最初的亲密关系后，就该给他进行第一次洗澡了，动作要尽可能轻柔。回家后，婴儿实际上只需要大约每周洗一次澡，因为除了脸部、颈部和包尿布的区域，宝宝身上不太会被弄脏。容易弄脏的部位可以用湿布轻轻地擦拭干净。如果你的孩子喜欢洗澡（大部分新生儿不喜欢），顺其自然，多给他洗澡。脐带脱落干燥前，不要把孩子的肚子浸入水中，而应该用海绵擦澡。给婴儿洗澡详见《西尔斯亲密育儿百科》。

脐带养护

某些研究表明，你无需为脐带做任何事儿；不过其他研究建议，酒精会降低感染的可能性。我们的建议是，一开始什么都别做，不过一旦你发现脐带周围发红或有液体流出，请用棉球蘸酒精擦拭脐带湿润的部分及脐带与皮肤的交界处周围，每天三次。

储存脐带血。这种新兴手段越来越流行，我们相信它是一项物超所值的投资。产科医生或助产护士会把脐带和胎盘中富含干细胞的血液搜集起来，送到储藏设施中，以备将来使用。除了脐带血以外，储存部分脐带组织也可列入考虑。因为，现在可能用到脐带血的情况正在日渐增多。

湿尿布

你也许听说过，婴儿每天会弄湿六块（一次性尿布）、八块（布尿布）或更多块尿布。实际上，出生几天之后才会出现这样的情况，最开始时，婴儿每天只会弄湿两到四块尿布。

大便

最初几天内，婴儿的大便又黑又黏，这些“胎粪”在孩子的身体里已经停留了一段时间。三五天后，大便会逐渐变成褐色、绿色或黄色。大部分一周大的婴儿每天会大便四到八次，每次量都很小，粪便呈柔软的黄色糊状。

包皮环切术后养护

如果你生了个男孩并选择给他割包皮，医生或护士会向你演示每次换尿布时如何用凡士林涂抹阴茎伤处。每次多涂一点，不会抹多的。让伤口保持湿润有助于减轻疼痛、促进愈合。有人建议只涂一周左右的凡士林，我们觉得一个月更好。有人推荐轻轻将凡士林涂抹在阴茎顶端，我们则发现，将药膏涂抹在伤口周围的皮肤褶皱处和阴茎顶端，再轻轻按摩更为有效。这样可以更好地将皮肤和红肿的阴茎头隔离开来，避免伤口在愈合过程中发生粘连。具体建议请咨询儿科医生。术后一周内，阴茎红肿、流出少量液体都是正常现象。你第一次带孩子来检查的时候，医生会明确手术恢复得是否正常。

健康小贴士：
预防酵母菌感染

对新妈妈来说，乳头部位的酵母菌感染是最普遍的问题之一。它通常发生在分娩期间使用了抗生素或是分娩后出于其他原因而使用抗生素的哺乳母亲身上。酵母菌感染会在哺乳时或哺乳间隔期引起严重的疼痛、瘙痒和灼烧感。如果你需要使用抗生素，我们建议你同时服用一个月的益生菌（如嗜酸菌）以防止酵母菌的侵袭。与此同时，一定要让医生检查宝宝的嘴巴是否有酵母菌感染的迹象。详见P555。

黄疸

出生两三天后，大多数婴儿的脸部和胸口上部会变成微黄色，这是血液中积聚的天然色素。尽量让孩子裸露的皮肤隔着玻璃窗多照太阳光，有助于最大限度地减轻黄疸。如果你的孩子在医院里发生黄疸，医生也许会通过血液检查或是新式的经皮检查（用光照透皮肤）

来测量黄疸水平。如果你在家发现黄疸症状的蔓延，孩子的整个脸、胸部和腹部都发黄，请尽快去看医生，不要等到一周的常规检查的时候。详见 P392。

体格检查

最初的 24 小时内，医生会给你的孩子做检查。这里简单概述了医生在孩子身上捏捏戳戳到底都在干什么。

头。医生会检查确认所有颅骨的形状正常。你会注意到头部前方、脑后和头顶的凸起，还有大片的柔软部位。最初几天里，头部部分区域有肿胀或淤青是正常的。

眼。医生会用眼科灯检查，确认婴儿瞳孔形状正常、对光照有反应。几周内，婴儿眼白中有血点或是眼部有轻微流液都是正常的。

口。医生会检查舌头和腭部。如果你在孩子的上腭或牙龈处发现细小的白色凸点，别担心，它叫“上皮珠”，是正常的。

脸。你也许会注意到孩子前额和眼睑上的红斑，它叫“天使之吻”，是皮肤中的血管碎片，会在几个月内消退。你也许还会看见许多细小的白色的被堵塞的毛孔，这是粟粒疹，也会在几个月内消退。

耳。医生会检查婴儿耳朵是否正常。如果耳朵有些叠起来，别担心，几个月内它会回到合适的位置。

锁骨。如果分娩不太顺利，婴儿的锁骨很容易骨折。医生会检查锁骨是否肿胀、无力。

心脏。医生会仔细聆听检查孩子的心率和心律。

腹部。也许在你看来，医生按孩子的肚皮时太用力了。不过为了检查内脏是否增大或是者是有任何异常的增生。这是有必要的。

脐带。接下来几天里，如果你发现孩子的脐带有轻微出血或渗出液体，别担心。

髋部。医生会帮助孩子做点儿髋部有氧运动，孩子也许不会很喜欢。但是为了确保髋关节活动正常，这一步骤十分重要。

生殖器。医生会确认是否一切正常，睾丸是否降于正确位置的位置。不过几周内，孩子的阴囊或阴唇会有些肿胀，你甚至会发现阴道里流出一些黏液或血液，这是无害的。

脚。轻微的内弯是正常的。医生会确认孩子的脚部没有出现过度的弯曲。脚部的皮肤会有一些皱褶和脱皮，这也是正常的。

皮肤。你会注意到许多红斑和一些中央有白点的红色包块，看起来像是被虫子咬过，这些都是正常的，它们很快就会消退。医生也会检查胎记有无异常。

脊柱。医生会检查脊椎有无缺陷。你也许会注意到孩子屁股沟靠上的部分有一个小窝，它是无害的。

肌肉和反射。医生也许会测试反射，观察孩子以确认他的四肢能够对称地活动。

新生儿奇怪但正常的症状

下面几件小事出现在新生儿身上时，新晋家长会很担心，但实际上它们是正常的：

- 过度打喷嚏
- 过度打嗝
- 尿布疹
- 小便里带有轻微的血色或阴道轻微出血
- 尿布里有果冻状晶体(尿布晶状体)
- 鼻塞或呼吸时有杂音
- 吐出或呛出胃黏液

疫苗

大多数医院会给婴儿注射第一剂乙肝疫苗。有的医生喜欢等到一个月或两个月检查的时候再接种,这是安全的。疫苗详见 P044。

一周检查

恭喜！你已经熬过了第一个星期，让人欣慰的是，所有事儿都安顿下来，进入了更舒适的环节。一周检查请参照下列指引。

成长

增重。在最初几天里，婴儿损失出生时体重的 10% 以内都是安全的。这意味着 3.6 千克重的婴儿会减重 340 到 400 克。许多婴儿要到两周以后才会恢复这部分体重。因此，如果你的孩子在一周检查的时候仍比刚出生时轻，也别担心。我们鼓励你在两周检查的时候再次称量孩子的体重，确认他的健康成长。

身高。一般而言，在最初的 3 个月中，婴儿每个月会长 2.5 ~ 4 厘米，之后生长速度会略微减缓。在最初一年里，精确测量身高比较困难，所以，如果每次检查时发现孩子的身高在百分表中的位置忽高忽低，别吃惊。

头围。医生会确认孩子的头围是否以正常的速度稳定发育。

成长百分表。每次检查时，孩子的成长情况会被标在一张表格上。百分比代表你的孩子与其他同龄孩子相比，成长情况处于什么水平。比如说，如果孩子的体重在百分表中处于 40，这意味着他比 40% 的同龄儿童重，比 60% 的同龄儿童轻。百分表并不代表孩子的健康水平，百分数 95 的孩子不一定比百分数为 10 的孩子健康。

2010 **年婴儿成长新表**。根据六个以母乳喂养为主的工业化国家（其中包括美国）的数据，世界卫生组织创建了成长表格。2010 年，美国儿科学会（AAP）推荐所有儿科医生换用这份新表格，因为它更准确地反映了婴儿的正常成长。老的成长表格采用的是以配方奶喂养的美国婴儿数据，他们会长得更重一些。根据新表格，较瘦的母乳喂养婴儿也被列入了正常范畴。

体格检查

在 P046 的新生儿检查一节中，我们详细描述了整个体格检查。不过，根据孩子年龄的不同，家长和医生应该对检查内容的各个部分投以不同的关注度。在孩子一周检查的时候，医生也许会重点关注下列内容：

头。医生会确认颅骨各部分和头部的柔软区域触感正常，之前若有肿胀情况发生，现在应该有所消退。

眼。医生会用眼科镜检查婴儿的瞳孔对光反应是否正常。

舌。确认孩子的舌头活动灵活，没有被舌系带紧紧地束缚在嘴巴底部，这非常重要。这种情况叫作“舌系带过紧”，会干扰母乳喂养。不过，只要用一把小剪刀剪开舌系带就能解决，详见 P533，“舌系带过紧”。

锁骨。分娩过程中，如果婴儿的肩膀被卡住了，纤细脆弱的锁骨可能会断裂。有时候新生儿的锁骨骨折不会被发现，因为还没发生肿胀。若有骨折，医生会在锁骨区域触摸到大片凸起，别担心，这种情况可以顺利痊愈。

心脏。新生儿心脏病非常罕见，不过，在刚开始的一两天里可能不会有明显症状，所以一周检查时仔细的心脏听诊十分重要。

脐带。医生会确认脐带未受感染。

腹部。在这个年龄，仔细检查孩子器官有无增大或肿胀十分重要。

包皮环切。伤口愈合期间，有时候皮肤边缘会与阴茎头部分粘连，恰当的照料可以避免这一情况，详见 P049。若有粘连，现在或几周内进行分离都可以，具体由医生决定。

睾丸。确认两个睾丸都位于阴囊内，这非常重要。

髋部。极其罕见的情况下，婴儿出生时会有一侧或两侧髋关节脱臼。医生会检查两侧髋关节的移动范围。

脊柱。医生会仔细检查，以确保孩子没有脊柱缺陷。

健康小贴士：如何避免扁头

新生儿头部的侧面和背面很容易被压扁，因为有的孩子平躺睡觉时总喜欢把头朝向同一边。夜复一夜，孩子睡觉时压在床垫上的都是同一侧，就会形成扁头。而睡觉时喜欢脸朝上的孩子则会在脑后正中间压扁。因此，确保孩子睡觉时脸轮流朝向各个方向很重要（扁头见P332）。

营养

母乳喂养

希望现在母亲和孩子都已经找到了母乳喂养的诀窍。妈妈的乳汁应该已经正常分泌，乳头不再疼痛。白天，妈妈应该每隔两小时左右喂孩子一次，或是孩子想吃就给他吃；夜间每次孩子醒来都应该喂奶，不过不需要特地弄醒孩子吃奶（除非婴儿体重不足，哺乳顾问提出建议），他自己会掌握吃奶时间。每次哺乳时，婴儿应该在每边乳房吃15分钟或更长时间。在第七天的时候，有些婴儿不会严格遵循这个时间表，他有可能吃几分钟就睡着了，也有可能不管你用什么办法也不会有规律地醒来吃奶，还有可能要不停地吃上几个小时。

底线在这里：哺乳要“跟着孩子走”。这意味着一旦孩子看起来饿了就给他吃奶，每24小时最少应该喂奶大约10次，也就是每两小时喂一次。夜间根据孩子的需求适当延长间隔就好。

如何判断你的乳汁是否足够。宝宝出生3～5天后,你应该开始分泌母乳。母乳是否充足良好，可以观察下面六个信号：

- 有过乳房肿胀期。
- 哺乳前感觉乳房鼓胀，哺乳后觉得空了一些。
- 你能看到乳汁流进宝宝嘴里，漏到脸颊上。
- 宝宝吃奶后看起来很满足（熟睡或者安静满意）。
- 哺乳间隔期有乳汁流出。
- 宝宝每24小时会换下至少6块非常湿的尿布（在干净的尿布上倒两茶匙水，观察浸透的尿布是什么样的）及至少4块沾有黄色大便的脏尿布。

在宝宝一周大的时候，如果上述信号少于四个，而且宝宝看起来总是烦躁不安，总想吃奶或者叼着奶嘴不放，看起来总是不满足，请立刻去见医生并联系哺乳顾问。

为母乳喂养的婴儿补充维生素D。

虽然母乳能够提供全部营养，但是如果妈妈的维生素 D 值偏低，那母乳中的维生素 D 值也会偏低。要为母乳喂养的婴儿补充维生素 D，标准疗程是每天口服一剂维生素 D(每天 400 国际单位，各药店与保健食品店中有售滴剂)。我们赞同这一方法，并鼓励母亲在孩子整个童年期持续服用。血检可以查出妈妈的维生素 D 值是否偏低。

哺乳的妈妈吃什么？健康膳食对每位新妈妈来说都十分重要。妈妈完全不需要限制任何正常的饮食，除非宝宝出现婴儿肠绞痛或胃胀气（见 P234）。下面有三条提示：

- 确保妈妈从饮食中摄入足够的健康 ω-3 脂肪，例如 DHA（二十二碳六烯酸），以确保宝宝大脑的发育和成长达到最优水平。妈妈应该每周吃两次安全的鱼类，例如野生三文鱼，或是每周至少服用四天鱼油补充剂。
- 别吃含水银的鱼，包括鲨鱼、剑鱼、方头鱼和鲭鱼。
- 哺乳期继续服用孕期维生素。

配方奶喂养

标准的新生儿配方奶是含有 DHA 和 ARA（花生四烯酸）的配方牛奶。如果你的孩子吃起来觉得挺好，没有过度吐奶、胃胀气或婴儿肠绞痛，那就继续给他吃。如果宝宝不适应配方奶，请见 P340。

总的来说，大多数婴儿每千克体重需要吃 125 ～ 150 毫升配方奶。不过，也不用特地限制孩子，如果她觉得没吃饱，就多给他吃点儿，喂奶的频率取决于孩子。有的孩子每两小时就想吃奶，有的孩子不介意隔久一些。在最初几周内，确保孩子夜间至少吃一次奶。

健康及教养问题

在宝宝出生最初的几个月里，你将面临许多挑战，这些问题在《西尔斯亲密育儿百科》中有详细介绍。下面是父母最经常向我们提出的疑问：

大便。这时候，宝宝的大便应该已经变成了柔软、脏兮兮的黄色粪便。有的宝宝可能会拉稀，不过如果孩子很开心，发育也正常，那就没问题。大便的颜色也可能是褐色、绿色或黄色，频率为每天 2 ～ 10 次。

湿尿布。大多数宝宝每天会换下至少六到八块湿透的尿布。这是一个良好的信号，表明他喝到了足够的奶。如果你总得凑近观察、触摸尿布是不是湿的，那么表示，可能孩子喝的奶还不够，这时应该咨询医生。

教养方式。我们知道，有许多关于亲子关系的书籍、培训班和视频，不过别太依赖这些东西，因为只有你最了解自己的孩子。在亲子关系方面，实际经验胜过一切。如果你细心照料宝宝身体的需求，喂养他、抱着他、观察他，那么直觉会给你指引。盲从别人写的育儿指南会剥夺你一生中最珍贵的体验——学习做一个身体力行、亲身参与、感同身受、充满自信的家长。丢开书本，多陪陪宝宝，我们把这种方式叫作亲密育儿。

睡眠。许多宝宝睡眠十分混乱，他们老是白天睡觉，晚上却总想吃奶、玩耍。这很正常，而且只会持续几周。要改变这种局面，方法之一是：不要让宝宝白天一次睡一个半小时以上。白天别让他一睡就睡四个小时，哪怕这样的空隙时间对你来说诱惑十足，这样晚上他就会睡得好一些。

从另一个方面来说，在最初几周，有的妈妈喜欢白天在宝宝睡觉的时候睡一会儿，她们不介意晚上宝宝总是醒着要吃奶。顺其自然没什么不好，让宝宝自己学会分清白天和黑夜。无论宝宝睡了多久或者多久不睡，都别担心，婴儿不需要一定要睡多少个小时，他们会自然而然地满足自己身体的需要。

一定要让宝宝平躺着睡觉，避免SIDS（婴儿猝死综合征，见P517）的风险。睡眠方面的更多建议请见《西尔斯亲密育儿百科》或《宝宝安睡魔法书》（汕头大学出版社，2004）。

安全

对新生儿来说，两个重要的安全事项你应该牢记在心：

- 便携式汽车座椅。宝宝坐在里面的时候，座椅很容易从桌子上摔下来或是翻转，使用的时候一定要小心。最安全的方法是用婴儿系带把宝宝系在身边，而不是把他留在座椅里。
- 烟雾警报。现在是时候检查、确认所有烟雾警报器正常工作，以计划好火灾时如何从楼上的房间安全逃离。

一周内奇怪但正常的症状

一周的宝宝可能会出现这些情况，看起来非同寻常、让人担心，但实际上很正常：

- 眼白中有出血点
- 眼睛发黄（如果宝宝的整个身体都出现黄疸才应该担心，见P392）
- 脐带渗出液体、轻微出血
- 阴囊或阴唇肿胀
- 阴道黏液和出血
- 眼睛渗液（这几乎都是泪管堵塞引起的，见P310）
- 面部皮疹
- 吐奶（如果孩子会把食物喷出来，

见 P347 胃食管反流病，GERD）

- 肌肉痉挛

健康小贴士：
宝宝第一次“感冒”

大多数宝宝鼻子会发生堵塞，且会持续一两个月，这通常不是真的感冒或其他疾病，只是宝宝的小鼻子在慢慢适应空气中各种过敏源。如果鼻塞影响到宝宝进食或睡眠，你可以将含盐滴鼻剂或母乳喷进宝宝鼻子里，再吸出来即可（鼻子保健见 P021）。

疫苗

一周的婴儿通常无须注射任何疫苗。如果刚刚生下来的时候没有接种乙肝疫苗，有的医生可能会建议在这时候开始。

满月检查

成长中的宝宝有许多激动人心的变化，下面我们将指引你经历这些变化，并告诉你在满月检查的时候应注意什么。

成长

增重。现在，宝宝每周应该增加 140 ～ 280 克体重，这意味着你的宝宝应该比出生时重了 0.6 ～ 1.2 千克。如果母乳喂养的宝宝增重超过这个范围，不要担心，有的孩子在最初几个月里体重增长较快，这很正常。如果增重小于 0.6 千克，你需要约见有资质的哺乳顾问，来帮助你评估乳汁的供应和宝宝的吃奶技术。

体格检查

你的医生也许会对下列几点特别关注：

头形。如果宝宝的头形不对称，医生可能会向你演示如何在宝宝睡觉的时候更好地调整头的位置，促进宝宝头部重新塑型。

颈部对称。有时候宝宝颈部一侧的肌肉可能比另一侧紧，这会导致宝宝头部倾斜，因此向一边转头比另一边容易。这时，医生会演示一些头部和颈部的拉伸动作，以帮助你纠正宝宝的不正常姿势。

鹅口疮。新生儿的口腔有利于酵母菌的生长，疾病发生时，你能在他的舌头上、脸颊内侧或嘴唇上看见白色的碎屑。见 P555。

包皮环切。如果你的儿子做了包皮环切术，让医生检查确认皮肤边缘没有与阴茎头发生粘连，这十分重要。遵从 P049 的建议可避免这一情况。

睾丸。新生男婴的阴囊内常会有多余液体。医生会留意这一点，以确认阴囊不过分肿胀。

脚部弯曲。宝宝在狭窄的子宫里住了好几个月，有可能会导致他的小脚轻微弯曲。如果弯曲很明显，医生也许会向你演示一些足部拉伸动作。

皮肤。有一种常见的皮肤症状，叫作血管瘤，是皮下红色或蓝色的血管增生。如果你发现了血管瘤，指给医生看。这种无害的增生小的只有针尖那么大，大的会如硬币般大小。在开始的一年里，通常它会长大，到 5 岁时就会慢慢消退。

营养

适当的增重明确标志了宝宝得到了足够的食物。如果宝宝比出生时增重了 0.9 千克以上，你压根就不必担心营养问题；如果增重为 0.5 ~ 0.9 千克，也许一切都好，不过医生可能会深入询问你一些宝宝营养方面的问题；增重小于 0.5 千克，宝宝的营养方案则需要进一步评估。

母乳喂养

到这时候，母乳喂养几乎应该形成了第二天性，宝宝应该能够轻松正确地叼住乳头，乳头不再疼痛，乳汁也供应充足。如果一切都好，而且你一直都在尽量让宝宝每两小时左右吃一次奶，那现在可以放松一点，让宝宝“随心而吃”，只要确保他白天每隔两三小时（如果他有要求的话可以更频繁）吃一次奶，每次两边各吃 10 ~ 20 分钟就好。如果白天宝宝每隔三四个小时（而不是两三个小时）才要求吃一次奶，或是每次只吃一边，你就要提高警惕，这可能会导致乳汁分泌减少、宝宝重量不足。不过，这最终仍取决于宝宝的体型。如果增重数据良好，那哺乳频率不必遵循上述建议。

配方奶喂养

在这个年龄，大多数宝宝每次会吃 85 毫升奶，每天总共吃大约 560 ~ 680 毫升奶。到底喂多少奶，最好让宝宝自己决定。如果你的孩子每次都拼命把奶瓶喝个底朝天，这也许意味着他每次想吃多一点儿。宝宝吃奶的速度慢下来、失去兴趣的时候，奶瓶里还剩下几茶匙是最理想的，这样可以让宝宝根据自己的食欲来控制吃多少奶。

配方奶过敏或通过母乳引发的食物过敏

如果宝宝间歇发生婴儿肠绞痛（连续数小时剧烈哭闹）、频繁胃胀气、过度吐奶、严重鼻塞或是胸闷，他可能是对配方奶或妈妈吃下的食物过敏。通过母乳引发的食物过敏见 P336，配方奶过敏见 P340，婴儿肠绞痛见 P234。

夜间喂奶

无论是母乳喂养还是配方奶喂养，晚上你不需要再弄醒宝宝喂奶。如果宝宝在晚上需要营养，他自己会饿醒的，有的孩子甚至会醒上三四次。

健康及教养问题

大便。总的来说，母乳喂养的宝宝每天会拉几次黄色柔软的糊状大便；配方奶喂养的宝宝肠运动可能没那么频繁，大便多会呈黄色、褐色或绿色，通常也是柔软的糊状。如果你的宝宝大便里有许多黏液，这可能意味着食物过敏、摄入不足。如果是母乳喂养，那可能是喂奶时间太短，宝宝吃的低脂乳汁太多，后面的高脂乳汁吃得不够。详见《西尔斯亲密育儿百科》或《西尔斯母乳喂养全书》。

睡眠。现在，希望你的宝宝已经知道了晚上应该睡觉，不应该玩。有的宝宝晚上能一口气睡 6 小时以上（幸运的父母！），而有的宝宝每隔两小时就会醒来吃奶（可怜的父母！）。白天小睡时间的长短也五花八门，有的宝宝一次能睡两小时，有的只睡 30 分钟。婴儿需要睡多少时间，并没有确定的规则，根据身体的需要，他会自然地睡够时间。到这时候，你也许觉得自己非常缺觉，开始琢磨“我还能睡觉吗？”呃，放轻松，快了。很多宝宝到一两个月大的时候晚上会一口气睡得更久一些，吃奶的时间也没那么长，所以，挺住！

健康小贴士：
不要变成“单边”家长

听起来可能有点奇怪，但许多家长都会养成这样的习惯：总是用同一只胳膊抱宝宝（右利手的人通常会用左边胳膊抱宝宝，反之亦然）；从同一边用奶瓶喂宝宝吃奶；宝宝烦躁的时候，总是让宝宝以相同的姿势躺在婴儿系带里，或者将其抱在怀里。这个习惯看起来无害，但是实际上，如果宝宝的姿势总是相同，那么宝宝的头也会朝向同一边，或者脑袋会朝着这边肩膀歪得更厉害。如果宝宝每天都有好几个小时保持这种“单边”姿势、头冲着同一个方向，那么这边的颈部肌肉可能会变紧，宝宝的头会变歪（叫作“斜颈”——见 P538）。如果幼小的婴儿在汽车座椅或婴儿椅里坐太长时间，他们的头可能会歪向某一边，因为他们的力量太弱小，不足以支撑头部的重力。请务必时常交替抱宝宝的方向；喂奶的时候换换边；宝宝在婴儿系带里的位置也要适时调整，让宝宝的脑袋和脖子均衡地向各个方向倾斜。

尿流。在给宝宝洗澡或换尿布的时候，妈妈应该试着观察男婴的尿流。尿流通常较为急促，形成漂亮的弧线。如果尿液是慢慢滴出来的，请告诉医生，这可能意味着宝宝的尿道堵塞。

发育

每个宝宝都有自己独特的发育步调。如果你的宝宝没能掐着时间到达所有里程碑，别担心。下面我们简要介绍大多数（但不是所有）宝宝在一个月时应该达到的发育里程碑：

- 大肌肉动作——部分控制头部，四肢可弯曲
- 精细动作——小手经常紧握成拳
- 语言——可能会向着声音转过去，会被巨响吓到
- 社交——可能会自发地笑起来，与你进行眼神交流

通过下面的措施，你可以帮助宝宝向着两个月的里程碑方向茁壮成长：

- 直接皮肤接触的拥抱
- 用夸张的脸部表情面对面地交流
- 常常对宝宝唱歌、说话

安全

睡眠安全。请务必浏览《西尔斯亲密育儿百科》或《宝宝安睡魔法书》中我们列出的睡眠安全注意事项。

满月时奇怪但正常的症状

刚满月的宝宝可能会出现这些情况，看起来非同寻常、让人担心，但实际上很正常：

- 鼻塞和胸闷，尤其是喂奶期间
- 毒性红斑（或婴儿痤疮）——红色凸起的刺激性皮疹，出现在脸部、颈部和肩部，大多数宝宝会在三周左右出现这些症状，五周时达到峰值，最后在两个月时逐渐减弱；这种病症无需治疗，可自行恢复，通常被认为是宝宝离开母体，失去了母体激素引起的
- 身体上有干屑（与衣物、乳汁、汗水和尘土的日常接触引起的正常反应）
- 头皮有结痂，见P252“乳痂”
- 眼睛渗液，见P310“泪管堵塞”

疫苗

有的医生会在这时候给宝宝注射一剂乙肝疫苗。

两个月检查

新生儿正在变成能互动、会微笑、好玩耍的宝宝。下面我们将指引你了解两个月的宝宝，并告诉你接下来几个月

应该盼望什么。

成长

增重。在第二个月里，大部分宝宝的体重会再增加 0.68 ～ 1.14 千克。这时候，你的孩子也许会显示出体型的大致趋向，是大块头、普通体格或是偏瘦。

身高。每次检查都会测量身高。在最初的三个月里，宝宝每个月大约会长高 4 厘米。但如果以这么小的孩子的身高去推断最终的身高，结果不太准确。

头围。医生会确认头部是否稳定成长——不会过快也不会过慢。在最初几个月中，婴儿的头围每个月会增加大约 2 ～ 2.5 厘米。

体格检查

医生会像以前一样进行全面的检查，他也许会特别关注以下几点：

头形。如果现在孩子的头形漂亮而平衡，他很可能就会一直这样了。

眼。有的宝宝在这个年纪时偶尔看起来有些对眼。医生会注意到这个问题，以确保情况不太严重。

耳。在此之前，宝宝的耳朵通常还太小，没法看到耳朵里面。从现在开始，每次检查医生都会好好看看耳朵里面。

颈部力量。医生应该检查、确认宝宝能够将头竖起。如果宝宝的头斜向某一边，可能代表他颈部的肌肉有一边过紧（见 P538，“斜颈”）。

脐带。有的宝宝肚脐周围会留下一些凸起。这种轻微的疝气是无害的，它会在接下来的一两年消失。

髋部。在宝宝走路之前，每次检查都应仔细查看髋部，确认没有髋关节脱位的发生。

营养

适当的增重仍然是宝宝食物充足的最好标志。如果在过去一个月里，宝宝增重小于 0.57 千克，医生很可能会深入询问你关于宝宝营养的问题。

母乳喂养。如果医生告诉你宝宝增重正常，那别管宝宝多久吃一次奶、一次吃多久，对你和他来说，现在这样就很好。如果医生告诉你，宝宝增重不足，你应该试着找出原因并设法改善，而不是简单地增加配方奶。你还可以咨询有资质的哺乳顾问。

配方奶喂养。在这个时候，你可以根据喜好来选择是按照需求还是按照时间表来喂养宝宝。大多数婴儿每隔三四个小时就想吃奶，记得确保孩子每 24 小时每千克体重吃下 125 至 150 毫升奶（5.5 千克重的宝宝每天应该吃 687 ～ 825 毫升的奶）。

健康及教养问题

睡眠（或者缺乏睡眠）。这时候，你应该已经知道了你的孩子睡觉到底老不老实。1～5个月通常被我们称为“蜜月期”，在此期间，许多宝宝晚上能一口气睡很久。不过，有的宝宝在夜间有更多需求：他们要吃奶，或者要人摇晃着才能睡着，他们几小时就醒一次，而且必须在你附近才能睡着，或者干脆兼具以上所有特点。这些高需求宝宝也能学习如何得到良好的睡眠，不过本书中我们不作更多讨论，《宝宝安睡魔法书》中解释了怎样帮助孩子学习良好的睡眠。不过现在你需要知道几件重要的事情：

- 小心胃食管反流病（GERD），它可能是宝宝夜间惊醒的原因。有的宝宝在夜间频繁醒来就是因为GERD或是食物过敏，见P347和P336。
- 不要用“让他哭”的方法训练孩子睡觉。有的家长在宝宝两个月时会尝试这种方法，我们相信，对大多数宝宝，尤其是夜间需求较高的宝宝而言，这种方法过于痛苦。更多讨论详见P257。
- 尝试各种睡眠地点。有的宝宝一个人就睡得很好，有的宝宝窝在妈妈身边睡得更好。如果你的宝宝睡不好，试着换一下他睡觉的地方，没准会有惊喜。

一坐车就哭闹。有的宝宝就是讨厌坐在汽车座椅里面，你不得不开车出门时，他们总是哭闹不休。这很普遍，所以别担心你的宝宝有什么毛病。不幸的是，有的宝宝在周岁之前一直如此。妈妈可以和宝宝一起坐在后座上，俯身安慰宝宝，或是给他一个奶瓶或奶嘴。在宝宝座椅上方放一面大镜子，让他看见你。有需要时靠边停下，让宝宝休息一下。这里有两个小把戏，可以帮助吵吵闹闹的小乘客：带一张宝宝最喜欢的CD，留着专门在车上放；或者自己编几首有趣的歌儿，宝宝会慢慢记住这是“车里听的歌”。

防止阴唇粘连。有的孩子在最开始几年里，阴道的小阴唇很容易粘起来。在你换尿布的时候，每天轻轻拉开阴唇一次，可以避免这一情况出现。儿科医生在检查时也会注意确认阴唇未发生粘连。详见P546。

发育

下面是这个年纪的发育里程碑。虽然我们不指望每个孩子在每个阶段都能达到里程碑的程度，不过如果你发现宝宝的发育比里程碑迟缓，请告诉你的儿科医生。

- 大肌肉动作——四肢更加放松，平躺时能轻微抬头，坐着的时候能部分控制头部
- 精细动作——小手部分打开，会抓

你的手指，眼睛会跟随你移动

- 语言——能够发出咕咕声，保持眼神接触
- 社交——能微笑回应，也许还会大笑，表现出情感（快乐、悲伤）

通过下面的方法，你可以帮助宝宝下面几个月的健康成长：

- 挂一个黑白的风铃或是图片，让她学习图案。
- 鼓励孩子用手玩耍，嬉戏时支撑他的身体，帮助他半直立起来。
- 放音乐（音乐盒、风铃、CD），让她摇晃玩具和拨浪鼓。
- 给她做婴儿按摩，用婴儿系带或是软兜让她保持脸向前的位置。
- 让她躺在你的胸口，一起在地板上玩耍。

安全

可能造成窒息的物品。这时候该提高警惕了，确保宝宝玩耍的区域里没有小手感兴趣的微小物品。

小心翻身。虽然大部分宝宝在四个月前都不会翻身，但有的宝宝很早就会。千万别把宝宝单独留在柜台、换衣板或是沙发上。

两个月时最常见的疾病

宝宝成长过程中会受到很多小病的影响，下面是两个月时最常见的疾病：

普通感冒。如果你有大一些的孩子，或者你的宝宝经常和其他婴儿待在一起，准备好迎接感冒和咳嗽吧。小婴儿感冒如何照料详见 P227。

尿布疹。几乎所有宝宝都会得尿布疹，预防和治疗措施见 P281。

呼吸道合胞病毒（RSV）。对小婴儿来说，这种凶猛的秋冬感冒病毒能引发严重后果。如果你的宝宝一边气喘一边咳嗽，照料方法详见 P462。

湿疹。现在是宝宝最容易发生食物过敏和湿疹的时候了，因为他通过母乳接触到了多种食物。见 P304。

疫苗

两个月时，第一轮密集的疫苗接种开始了，这时候医生通常会建议接种五种疫苗：百白破疫苗、b 型流感嗜血杆菌疫苗、肺炎球菌结合疫苗、灭活脊髓灰质炎疫苗和轮状病毒疫苗。如果在出生和满月时没有接种乙肝疫苗，有的医生也会在这时候给孩子接种。若要详细、完整地讨论疫苗时间表的其他方案，请见《疫苗全书：为你的孩子做出正确的抉择》。

4 个月检查

我们的指引将帮助你理解这个年

纪的孩子发生的众多变化，帮助你的宝宝在这段日子里健康成长。

成长

增重。大多数这个年纪的孩子每个月增重 0.6 ～ 1.1 千克，或者说比两个月检查时增重 1.1 ~ 1.8 千克。到这时候，宝宝的体重通常是出生时的 2 倍。和以前一样，医生会评估宝宝的成长情况。总体来说，4 个月的男婴平均体重为(6.8 ±1) 千克，而女婴的平均体重约为 (6.4 ±1) 千克.

身高与头围。医生会继续检查这两项数据以确保孩子稳定成长。

体格检查

每次检查时医生会做全面的体格检查，现在他也许会特别关注下列事项：

眼。此前你可能发现过的对眼，现在应该已经消失了。如果你还觉得有问题，请告诉儿科医生。

口。医生也许会检查出牙情况，不过这只是为了满足父母的好奇心。

颈部力量及对称。宝宝应该能够将头竖起，轻松有力地转头。

腹部。用力按腹部两侧，检查有无器官增生或肿大，这很重要。

生殖器。有的女婴小阴唇开始发生粘连，医生会检查，以确认没有问题。每周在换尿布时，有两次轻轻拉开阴唇，可预防这一情况。

肌肉力量及健康度。你的宝宝应该能够靠自己的双腿支撑身体重量了，俯卧的时候应该能够靠双臂撑起上身。

皮肤。在这个时段或者更大一点的孩子容易出疹子。医生会全面检查，并询问你有没有发现宝宝身上哪里有什么异常。

营养

别着急给宝宝吃固体食物。几乎所有的儿科专家都认为，在最初 6 个月里，婴儿应该只吃母乳或配方奶，过早摄入固体食物可能会引起本来可以避免的过敏。这个年纪的孩子可以喝水。

母乳喂养

大部分宝宝的吃奶时间缩短了，他们不再像小时候那么有耐心，很容易分心。别担心，宝宝吃奶已经很有效率了，以前花较长时间才能吃到的奶，现在花较短的时间就能吃到。判断的依据在于增重、宝宝吃奶后是否快乐满足、肌肉发育是否健康、体脂情况是否良好。儿科医生会评估这些情况。

要离家回到工作岗位吗？如果你用母乳喂养孩子，计划离家回归工作岗位，我们鼓励你继续哺乳。研究表明，回到工作岗位后继续哺乳的妈妈更快乐，在工作中也更满足。她们的宝宝生病的频率也较低，这需要父母双方缺勤较少的情况。在《西尔斯亲密育儿百科》和《西尔斯母乳喂养全书》中，你会找到许多小窍门，帮助你在双重身份下泵出、储存和管理乳汁。

配方奶喂养

你可以继续给孩子吃奶，每次他想吃多少就给多少。大多数宝宝每天想吃的奶不超过 900 毫升。

过度喂养

如果你的宝宝每天吃的配方奶超过 1000 毫升，而且他的体重在百分表中的位置一路飙升，那么你可能给他吃得太多了。试试看，用 230 毫升左右的奶瓶装满水，在喂奶的间隙给孩子喝。这也许能够抑制他的渴望，同时又不会摄入过多热量。如果母乳喂养的宝宝“超重”，别担心。人们普遍认为母乳喂养的宝宝不可能吃得太多，从母乳中获得的增重没有问题。

健康及教养问题

出牙。从现在到两岁，出牙也许是宝宝夜间惊醒、白天烦躁的头号原因。虽然大多数宝宝要到 6 个月左右才会长出牙齿，但疼痛通常在四五个月的时候就开始了。出牙的信号包括过度流口水、看见什么都想咬、不断啃指头（你的和他自己的）、长时间异常偏执和夜间惊醒。如何最大限度减轻宝宝出牙的不适请见 P521。

呛咳。出牙引起的“呛咳”是宝宝在这个时段的普遍症状。家长经常报告说自己的宝宝每天剧烈咳嗽很多次，听起来有破音。如果宝宝其他方面都很健康，没有流鼻涕也没有鼻塞，而且出现了出牙迹象，那么咳嗽很可能只是出牙引起的，不是支气管炎。

健康小贴士：
5 个月时的“耳部感染”

宝宝 5 个月左右的时候，几乎所有父母都会带他们来检查耳朵，因为宝宝总是很烦躁、睡得不好，而且老是挠耳朵，家长自然担心宝宝可能得了耳部感染。如果你的宝宝出现这些情况的同时还有感冒症状（鼻塞、流鼻涕或咳嗽）或发烧，那可能确实是耳部感染。可是如果宝宝没有感冒症状，那挠耳朵和烦躁不安很可能只是因为出牙。学会这一区别也许能让你少往医生那儿白跑一趟。

便秘。无论是母乳喂养还是配方奶喂养的宝宝，在这个年纪都很容易出现便秘。最简单的方法是给孩子喝水，如果无效，可以用奶瓶或吸管杯给孩子喝

稀释过的西梅汁（兑一半水）。如果孩子接近半岁，在有必要的时候可以给他吃西梅婴儿食品。治疗婴儿便秘详见P245。

发育

大多数宝宝4个月时能达到的发育过程中的里程碑：

- 大肌肉动作——会翻身，良好的头部控制，俯卧时能用胳膊撑起身体，有支撑时能站起来
- 精细动作——会伸手抓住物品，能握住并摇晃拨浪鼓
- 语言——总会随着声音转向，会牙牙学语，比如“啊”“哦”
- 社交——会尽情地大笑，根据不同的需要发出不同的哭声，会用胳膊和身体表示自己想要什么

下面的方法能让你在接下来几个月里帮助宝宝发育：

- 让他站在你的膝盖上抓你的鼻子和头发
- 支撑着他直立玩耍
- 鼓励他抓取、咬玩具
- 给他玩拨浪鼓和其他会发声的玩具
- 跟他玩躲猫猫和镜子游戏

安全

学步车。可以让宝宝坐在有轮子的学步车里面，让他用腿推着自己在房间里逛，但是我们不鼓励这样的学步车。因为这种玩具很容易从楼梯上滚下去，造成头部损伤和骨折；它还会干扰到宝宝腿部的正常发育，因为它让宝宝坐着“走路”，这种姿势用到的肌肉和直立走路大不相同。可以使用固定不动的学步架，不过要等到宝宝6个月以后。

容易窒息的小物品。现在你的宝宝已经学会或者快要学会翻身了，一定要每天检查地板，清理一切可能会让宝宝窒息的东西。

防晒。长时间暴露在阳光下，一定要用帽子和遮阳伞保护宝宝。如果计划在阳光下待一天，有必要给宝宝的四肢擦上防晒霜。有的隔离霜标签上有说明，3个月以上的婴儿可以安全使用。阳光下如何护眼请见P020。

热水温度。把热水器的温度调到120华氏度（约49摄氏度）以下，以免洗澡时意外打开，造成热水烫伤。

4个月时最常见的疾病

这个时段孩子容易得的病和之前我们在两个月检查时讨论过的差不多（见P062）。随着宝宝的成长，皮疹越来越常见，如果你发现宝宝皮肤有任何异常，请查阅P452的表格帮助鉴别。

疫苗

4个月时，在两个月打过的大多数疫苗会再打一遍：百白破疫苗、b型流感嗜血杆菌疫苗、肺炎球菌结合疫苗、灭活脊髓灰质炎疫苗和轮状病毒疫苗，可能还会接种一剂乙肝疫苗。

如果宝宝在第一轮接种疫苗时有任何不良反应，例如发烧或过度烦躁，请告诉医生。见P542。

6个月检查

过去6个月里发生了这么多事儿，接下来的6个月还将带来更为激动人心的变化。下面我们将帮助你理解宝宝在这个精彩的年纪最重要的细节。

成长

增重。从4个月到6个月，宝宝将增重0.9～1.4千克。

身高。大多数宝宝将以每个月2～2.5厘米的速度继续长高。这个年纪的男孩平均身高为67厘米，女孩则为66厘米，上下波动4厘米是正常的。在接下来的几年中，孩子的成长范式可能发生明显变化，所以由这时候孩子身高在百分表中的位置推断最终的身高并不可靠。成长百分表请见P110～P117。

体格检查

医生会进行全面的体格检查，下面可能是他关注的重点：

眼。医生会仔细检查宝宝的眼睛，确认双眼向前直视。在最开始的几个月里，宝宝偶尔的对眼很正常，不过现在应该已经恢复了。对眼详见P312。

口。最先长出来的通常是下门牙，不过有时候上门牙会先长出来。

耳。宝宝生病时，耳朵常会被黏液堵住。宝宝身体健康时，妈妈要确保宝宝耳朵里面没有黏液，保证他的良好听力。

淋巴结。大多数婴儿颈侧、耳后或脑后能摸到豌豆大小或更小的腺体。

腿。大多数宝宝的腿都很弯，医生会确认腿脚的弯曲程度是否正常。

脊柱。医生会仔细检查宝宝坐着的时候脊柱的情况，防止异常的弯曲或脊椎缺陷。

营养

固体食物

等了很久的时刻终于来了，现在，你可以给宝宝吃固体食物了。最常见的起步食物包括香蕉、苹果酱、梨、红薯、牛油果和米糊。不过并不是所有这个年纪的宝宝都有兴趣或是做好了接受固体食物的准备，宝宝准备开始吃固体食物的信号包括：

- 充满渴望地看着你吃东西
- 伸手去够你的食物
- 能坐在儿童座椅里
- 吐舌反应消失（有东西进入嘴巴的时候，舌头不会自动吐出来）

有一点很重要：宝宝到了吃固体食物的年纪，并不意味着是给他吃固体食物的好时机。如果你的宝宝总是转开头或是推开勺子，那么，显然他还没准备好。如果孩子还不感兴趣，你就哄着他吃，肯定会养成他挑食的毛病。

记住，给这个年纪的孩子吃东西主要是为了促进他们社交思维和运动肌的发育，但他们还不需要从食物中摄取营养。在孩子最开始的一年里，母乳和配方奶能提供给他全部所需的营养。所以，无论这时候孩子吃多少东西、多久吃一次，都别担心，因为从长期来看，这根本无关紧要。你只要跟着宝宝的节奏走、享受乐趣就好。

健康小贴士：吃有机食品！

最好给孩子吃有机食品，食物中的农药和激素不利于孩子正在发育中的大脑。如果要从商店里买婴儿食品，最好买冷冻的有机婴儿食品。

如何让宝宝开始吃固体食物，如何在接下来几个月里增加他的固体食物摄入量，详见《西尔斯亲密育儿百科》或《社区里最健康的孩子》。

培养小口味。宝宝开始吃固体食物时，你可以自己亲手做给他。固体食物不但能提供额外的营养，还能培养孩子的口味。自制婴儿食品(例如牛油果糊、做熟的瓜类、香蕉糊）能引导孩子喜欢真正的食物；而且现在正是宝宝发育中味蕾可塑性最强的时机。在医疗实践中我们注意到，早早开始吃自然食物的孩子成年后，更可能坚持对自然口味的喜爱。从另一方面来说，如果孩子一开始就吃淡而无味的罐装食品，他们会以为真正的食物就是这个味道，口味就会被引向不那么健康的方向。因此，从自然食物开始的孩子，长大后更可能避开垃圾食品的残害。

小心便秘。刚开始吃固体食物时孩子常常便秘，香蕉和米糊尤其容易引起便秘。如果发生这种情况，别再给孩子吃这些东西，试着换成西梅酱或桃子酱，稀释过的西梅汁也很有效。与此同时，再慢慢给孩子吃其他食物，直到孩子习惯。如果宝宝在吃固体食物之前就已经便秘了，那就先给他吃西梅和桃子，别吃其他的。

母乳喂养

美国儿科学会推荐，母乳喂养至少一年，一岁前母乳应该是宝宝主要的食物来源。别让宝宝对食物的兴趣过多的影响哺乳，至于什么时候该吃奶、什么时候该吃食物，其实不重要，只要在你吃东西的时候给宝宝吃一点，而他想吃奶的时候给他吃奶就好。

配方奶喂养

随着宝宝开始吃食物，配方奶的摄入量可能会下降。一岁之前宝宝都需要将配方奶作为主要的营养源，所以别让配方奶的摄入量下降得太厉害。宝宝每天需要吃 680 ~ 900 毫升奶，哪怕开始吃固体食物以后也是这样。

水

现在正是时候让宝宝开始习惯用吸管杯喝水。别给他喝果汁，因为果汁里有额外的糖分。宝宝想喝多少水就给他喝多少，这样他就不会有喝果汁的念头。

需要补充维生素吗？

通常没有必要给宝宝吃液体复合维生素。宝宝需要的所有维生素都能从母乳（维生素 D 除外，见 P054）或配方奶中获取。不过，吃液体复合维生素也没有坏处，而且没准还能为宝宝上一点儿“维生素保险”。药店里可以买到液体维生素，请遵照瓶子上标明的剂量服用。

健康及教养问题

牙。这时候许多宝宝长出了第一颗牙。如果你的宝宝还没长牙，别担心，有的宝宝到一岁才长牙呢。到 18 个月左右、宝宝长出臼齿之前，都不需要刷牙或者用牙膏。现在，稳妥起见，只要每天用薄毛巾裹住手指擦拭宝宝的牙齿或牙龈一两次就好。

睡眠。还在寻找能让宝宝整夜安睡的魔药吗？你不是一个人。这个年纪的宝宝有的已经可以睡一整夜了，不过大多数宝宝还会至少醒一次。我们建议你阅读《宝宝安睡魔法书》，学习促进宝宝睡眠的窍门，不过这里有两个建议专门针对 6 个月的婴儿：

睡前点心。如果宝宝已经开始吃固体食物，你可以试试在快睡觉的时候给他吃点儿宵夜。虽然研究结果与此相悖，但这种方法也许能够帮助孩子一次睡得更久一些，至少上半夜是这样。

半夜出牙痛缓解剂。在床边准备一些出牙痛缓解剂给宝宝半夜用，需要的时候，它能够（希望如此）为你换来四小时不受打扰的睡眠。

陌生人焦虑。宝宝在 6 到 9 个月的时候，可能会出现陌生人焦虑。这种情况十分正常，可能只有一两个月，也可能持续一年以上。要帮助宝宝度过焦虑期，可以多花点时间带着他和成人及有孩子的家庭交往。让宝宝待在有“村庄”氛围的环境中能促进他的社交技巧，提高与他人相处时的舒适度。

发育

下面是大多数宝宝在 6 个月时达到的发育里程碑：

- 大肌肉动作——能轻松地向两边翻身，也许能扶着家具自信地站起来，也许能自信地自己坐起来或者用胳膊保持平衡，趴着向前爬
- 精细动作——准确地伸手，用手掌、手指和大拇指抓住物品，也许会指物品
- 语言——含糊地说话（巴——巴——巴——巴，麻——麻——麻——麻），尝试发出各种声音
- 社交——模仿面部表情和声音，和镜子里的自己互动

接下来几个月，你可以通过下列方法促进宝宝发育：

- 给他玩积木、会发声的玩具和球
- 在地板上玩，把玩具放在宝宝刚好拿不到的地方，支撑着他坐起来
- 玩躲猫猫和拍手游戏
- 让他抓泡泡，捡小东西（在大人的指导下）
- 鼓励他随着音乐摇摆

安全

婴儿安全防护

虽然宝宝还只会在小范围内打滚、蠕动、爬行，不过保险起见，应该开始做婴儿安全防护了。下面简要列出了这时候你应该采取的最重要的措施。当然随着宝宝越来越大，行动能力越来越强，你还应该做更多努力。

- 给家里的电源插座装上安全防护盖。
- 将书架固定在墙上，以免倒塌。
- 把窗帘绳（尤其注意婴儿床附近）系到高处，以免孩子绊倒。
- 每周用吸尘器清洁居室两次，清理容易窒息孩子的小东西。
- 停止使用桌布及其他宝宝能自己扯下来的装饰品。
- 把家用清洁剂和药品放到柜子高处，锁起来，别让孩子够到。
- 在楼梯两端安装安全门。

防中毒热线。查阅本地热线号码，写下来贴在厨房、柜子和电话附近。

处理掉咖啡桌。虽然咖啡桌很适合让孩子扶着学习站立，不过在孩子蹒跚学步的时候，它也很容易让孩子撞到头、磕到牙或是划伤脸。如果可以的话，把咖啡桌收起来一年，直到宝宝会走会跑。用一张布料覆面的软榻替代咖啡桌，是再安全不过了。

看电视，看多少才算多？

研究表明，看电视可能与一些行为、学习障碍有关，例如注意力缺失障碍（ADD）。大多数医学专家普遍相信，最开始两年最好完全别让孩子看电视（包括教育和发育类视频），因为这时候是宝宝大脑发育最关键的阶段。与真人、真实的玩具进行互动更有利于宝宝的智力和情感发育。从实际的角度来说，大多数父母并未遵从这一建议。我们也得承认，我们家的婴幼儿经常每天看半小时电视。不过，完全不给两岁以下的孩子看电视也许是最理想的。

6个月时最常见的疾病

接下来几个月中，宝宝可能会有下列小毛病：

耳部感染。现在孩子的普通感冒和咳嗽会导致耳部感染。下次孩子感冒的时候，注意有无发烧、异常烦躁、抓耳朵、睡不好等症状。详见P291。

玫瑰疹。这种常见但无害的病毒会让孩子发三天高烧，退烧后孩子的胸口上部、背部和颈部会出现红色密集斑疹。除了控制热度以外无须其他治疗，详见P459。

哮吼。这种感冒病毒十分独特，它会让孩子发出奇怪的咳声，听起来像是海豹的叫声；它还会造成孩子呼吸困难，声音粗粝。如果孩子得了这种感冒，疗法见P255。

脸部口水疹。这种无害的症状通常会伴随着出牙出现，你可以用羊毛脂软膏（比如哺乳后你用来滋润乳头的那种）限制红斑，不过接下来一年中它还会反复出现。

疫苗

孩子成长到这个阶段，两个月和4个月时打过的大多数疫苗会再打一遍：百白破疫苗、乙肝疫苗、b型流感嗜血杆菌疫苗、肺炎球菌结合疫苗、灭活脊髓灰质炎疫苗和轮状病毒疫苗。是否再次接种b型流感嗜血杆菌疫苗取决于医生选择的疫苗品牌。这时，有的医生会给孩子接种第三剂灭活脊髓灰质炎疫苗，有的会等到18个月。

如果现在正是流感季节（10月至4月，6个月的孩子可以开始接种流感疫苗）。

9个月检查

现在，你走进了宝宝生命的全新阶段——他会到处跑了！对孩子来说，这个年龄激动人心，因为机动能力给了他们远超以往的独立性。下面是我们对9

个月儿童的指导。

成长

增重。从 6 个月到 9 个月，宝宝会增重 1.1 ~ 1.6 千克。如果过去两个月中你的宝宝已经开始爬行，甚至蹒跚学步，那么要是他的增重小于上述值、在百分表中的位置偏低，不要惊讶。在第二个半年中，大多数宝宝都会出现“减肥”阶段，因为突然开始运动的宝宝正在甩掉婴儿肥。

体格检查

每次医生都会全面检查宝宝的身体，现在他可能会尤其关注下面几点：

头。现在头部的柔软区域应该已经消失了。

眼睛的颜色。虽然在生命最初的几个月中，眼睛的颜色容易发生变化，不过现在应该就是最终的颜色了。

心脏。心脏的问题在宝宝童年期随时可能显现。

皮肤。宝宝的皮肤上可能开始出现痣，这并不罕见。你可以检查一下，指给医生看。

营养

食物。记住，一岁前食物不是宝宝主要的营养来源，所以别着急让孩子吃东西。宝宝每天吃几次、每次吃多少并无定数，按照你的时间表和宝宝的兴趣来就行。下面几个月里，你可以慢慢给宝宝的食谱添加几样新的食物：三文鱼、禽肉、蛋黄、奶酪、酸奶、豆腐、面条、豆子、豌豆、红薯和燕麦片。一岁之前绝对不能吃的食物有：蜂蜜、蛋白、小麦、坚果产品和樱桃。有两类食物不能给两岁之前的孩子吃：花生和贝类，因为可能引起过敏。

健康小贴士：
亲近大自然——请给孩子吃真正的食物！

我们不是说要你搬到户外、住在帐篷里，而是说要给孩子吃自然的食物。尽量给孩子吃最接近自然状态的食物。别给孩子吃盒装膨化水果或膨化蔬菜小吃，给她真正的食物，比如香蕉、米糕、切开的葡萄等等。如果总给孩子吃方便的盒装零食，孩子长大一点儿以后就会想吃薯片和薄脆饼干之类的东西。总的来说，有包装的东西都不适合给孩子吃。见 P067“培养小口味”。

你可以开始给孩子吃各种黏稠度的食物，手抓小吃、一口就能吃掉的柔软熟食或者会在嘴里融化的食物。如果孩子总会把某个黏稠度的食物吐掉，那就缓一缓，过段时间再试。

母乳喂养。点点滴滴的乳汁是宝宝最好的营养来源，乳汁哺育孩子生命的第一年，带着他走进第二年。别太费心让孩子每天一定要吃几次奶或者每次一定要吃多久，宝宝长大了，他会管理自己的食欲，自己决定什么时候吃奶、一次吃多久。

奶粉喂养。保持每天给孩子吃4～5瓶奶，包括晚上（如果有需要的话）。不必换成幼儿配方，一岁前都可以吃婴儿配方奶。

健康及教养问题

检查铁元素。胎儿时期宝宝储存在体内的铁现在应该消耗光了。大多数宝宝会从母乳或配方奶中获取足够的铁，不会出现问题。不过有的宝宝在9～12个月时会缺铁，出现轻微的贫血（血红细胞数量偏低），原因不明。医生会在宝宝的脚后跟上轻轻扎一针，取一滴血来测试铁元素水平。对母乳喂养的体重较轻的宝宝来说，这项检查尤为重要。如果你的宝宝铁元素含量偏低，医生可以给他开补铁剂。你也可以多给孩子吃含铁量高的食物，包括补铁麦片、西梅汁、豆子、肉类、火鸡、野生三文鱼、小扁豆和豆腐。

分离焦虑。有的宝宝在9～12个月时会出现分离焦虑。他们可能不再愿意待在托儿所里或临时保姆身边，有的孩子哪怕你走到隔壁房间去取东西都会抗议。随着宝宝开始理解社会动力学，出现这样的情况是正常的。有的父母会狠下心来，让孩子哭，以此让他适应分离。而有的父母会在这几个月里调整自己的安排和期望，留在宝宝身边，慢慢让宝宝逐渐适应分离。跟着直觉走吧，别让别人影响你的决定，做你认为最适合你和宝宝的事情。

多说“好”，少说“不”。宝宝能走会跑了，探索的欲望随之而生。现在，整座房子都成了他的游乐场，而且理所当然，他能抓到手里的东西都是他的！我们相信，父母应该鼓励这种探索与发现的欲望。允许孩子在家里爬或者走，捡东西、拍打桌子、打开柜子、弄翻容器，向孩子传达信号：他很重要，很聪明，很独立。这样可以培养孩子的自尊心和自信心。如果你老是对孩子说“不”，常常叫他“别碰这个”，那可能会抑制孩子的创造力和兴奋感，让他对自己产生怀疑，害怕越界。多说“好”，你会看到孩子飞扬的想象力和创造力！如何保证孩子的安全探索，请看下面的提示。

发育

下面是大多数这个年纪的宝宝达到的发育过程中的里程碑：

- 大肌肉动作——会爬，会抓着东

西站起来，会沿着家具走路，在没有支撑的情况下站立，也许还会爬楼梯
- 精细动作——会用拇指和食指捡起小东西，也许会用手抓东西吃，会用杯子喝水
- 语言——会含混地拼出不同的元音和辅音，也许会清楚地喊出“妈妈”或“爸爸”，明白各种东西和行为的区别
- 社交——对自己的名字有反应，也许会挥手“再见”，会给出社交信号（举起胳膊要求你把他抱起来）

让孩子做这些事可以促进他发育：

- 玩容器——往里面装东西，再把里面的东西倒出来
- 敲打水壶和平底锅
- 堆较大的积木
- 摸索你的上衣口袋
- 与镜子里的自己互动
- 随着音乐跳舞或摇摆

安全

警告！安全巡逻的活儿比以前忙多了。请认真阅读下面的内容，这关系到宝宝的生命。

游泳池。如果你家有游泳池，请用安全栅栏围起来，安装儿童防护门，这非常重要。别想着等到宝宝大一点儿再装，因为他现在或者很快就会跑到屋子外面，没准会掉进游泳池。

浴缸。别让宝宝单独待在浴室里，哪怕只有几秒钟，她都可能会够到热水龙头，自己打开。你还应该给水龙头买个充气式或者带橡胶衬垫的盖子。

楼梯。在楼梯两端装上安全门，以免无人看守时孩子摔倒。你还应该花点儿时间教她如何安全地爬着上下楼梯。

妈妈的钱包。这是所有宝宝最喜欢探索的地方。钱包里别放任何药品、维生素、香水喷雾或防狼喷雾。钱包是幼儿中毒或过量用药最大的祸源地。

容易窒息的食物。永远不要给 4 岁以下的孩子吃爆米花、整个的葡萄、热狗（除非切成小片）、坚果、种子、硬水果（例如生的苹果）、硬糖或其他任何硬质、圆形、坚固的小东西。吃东西的时候必须有人看着孩子，如果孩子发生窒息，越快处理越好。

其他儿童安全措施。除了 6 个月时我们曾经提出的建议外，你还应该做到：

- 给较低的柜子安锁。
- 把所有药品（包括维生素）收到高处的柜子里。
- 把所有清洁剂和洗涤剂放在柜子或架子的高层。
- 确保家里没有任何有毒的室内或户外植物。

9 个月时最常见的疾病

除了通常的感冒、咳嗽和耳部感染之外，下面几个月孩子还可能出现这些小毛病：

脓疱病。这种细菌感染常见于嘴巴、鼻子或眼睛周围的皮肤。详见 P388。

手足口病。这种麻烦且无法医治的病毒会导致嘴巴痛、高烧，有时候还会在手脚上出现细小的水疱。详见 P415。

腹泻。幼儿很容易肠道过敏。如果孩子腹泻或呕吐，请见 P283。

健康小贴士：
增强免疫系统

现在，你和孩子与外界的接触越来越多，让孩子的免疫系统保持健康变得尤为重要。如何增强孩子与你的免疫系统，避免某些的疾病，请见 P033。

疫苗

现在孩子可能需要注射 1 ～ 2 剂疫苗，具体取决于医生采用的时间表。疫苗详见 P044。

周岁检查

恭喜！你的小宝宝已经一岁了，接下来的一年还会有许多激动人心的变化。下面我们将陪伴你走过生命里最重要的里程碑，帮助你照料、理解正在成长的幼儿。

成长

增重。这个年纪的大多数宝宝比 9 个月检查时重 0.5 ～ 1.4 千克，现在宝宝的体重大约是出生时的 3 倍。基因真正开始真正发挥威力，宝宝会表现出具体体型的倾向，他是瘦子还是大块头呢？这与家族体型有关。如果基因决定了你的宝宝偏瘦，吃再多的食物也不会改变这一点。如果宝宝的体重在百分表最上端高歌猛进，那培养健康的饮食口味就很重要，让他多吃健康的碳水化合物、蛋白质和优质脂肪（可以参考本书 P098 的内容或《家庭营养书》和《社区里最健康的孩子》）。

身高。宝宝通常会比 9 个月检查时长高 4 厘米左右，女孩平均身高为 74 厘米，男孩为 76 厘米。

头围。医生会继续确认孩子的头部是否发育正常。

体格检查

医生会全面检查孩子，他可能会重点关注下列内容：

耳。医生会检查两件事：堵塞耳朵的黏液和堆积的耳垢，这两者都会影响宝宝的听力。

口。由于大部分孩子3岁前都不需要看牙医，所以让医生好好看看孩子的牙，确认没有蛀牙的早期迹象或任何发育异常，这十分重要。现在，大多数宝宝应该长出6～8颗牙。

腹部。医生会触压肚子，检查有无器官肿大或增生，这很重要。

生殖器。医生会检查男孩的睾丸有无异常的肿胀或发育异常；如果是女孩，则检查、确认小阴唇不发生粘连。在孩子停用尿布之前，记得继续轻轻拉开小阴唇，防止粘连（见P546）。

腿部和脚部。医生会看看孩子走路，确认其腿脚没有异常的瘸拐或弯曲。现在宝宝可以站起来了，医生会检查有无扁平足或异常的腿部弯曲。

营养

食物

现在你的宝宝已经一岁了，除了容易引起窒息的食物（见P225）、贝类和花生产品（因为很容易过敏）之外，他几乎什么都能吃了。你不再需要专门为他做婴儿餐，给他吃和家里其他人一样的东西就好。你还可以给宝宝吃一些新东西，例如牛奶、农家干酪、蛋、牛肉、鱼、意大利面、全麦饼干、小麦麦片、蜂蜜、松饼、烙饼以及所有的水果蔬菜（可能引起窒息的除外）。记得尽量保障是机食品。

母乳喂养

继续给一岁的宝宝吃母乳很健康。在生命的第二年和第三年里，母乳中特别的营养成分和多种脂肪、蛋白质和钙会继续滋养孩子。如果宝宝吃的奶比以前少，别担心。大多数幼儿很容易分心，很难好好吃奶。从另一方面来说，有的幼儿会退回依赖阶段，总想吃奶，这个阶段可能持续几个月。如果宝宝一天至少吃两次奶，那就不需要补充牛奶。

从配方奶过渡到有机牛奶和酸奶

现在宝宝一岁了，他不再需要配方奶了，你可以给他换成全脂牛奶和酸奶。

牛奶。两岁之前，宝宝大脑的发育需要全脂奶中额外的脂肪，等到两岁再换成低脂牛奶。宝宝吃的牛奶量应该少于配方奶，你应该将孩子24小时的吃奶量限制在450毫升左右。如果超过这个量，可能会增加宝宝肠道负担，抑制他对普通食物的欲望。你可以把配方奶和全脂奶混在一起给孩子吃，花几周时间慢慢过渡；也可以直接换成全脂奶，这由你决定。如果宝宝在婴儿期曾经对以牛奶为基础的配方奶疑似过敏，现在你还是可以换成牛奶，但要注意观察宝宝有没有过敏的迹象。牛奶的替代品包括不加糖的米汤、豆浆或杏仁露，它们富含钙。羊奶也是很好的选择。

酸奶。酸奶是钙的理想来源，它经过自然发酵，不易过敏，对肠道的刺激也更小。大多数对牛奶过敏或乳糖不耐受的孩子能喝酸奶（我们建议喝有机酸奶），而且酸奶中的益生菌也很有好处。希腊式酸奶中的蛋白质含量是普通酸奶的两倍。

钙需求。有个鲜为人知的秘密：一旦断掉配方奶或母乳，那么从技术上说，宝宝完全不需要其他任何类型的奶。奶提供的两种营养——钙和脂肪——可以从奶酪、酸奶、蔬菜、肉类和其他食物中轻易获取。牛奶的确可以方便地取代配方奶，但肯定不是必需品。宝宝每天需要吃两到三顿富含钙的食物。实际上，酸奶（有机不加糖）的钙含量比等量的牛奶高，而且不容易过敏。

健康小贴士：
米汤和杏仁露难以提供蛋白质

从技术上来说，大米或杏仁制成的饮料不是奶。与牛奶、豆浆不同，米汤和杏仁露的主要成分是碳水化合物，而蛋白质、脂肪和宝宝需要的其他营养物质含量很低。如果宝宝过敏，只能喝米汤和杏仁露，那给他喝加钙型的，至少能满足宝宝对钙的需求。

维生素 D。记得遵医嘱，孩子的整个童年期都需要持续服用维生素 D 补充剂（每天 400 国际单位）。

宝宝偏瘦。正如我们此前讨论过的，有的宝宝在这个年纪会自然地瘦下来。医生会检查宝宝的肌肉健康度、脂肪层和发育状况，如果一切良好，那就没什么可担心的。为了帮助你的瘦宝宝继续得到足够的热量和营养，你可以试着把这些最佳的“成长食品”（每一口的热量、蛋白质、维生素和矿物质含量最高）添加到他的食谱中：

- 牛油果
- 西蓝花
- 蓝莓
- 小扁豆
- 鱼
- 橙子
- 燕麦片
- 红薯
- 豆腐
- 全麦面包
- 酸奶
- 豆子
- 农家干酪
- 蛋
- 橄榄油
- 木瓜
- 菠菜
- 禽肉
- 西红柿
- 鹰嘴豆泥
- 粉红葡萄柚
- 坚果酱（花生除外）
- 亚麻籽粉或亚麻籽油

健康及教养问题

挑食。如果宝宝挑食，别着急。长期来看，挑食的宝宝和不挑食的宝宝健康度差不多。如何喂养挑食幼儿，详见 P300。

断掉奶瓶。如果宝宝还在使用奶瓶，是时候让他断掉了。最简单的方法是别让他看见奶瓶。把奶或者水装在吸管杯里，放在孩子可以方便地拿到的地方。车里也放上吸管杯，孩子渴了就用吸管杯喝水。在孩子大到能够到处走动、清楚地说话索要奶瓶之前，这种"看不到就不惦记"的方法最为有效。他也许会注意到少了什么东西，可是既然手边没有，他或许就会顺其自然地接受。

有时候，你确实得给孩子一天喝一两瓶奶以安抚他，比如说在小睡前、晚上睡前或是刚刚醒来的时候。毕竟这时候母乳喂养的孩子还在吃奶，为什么要强求吃配方奶的孩子断奶呢？如果你觉得孩子在某些情况下确实需要奶瓶，那就别把奶瓶拿开，尽情享受和宝宝共处的安谧时刻吧，这样的时光已经不多了。这么小的宝宝偶尔吃吃奶瓶无伤大雅。

如果孩子拒绝用杯子喝牛奶，别着急。如前所述，幼儿已经完全不需要吃奶了。所以，如果不用奶瓶意味着几乎不吃奶，别担心。没了奶瓶，大多数孩子会以其他方式吃奶，不过就算他们不吃，也有其他许多方式可以满足他们的钙需求。

牙。臼齿通常要到 18 个月才会出现。臼齿长出来之前孩子不需要用牙刷或牙膏，每天用毛巾擦拭牙齿就够了。

咬人、打人及其他不良行为。在这个年纪，有的孩子会开始探索什么样的行为是被允许的。这样的尝试其实很积极，因为它展现出了孩子开朗外向的鲜明性格。现在还不需要教他很复杂或是很严格的纪律，只要说一句"哦，别咬"或其他合适的话就好，或者离开现场，把他抱到别的地方，这样足以表明你的态度。

健康小贴士：
"不"就是不

不要老是对孩子说"不"，请发出明确的命令："这不是给 ×× （孩子的名字）的。"否则孩子也会老说"不"。幼儿很容易学会这个词，于是"不"就失去了应有的效果。

发育

大多数宝宝在这个年纪达到的发育里程碑如下：

- 大肌肉动作——能很好地爬行，会爬上楼梯，不用扶着东西就可以自己站立，也会扶着家具走动。很多宝宝在这时候开始走路了，不过也有的宝宝要到15个月才走路。另外，宝宝经常摔倒很正常。
- 精细动作——能精确地抓握（用拇指和食指），会用食指指东西，会堆积木，显现出左利手还是右利手，也许还会独立地用吸管杯喝水。
- 语言——许多宝宝会说一两个词儿，比如说“妈妈”或“爸爸”。有的宝宝不会说具体的词语，不过应该会说很多含混的儿语（许多不同的元辅音组合）。
- 社交——会挥手再见，指东西，明白“不”和其他简单的指令。如果你问他某样东西在哪儿，比如说“狗狗在哪儿呀？”宝宝应该就会转身寻找，之后指给你看。

在接下来几个月里，你可以用这些方法促进宝宝的发育：

- 丢球
- 一边走一边推 / 拉玩具
- 唱儿歌，玩游戏
- 学习面部器官——“妈妈的鼻子在哪儿呀？”
- 把柜子或容器里的玩具倒出来
- 学动物的叫声

安全

除了9个月时应采取的安全措施以外，你还应该考虑更多东西，比如说：

安全汽车座椅。2009年之前，法律和安全须知都是这样说的：如果宝宝一岁以上且体重超过9千克，父母可以把汽车座椅转到正面朝前的方向。不过，研究表明，即使孩子的年龄和体重超过这个值，继续保持朝后的方向更安全。一旦发生事故，面朝前方的幼儿受重伤的几率是朝后方的5倍。修订后的安全须知指出：儿童汽车座椅应面朝后方，直到宝宝两岁；两岁以后也可继续面朝后方，直到宝宝的身高或体重达到该儿童座椅的上限（没有年龄上限）。如果你的宝宝之前用的是较小的、只能朝后安放的座椅，你也许会发现，你得升级成大的“可调式”座椅，能够让宝宝不断长大的小身体面朝后方坐到两岁。座椅的侧面标有身高、体重上限。如果孩子的身高或体重超过了该座椅上限（无论孩子多大年纪），那就该把座椅转过来了。关于汽车座椅还有个小提示：别让宝宝看见你是怎么解开安全带的，你肯定不希望他自己学会这招。

防晒和戴帽子。随着年龄的增大，是什么让我们长皱纹？不是成年后经历的日晒，而是童年期和青春期积聚下来的晒伤。因此要及早预防晒伤，长时间在户外活动时，给宝宝戴上帽子，以保护他的脸和眼睛。如果孩子要在外面玩几个小时，擦隔离霜也是不错的选择。

伸手去够柜台和桌子。小心，有的宝宝会尝试去抓柜台或桌面上的东西，或是拉扯桌布。不要把重物或易碎品放在桌子和台面边缘。厨房炉子尽量只用靠里面的灶眼，尤其是在烧开水的时候。

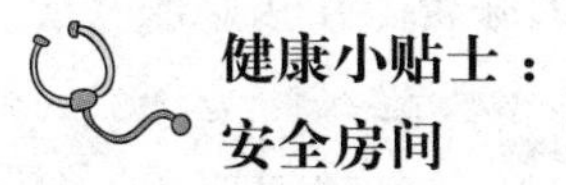

健康小贴士：安全房间

有的父母会发现在整幢房子里做儿童安全防护太困难了，或者说根本不可能。有一个很好的替代方案：为孩子准备一间绝对安全的房间。用家具和钉在墙上的儿童安全门把这个房间和屋子其余部分隔离开来，宝宝可以安全地在里面玩玩具。最好选择整幢房子中间位置的房间，比如家庭起居室，这样你可以一边在屋子其余部分走来走去做自己的事情，一边盯着宝宝。当然，如果宝宝想去探索家里没做安全防护的地方，必须有人陪同。

周岁时最常见的疾病

除了感冒、咳嗽和耳部感染之外，接下来几个月里孩子还可能出现这些小毛病：

病毒性咽炎。3 岁前孩子喉咙痛最常见的原因是病毒，而不是链球菌之类的细菌，所以通常不需要使用抗生素治疗。详见 P527。

红眼病。孩子最开始几年差不多一定会得至少一次红眼病。如果出现红眼病，详见 P315。

感冒和耳部感染。孩子一到 3 岁时，这两种病更加常见了。如果孩子感冒，详见 P227。

疫苗

最开始的 6 个月里，宝宝接种了三轮相同的疫苗。现在该接种三种新疫苗了：MMR（麻疹、腮腺炎和风疹）疫苗、水痘疫苗和甲肝疫苗。

肺结核皮试。有的诊所，特别是大城市里的诊所，会从现在开始给孩子做肺结核（tuberculosis，TB）皮试，检查孩子是否接近过带有传染性肺结核的人。这种皮试可能之后每年都会进行。肺结核是一种严重的肺部感染，常见于无家可归或是居住环境拥挤的人身上，不过它也可能感染任何人。如果接触过肺结核，孩子通常不会立刻表现出症状，但病菌会在体内潜伏多年，直至孩子成年才发作，导致严重的肺结核。皮试会检查孩子是否带有潜伏病菌，如果结果为阳性，可以采取措施在病菌造成危害之前把它消灭掉。在郊区或农村肺结核没那么常见，这些地区的医生也许会推迟几年再做这项测试。

15 个月检查

未来的一年真是激动人心！孩子的语言和行动能力将大幅提升，社交互动能力也会飞速成长。你的小宝宝就要开始“长大”了！也许你得花很多时间追着他跑，免得他惹出乱子，可是随之而来的也有许多乐趣：孩子的社交和语言能力飞速发展，能够与你互动；她渴望学习新词语、新技能，也能准确地和你交流她想要什么、需要什么。下面是我们对 15 个月的孩子的指南。

成长

增重。从周岁到 15 个月，大多数幼儿会增重 0.45 ~ 0.9 千克。如果孩子好动，整天都在到处跑，那体重可能完全不会增加，因为他的婴儿肥一直在燃烧。

身高和头部尺寸。每次医生都会检查这两项数据，确保孩子稳定成长。

体格检查

每次医生都会全面检查孩子的身体，现在他可能会特别关注这些方面：

眼。和以前一样，医生会仔细检查孩子的眼睛，确认是否有长期影响视力的弱视。

扁桃体。这时候有的孩子的扁桃体会开始变大。虽然扁桃体变大实际上对健康没有影响，但是观察记录增大情况仍然有用，这样你可以在晚上观察一下孩子有没有呼吸问题。

全身检查。和往常一样，耳朵、牙齿、心脏、肺、腹部、生殖器、手臂、腿和背的检查也很重要。

营养

培养幼儿的味蕾。在 9 个月检查时，我们曾鼓励你尽量给孩子吃天然的东西。现在我们很乐意再提醒一次，请给孩子吃天然的完整食物，“培养孩子的口味”。当然，这样的孩子长大后会和其他孩子一样喜欢享受好吃的。不过，如果垃圾食品不太符合他们的口味，他们就不会吃得太多。

母乳喂养。有的孩子会在这个年纪经历一个依赖期，他们比以往更喜欢吃奶。就好像是他们发现自己更独立了，想后退几步。几个月后宝宝就会度过这一阶段，重新开始探索世界。

钙需求。宝宝每天需要吃两到三份富含钙的食物。如果你的孩子喜欢牛奶而且不过敏，那完全可以每天喝两杯。如果他不喜欢牛奶，别强迫他。酸奶、奶酪和加钙橙汁也可以满足孩子的钙需求。

还在喝配方奶？有的父母发现自

已没法断掉孩子的奶瓶，孩子就是不喝普通奶，所以他们也许还在继续给孩子喝配方奶。这没问题。我们建议家长在孩子一岁时断掉配方奶，唯一的原因是费用过高。如果孩子就是想喝配方奶，那只要你愿意付钱,喝一辈子也没问题。不过，至少试一下让孩子丢掉奶瓶，改用吸管杯喝奶。

健康小贴士：
不肯丢开奶瓶?

有的父母会允许孩子每天喝几瓶牛奶或配方奶,因为孩子不肯用吸管杯。父母担心如果不用奶瓶，孩子喝不到牛奶或配方奶就会营养不良。这样的想法不对。孩子能从食物和其他乳制品中得到充足的营养，所以不用非得让孩子喝奶，以免他再叼一年奶瓶。现在你也许应该迎难而上了，只在哄孩子的时候才用奶瓶，或者完全不用，尤其是晚上。晚上喝牛奶、配方奶或果汁可能引起蛀牙。有个小花样我们称为“掺水”，逐步用水稀释奶瓶里的牛奶或配方奶，直至只剩下清水。然后告诉孩子,奶瓶“丢了”，只给他装水的吸管杯。

健康及教养问题

牛奶过敏。虽然食物过敏相当罕见，但牛奶仍是罪魁祸首。如果孩子在这段时间比往常更容易鼻塞、咳嗽、出疹子或是拉肚子，停一段时间牛奶，看看情况有没有改善。食物过敏详见P336。

牛奶过敏的孩子可能更容易耳部感染，因为鼻塞、感冒和咳嗽反复出现。如果你的孩子近期得过耳部感染，那么停几个月牛奶，给他喝豆浆、羊奶、杏仁露之类的代用品，实在不行还能喝米汤。

再谈挑食。周岁检查时我们提到过挑食，对某些父母来说，故事还在继续。如果孩子的挑食行为没有改善，下面这些建议也许能有所帮助：

- 限制孩子喝牛奶以促进食欲（但不要限制他吃母乳）。
- 利用逆反心理，假装你并不在乎孩子吃不吃饭，也许反而会刺激他的兴趣。挑食的建议详见P300。

长牙。八颗门牙长齐后，就轮到臼齿了。长臼齿一般会更痛，需要的时间也更久。你会看到靠内的牙龈开始凸出来，宝宝夜间醒来的次数可能也会增加。如何度过这异常艰难的几个月，详见P522。

发脾气。虽然俗话说的是“两岁狗都嫌”，但实际上你也许会发现，孩子从15个月就开始发脾气了。这时候你无需特地做任何事，可以轮流采取安慰和放任发作的策略。转移注意力或者帮他做完引起挫折感的事也有用。记住，发脾气是正常的行为。事情不如意的时候，幼儿就会做出这样的反应。阻止或避免孩子发脾气不是你的工作，你的目标是以合适的方式帮助孩子度过这一阶段。详见《西尔斯育儿经》（汕头大学出版社，2008）。

安全座椅之战。许多幼儿讨厌被放在安全座椅里。他们会又哭又闹，你得费尽九牛二虎之力才能把这些不老实的小家伙扣在安全座椅上。这是幼儿期的正常阶段，可是你得让孩子明白，他别无选择。一边温柔地强迫他坐在座椅上，一边冷静地强调这一点。别对他发脾气，因为实际上他没做错什么事儿。他的大脑天生会保护自己的自由，反抗侵略。你越冷静，孩子接受现实的速度就越快。你也可以给他点儿零食分散注意力，然后把他放进座椅里。

夜间哺乳。如果母乳喂养的宝宝一直就喜欢晚上吃奶，现在你会发现他更喜欢这样做了。如果你对此不太困扰，也不太缺觉，那就顺其自然，这一现象会在几个月内逐渐缓解。如果情况正好相反，你觉得缺觉让你筋疲力尽、脾气暴躁、行为失调，那也许是时候做出改变了。如何抑制宝宝晚上吃奶，甚至彻底不在夜间哺乳，这是一项复杂的工作，详见《宝宝安睡魔法书》。

发育

大多数宝宝现在达到的发育里程碑如下：

- 大肌肉动作——会很好地独立行走，也许还会跑几步；会爬出儿童座椅，会爬上楼梯和梯子。
- 精细动作——会用勺子自己吃东西，会梳头、刷牙（还做得不太好），正确地握住电话，配合你给他穿衣服，会把两块小积木叠起来，打开柜子和容器，会很好地握住自己的瓶子。
- 语言——会清楚地说出大约五个词儿，会说一些不完整的词语（“秋”代表球，“沟”代表狗），会用语言和动作表示“不”，理解并听从简单的指引。
- 社交——认识你脸上的器官，会指东西、做动作来请求帮助，认识并能够指出熟悉的人和物品，遇到有趣的事情会大笑。

下面几个月，你可以鼓励孩子做这些事来促进他的发育：

- 推玩具车和割草机
- 敲打玩具小锤，练习堆积木
- 学习身体各部分名称

- *按按钮，转动门钮*
- *看图画书，学动物的叫声*

安全

孩子越来越大，能力和好奇心又攀上了新的高度，下面是最重要的安全事项：

安全攀爬。宝宝喜欢攀爬。一定要把所有书架、柜子和梳妆台固定在墙上，以免宝宝爬上去时翻倒（他一定会爬的！）。

厨房。宝宝越长越高，他能够到更高的台面了，所以你得当心点儿。

出门。宝宝很快就会学会开门，所以你要特别当心。尽量给所有的门装上链条锁，这样你就不用一听到关门声就跑出去追他。

停车场安全。在停车场里，孩子喜欢松开你的手一路跑过去。教给孩子一条铁律：停车场里他必须一直牵着你的手。如果他不肯，那就抱着他走，直到他妥协。让他选择是牵着手走还是抱着走。

15 个月时最常见的疾病

如果你的宝宝比平常更爱生病，你可以采取一些方法增强他的免疫系统，详见 P033。除了通常的感冒、咳嗽和耳部感染以外，孩子还可能出现这些状况：

反应性呼吸道疾病（RAD）。孩子得过几次支气管炎，除了气喘没有其他症状？也许他得的是温和版的哮喘，叫作反应性呼吸道疾病（RAD）。虽然这并不是真的哮喘，但是天冷时会出现气喘，你和孩子都将深受其扰。详见 P156。

疫苗

这时候大多数医生会给孩子加强注射两种婴儿期已经接种过的疫苗：肺炎球菌结合疫苗和 b 型流感嗜血杆菌疫苗。详见 P044。

18 个月检查

孩子带来的惊喜不断！他几乎每天都会学到新词语、新任务、新游戏。现在他更像是一个真正的人了，而不是需索无度的小宝宝。她有自己的鲜明个性，有自己的欲望、情绪和能力。随着孩子离开婴儿期，进入幼儿期，每天都有新的欢乐和挑战。要迎接这个精彩年纪的一切挑战和报偿，我们的指引如下：

成长

增重。和 15 个月检查时相比，大多数幼儿会增重 0.5 ～ 0.8 千克。有的孩子完全没有增重，这没问题。活跃的幼儿会消耗很多热量，婴儿肥还在继续消融。

身高。两岁之前，成长表格中孩子的身高数据都是躺着测量的。不过，有的孩子不肯好好躺着量身高，有的医生也许会从现在开始让孩子站着测量。幼儿站着的时候比躺着量出来要矮。所以比起上次测量的身高，从医生刚开始测量的站立身高来看，孩子似乎完全没长。儿科医生会把首次站立测量的身高作为基准，来对比以后的身高数据。

头围。医生会测量宝宝的头部尺寸，确认它稳定发育，这也许是最后一次了。

体格检查

医生会进行全面的检查，他也许会特别关注以下几点：

耳。医生会检查，并确认感冒、过敏、耳部感染等疾病有没有在耳朵里留下耵聍，影响孩子听力。

牙。第一颗臼齿快要或是已经长出来了，医生会检查，以确保牙齿健康。

颈。孩子颈部周围常会有豌豆大小或者更大一点的淋巴结。医生会确保一切正常。

脊柱。现在孩子大到可以直立了，也许还能弯腰摸到自己的脚趾头。医生会让孩子保持这个姿势，仔细检查脊柱，确认是否一切正常。

腿部和脚部。医生会观察孩子站立和走路的姿势，并检查他是否是扁平足、X 形腿和内八字。

孩子不配合检查怎么办？许多孩子在 18 个月和两岁的时候都很怕医生在他身上戳来戳去，他们会尖叫、大哭、爬到你的肩膀上逃跑。当然，在这样的情况下医生没法做彻底的检查。如果你的孩子也是这样，别担心。这样的情况出现得太多，你看我们都写进了书里，所以不只是你一个人经历这种情形。医生会快速检查重点部分，然后返回来和你讨论。

自闭症筛查。自闭症正在增加，而早期的发现和干预能够极大地影响孩子最终的社交和智力发育。现在，医生应该给 18 个月的孩子做专门的自闭症筛查，寻找早期迹象。不过，自闭症的早期迹象可能十分微妙，15 分钟的检查难以发现。你平时应该注意观察，如有任何担忧，请告诉医生。如何发现自闭症，详见 P171。

营养

幼儿偏瘦。如果孩子体型偏瘦，你想让他“骨头上多长点儿肉”，可以引导他多吃富含蛋白质和健康脂肪的食物，例如鱼、蛋、瘦肉、坚果酱、牛油果、豆类和 ω-3 鱼油补充剂。记住，尽管如此，如果你或你的配偶体型偏瘦，或者你们的其他孩子体型偏瘦，那从基因上说，你的孩子也许就是这么瘦，世界上的所有食物都无法改变这一点。别担心，瘦孩子也很健康。

幼儿超重。有些热爱食物的幼儿会在保留婴儿肥的基础上进一步增重，他们的体重高居成长曲线的最上端。虽然在这个年纪，超重幼儿可能还是健康的，但医生应该评估孩子的体重趋势。如果体重趋势异常，应该停止给孩子吃白面包和薄脆饼干之类的高碳水化合物，牛奶摄入量应限制在每天 450 毫升以内。如果宝宝的增重到两岁还没有放缓，正如我们在两岁检查时将要讨论的，你就该看看 P428 的“肥胖：西尔斯医生的儿童瘦身计划”了。

挑食。下面的建议也许能帮助这个年龄的孩子：

- 顺其自然。不要强迫幼儿每天坐好吃完三餐，你可以在桌子上留一个装小吃（记得挑健康食品）的盘子，让孩子按照自己的节奏选择吃多少、什么时候吃。
- 与孩子分享食物。给你自己的盘子里装上孩子能吃的东西，坐在他身边开始吃。如果他要的话，分给他盘子里的食物。挑食详见 P300。

记得给孩子喝有机全脂奶。如果孩子喝牛奶，两岁前都给他喝全脂的。这个年纪的宝宝需要里面额外的脂肪来帮助大脑发育。

健康小贴士：
餐桌礼仪？那是什么？

你也许会发现，吃饭的时候孩子更喜欢玩食物而不是吃掉它们。还有什么比制造混乱更有趣？我们相信，要指望幼儿规规矩矩地吃东西不太现实。随他玩吧，闹出小乱子也不要紧，别太过分就行。餐桌上什么行为可以接受要慢慢教，别指望一步到位。

母乳喂养。如果你和宝宝都很享受哺乳，那么母乳喂养得越久越好。母乳是钙的最佳来源，母乳中还含有一些独一无二的营养。别担心吃奶会挤占掉孩子本来应该吃的“真正”食物，母乳的营养不比其他食物逊色。

维生素。如果孩子膳食平衡，那就不需要额外补充维生素，不过给挑食或偏瘦的孩子上点儿维生素保险没准也有好处。健康食品店或维生素店里有售咀嚼式或液体的维生素，你应该选择无人工添加剂、不加糖的那种。也可以使用添加了维生素和矿物质的蛋白质粉，把它掺进麦片或奶昔或蔬果补充产品中。

健康及教养问题

还没丢开奶瓶？

长期使用奶瓶最主要的顾虑是它

可能导致覆咬合；如果孩子抱着奶瓶睡着，那可能还会导致蛀牙。宝宝离两岁越近，断掉奶瓶就越困难。这时候你希望能在白天让宝宝摆脱奶瓶，而戒掉睡前奶瓶则是更大的挑战。你可以用吸管杯、奶嘴（如果已经在用了）或其他方法安抚宝宝睡觉。也许你不得不躺在宝宝身边哄他睡觉，充当“安抚奶嘴”的角色。其他方法包括：

- 奶瓶“不见了”——睡前你就是找不着奶瓶，告诉宝宝“都没啦”。
- 告别仪式——你可以举行一个小仪式，把奶瓶丢进垃圾里，然后说“奶瓶拜拜”或者“宝宝这么大啦，不用奶瓶啦。”
- 剪掉奶嘴——对付顽固的宝宝，你可以试试剪开奶瓶上的奶嘴，这样宝宝就不喜欢它了。

如果没有奶瓶宝宝就不肯睡觉，至少你可以试着往里面装水而不是牛奶。如果一定要装牛奶，别让他含着奶瓶睡着。喝奶之后要喝一些水冲洗牙齿。

很快你就要给他刷牙啦。一两周后，宝宝的胃口就吊足了，他应该会让你替他刷牙。孩子大到会吐出牙膏之前(3岁或以上)，别给他用含氟牙膏。最好使用不含人工色素和甜味剂的天然幼儿牙膏。

如果幼儿就是不肯刷牙，你有两个选择：等到几个月以后再尝试，或者现在就强迫他刷牙。等得越久，蛀牙的风险就越大。如果你选择现在就强迫孩子刷牙，方法如下：让孩子自己挑——在浴室里刷牙、躺在床上刷牙，还是躺在地板上刷牙。这样他就有动力做选择。如果他坚持不肯，就让他躺在地板上，把他的头放在你的双膝之间，用腿压住他的胳膊。这样你就处在“牙医”的位置，可以把他的头固定住。然后轻轻把牙刷插进他紧闭的嘴唇里给他刷牙。对你来说，重要的是保持快乐、积极、冷静的态度，不断温柔地重复说“没事的，妈妈在给你刷牙呢”，“快好啦”。尽量不要搞得像打仗一样。如果幼儿感觉到你的冷静，他也许也会冷静下来。一两周以后，大多数幼儿会接受自己的命运。

刷牙

大部分幼儿讨厌刷牙，可臼齿里的缝隙正在虎视眈眈，随时准备变成蛀牙，每天刷两次牙非常重要。如果孩子不太习惯，让他从镜子里看你刷牙，给他看看刷牙多么有趣！每天晚上告诉孩子，

纪律

你也许会觉得“狗都嫌的两岁”还有好几个月才到，可是大多数孩子现在就开始表现出迹象了。不管你叫他干什么，他是不是都和你对着干？他是不是试图破坏本书中讲的几乎每一条安全守

则？啊，他当然会这么干！这个年纪的孩子就是这样。培养幼儿纪律不是为了立即扭转孩子的行为，而是为了在你发疯之前帮助他度过这一阶段。对这个年纪的孩子来说，纪律观念中最重要的是“平衡”。一方面你希望孩子无拘无束，展现自我，跟着好奇心探索周围的世界，你不该指望他非常听话；可是另一方面，你也希望他能够知道，有一些界限不能越过。所以，你应该在放任与限制之间找到一个平衡点。我们建议，最好只管安全问题和很重要的事情（比如打人、咬人）。随时“暂停”一下，帮助幼儿学习哪些行为可以接受，哪些不行。不过别指望他很快就能学会。要让幼儿学会停止某种不应有的行为，可能要花上好几个月，数百次暂停，不过你耐心的坚持总会带来回报。关于暂停和纪律方面的其他指引，我们建议你参阅《西尔斯育儿经》。

发育

大多数幼儿现在达到的发育里程碑如下：

- 大肌肉动作——会转圈行走、倒退行走，会抓着栏杆爬楼梯，会轻松地弯腰捡东西，会攀爬，会骑童车。
- 精细动作——能把 4 块小积木叠起来，会用勺子自己吃东西而不会洒出来很多，会用彩色蜡笔涂鸦，打开抽屉和门，配合穿衣服。
- 语言——一般会说至少 10 个词（有的孩子会的多一些，有的少一些），会指着东西说它的名字，会说完整的词语（现在会准确地说“球”了），能听懂很多指令。
- 社交——知道身体大部分部位的名称，分离焦虑减弱，会玩躲猫猫，随着音乐跳舞。

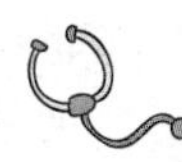

健康小贴士：
限制看电视和视频的时间

很多父母喜欢在忙碌的时候让孩子看电视或视频节目，免得他们捣乱。如果你必须这么做，请务必限制在半小时以内，而且最好选择有音乐的节目。在 P070 我们说过，研究表明，过长时间观看电视或视频（每天半小时以上）可能会让宝宝的智力发育放缓，还可能导致他以后出现注意力缺失障碍(ADD)。尽管有的视频似乎能够促进发育，但研究结果却与此相反。“电视会烧坏脑子”，这句话似乎也没那么离谱，所以不要以为节目对孩子有好处就给他看。如果你偶尔需要用电视充当临时保姆，也并非完全不能接受，但一定不要把看电视变成日常活动，而且一定要限制时间。

接下来的几个月里，这些方法可以促进孩子的发育：

- 给他一辆小车让他推着走。
- 给他读书，让他自己翻页。
- 让他在人行道的镶边或矮墙上行走，并辅助他保持平衡
- 让他“帮”你做家务。
- 鼓励他唱儿歌。
- 学习颜色。

安全

宝宝的能力和好奇心日益增长，这些安全措施很重要：

婴儿床的安全。宝宝很快就会尝试往婴儿床外面爬。如果你觉得他有这个倾向，换一张适合幼儿的床。

药品/清洁剂/有毒物品。孩子越大，好奇心就越强，翻找东西的能力也越强。如果现在你还没把这些东西放到安全的地方，别再拖了。

游泳池。我们以前说过这一点，不过值得再说一遍：游泳池周围必须安装安全栅栏和儿童防护门。现在，孩子偷偷溜到游泳池附近的可能性比任何时候都大。

18个月时最常见的疾病

现在，孩子会开始得各种各样的病，例如发烧、喉咙痛、感冒、耳部感染、呕吐、腹泻、流感、皮疹，等等。在接下来的几年中，无所谓哪些病更常见哪些更罕见，所以我们将不再标出每次检查应该重点关注什么病。

疫苗

这时候大多数医生会对以前接种过的疫苗进行加强注射，包括百白破疫苗、灭活骨髓灰质炎疫苗和甲肝疫苗。有的医生6个月时就给孩子接种了第三剂灭活骨髓灰质炎疫苗，所以这时候孩子也许不再需要接种它了。疫苗详见P044。

两岁检查

这一年，孩子的技巧、语言能力和个性都会得到长足发展。虽然“狗都嫌的两岁”恶名昭彰，但是你可以通过多种方法让这一年变成正面的体验。如何面对这个精彩年龄的挑战和报偿，我们的指引如下。

成长

增重。大多数孩子比18个月检查时增重0.9～1.8千克。两岁男孩的平均体重约为12千克，女孩约为11千克，上下波动约2千克是正常的。9～18个月时出现的自然减肥阶段现在应该结束了，孩子应该沿着成长曲线正常发育。

身高。大多数孩子应该比 18 个月检查时长高了 5 厘米左右。两岁儿童的平均身高约为86厘米,上下波动5厘米。

现在，孩子在身高百分表上的位置能够部分表明他以后会是高个子、普通个子还是矮个子。很多人相信，孩子两岁时的身高乘以 2 就是最终的身高，这种方法有时候准确,不过大多数都没用。以后的日子里，基因可能会导致孩子长高的速度突然变快，或者相反。

头围。这应该是医生最后一次检查头围（如果一切正常，有的医生 18 个月以后就不再检查了）。头部的发育主要是在最开始两年内完成的，所以，如果现在孩子的头部发育正常，你就不用再关注这方面了。

综合体型。现在你应该知道孩子是哪种体型了。你可以比较一下孩子的身高和体重在百分表中的位置，如果体重百分比远高于身高百分比，孩子就偏胖；如果两者差不多，不管是一样高还是一样低，那孩子体型适中；如果体重百分比远低于身高百分比，孩子可能比较瘦。当然，这样的预测并不准确：由于基因和营养习惯的影响，以后孩子的发育范式可能会变化。

体格检查

医生会全面检查孩子，现在他可能会特别关注这些方面：

耳。良好的听力对语言发展至关重要，所以每年让医生仔细检查宝宝耳朵里有无堆积的耳垢或堵塞的黏液，这非常有用。

牙。宝宝通常会在两岁左右长出最后几颗臼齿。一旦牙齿长齐，就该考虑看牙医了。

扁桃体。6 岁之前，宝宝的扁桃体还会逐渐长大，医生会检查他的扁桃体情况。

心脏和肺。医生会仔细听诊，检查宝宝有无哮喘或心脏病。

皮肤。如果发现孩子身上有痣，指给医生看，好让医生记下来。

社交能力。医生会评估幼儿的社交和互动能力，确认这方面发育正常。

自闭症筛查。18 个月时医生也许已经做了基础的筛查，不过对社交能力发育情况的观察并未就此结束。如何筛查自闭症，早期发现和干预自闭症如何带来巨大的改变，详见 P171。

营养

营养小百科。基本了解平衡营养对每位家长来说都很重要。我们鼓励你阅读《社区里最健康的孩子》，学习如何为全家提供健康饮食。你会学习到孩子应该吃哪些食物、不该吃哪些食物，甚至根本不要买哪些食物。关于如何培养孩子健康明智的饮食习惯、营养问题的基本建议见 P097。

超重儿童。如果你的孩子还停留在体重曲线的最顶端，甚至远超曲线，是时候扭转这一情况了，方法是调整营养和行为模式。如果你和配偶的体型偏瘦或适中，那一些基础的改变就能调整好孩子的体型；不过，如果你家都是大块头，那孩子的基因也许会和你作对，要帮宝宝养成健康的体型可能更为困难。对营养和生活方式作出一些明智的调整，你可以带给全家更苗条的未来。如何开始请见 P428，“肥胖：西尔斯医生的儿童瘦身计划”。

改喝低脂奶。这时候，不需要再给孩子喝全脂奶了，换成有机低脂奶。

钙需求。记住，孩子每天需要吃两到三份富含钙的食物。牛奶、羊奶、豆浆、杏仁露、母乳、酸奶、奶酪、加钙橙汁和绿色蔬菜都是理想的钙来源。

健康及教养问题

牙健康。大多数医生推荐孩子乳牙长齐后立刻开始看牙医，具体大概是 2 ～ 3 岁。如果儿科医生已经发现了问题，或是你认为孩子会乖乖合作，那应该早一些去看牙医。为确保孩子牙齿健康，你应该采取以下步骤：

- 每天给孩子刷两次牙。我们推荐你在这一阶段使用天然的无氟牙膏。杂货店或药店出售的大多数流行的儿童牙膏里含有人造甜味剂（例如糖精）、食物色素和其他化学品。你肯定不愿意让孩子的牙齿每晚都接触到这些东西。
- 使用牙线。小朋友的牙长得比较紧凑，三四岁的时候这可能会在牙齿邻面引发蛀牙。试试每周几次用牙线帮助孩子清洁牙缝。
- 别让孩子含着奶瓶睡着。牛奶中的糖会残留在牙齿上，导致蛀牙。

纪律。无论孩子正处于“狗都嫌的两岁”中期，还是刚刚开始，你都可以阅读 P087 的内容寻求帮助，如何设定界限，如何“暂停”，如何最大限度地减少孩子发脾气。孩子慢慢长大，对指导和教诲的理解能力也随之增强，你采取的教育方式也应该随之改变。

睡眠。这个年纪的孩子要么已经学会了自己在小床上睡觉，要么还需要你哄着他在小床或者你的床上睡觉。如果你的孩子属于后者，那么在接下来的至少一年里，孩子很可能还是需要哄着才能睡着。这一年，你可以慢慢开始教孩子自己睡觉，在《宝宝安睡魔法书》中我们给出了指导。不过，有的父母珍视与孩子共处的睡前时光，如果你也是这样，保持老样子就好。别着急让孩子长大独立。

大小便训练。大多数孩子要到 3 岁左右才会开始被训练排便，过早强迫孩子可能会适得其反。对这么小的孩子来说，最好的训练方法是无为而治。允许孩子观看你使用厕所，跟他聊聊上厕所的事儿，说得有趣一点，然后顺其自然，等待孩子自己表现出尝试的欲望。如果这是他自己的主意（而不是你的主意），他会兴奋得多。买几条小内裤，放在孩子总能看见的地方；问问孩子想不想像大姑娘一样试试看。这些方法都能促进大小便训练。

发育

大多数孩子这时候达到的发育里程碑如下：

- 大肌肉动作——能够良好地奔跑，会跳下台阶，也许还会踩着脚踏板骑小三轮车；不用扶着栏杆也会爬楼梯，踢球时不会摔倒，会开门，会举手过肩扔球。
- 精细动作——能够把 6 块小积木叠起来，也许还会用彩色蜡笔描线或是描圆；会脱衣服、拆礼物，会玩简单的智力玩具。
- 语言——一般会说至少 20 个词语（有的孩子会的可能少些，有的孩子可能会说 50 个以上），会说两到三个词（或更长）组成的句子，说的话陌生人基本能听懂，能听懂的词儿比会说的多得多，会回答简单的问题（比如："小猫是怎么叫的呀？"）。
- 社交——会洗手，配合穿衣服，会说自己的名字，会唱歌。

接下来的一年里，这些方法能促进孩子的发育：

- 做体操，翻跟斗，去游乐场玩
- 读书给孩子听，让他自己翻页
- 给他专用的桌椅
- 让他"帮忙"做家务
- 唱儿歌

安全

孩子越来越大，能力和好奇心也随之增长，下面是最重要的安全事项：

该换幼儿床了。大多数两岁的孩子能够爬到婴儿床外面。如果你还没把婴儿床换成和地面差不多高的幼儿床，别再拖了。不要等到某天半夜被巨响惊醒，发现孩子爬过婴儿床栏杆，一头栽在地板上。

帽子和防晒。让孩子养成戴帽子的习惯。外出半小时以上就应该戴帽子，户外活动时擦防晒霜也很重要。孩子需要一些阳光让身体产生维生素 D，所以每周确保孩子有三到四个小时的时间不擦隔离霜在户外玩耍。详见 P033。

汽车座椅。新的汽车座椅安全指南中说，儿童应使用面朝后方的安全座椅，直至两岁以上；对两岁以上的儿童来说，面朝后方也更安全，直至孩子的身高或体重超过该座椅上限。现在，以孩子的年龄来说可以把座椅转到面朝前方了，不过安全起见，最好尽可能地延长面朝后方的时间。孩子改成朝前坐以后，请继续使用安全座椅直至4岁以上。请遵循安全座椅侧面的安全须知或使用手册。

疫苗

大多数医生在18个月时就已经给孩子接种了最后的婴儿疫苗。不过，有的儿科医生会把某些疫苗留到两岁再打。每年流感季节（10月或11月）开始时，孩子可能还需要打一针流感疫苗。详见P044。

3岁检查

你终于熬过了“狗都嫌的两岁”，希望没添太多白头发，可是苦日子还没完呢。学龄前的几年也许还有更大的挑战，就光是现在，孩子就比以前更聪明、更强壮、更会表达，也更有主见了。而对父母来说，这一年也十分满意，因为孩子的语言、能力、好奇心和性格都突飞猛进地发展！3岁检查时西尔斯医生的指引如下：

成长

增重。大多数孩子比两岁时增重了1.4千克左右。3岁儿童的平均体重为(14±2）千克。

身高。与两岁时相比，孩子应该长高了约9厘米，在百分表中的位置应该差不多。在最开始两年里，增重是主要的成长指标；不过到了3岁以上，我们对身高更为关注。这个年纪长得比以前快是正常的，但如果孩子在身高百分表中的位置不断下降，那就可能有问题。3岁男孩的平均身高为97厘米，女孩为95厘米，上下波动约5厘米。现在开始，转而关注P110～P117的幼儿成长表吧。

体质指数（BMI）。现在开始，每次检查时医生将计算这项新的数据，它评估的是孩子的体重与身高的匹配度。医生会告诉你孩子的BMI数值，不过你也可以自己计算。只要将体重（以千克为单位）除以身高的平方（以米为单位），就能得出BMI值：

体重（千克）/身高（米）^{2}

你可以通过P110～P117的表格查询孩子的BMI处于什么位置，这个年纪的孩子的BMI值通常为15～17。

体格检查

从现在到6岁，一年一度的物理检

查十分重要；6岁以后两年检查一次就够了。孩子飞速成长，医生需要评估身体许多方面的发育情况。孩子的一生中随时可能出现各种疾病，许多疾病的早期迹象都能通过儿科医生的全面体格检查早日发现。这个年纪的孩子应该重点关注这几个方面：

眼。孩子可能出现“弱视”，也就是双眼不太协调。通过检查，医生能在孩子的视力受到永久性影响之前确诊有无弱视。

耳。孩子的耳朵可能出现两个问题。其一是耳垢堆积，有时候耳垢会彻底堵塞耳道，影响孩子的听力；另一个问题是鼓膜后有无积液或充血，它也可能影响听力。

牙。3岁的孩子通常开始看牙医了。儿科医生会检查孩子的牙齿有无重大问题。

扁桃体。这个年纪的孩子扁桃体可能会开始增大，这很正常。扁桃体增大可能会持续到7岁，然后会慢慢缩小。如果扁桃体过大，可能会在夜间阻碍呼吸。如果孩子的扁桃体大得有些离谱，医生也许会询问你孩子晚上有没有打呼噜或呼吸暂停的问题。

颈部淋巴结。大多数孩子的颈部有能够轻易摸到的淋巴结，这一般是正常的。医生会检查有无过大的淋巴结，还会检查腋下有无异常淋巴结。

心脏。儿童心脏病极其罕见。如果孩子的心脏有问题，一般会在出生时或婴儿期发作。不过，让医生仔细听诊，检查有无心律异常或心脏功能异常的迹象仍然非常重要。

肺。医生会听诊有无喘鸣音。

背。脊柱侧凸（脊柱向左或向右的异常弯曲）不算罕见。脊柱侧凸通常在青春期出现，很少发生在婴儿期。让儿科医生每年检查脊柱确认正常，这很重要。

腹部。医生会触诊孩子的肚子，确认有无器官肿大、增生或肿瘤（当然，这些都极其罕见）。

生殖器。医生会检查确认女孩的小阴唇不发生粘连（这种情况叫作阴唇粘连）。大多数男医生不会再检查3岁以上的女孩的阴部，这是出于隐私方面的考虑，也是因为青春期之前没什么需要检查的。对于男孩，医生会继续检查睾丸，确认没有肿瘤（极其罕见）和疝气（肠子坠入阴囊凸出来一大块）。

腿部和脚部。医生会检查腿部有无异常弯曲，确认孩子没有扁平足。

皮肤。几乎所有孩子的皮肤上都会出现一些小痣。医生会确认这些痣是否有异常。

血压。现在孩子大了，可以配合着戴上袖带，测量血压了。从现在开始，医生（或护士）每年都会测量孩子的血压。

营养

饮食习惯。现在，孩子是否挑食应该已经清楚了。别指望今年内孩子的饮食习惯会大幅改变。如何帮助孩子获取足够的营养，请参考 P300 的建议。

这样想也许会平衡一点：世界上挑食的孩子成千上万，你家宝宝不过是其中之一。你的宝宝也许没能全面充足地摄入每一种重要的维生素和矿物质，也许没能摄入足够的蛋白质和脂肪，可是长期来看，他还是会平安长大。

拒绝额外的糖。现在，孩子很快就会离开你的羽翼，走向外面的世界，他早晚会接触到垃圾食品。希望你已经做到了在家尽量不吃垃圾食品，可是当孩子去参加聚会、兴趣小组和其他外出活动的时候，你还能保持这么严格的控制吗？我们发现，最有效的方法是“一天一次”。在孩子发现那些美味的时候，你要认真告诉她，这要算做额外的享受，一天只能吃一次。提出“一天一次”的理念，孩子就会知道，不能在外面吃太多这些东西。当然，有时候一天连吃一次的机会都没有呢。

餐馆。出去吃饭的时候，点菜要小心。大多数“儿童餐”的反式脂肪含量很高。从成年人的菜谱上给孩子点一些健康的菜，比如鸡肉或鱼。有的餐馆会为孩子提供这样的餐点，只收儿童餐的钱。远离调味品和沙拉酱，因为里面通常含有玉米糖浆或是味精之类的化学品。

寻求更多营养建议，请参阅西尔斯育儿系列图书中的以下几本：

- 《西尔斯营养书》(*The N.D.D.Book*)
- 《社区里最健康的孩子》
- 《家庭营养书》(*The Family Nutrition Book*)

健康及教养问题

该上学吗？有的父母在孩子 3 岁左右就把他送进托儿所，有的父母则会等到 4 岁。这样的选择无所谓对错，主要取决于孩子自己的需求、社交能力发育水平、是否希望和小伙伴及权威的成人有更多互动。记住，从学术上说，孩子 4 岁前（或是上幼儿园之前一年）不需要上学。3 岁开始上学主要是为了发展社交能力。

增强免疫系统。一旦孩子开始上学，感冒和咳嗽肯定会更加频繁（除非他从小就在一大堆孩子中长大，已经感冒过很多次了）。要最大限度地改善这种情况，你可以给孩子补充紫锥菊、维生素 C、锌、益生菌、ω-3 脂肪和其他营养品。详见 P033。

第一次看牙医。现在孩子的乳牙应

该长齐了，是时候去看牙医了。先让他陪你去看牙医（如果没什么重要安排的话），让一切显得有趣一点。告诉孩子，下次就轮到他了；许诺合适的奖励（比如回家时去逛附近的玩具店），给他点儿盼头。最好找专门的儿科牙医，如果你觉得家里人常看的牙医也适合孩子，那也不错。

纪律。如果你的孩子和大多数孩子一样，那么现在他可能会进入新的反叛阶段，和现在的古怪脾气相比，“狗都嫌的两岁”简直不值一提。这样的行为很正常，但仍有必要从现在开始教孩子学会服从、倾听、轻声说话，诸如此类。不过，一两年内别指望有太大效果。结合使用积极（比如做一个表格给他打星星）和消极（比如暂停）的强化技巧，帮助孩子走过这个阶段。关于儿童行为的讨论请见 P086，如何恰当地使用各种技巧，详见《西尔斯育儿经》。

发育

大多数孩子现在达到的发育里程碑如下：

- 大肌肉动作——能够单脚保持平衡至少一秒钟，能跳过地板上的一张纸，上楼梯时会换脚，会骑小三轮车。
- 精细动作——会画直线和圆，会解扣子，会扭动大拇指，会叠起 8 块小积木，会独立脱衣服，会半独立地穿衣服。
- 语言——会说很多词儿（200 个以上），会说 3 到 4 个词语的句子，能正确使用代词和复数，认识几种颜色。
- 社交——会想象，会自己大小便（至少会尿尿），知道自己的全名和年龄，会分享玩具、轮流玩耍，知道、会叫朋友的名字

健康小贴士：什么情况下需要言语治疗？

3 岁儿童说的话，陌生人应该能听懂 75% 左右。这意味着你的孩子和其他成人交谈时，需要你翻译的情况应该不多。当然，也许你很清楚孩子想说什么，但是如果别人听不懂，也许就该拜访言语治疗师了。对言语含糊的早期干预，可以避免孩子上学后遇到这方面的挫折。

接下来的一年中，你可以通过这些方法促进孩子的发育：

- 带孩子去听音乐会
- 让他和小伙伴一起玩耍
- 经常带他去游乐场玩

- 和他一起玩智力游戏、堆积木
- 一起玩幻想的角色扮演游戏或变装游戏
- 给他纸张，让他画画、上色

安全

头盔和护具。现在孩子开始骑小三轮车和滑板车了，逐步教育孩子重视人身安全，这很重要。无论是骑什么车，必须戴好头盔、护肘和护膝。

交通安全。去外面玩耍的机会越来越多，孩子毫无防备地跑到大街上的概率也在增加。教孩子在路边停下来看两边有没有车，过马路必须牵着大人的手。

游泳池。即使你没有游泳池，我们也建议你教孩子游泳（报班或者自己教），以确保孩子在水中的安全。如果你有游泳池，请用合适的栅栏和锁封闭起来，确保儿童安全。

汽车座椅。记住，4 岁以下的幼儿在汽车座椅里必须扣好安全扣。身高和体重不超标的情况下（每种儿童汽车座椅都有对应的身高、体重上限，具体请阅读使用说明或座椅侧面的安全须知），尽量让孩子面朝后方坐，这样最安全；不过大部分孩子到 3 岁时身高或体重会超过座椅上限。在这种情况下，把座椅转向面朝前方继续使用，直至孩子 4 岁以上。

疫苗

除了 10 月～12 月注射流感疫苗外，3 岁的孩子通常不需要其他疫苗。有的医生会给这个年纪的孩子做肺结核皮试，有的医生会等到孩子上幼儿园的时候再做。

4～6 岁检查

幼儿逐渐长成儿童，新的欢乐和挑战随之而来。上幼儿园之前和幼儿园期间（我们把这几年归纳到同一个部分里），我们的检查指引如下：

成长

体重。大多数孩子比去年增重约 1.8 千克，而且接下来的几年增重的速度会变得快一些，大约每年 2.3 千克。5 岁儿童的平均体重约为 18 千克；较轻的孩子可能只有 15 千克，较重的能达到 22 千克，这都属于正常范围。

身高。现在，身高增长明显放缓，接下来几年，孩子一般每年会长高 6.5 厘米左右。5 岁儿童的平均身高约为 109 厘米，上下波动 6.5 厘米是正常的。

体质指数（BMI）。每次检查时儿科医生都会评估 BMI。这个年纪的孩子，健康的 BMI 值为 14.5～16（见 P110～P117 的表格）。青春期之前的几年里，BMI 会缓慢增长。如果 BMI 过高，孩子的体重可能超过健康值，也许你需要更加密切地关注他的饮食、让他多活动。如果 BMI 过低，也许要给孩子补充额外的热量、健康蛋白质和脂肪。你可以利用 P093 的公式计算 BMI 值。

体格检查与健康筛查

这次的体格检查和 3 岁时差不多。现在孩子已经可以开始配合一些基本的健康筛查了：

视力。护士很可能会用标准视力表测试孩子的视力。4 岁儿童的正常视力介于 20/30 到 20/40 之间。6 岁时，孩子的视力应成长到完美的 20/20。如果孩子的视力低于正常值，那么有必要请眼科医生做全面检查。

听力。护士还会用耳机和发声器测试孩子的听力。

尿检。护士会让孩子尿在一个杯子里，然后测试尿样中的糖、血细胞和蛋白质水平，筛查糖尿病和肾病。

营养

营养问题我们写了整整一本书，建议你也全面研究一下全家的营养问题。基本的建议如下：

医生帮忙鼓鼓劲儿。对于这个年纪的孩子，让医生和他谈谈营养的话题很有用。孩子通常很愿意听从医生的意见。请医生强调一些重要的事情，例如饭要吃完、多吃蔬菜、选择水果当零食、少吃垃圾食品。接下来的一年里，如果孩子需要提醒，家长可以告诉他，“鲍勃医生说过……”当然，这种方法不是对每个人都有用，不过值得一试。发挥你的创造力，给“健康食品”换个名字，比如“成长食品”、“让你跑得快的食品”。曾经有一位快到青春期的小病人问我们他什么时候才会爆发性长高，我们告诉他有一些“长高食品”吃了就会长得高。后来他妈妈打电话来致谢，因为孩子更爱吃水果、蔬菜、全谷物和鱼了。

营养补充剂。膳食平衡、大体健康的孩子一般不需要吃专门的补充剂，不过问题在于，大多数孩子吃的水果、蔬菜、ω-3 脂肪和营养物质不够多（虽然医生已经鼓过劲儿了）。下列补充剂最为物有所值：

- ω-3 油（鱼油），每天 400 ~ 500 毫克
- 多种维生素，以防万一
- 蔬果补充剂
- 益生菌（见 P028）

蛋白质。高蛋白质早餐能大大增强孩子的学习能力和专注力。孩子每天需要至少 20 ~ 25 克（或每千克体重 1 克，以较高值为准）蛋白质，这意味着至少要吃两份下列食品：乳制品、鱼、肉、

坚果酱、坚果、种子、蛋和豆类。

碳水化合物。把这些加入家庭食谱：水果、蔬菜、全麦面包、麦片、豆类、乳制品和坚果酱。

脂肪。吃这些健康脂肪：鱼、油（如鱼油、亚麻油、坚果油、橄榄油）、牛油果、蛋、坚果和种子。只吃瘦肉，限制动物脂肪的摄入。

钙。孩子每天需要约 800 毫克钙，可以吃两到三份下列食品：奶（牛奶、羊奶、豆浆或杏仁露）、蛋、酸奶和深绿色蔬菜。

正如你看到的，有许多食物重复出现，它们应该成为家庭食谱的顶梁柱。

健康及教养

睡眠。儿童每晚应该睡 11 ～ 12 个小时，大多数孩子 4 岁时已经不在白天小睡了。如果你的孩子早起上学还有困难，那也许该让他早点上床睡觉。有的孩子睡觉时也许还需要家长在附近陪着，这很正常。如何帮助孩子平稳地逐渐戒除这个习惯，《宝宝安睡魔法书》中我们讨论了整整一章。

纪律。这时候孩子应该已经度过了"比两岁还糟糕的 3 岁"。是时候教他更多规矩了，例如能不能尖叫哭闹、该不该听话，要教会她尊重、规则和帮忙做家务。过度严厉可能会挫伤孩子的自尊，但恰当的纪律教育能够帮助孩子建立人格和自信心。详见《西尔斯育儿经》。

发育

到这个年纪，我们不再特地追踪孩子的大肌肉动作、语言、社交等各方面的具体发育，所以也不会再列出相应的里程碑。孩子各方面发育情况是否良好，主要看他在兴趣小组和教室里的表现。不过父母的观察可能不够客观，其他人看来显而易见的事情父母可能会高估或低估。最好的评估者可能是孩子的老师。如果老师有顾虑，她应该会告诉你。而且孩子每年检查身体的时候都会和儿科医生共处 15 或 20 分钟，通常足以发现任何值得注意的社交或智力发育问题。

运动和兴趣班。就算你的孩子不是专业运动员，参加本地的运动队也相当重要。不但可以锻炼身体，还能建立社交自信，让孩子学习尊重权威的成人，例如教练。如果孩子对运动不感兴趣，还有许多兴趣班或课程可供他探索，例如体操、舞蹈、音乐、武术和游泳。

安全

陌生人。每年跟孩子谈一两次遇到陌生人应该注意什么；提醒孩子，生殖器是隐私部位，除了爸爸或妈妈以外谁都不能看，不过某些情况下医生可以看。

头盔。孩子的活动能力、平衡能力和速度都在成长，戴好头盔变得更重要了。请记得让医生也跟孩子聊聊头盔的事儿。

汽车座椅。儿童安全座椅（内置五点式系带）应该用到至少4岁。对于4岁以上的儿童，最安全的做法是继续使用安全座椅，直至孩子的身高或体重超过座椅或系带的上限。不同座椅的上限不同，请检查确认你使用的座椅上限。孩子超过座椅上限后，你有三个选择：买一个更大的带五点式系带的座椅，给孩子再用几年；拆掉旧座椅上的系带(如果可以拆的话)，把座椅当成增高垫用，给孩子系上汽车自带的安全带；给孩子新买一个增高垫，配合汽车自带的安全带使用。第一个选择大概是最安全的。无论你选择哪种做法，请继续使用增高垫，直至孩子长到1.5米以上，这时候孩子大约8～12岁。之后，孩子就可以在不用增高垫的情况下安全使用汽车安全带了。

疫苗

上幼儿园之前，孩子还需要加强注射四种婴儿期打过的疫苗：百白破疫苗、灭活骨髓灰质炎疫苗、MMR疫苗和水痘疫苗。我们还推荐每年给孩子打流感疫苗，肺结核皮试也应该再做一次。这些项目有的医生会在4岁或5岁检查时一次性完成，有的会分成两年进行。详见P044。

7～12岁检查

小学期间孩子应该做全面的检查。如果你的孩子非常健康，成长良好，没有任何持续的健康问题，可以隔年检查一次。医生会特别留意几个方面，包括身高和体重的增长、营养、运动、预时保健、安全防范以及任何童年期遗留的慢性健康问题。这个阶段如何关注孩子的健康，每次检查通常有哪些内容，我们的指引如下。

成长

体重。这个年纪的孩子更经常在外面进食，你很难控制他在学校、朋友家和聚会时吃什么东西。要是走运的话，你教给他的健康饮食观念会起到潜移默化的作用。7岁儿童的平均体重为23千克，12岁儿童的约为41千克。7～10岁的孩子每年通常会增重1.8～3.6千克，10～12岁每年增重约2.7～5.5千克。如果某一年体重长得特别快，不要紧，可要是连续两三年都长得很快，那可不是好兆头，这不利于成年后长成健康的体型。现在是时候插手了，关于儿童肥胖的讨论见P428。

身高。7岁儿童的平均身高约为122厘米，不分男女。10～11岁之前，孩子每年增高约5～6.5厘米，然后便是青春期的爆发性成长。如果你的孩子连续两年以上每年增高低于4厘米，也许是因为发育激素不足。从另一方面来说，过快增高（10 岁前每年长高 10 厘米或以上）可能是青春期提前的标志，大量青春期激素过早出现，导致发育加速。详见 P449。

体质指数（BMI）。一定要让医生计算孩子的 BMI，给你看孩子位于曲线表上的什么位置。这几年一定要注意孩子的 BMI，如果过高则加以干预。7 岁儿童的平均 BMI 值约为 15.5，无论男女；12 岁时会增加到 18。

青春期爆发性成长。父母（和快到青春期的孩子）常常想知道，期盼已久的爆发性成长什么时候才会开始。女士优先（确实是女士优先）：女孩 10 ～ 11 岁时会加速成长，直至大约 13 岁，此后成长速度会放缓。而男孩的爆发性成长始于 11 ～ 12 岁，持续到 14 岁。在此期间，孩子每年会长高约 7.6 厘米。爆发性成长的时机因人而异，有的孩子会晚一两年才开始，不过结束时间也会相应往后推。

体格检查与健康筛查

体格检查

隔年一次的全面体格检查仍然很重要，儿科医生会从头到脚检查这些问题：

头。耳垢、扁桃体增大和颈部淋巴结。

心脏和肺。医生会听诊心律和心音是否正常，肺部有无喘鸣音。

背。医生会检查脊柱是否对称，脊柱侧凸可能会在青春期前开始发展。

腹部。医生会检查有无器官肿大、增生的迹象。

生殖器。医生会检查睾丸有无疝气或增生。

指尖。甲床肿胀可能是心脏病的信号。

腿部和脚部。医生会检查有无扁平足迹象。

皮肤。医生会检查有无异常的痣、肿块或皮疹。

筛查

血压。孩子即将进入青春期，可能出现高血压，每两年应该筛查一次。

视力。有的孩子会开始近视，若有家族遗传尤其需要注意。不过因为害怕戴眼镜，孩子常会对家长隐瞒。请务必让护士检查孩子的视力。

胆固醇。若有胆固醇异常的家族遗传史，请务必让医生尽早筛查孩子的胆固醇。若无家族病史，可以等到青春期前再开始筛查。

小便。每次检查时应进行尿检，筛查糖尿病及肾病。

营养

到这时候，我们希望孩子的发育达到了同龄儿童的正常水平，您的家人也养成了健康的营养习惯。小学期间，我们还有一些建议：

汽水。小学期间孩子会开始爱上碳酸饮料。希望你能以身作则，别把“易拉罐里的糖尿病”（我们这样称呼汽水）带回家。当然，孩子和朋友一起外出时偶尔会喝汽水，不过全家一起外出吃饭或者在快餐店里解决一顿的时候，汽水不应成为常规饮料。汽水对孩子的危害特别大，因为：（1）汽水里有很多糖，会增加糖尿病和肥胖的风险；（2）绝大部分可乐中含有磷酸和碳酸，它们会侵蚀骨头里的钙，孩子运动时就容易骨折；等到孩子大一点以后，缺钙还会让关节和骨头变得更脆弱。别让汽水进入你家！

限制进餐分量。如果孩子体型偏胖，最简单的改善措施之一：确保他晚饭只吃合适的分量。大部分孩子早饭和午饭吃的分量差不多（因为通常有时间限制），可是晚餐就有可能变成填不满的无底洞。让孩子先吃分量适中的“第一轮”，然后停下来10到15分钟休息聊天。吃饱的胃需要这么多时间来告诉大脑“我饱了”。如果孩子还想吃“第二轮”，给他较少的主食和蔬菜，而不是再盛一大盘主食。晚餐时限制碳水化合物（面包和意面）尤其重要。记住西尔斯医生的“2”原则：

- 1/2分量
- 2倍餐数
- 咀嚼2倍时间
- 吃饭时间延长2倍

“健脑”早餐。在这个年纪，孩子的功课越来越多，要形成更好的注意力和专注力，早餐变得尤为重要。“健脑”早餐三要素：蛋白质、ω-3脂肪和抗氧化剂。我们推荐的食品如下：

- 蔬菜煎蛋卷配全麦面包和牛奶
- 浆果、酸奶和即食麦片
- 全麦面包涂坚果酱、水果、浆果
- 半块全麦硬面包圈、花生酱、橙汁
- 早餐玉米煎饼配蔬菜和奶酪
- 牛奶、酸奶、浆果和蛋白粉做的早餐奶昔（见P015）
- ω-3鱼油补充剂

健康与教养

纪律。孩子越来越大，顶嘴、无礼、争吵的情况可能越来越多，尤其是在青春期快要开始的时候。这很正常，无需惊讶。事实上，这也许是一个好的信号，标志着孩子开始自立，觉得自己总没错。你应该找到平衡点：让孩子自立，但也要尊敬师长。

伙伴的影响。老话说“近朱者赤，近墨者黑”，随着孩子的社交不断扩展，这句话越发真实。虽然你没法替孩子选择所有朋友，但你可以引导他去接近你欣赏的孩子和家庭。

运动。运动十分有利于孩子保持体形、建立自信、发展友谊。即便孩子不是天生的运动员（等到孩子大一点，集体运动可能会挫伤孩子的自尊心），你也可以让他坚持个人运动，参加相应的课程或培训班，例如网球、体操、武术和舞蹈。

音乐。现在该着手探索孩子的音乐天赋了。钢琴课很适合打基础，以后可以根据孩子的能力和兴趣去尝试其他乐器。

安全

头盔。孩子大一点以后，骑车、玩滑板、溜冰时戴头盔变得越来越不“酷”了。让儿科医生简单提醒一下孩子，不戴头盔摔伤了脑袋会怎样。

疫苗

美国儿科学会推荐在11岁或12岁检查时接种三种疫苗：百白破疫苗加强针，可在以前的基础上进一步提高孩子的免疫力；另有两种孩子没打过的新疫苗。脑膜炎球菌疫苗（MCV）只有一剂，可预防儿童脑膜炎；人类乳突病毒疫苗（HPV，分为三剂：现在注射一剂，一个月后注射第二剂，首次接种6～12个月后注射第三剂）可抵御一种能引起生殖器疣和宫颈癌（见P480）的性传播病毒。我们还推荐每年10月接种流感疫苗。

青春期体格检查

青春期孩子会发生很大的变化：身体、行为和态度都会改变！下面我们将介绍青春期即将出现的各种健康和行为问题。很多人问我们，“我的孩子在青春期需要多久检查一次身体？”一般来说，健康的青春期孩子不需要每年做体格检查，我们通常推荐隔年检查一次。不过，如果你的孩子参加了运动队，那就需要每年检查一次。如果你的孩子有任何特殊问题——例如身高偏矮、行为或情绪问题，或其他任何慢性健康问题——那么也应该每年检查一次。

青春期常规体格检查要点

青春期体格检查有13个要点，医生会关注这些方面：

（1）身高、体重和体质指数（BMI）。每次常规体格检查应讨论孩子的身高和体重，这是为了确保孩子的身高与体重协调。医生可能会计算孩子的BMI（体质指数）。你也可以自行计算（见

P092），然后标注在 P110 ～ P117 的表格上。虽然 BMI 表很实用，但是在发育正常的情况下，某些肌肉发达或是骨架较大的孩子看起来可能会“超重”。因此以腰围来衡量是否肥胖更为准确。

（2）**性发育**。多年前儿科医生设计了坦纳氏分期法，用于描述男孩和女孩正常的性发育（见 P452 表格）。虽然每个孩子的坦纳氏期各不相同，但医生可以据此检查性发育有无提前或异常延迟。有的健康问题会导致青春期提前或推后，这些问题可通过治疗手段解决。

（3）**女孩的经期**。医生会询问你的女儿是否有月经来潮，周期如何。年轻女性的月经通常始于 10 ～ 14 岁，体型会影响初潮的时间和强度。特别瘦的运动女孩（例如体操运动员）倾向于较晚初潮，强度较轻；而丰满的女孩倾向于较早初潮。女孩刚来月经时常常不太规律，这个阶段会持续一年左右。初潮一年后，月经通常会稳定为一月一次。如果孩子的月经周期异常、持续时间过长（超过一周）、有异常的不适和疼痛或者量特别大，请和医生讨论。有性行为之前通常不需妇科检查。

（4）**烟草 / 毒品 / 酒精的使用**。医生应该和孩子讨论这些问题。一般而言应该避开父母，这也许能帮助孩子畅所欲言。这是常规检查的重要组成部分，能够鉴别出有风险的青少年。医生还应该问问孩子，是否有朋友使用毒品、酒精或烟草。

（5）**性行为史**。医生会问孩子是否有性行为、性伙伴数量、是否了解安全措施（使用安全套、避孕措施、避免高危性行为）。医生可能还会建议孩子，最安全的方法是彻底禁欲。大多数健康专家推荐，应在性行为开始后三年内或 21 岁时（以较早的为准）开始做巴氏涂片检查。有性行为的青少年还应至少每年筛查一次性传播疾病（STD）。通常需要筛查的内容有衣原体、淋病、人类乳突病毒（HPV）和艾滋病病毒（人类免疫缺陷病毒，HIV）。筛查很重要，尤其是女性。女性青少年的症状通常十分微弱，甚至完全没有症状，这可能会导致健康问题，甚至是致命的。

医生和青少年的谈话是保密的，医生会告诉孩子，他们讨论的内容父母不会知道，就算父母询问，如果没有孩子本人的许可，医生也不会告诉他们。不过也有例外：如果孩子告诉医生的事情会危及自身或他人的生命，医生有义务告诉父母，有必要时还需通知政府。

如何与青少年讨论性行为及禁欲，见 P475。

（6）**饮食习惯和营养状况**。医生应询问孩子的饮食习惯。青少年通常很不注意饮食的营养，可是对发育中的青少年来说，健康良好的饮食十分重要。医生应整体评估孩子的营养状况，以免孩子体重过轻、营养不良或超重。如果孩子营养习惯很差，那可能需要营养补充剂，例如 ω-3、蔬果补充剂和维生素。这也是个好机会，可以让医生教教孩子健康饮食的重要性。

（7）**锻炼**。日常锻炼对青少年至关重要。为了身体和大脑的健康发育，我们通常推荐每天剧烈运动至少 45 分钟。学校的体育课程也许能满足这一需求，也许不能，不过参加运动队肯定能满足。对于那些不参加运动队的孩子，我们推荐每天放学后或上学前自行锻炼。跑步、游泳、骑车或使用健身器材（例如椭圆机）都是很好的锻炼方式。对青少年来说，散步的强度通常不够。

（8）**在学校里的表现**。体格检查应讨论这个方面。学习成绩对孩子的现在和未来都很重要。医生应询问孩子对学校的大体看法、最喜欢哪门功课。这是一个好机会，可以看看孩子是否努力达成目标并给予鼓励。研究表明，成绩好的孩子（俗称“学霸”）有个共性——他们都热爱学习。

（9）**抑郁或其他心理疾病史**。如果孩子有情绪问题的病史，请告诉医生。若孩子曾有抑郁或其他心理疾病史、曾经或现在正在使用任何药物，请和医生讨论。如果孩子确有上述病史，医生应要求单独与孩子讨论是否有伤害或杀害自身或他人的想法或企图。

（10）**安全问题**。应该鼓励安全的生活方式。如果孩子开车，应该随时系好安全带。骑自行车、玩滑板、骑摩托车或进行其他可能造成头部损伤的高风险活动时，应戴好头盔。车祸和意外名列青少年死因榜首。

（11）**电视和电脑的使用**。青少年的另一大普遍问题是看电视、玩主机游戏及电脑游戏的时间过长。理想情况内，这些活动应限制在每天 60 分钟以下，可是青少年通常平均每天有 3 个小时对着屏幕。过度使用电视或电脑可能导致学习成绩不佳、肥胖风险增高及日常锻炼减少。身体检查是个好机会，医生可以简单鼓励孩子减少待在屏幕前的时间。

（12）**睡眠**。为促进视力发育和学习表现，青少年每晚需要至少 8 小时高质量的睡眠。医生应询问孩子是否达到了这个标准。应该避免晚睡，因为晚睡常会导致白天疲劳。大多数青少年晚间没睡够 8 小时，睡眠时间不足、质量低下是学习问题和行为问题的常见原因。

（13）**常规牙科检查、牙齿矫形及洁牙习惯**。青少年应该每半年做一次常规牙科检查，并根据牙医的建议拜访牙齿矫形医生。牙医应检查孩子有无蛀牙的迹象，提醒孩子每天至少刷两次牙、使用一次牙线，这二者是牙齿整体健康的关键。

关于孩子的身体，我该和医生说什么？

当然，如果你有顾虑，或者孩子出现了某些问题，都应该告诉医生。孩子的病史也同样重要（比如过敏史或哮喘史）。若有家族病史（例如某种癌症、心脏病、高胆固醇家族史或其他疾病），请告诉医生。无论是过去还是现在的问题，彻底的坦诚十分重要，只有这样，你孩子和医生才能通力合作，确保孩子最佳的健康状况。

孩子体检时需要做化验吗？

这要看具体情况。如果孩子有了某些症状，医生想进一步探究，可能需要做血检或尿检等特定检查。无论有无高胆固醇家族病史，孩子都应测试胆固醇。一旦开始行经，年轻女性应做血检，看看是否贫血。如前所述，有性行为的青少年应筛查性传播疾病。医生会决定将哪些检查（如果有的话）列入常规流程。

青少年常规体格检查

从头到脚的全面检查是本次拜访的重要内容。我们将简要解释最重要的几项生理指标。

心率和血压。医生会检查确认心率是否正常，血压是否健康。理想情况下，血压应低于120/80。

身高和体重。确保孩子体重正常十分重要。医生还会检查身高，确认孩子没有发育迟缓的问题。

视力检查。应该检查孩子的视力，筛查有无问题，通常使用基本视力表。若有视力缺陷的迹象，应咨询眼科医生。

心脏和肺。医生会仔细听诊，检查有无心律异常或杂音。心脏杂音偶尔会在青春期甚至更晚才诊断出来。在这个年龄段，心脏杂音的出现可能意味着隐藏的心脏构造问题。心脏检查若有异常，应咨询小儿心脏病专科医生。医生还会检查肺部有无呼吸音异常。

牙。医生会检查口腔内部，确认牙齿是否强健。

脊柱。医生应检查脊柱确认其是否正常，排除脊柱侧凸及过度弯曲的可能性。为此医生会安排专门的检查，很多学校也有脊柱侧凸筛查计划。（脊柱侧凸详见P466。）

男性生殖器。医生应该检查睾丸。睾丸癌虽然罕见，却是青春期男性最常见的癌症。疝气检查也应在此时完成。

女性生殖器。这通常不属于常规体检的内容，当然，除非有任何问题或顾虑。

性发育。医生会全面评估，确认孩子的性发育与年龄同步。

整体的健康信号。医生应检查孩子有无营养不良或肥胖的迹象。

关节灵活度。评估关节的健康灵活度，尤其是髋关节、膝关节、肩关节和踝关节，这十分重要。灵活度不足意味着更容易受伤。

肌肉强度及条件反射。健康的肌肉对成长中的身体十分重要。合适的肌肉强度及健康度是身体强健的标志。一般而言，迅捷的条件反射意味着神经系统大体健康。

孩子体检时需要打疫苗吗？

体检应检查孩子的免疫史。如果有的疫苗还没接种，医生可能会补种。如果孩子按期接种了所有疫苗，现在也许还需要一些加强注射。青春期常规体检时医生通常会给孩子接种这些疫苗：

百白破（破伤风/白喉/百日咳）疫苗加强针。这种复合疫苗通常在孩子12岁时接种。如果孩子严重受伤或受了贯穿伤，破伤风加强针会帮助他预防破伤风；百日咳细菌会引起百日咳。每年青春期人群中都会爆发大量百日咳病例，因为青少年常会在封闭空间中密切接触（教室、衣帽间，等等），所以现在普遍认为应该在这个年纪给孩子打加强针。进行国际旅行时，预防白喉十分重要。

MCV（脑膜炎）疫苗。这种疫苗通常在15～18岁打，一般是上大学之前，不过最小12岁就可以打。这种细菌性脑膜炎十分罕见，但它的破坏力很大，常有致命风险。高风险人群包括住宿舍的大学生和生活在军营里的新兵。这种疫苗只需注射一次。

水痘疫苗。如果你的孩子没出过水痘，或者从未接种过水痘疫苗，现在就该接种了。青少年更容易染上水痘。

乙肝疫苗。现在，乙肝疫苗已列入婴儿常规疫苗，不过有的青少年可能没有接种过。如果没有接种过，现在是补种的好时机。乙肝疫苗分为三剂：体检时注射第一剂；一个月后注射第二剂；第三剂在首次接种6个月后注射。

HPV（人类乳突病毒）疫苗。这种疫苗是为了对抗特定类型的人类乳突病毒（见P480，HPV），已知该病毒会导致男女生殖器疣及女性宫颈癌。HPV通过性传播，可能感染女性宫颈细胞。大约90%的被感染者可自然清除病毒，可是病毒有10%的几率留存在宫颈细胞中，随着时间流逝，被感染细胞可能发生癌变。这种疫苗被看做青少年标准免疫流程的一部分，起初只推荐9～26岁的女孩注射，2009年推荐注射范围扩大到男性。和医生聊聊此政策有无修订。HPV疫苗分为三剂：体检时注射第一剂；两个月后注射第二剂；最后一剂在首次接种6个月后注射。

健康小贴士：分散接种疫苗

虽然所有疫苗的接种越快越好，但我们更愿意让每个孩子每次最多注射两种疫苗。建议你和医生协商安排，几年内陆续给孩子注射青春期的各种疫苗，不要都挤在一年里。

了解更多

免疫标准流程不断更新，也不断有新疫苗问世。和医生讨论新的变化，或阅读罗伯特·西尔斯医生的《疫苗全书：为你的孩子做出正确的抉择》。

甲肝疫苗。这种疫苗最近刚刚列入婴儿常规疫苗，所以现在可能有很多青少年没有接种过。甲肝是一种食物中毒性疾病，主要发生在去发展中国家旅行期间。不过，美国也时有爆发案例。如果孩子没打过甲肝疫苗，和医生讨论一下。该疫苗分为两剂。

流感疫苗。现在推荐 18 岁以下的孩子每年 10 月接种流感疫苗。

旅行疫苗。如果孩子计划去外国旅行，和医生聊聊孩子是否需要接种其他疫苗。如果孩子要去疟疾高发地区旅行，医生可能会推荐抗疟疾药，降低感染疟疾的风险。

运动员体格检查

如果孩子要加入学校的某项运动队，必须提前体检，这是为了确保孩子能够安全地运动。

运动体检和常规检查大体相同。医生会全面回顾孩子的医疗史，讨论所有新出现或正在发生的健康问题，并全面检查孩子的身体。不过，运动体检还应涉及一些特殊方面。体格检查主要评估孩子的身体是否适合某项特定运动，注意事项如下：

带好检查表！医生手里也许有运动检查表，不过许多学校要求医生填写学校制定的表格并签名。请与学校负责人确认。

运动相关病史。医生应该询问孩子是否受过与运动有关的重伤，包括严重的骨折、扭伤、脑震荡等。

健康小贴士：保护成长的脚后跟

在医疗实践中，我们推荐所有青少年运动时佩戴后跟垫（药店有售）。脚不是设计来咚咚敲打健身房地板和水泥的。脚后跟的骨头还在发育，它们十分敏感。

哮喘或过敏史。如果孩子有哮喘或过敏史，告诉医生，这非常重要。剧烈运动很容易引发哮喘。如果孩子的哮喘尚未痊愈，请和医生讨论现在症状控制得怎么样。过敏可能也会为小运动员带来麻烦。如果过敏难以控制，或者孩子从事某项运动时过敏特别严重，请告诉医生。

休息或运动时的胸痛、气喘、心悸或意识丧失史。我们都听说过身体强壮的运动员在场上猝死的故事。这种情况十分罕见，不过通过合适的询问可以避免。医生会询问孩子过去是否有过上述症状。如果出现这些症状，必须通过全面的心肺检查仔细探查，如果医生推荐的话，可能还需要其他测试（如心电图或超声心动图）。

家族心脏病史或年轻时的异常昏厥史。如果孩子的父母或（外）祖父母在 40 岁前出现过这样的情况，请告诉医生。也许还需要请心脏病专科医生进一步测试，确认孩子没有遗传到暂未发作的严重心脏病。

如果孩子曾严重受伤或住院，请告诉医生。医生需要确认这些问题是否有碍该项运动。

安全恰当的运动流程。为降低受伤风险，医生应该讨论如何最好地运动和练习。要点包括：

- 运动前后足够的拉伸。
- 安全锻炼的技巧。
- 保持体内水平衡。
- 如果小运动员身体疼痛，医生应与教练或父母交流。
- 正确使用运动设备，尤其是自由重量器材。最好从弹性带开始，逐步加码到重量器材，最后再上自由重量器材。

健康小贴士：
疼就停下来！

我们经常告诉小运动员，“不会缓解的疼痛是你的身体发出警告的方式。”青少年应该听从身体的意见，别害怕与成人交流。别相信肌肉训练“无疼痛，无成长”，这句格言已经过时了。疼痛代表训练过度或训练不当。

女运动员的月经史。我经常告诉女运动员们，刚开始训练时月经可能出现异常。这种情况在高强度训练的女运动员身上很常见，通常不必担心。更少的体脂意味着更少的雌激素，从而推迟经期。不过，如果你的女儿彻底停经，你应该告诉孩子的医生。

运动体格检查

运动体格检查和青春期体格检查十分相似。医生会特别注意某些方面，运动体格检查的要点如下：

心率和血压。应该测量孩子运动前后（医生也许会让孩子去办公室外面跑几分钟）的心率，确认从静止状态到活动状态，心率正常增加；从活动状态到静止状态，心率正常放缓。异常的高血压可能意味着潜藏的心血管疾病，应于一周后复检，然后方可签署表格。若复检时血压仍过高，必须与心脏病专科医生会诊，然后再决定是否签署表格。

心脏。医生会仔细听诊孩子有无心音异常、心脏杂音或心律异常，还会评估心脏整体尺寸。心脏检查若有任何异常，必须与心脏病专科医生进一步会诊。

肺。医生会听诊孩子的肺音，确认空气能正常进入肺部。他还会仔细听诊有无呼吸障碍或喘鸣音的迹象，这可能是哮喘等潜藏肺部问题的征兆。

关节。医生会评估主要关节的灵活度和运动范围，包括肩关节、肘关节、髋关节、膝关节和踝关节。运动范围不足或灵活度不足会增加运动时受伤的风险。

肌肉和肌腱。肌腱是肌肉与关节连接的部分。医生会检查身体主要肌群的灵活度，尤其是股四头肌、腘绳肌和小腿肌肉。肌肉灵活度不足会增加受伤风险，例如肌肉劳损、肌肉拉伤或肌肉撕裂。

脊柱。医生会检查脊柱有无异常弯曲，并测试脊柱的灵活度。

眼部检查。对所有志向高远的运动员来说，检查确认视力正常十分重要。若有近视或远视的迹象，应由眼科医生进一步进行评估。医生还应推荐特定运动适用的护目镜。

男性疝气检查。医生会让孩子“转头咳几下”，检查腹股沟部位有无疝气迹象。某些运动会导致男性疝气恶化。

周期性的检查是孩子保健的重要部分。有的父母也许会怀疑检查的必要性。老实说，我们做的大多数检查没有发现任何健康问题，这是儿科的快乐之一：大多数孩子完全健康！不过，偶尔会发现一些问题，这些问题能在产生严重或永久性的后果之前得到矫正或治疗。就算孩子一切正常（这应该是你盼望的结果），你和孩子也可以学到健康、营养、安全和人体方面的很多东西，了解到有用的保健知识。

现在，本书的预防保健部分宣告结束。事实上，如果我们的工作完成得很好，你听从了我们的大部分建议，那么你也许根本不需要本书后面的部分了。当然，就算是生活方式最健康的孩子偶尔也难免得病。我们希望在面对几乎所有可能出现的疾病时，本书能为你提供需要的信息。

出生～ 24 个月：女孩　　　　姓名：

身高 - 年龄及体重 - 年龄百分表　　　　记录 #

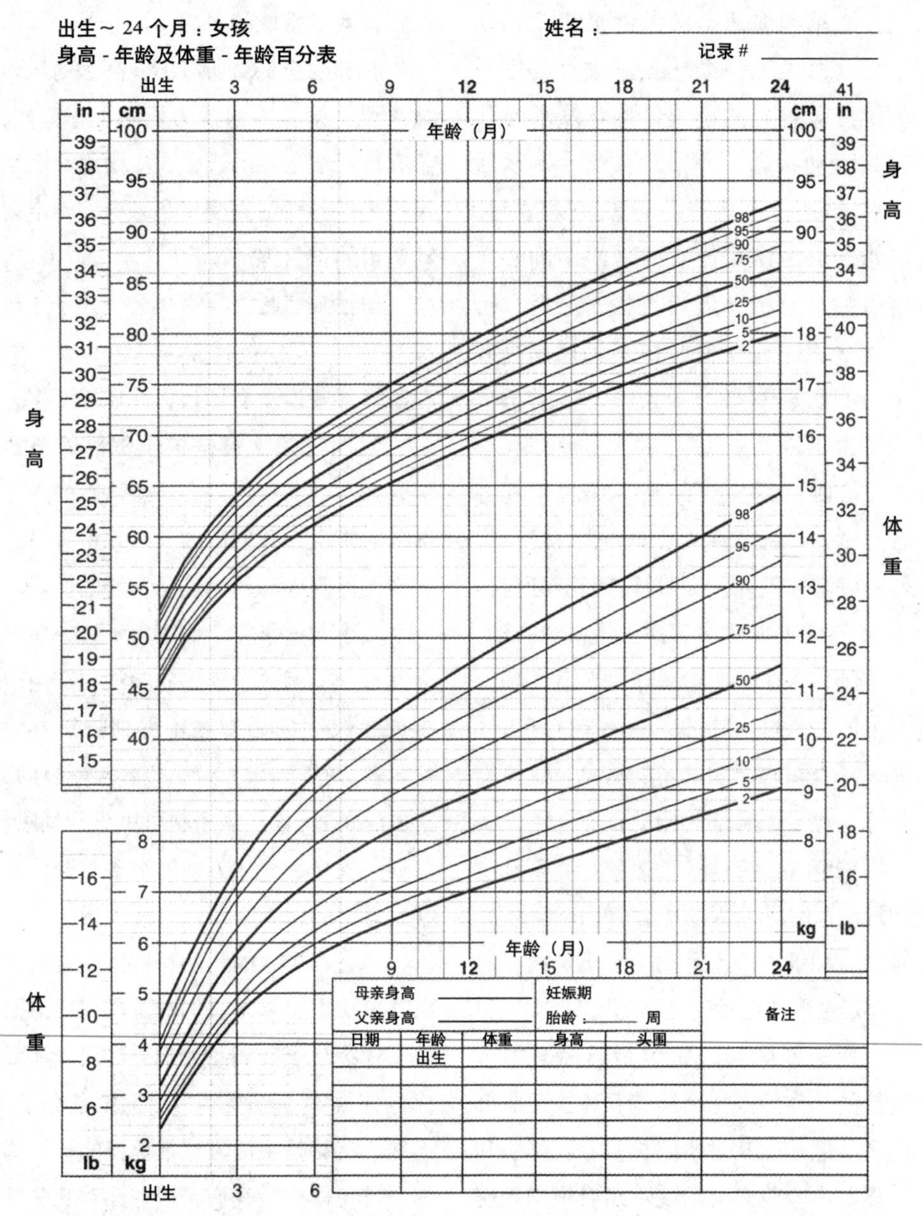

印制：美国疾病预防与控制中心，2009 年 11 月 1 日

来源：世界卫生组织儿童成长标准

出生～24 个月：女孩

头围 - 年龄及体重 - 身高百分表　　　　姓名：________________

记录 #__________

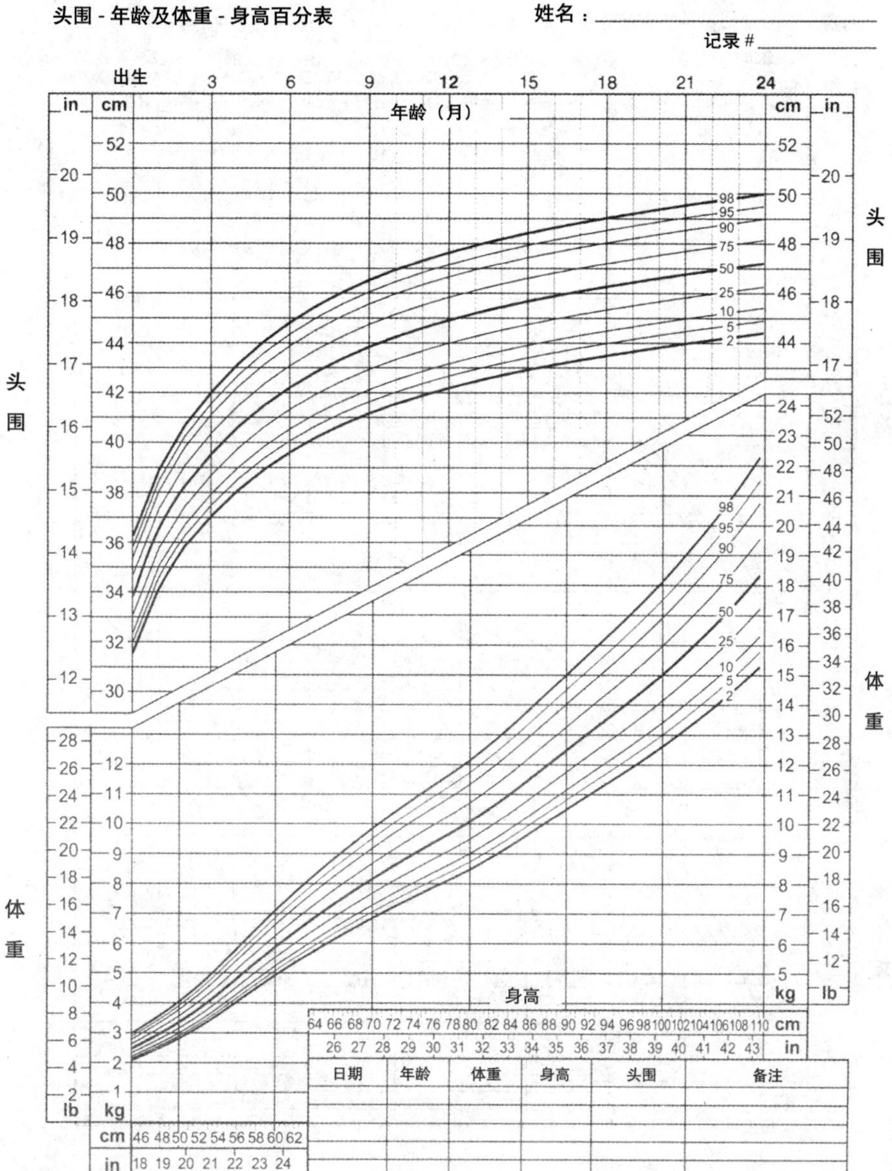

印制：美国疾病预防与控制中心，2009 年 11 月 1 日

来源：世界卫生组织儿童成长标准

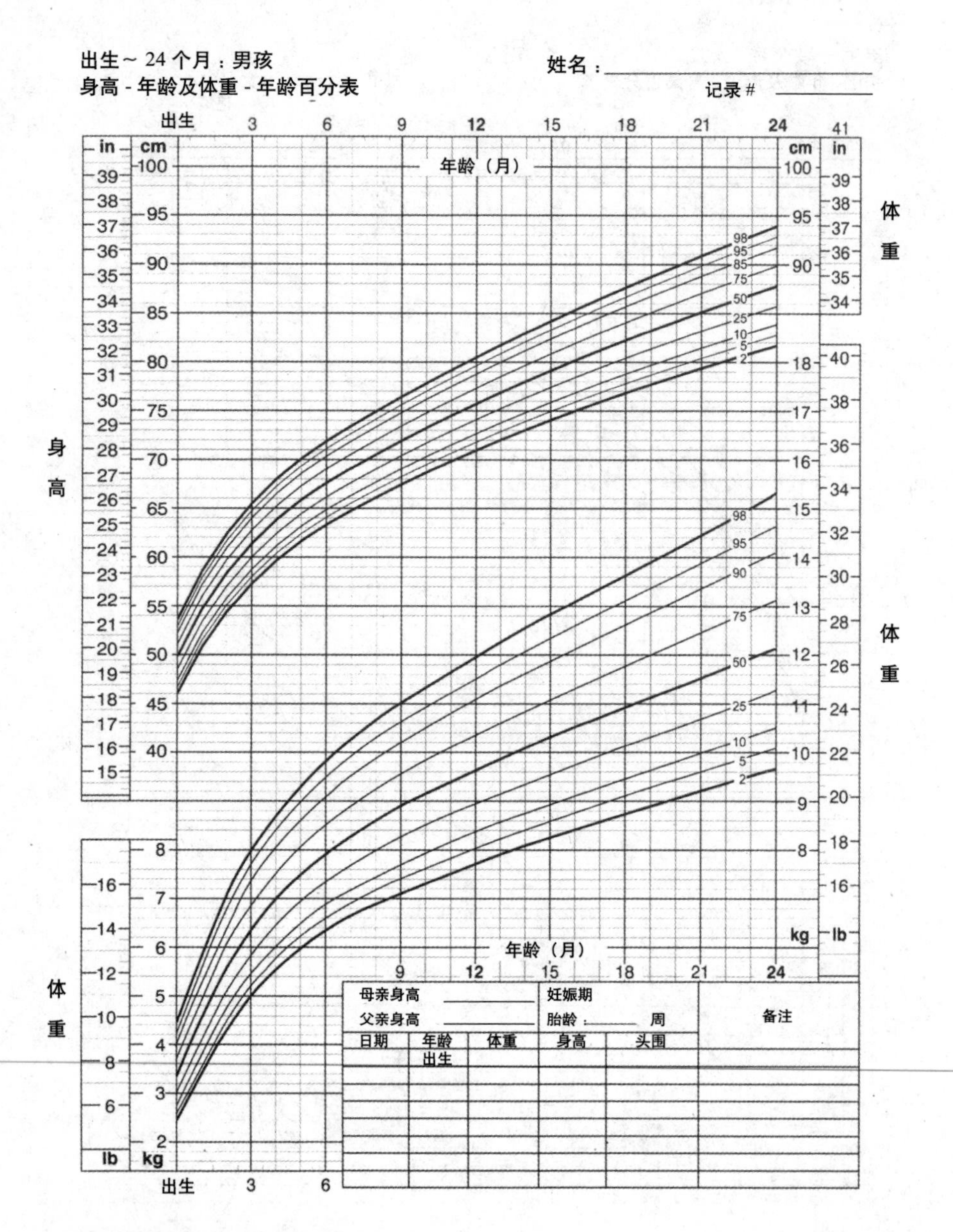

印制：美国疾病预防与控制中心，2009 年 11 月 1 日
来源：世界卫生组织儿童成长标准

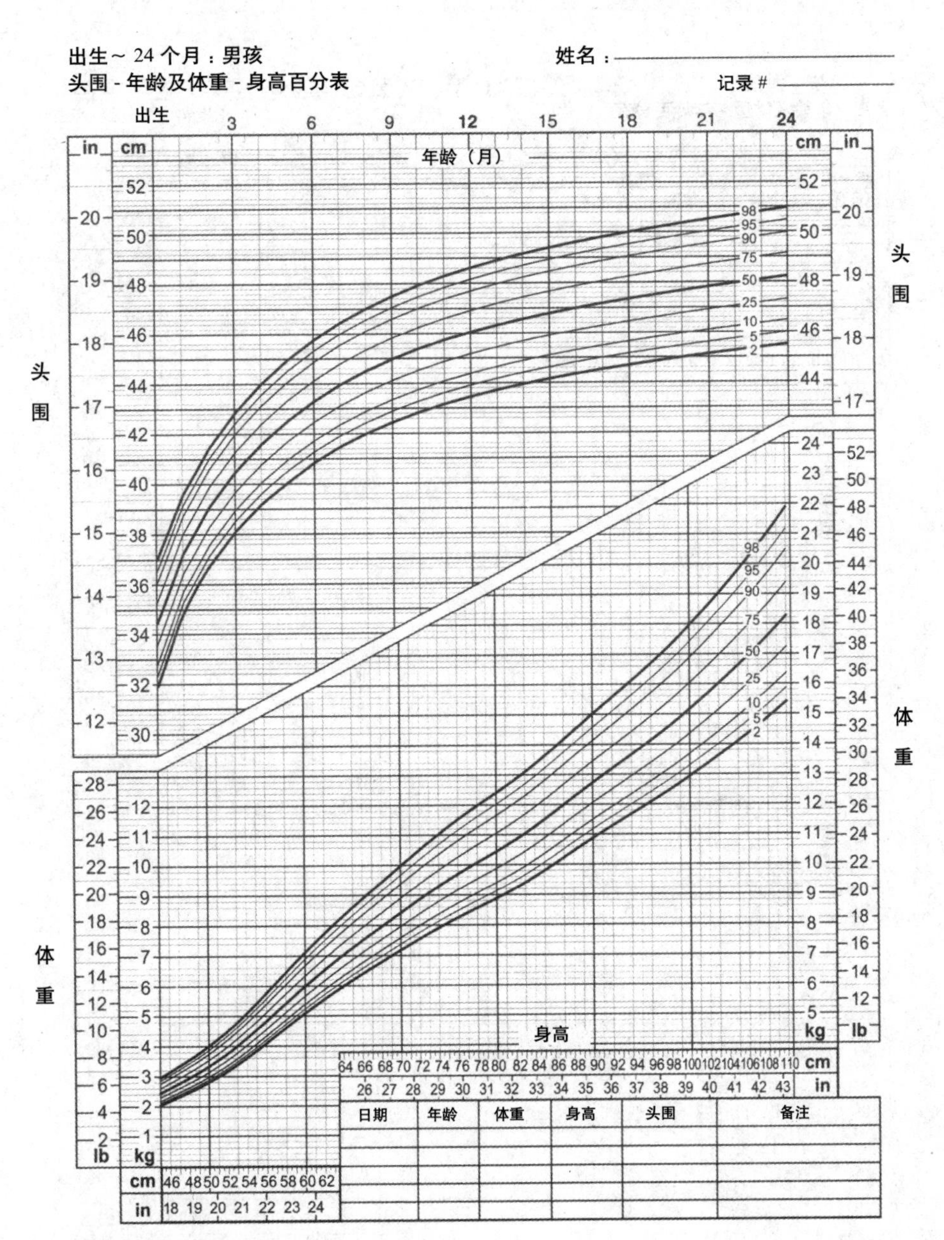

印制：美国疾病预防与控制中心，2009 年 11 月 1 日
来源：世界卫生组织儿童成长标准

2 ~ 20 岁：女孩
身高 - 年龄及体重 - 年龄百分表

姓名：

记录 #

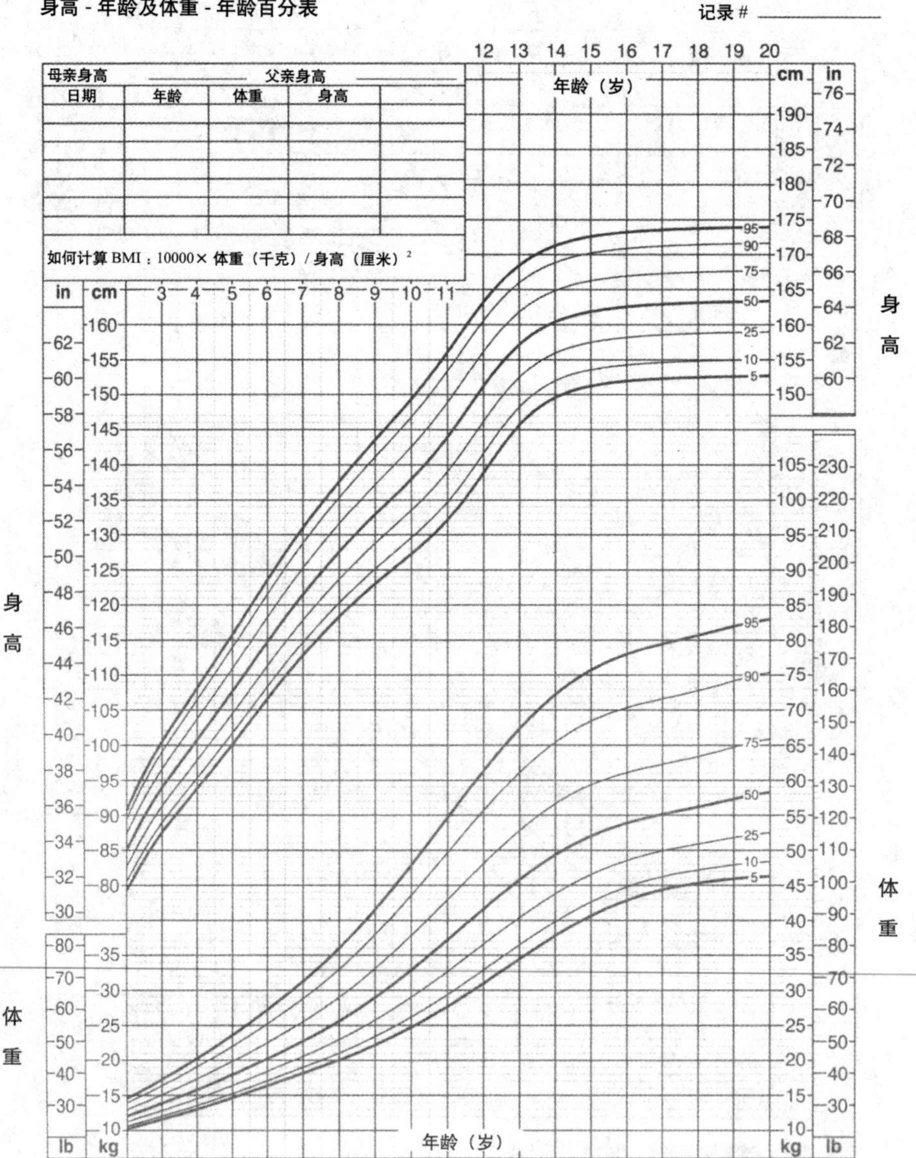

印制：2000 年 5 月 30 日（2000 年 11 月 21 日修订）
来源：美国国家健康统计中心及美国国家慢性病预防和健康促进中心联合制定

2 ～ 20 个月：女孩
体质 - 年龄百分表

姓名：

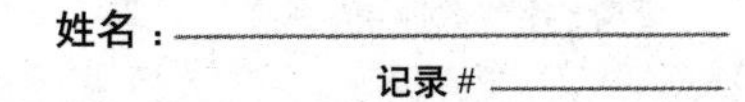

记录 #

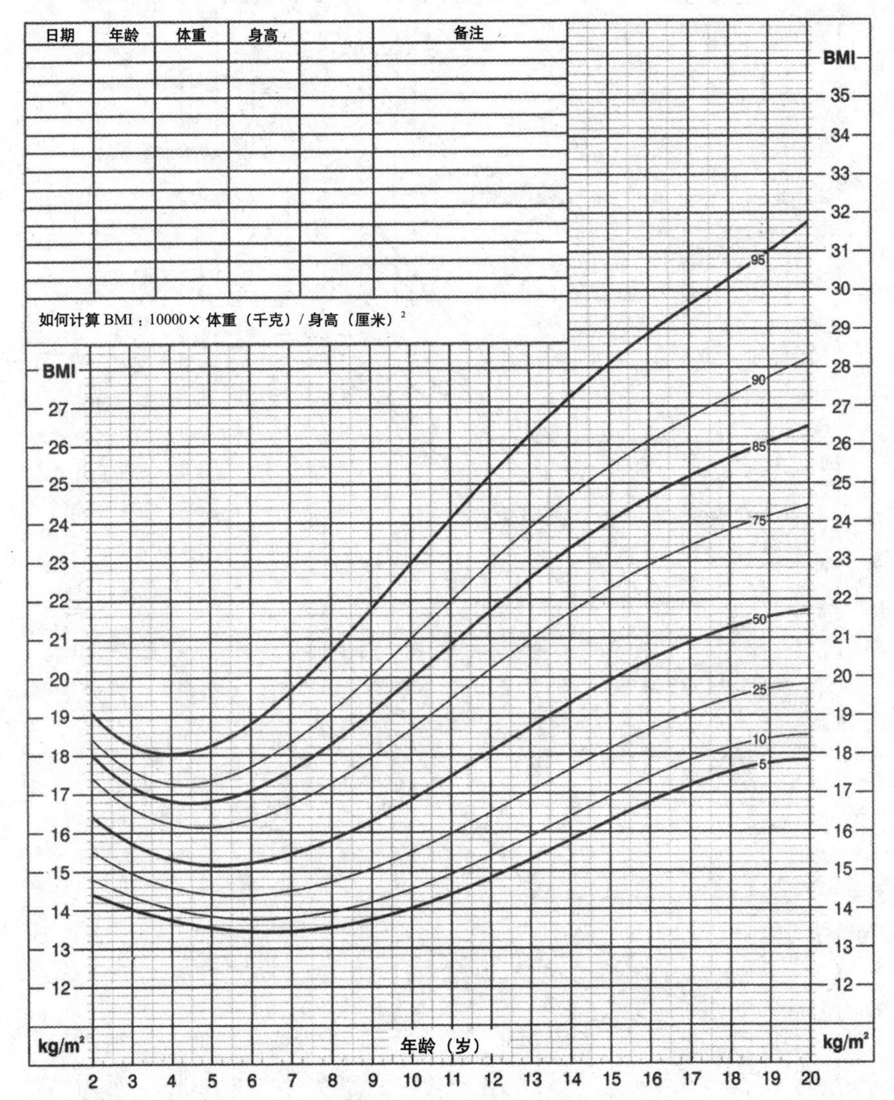

印制：2000 年 5 月 30 日（2000 年 10 月 16 日修订）
来源：美国国家健康统计中心及美国国家慢性病预防和健康促进中心联合制定

2～20 岁：男孩

身高 - 年龄及体重 - 年龄百分表

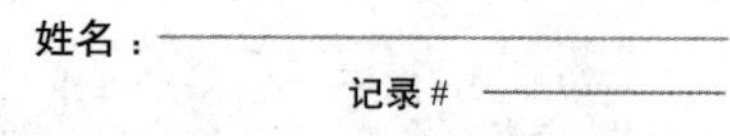

姓名：

记录 #

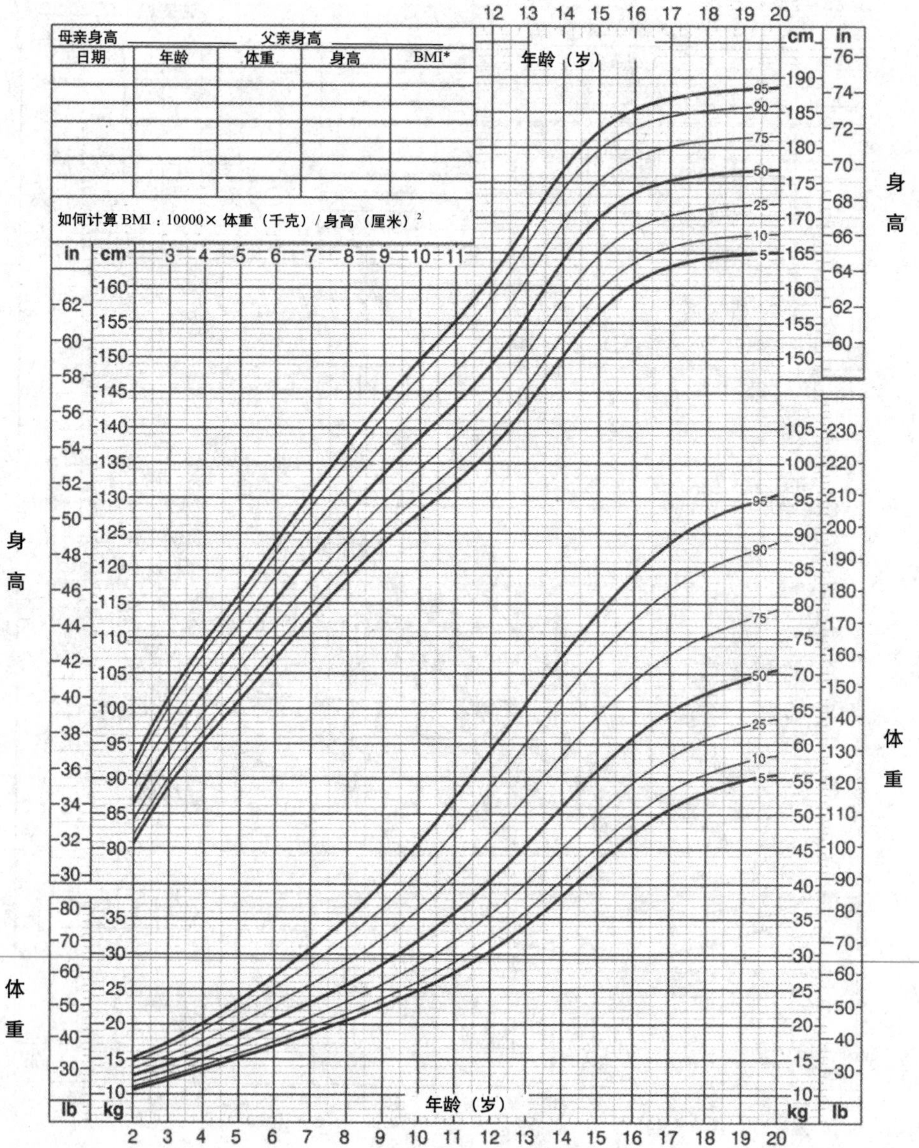

印制：2000 年 5 月 30 日（2000 年 10 月 16 日修订）

来源：美国国家健康统计中心及美国国家慢性病预防和健康促进中心联合制定

2 ~ 20 岁：男孩
体质指数 - 年龄百分表

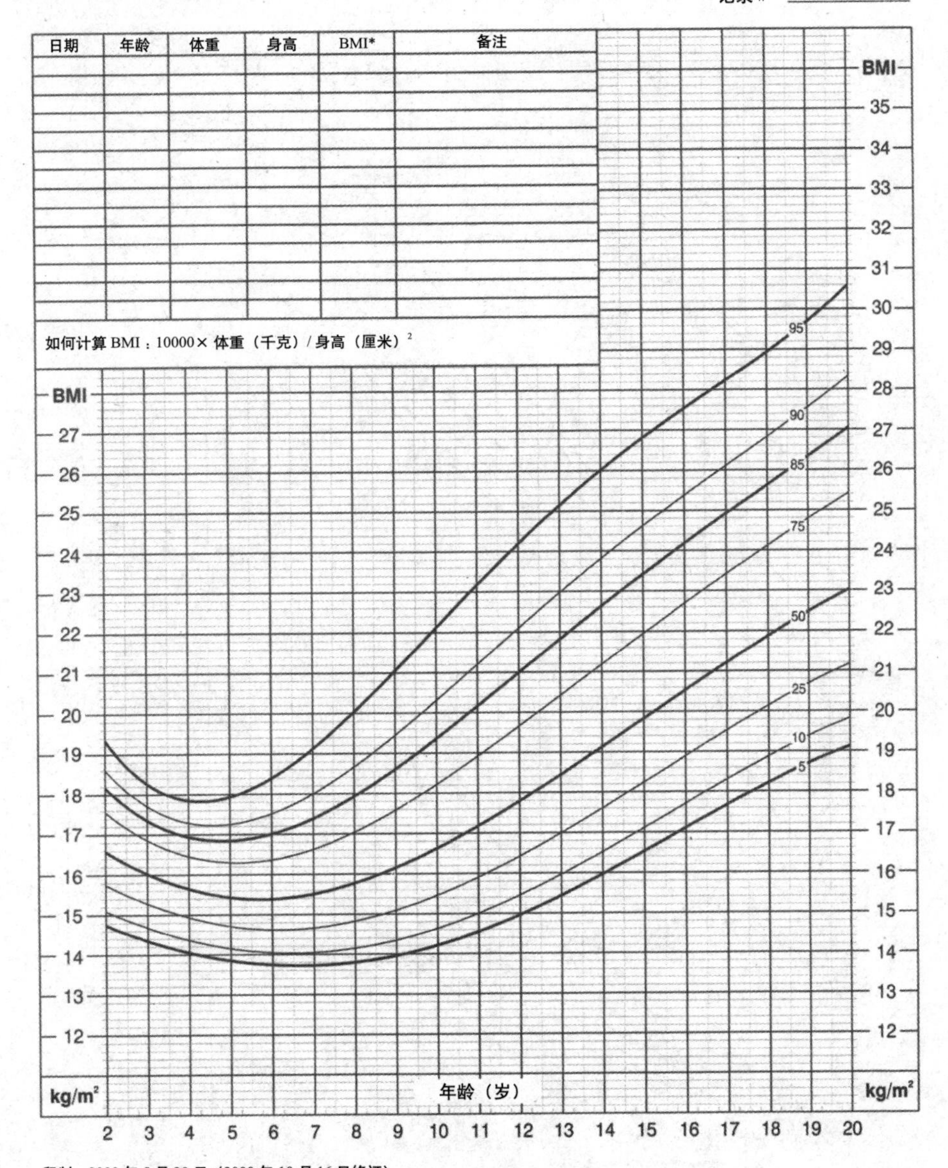

印制：2000 年 5 月 30 日（2000 年 10 月 16 日修订）
来源：美国国家健康统计中心及美国国家慢性病预防和健康促进中心联合制定

THE

PORTABLE

PEDIATRICIAN

第三篇

儿科健康问题与疾病（196 种）

在本书的这个部分里，我们将介绍大多数家长最担心的 196 种健康问题和许多孩子都曾遇到过的疾病。每个主题我们都将采用“多保健，少吃药”的模式：不光告诉你孩子可以吃哪些（药），还会告诉你父母能采取哪些措施（在家保健）。大部分主题分为几个部分：介绍该问题或疾病、什么时候应该担心、怎么办。我们提供这些信息的目的在于帮助家长和看护人在信息充分的情况下进行医疗消费，还会告诉你如何保护孩子的权益，确保孩子获得最好的医疗服务。

1. 腹痛

对家长来说，腹痛是最让人迷惑也最让人担心的问题之一，因为你没法亲眼看到孩子身体里出了什么问题。腹痛的原因多种多样，可能是完全无害的胀气或“烧心”，也可能是危及生命的阑尾炎，家长很难弄清问题的严重程度。“肚子痛”可能突然发作，也可能在几个月内不断反复，病因和治疗方法多种多样。在此我们分两个部分对腹痛进行讨论：突发性腹痛和慢性腹痛。

突发或短期腹痛

在这个部分，我们将帮助你学习突发性腹痛的多种原因，告诉你孩子的疼痛要不要紧，可以采取哪些措施。

0～6 个月婴儿腹痛

寻找幼婴腹痛的原因十分困难，因为宝宝没法描述是怎么个痛法、具体哪里痛。事实上，宝宝甚至没法告诉你痛的地方到底是不是肚子。所以，如果孩子哭闹怎么都哄不好、肚子紧绷、踢腿、放屁，可是这些情况一两个小时后会自行消失，孩子会安静地睡着，那你差不多就可以确定没什么大问题。不过，你肯定想弄清楚是什么引发了这些症状以便预防，下面是典型的原因：

通过母乳引起的食物过敏。关于哪些食物可能引起过敏，如何定位过敏源，详见 P336。

配方奶不耐受。如果宝宝对某种配方奶过敏或敏感，他会用自己的方式告诉你。应对措施详见 P340。

婴幼儿肠绞痛。如果孩子大哭几个小时怎么都哄不好，那可能是婴幼儿肠绞痛，此时宝宝看起来像是痛苦的，且疼痛源似乎是在肚子周围。其原因正如前面所说，这通常是宝宝对母乳中的某些成分过敏或配方奶不耐受。如果你换掉了可能引发问题的食物和配方奶，宝宝还是肚子痛，请翻阅 P234 阅读关于如何解决婴幼儿肠绞痛的完整讨论。

胀气。目前这是突发性腹痛最常见的原因。如果是胀气，几乎所有宝宝都会出现烦躁哭闹的情况，不过时间通常比婴幼儿肠绞痛短得多。胀气的原因通常是妈妈吃了刺激性食物、配方奶不耐受、大哭时吞下了空气或吃完奶没好好拍嗝。胀气与婴幼儿肠绞痛最主要的区别是：一旦你解决了对应的病因，胀气会立即缓解，而婴幼儿肠绞痛可能不会。详见 P346。

严重疾病。请参阅 P123 关于肠梗阻的内容，了解这种严重的小儿疾病有哪些症状。幸运的是，这种情况极其罕见。

较大婴儿及儿童腹痛

较大婴儿与儿童腹痛的处理方法与幼婴不同，引起腹痛的原因也有所区别，而且孩子可以和大人交流疼痛的细节，结合孩子的行为，父母通常有更多线索来推断可能的病因。我们先讨论一下各种不太严重的病因。下面这些情况虽然不太舒服，但一般不需要看急诊或立刻约见医生：

胃肠道感染。腹痛最常见的原因是胃肠道感染。如果孩子呕吐、腹泻、发烧,那大体可以确定他的胃痛只是感染。诊断与治疗措施见 P548。

食物中毒。这种情况其实并不是真的“中毒”，只是孩子吃下的东西里面有一些不好的细菌。如果在吃下某种可疑食物 1 ～ 8 小时内，孩子突然出现腹部绞痛、呕吐，也许还伴有腹泻，那很可能是食物中毒。诊断与治疗详见 P548。

胃灼热。如果孩子吃下的食物导致胃酸过度分泌，就会引发胃灼热，症状为灼烧感疼痛，通常出现在胃部（胸腔下方、肚子上部靠左边和中间）或胸部。胃灼热与食物中毒及其他疾病的区别在于：疼痛有灼烧感，进食后立刻出现，没有腹泻或发烧症状。容易引发胃灼热的食物有番茄酱、油腻的食物、柑橘类水果或果汁、辛辣食物。见 P125。

胃不适。这是一个统称，用来形容进食后立即出现的原因不明的胃部隐痛。这种疼痛通常出现在胃部或肚子中间，它与食物中毒及其他疾病的区别在于：进食后立即出现，没有腹泻或发烧症状。吃太多垃圾食物或是不熟悉的食物都可能出现胃不适，没有什么专门的治疗方法，只要洗个热水澡，轻轻按摩肚子安抚一下就好。

胀气。这很可能是无呕吐、腹泻症状的突发性腹痛最常见的原因。剧痛可能突然出现并消失，还可能在整个腹部转移。大一点的孩子可能会告诉你，按摩肚子能感觉到气体在里面跟着冒泡。不幸的是，这样的疼痛可能相当剧烈，二甲基硅油胀气滴剂（非处方药）也许能帮助排出气体。

乳糖不耐受或牛奶过敏。这种疼痛和胃不适十分相似，不过可能伴有胀气、腹泻或绞痛。通常在食用牛奶制品 30 ～ 60 分钟内出现。诊断与治疗措施见 P121。

腹肌劳损。用到腹部肌肉的剧烈运动或活动都可能导致腹肌过度劳损。按压肚子或是用到这些肌肉（例如仰卧起坐）时，疼痛会加剧。持续呕吐也可能引起腹肌劳损,布洛芬可缓解这种疼痛。

痛经。这是青春期女孩腹痛最常

见的原因。一旦开始痛经，下面会发生什么就不再神秘了，紧接着便是月经来潮，不过刚开始的一两次可能确实有些困扰。痛经感觉像是下腹部绞痛，可能扩展到背部。月经和绞痛可能早在9岁或10岁就会开始。

便秘。便秘引发的慢性腹痛十分常见，但孩子可能突然遭受便秘困扰，引发剧烈腹痛。疼痛可能发生在腹部任何区域，不过通常是在肚子正中央、肚脐周围。随着结肠自然收缩，试图将硬结的粪便排出，疼痛会一阵阵地出现消失。如果孩子最近说大便秘结难以排出，那就是便秘，很可能会出现这样的腹痛。诊断与治疗措施见P245。

膀胱感染。下腹疼痛伴有尿痛或尿频，可能是膀胱感染的信号。见P196。

西尔斯医生的“2”原则：2倍餐数，1/2分量，咀嚼2倍时间

和其他器官一样，出现任何短暂的肠道疾病（尤其是食物中毒、食物不耐受或反流引起的疾病），肠道都需要休息。少食多餐能减轻肠道负担，减少肠道损伤。

如何诊断不太严重的突发性腹痛

就算是无害的腹痛，医生也必须检查孩子的身体才能找出病因。诊断依据包括大体情况和上述症状，医生能做的是排除较为严重的疾病（下一个部分我们即将讨论）的可能性。排除严重疾病的可能性后，医生能够帮助你确认到底是哪种较轻的病因并设法缓解。不过归根结底，对于无关紧要的疼痛，确切的原因并不重要，因为疼痛总会消退，与此同时，P026介绍的缓解措施也可以帮助孩子度过这一阶段。

什么时候该担心

有两种紧急状况可能引发严重腹痛，如果不加诊治，可能出现严重的并发症。

阑尾炎。关于孩子突发性腹痛，父母最担心的可能就是阑尾炎。阑尾是一段长2.5厘米的结肠分支，位于腹部右下方。由于各种各样的原因，阑尾可能会感染发炎。阑尾炎的起初疼痛一般很轻微，只是肚脐周围有点儿不舒服，而不幸的是，很多无关紧要的原因也会引发类似症状，所以阑尾炎很难在早期被发现，最后疼痛会转移到腹部右下方，剧烈程度大大加强。阑尾炎的典型症状包括：

- 腹部右下方剧痛
- 持续疼痛——通常不会忽有忽无
- 疼痛逐渐加剧

- 发烧
- 拒绝进食
- 呕吐——但不是一定会出现
- 拒绝走路——像胎儿一样蜷缩起来躺着

健康小贴士：跳跃测试

让孩子站起来，上下跳一跳。如果是阑尾炎，这个动作会导致尖锐的疼痛进一步加剧，孩子会拒绝再跳，或者一开始就不肯跳。如果孩子能够反复跳跃，没有太多不适，那他得的很可能不是阑尾炎（这个测试并不绝对准确，只是可以帮助确认阑尾炎）。

记住，许多疾病的初始症状都是呕吐、发烧和肚子痛，不要一下子就判断是阑尾炎，先观察孩子几小时再说。阑尾炎很少引发频繁呕吐和腹泻，那是胃肠感染的标志。其他原因的腹痛通常不会发生在肚子右下方，除非疼痛转移到腹部右下方并不断加剧，而且孩子十分难受，否则不太可能是阑尾炎。阑尾炎很少发生在 4 岁以下的孩子身上。

肠梗阻。目前，肠梗阻是腹痛最危及生命的病因，不过它也是最罕见的病因。肠梗阻的特点是：突发性腹部剧痛，通常是在肚子中间；伴有持续的、抛射式呕吐。呕吐物的特征十分明显——深绿色的。要分清楚浅绿色的胃黏液（这种情况不严重）和深绿色的胆汁（黑松树的颜色），这很重要。肠道中有两种情况可能导致突发梗阻：

- 肠套叠。这个生僻词指的是一部分肠道套入另一部分肠道，就像直筒望远镜收叠起来一样。这种情况一般只发生在两岁以下的幼儿身上，疼痛可能是一阵阵的。宝宝可能会剧烈疼痛，腿收起来护住肚子，持续 20 分钟，然后疼痛消失，宝宝会放松下来，持续半小时，这是因为套叠起来的肠道可能会间歇性地松开。在此期间，宝宝可能安静而放松，也可能无力而慵懒（对刺激没有反应，也不肯睁眼）。肠套叠可能会在数小时内反复发作和消失。
- 肠扭转。肠扭转是指肠道发生扭转，就像把气球扭成动物的形状，而扭转的区域会堵塞起来。肠扭转一般发生在两岁以上的儿童身上，疼痛十分剧烈并一直持续。

如果宝宝出现上述迹象，你应该立刻联系医生或是直接带着宝宝去急诊室。

你的底线是：如果孩子剧烈腹痛，反复呕吐深绿色胆汁（而不是浅绿色胃黏液），看起来病得很重，应该立即寻求医治。

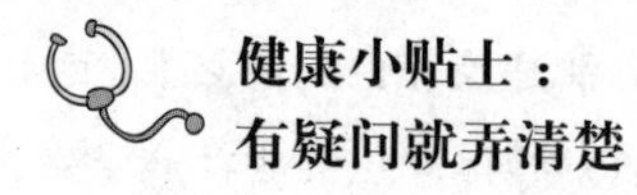

健康小贴士：
有疑问就弄清楚

最安全的办法是请儿科医生和你一起判断孩子的腹痛是否要紧。

慢性腹痛或复发性腹痛

如果孩子反复腹痛超过两周，你就该更加仔细地考虑一下到底是什么原因。关于慢性腹痛到底是什么原因，我们的指引如下。

“小肠子”为什么这么敏感：肠道发育的各个阶段

两种解剖学上的奇特之处让肠道成了身体里最敏感的器官。第一，肠道中的神经数量仅次于大脑，高于其他任何器官，因此才有了“肠脑”一词。既然肠道里有许多痛觉纤维和敏感神经，孩子当然会常常肠道敏感。第二，婴儿肠道的表面积大于其他任何系统，包括皮肤。根据解剖学家的估计，如果将内肠壁完全展平，它的面积会比网球场还大。

伴随着频繁的“发育之痛”，孩子的肠道发育有几个阶段。第一年，稚嫩的肠道要逐渐适应处理和消化各种各样的食物，所以在婴儿期，食物不耐受高居肠道疼痛原因的榜首。在学会如何消化常见食物之后，“继续学习”的肠道还需要掌握如何排出残渣，于是便秘就成了幼儿及学龄前儿童肠道不适最常见的原因。

接下来就到了让人担心的儿童期中期和青春期。在这个阶段，孩子的大脑会开始对情绪的变化做出反应，如社交压力、学习压力和家庭问题。大脑感受到的情绪同样会引起肠脑的反应，在这个阶段，情绪压力是复发性腹痛最常见的原因。现在你知道了肠子通常会经历哪些“发育之痛”，下面将告诉你如何提供帮助：

原因

正如你能看到的，在童年期的各个阶段，这些疼痛无比真实，需要真正的理解和帮助。

便秘。目前，便秘是青春期前的儿童慢性腹痛最常见的原因。这些线索可以帮助你判断孩子腹痛是否因为便秘：

- 孩子可能出现的便秘症状有：大便困难，几天才大便一次，大便很粗，大便硬结或呈硬球状，或者大便时间超过5分钟。
- 由于每天结肠会收缩数次试图排出积聚的硬结大便，孩子会抱怨肚子绞痛；收缩停止10～30分钟后，疼痛会消退；终于排出大便以后，孩子会“感觉好些了”。你会注意到接下来几天孩子不会肚子痛，然后又开始新一轮的循环。

如果你觉得便秘可能是孩子腹痛的原因，请见P245“便秘”。

乳糖不耐受或乳蛋白过敏。这两种情况不是同一回事。前者是指身体无法消化乳糖，而后者是指对乳蛋白的过敏反应。不过这二者的症状都包括：

- 食用乳制品后胃绞痛
- 胀气及疼痛
- 肠绞痛
- 腹泻

在这种情况下，孩子少吃或完全不吃乳制品后疼痛会消退。如果你觉得孩子有这方面的问题，请见P338。

其他食物过敏。除了牛奶以外，其他可能引起腹痛的过敏源包括：小麦(或其他含谷蛋白的谷物)、大豆、玉米和坚果等。谷蛋白敏感（这种蛋白质存在于小麦、燕麦、黑麦、大麦和其他几种谷物中）是肠道疼痛的第二大诱因，仅次于牛奶，却常常被忽视。详见P339。

胃灼热、胃炎及溃疡。胃炎是胃不适的医学表述；而胃食管反流则是胃灼热的医学表述。胃部发炎的原因是胃酸过多，如果胃酸过度侵蚀胃壁，则会发生溃疡。大一点的孩子会描述说腹部上方左侧或中间甚至胸口中间有灼烧感或咬啮般的疼痛，而小一点的孩子不会说“灼烧感”。胃酸过多主要有三种原因：

- 压力。情绪上的压力可能引起孩子胃酸分泌增加、胃痛。
- 感染。一种名为幽门螺杆菌的细菌可能会感染胃部，导致胃酸分泌增加和胃痛。这种感染可能遍及全家，只需血液检查便可发现，也可辅助采用胃镜活体检视。对于5岁以下的儿童，血液检查不太可靠。
- 药物。有的药物可能会刺激到胃。最常见的肇事者是阿司匹林和布洛芬类药品。

肠道发炎。如果儿童期中期或青春期的孩子反复发烧、严重腹泻、关节疼痛、反复出现爆发性严重腹痛，那可能是炎症性肠病（见P389）。

肠道感染。多种细菌和寄生虫可能感染肠道，疼痛可能出现在腹部任何区域。肠道感染引起腹痛的最明显线索是慢性腹泻，因为腹泻是肠道快速清除刺激物（食物或微生物）的方式。这种感染可以通过送检腹泻样品来诊断。感染性腹泻详见P283。

行为原因。4～7岁的孩子有时候会因为需要关注而肚子痛。这种疼痛可能是真的，也可能不是，但如果你的孩子这么需要关注，在他的意识中，疼痛无异于真实存在。这种情况通常出现在家里添了新宝宝的时候：大一点的孩子可能觉得自己被忽视了；也可能出现在搬家、换新学校、家里遭遇不幸或分裂或者其他任何可能让孩子觉得被忽视、没有安全感或担忧什么事情的时刻。要解决这种腹痛，方法之一就是说一些话，表示你认可孩子真的肚子痛，比如说：“我知道了，亲爱的，有时候我的肚子也会痛，但你一定会好起来的。”不要给予孩子特别的关注，也不要试图寻求矫正方法来帮助孩子。比如说，不要让孩子躺下来、给他揉肚子安抚他。在他不抱怨的时候，你尽力额外关注一下他就好，这会缓解他以抱怨来寻求注意力的需求。实际上，我们无法确认孩子肚子痛到底是行为原因还是真的病了，充分利用你的本能，不要过长时间忽略孩子的疼痛。

较为罕见的原因：

- 肿瘤。肿瘤发生在儿童身上的情况极其罕见，你不要一下子就觉得可能是这个原因。腹部增生医生通常可以触诊出来。
- 器官疾病。在非常罕见的情况下，某种腹部器官——比如肝脏、胆囊、胰、肾或脾——会出现疼痛，这意味着孩子需要医治。
- 腹型偏头痛。这种罕见的腹痛原因与偏头痛有关。正如头部血管扩张会引起疼痛，肠道血管扩张也会痛。肚子里的血管痉挛会导致无法解释的疼痛、恶心和呕吐发作，有时也会伴有偏头痛。这种病因无法通过检查来确认，诊断依据是症状描述。

诊断

找到慢性腹痛的原因并不简单，首先要考虑上述所有可能性，如果怀疑是便秘或胃炎则加以治疗，排除常见食物过敏，还要创造性地解决可能的行为原因。如果疼痛不明显，并未干扰孩子的生活或睡眠，那花上几个星期做这一系列工作没问题；如果采取上述措施后疼痛仍然神秘地继续或者疼痛十分严重，那就该写疼痛日志、拜访医生了。

创建疼痛日志。要找出疼痛的原因，医生需要知道许多相关细节。如果你和孩子对疼痛的印象十分模糊，无法给出细节，那医生就不得不更加依赖昂贵的侵入式检查。坚持记几周日志，在每天疼痛出现时记录下以下内容：

- 发生于一天中的什么时间
- 发作是否接近进餐时间
- 以1～10表示疼痛度，（孩子告诉你肚子痛但没有任何外在表现，还是他疼得捂住肚子弯腰在地板上打滚？）
- 每次发作多长时间

- 肚子什么地方痛
- 曾经起效或无效的治疗方法
- 疼痛发生前孩子正在干什么
- 晚上会不会痛醒
- 是否只在学校或只在家里发生，还是二者皆有
- 是否只在周末或只在上学的日子发作（孩子可能害怕上学）

这些信息对医生很有价值，所以去看医生的时候做好准备。

健康小贴士：
晚上会痛醒？去看医生吧

一般情况下，比起只在白天发作的疼痛来，会让孩子夜间惊醒的疼痛更应该担心，且不太可能出于心理原因。

通过医学测试寻找原因。如果有必要通过测试确定病因，医生可能会采用以下方案：

- X 光。听起来很初级，不过简单的 X 光可能很有帮助，它的操作很简单，费用也相当低廉。X 光能够诊断便秘、误食物品、胆结石、肿瘤和肾结石。
- 大便化验。可检查细菌感染、寄生虫和出血。
- 血液检查。适用于食物过敏、幽门螺杆菌感染和器官失调。
- 腹部超声波检查。这是一种非侵入式检查（就像胎儿期超声波检查一样），既可检查腹部肿瘤，也可检查腹部特定器官的特定问题。

拜访专家。如果上述措施都无法诊断确切病因、制定有效的治疗方案，那就应该咨询儿科胃肠病专科医生，进行更深层的诊断测试，通常需要做“目视检查”，如胃镜检查或结肠镜检查。

健康小贴士：
孩子是画圈还是指着一个地方？

肚子痛的时候，小手会告诉你是否应该担心。告诉孩子：“指给我看哪儿痛。”如果孩子绕着肚脐画圈，描述得很模糊、常会发生变化，那不用太担心。但是，如果孩子指着某个特定的地方，对疼痛的描述十分清晰，总是说相似的话，那就应该去看医生。

怎么办

肠道保健请见 P026，循序渐进的家庭疗法适用于几乎所有肠道疼痛。

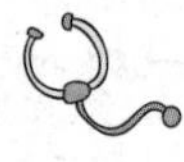

健康小贴士：
任何肠道不适，请尝试三部曲疗法

在采取昂贵的侵入式检查诊断慢性腹痛的病因之前，先尝试几周三部曲疗法。这套疗法适用于大部分常见原因引起的腹痛，完全无害，就算最后发现其实是别的问题也不要紧：

- 停止食用所有乳制品。有助于改善便秘、牛奶过敏及乳糖不耐受。
- 食用益生菌。这些健康的微生物能改善多种肠道问题，包括炎症性肠病（IBD）、便秘和感染。
- 喝芦荟汁。大多数健康杂货店里有售芦荟汁，外观和味道（几乎）和水差不多，每天喝半杯左右，能缓解便秘和炎症。

2. 痤疮

还记得长青春痘的经历吗？这真是个麻烦的问题，尤其对自我意识强烈的青少年更是如此，痤疮是青少年最常前来求医的皮肤问题。你对引起痤疮的原因了解得越多，就越能帮助孩子度过这个阶段，当痘痘消失多年以后，孩子对你的信任还会永远持续下去，他会认为你能提供有价值的资源。在此，我们会全面向你介绍引发痤疮的原因，告诉你如何帮助孩子对抗痤疮。

原因

我们一起来纵览痤疮的生命周期，让你和孩子（让他和你一起读）了解这些痘痘是怎么出现的。

皮肤变油。皮脂腺是分泌油脂的小腺体，位于毛杆基部，大部分集中在脸部、胸部和背部，所以这三个部分最容易出现痤疮。这些腺体分泌的油脂对于皮肤健康十分重要。在童年期，皮脂腺比较安静，所以孩子的皮肤没那么油，而从青春期开始时，激素（雄性激素）促使这些腺体发育，分泌出更多油脂，叫作皮脂。某些前青春期或青春期的孩子，他们的皮脂腺对青春期激素反应过度，分泌出过量油脂，所以他们的痤疮尤其严重。这种激素敏感性也解释了为什么痤疮的严重程度会遗传，孩子痘痘的严重程度很可能和父亲或母亲差不多。皮脂分泌的峰值出现在青春期，20 岁后会逐渐下降。

腺体堵塞。多余的油脂都想通过小小的导管离开腺体，跑到皮肤表面，痤疮形成的第一步便是这些导管被厚厚的油脂和正常脱落的皮肤细胞堵塞。

形成黑头和白头。堵塞的导管叫作粉刺，又被称作黑头或白头。你可能以为黑头的黑色是灰尘，但情况并非如此，它们实际上是皮肤里正常的黑色素氧化而成的。

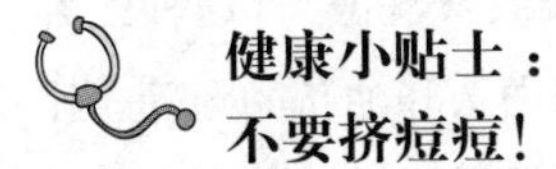

健康小贴士：不要挤痘痘！

啊，真想用脏脏的指甲挤掉那些讨厌的小脓包，都已经熟啦。住手！通常来说，这种做法只会加剧炎症，因为微生物会跑进周围的组织，使感染恶化，可能会留下永久性的疤痕。让你的医生或皮肤科医生用恰当的手法清理那些脓包似的痘痘，向医生学习如何使用无菌针、在痘痘成熟的时候如何以恰当的时机和手法清理痘痘。

黑头和白头发生感染。一般而言，无论是油还是水，身体的分泌物一旦堵塞就会感染，而这时，黑白头就会长成痤疮。皮肤上生活着一种名为痤疮丙酸杆菌的细菌，当它被困在堵塞的毛孔里，引起发炎反应，黑白头周围的皮肤就会变得又红又肿，长成痤疮。

怎么办

既然你明白了痤疮形成的阶段，接下来应该很容易理解医生和孩子自己能够采取什么方法来治疗。对于油脂分泌的增加，你没有什么办法，只能等待它自行结束，这和大多数青春期的麻烦事儿一样，这一阶段总会过去。可是你能够采取一些措施抑制黑白头的形成和感染。青春期孩子的战痘目标是：

- 阻止黑白头形成
- 清除黑白头
- 预防黑白头感染

第一步：和孩子聊聊

大多数青少年对皮肤课或痤疮课没什么兴趣，他们只想摆脱那些痘痘。不过你应该向孩子解释一些皮肤保健的常识：

- 黑头不是灰尘引起的。
- 有的青少年长痤疮比别人厉害，不是生活习惯的问题，而是基因问题，他们的皮肤会产生更多油脂。
- 女孩月经期间激素爆发性增加，痤疮也会随之爆发，这种麻烦事儿叫作经期前爆发。
- 不要挤痘痘，它只会让情况变得更糟，还可能留下永久性疤痕。
- 油腻的化妆品或发油可能会使痤疮恶化。
- 垃圾食品会带来垃圾的皮肤（详见P031）。
- 运动时穿戴过紧的头盔、帽带或护肩都可能会使痤疮恶化。头盔和护具摩擦皮肤常会引发“橄榄球员痤疮”。
- 如果你的女儿外出时必须化妆，请务必使用无油化妆品，某些化妆品比其他的更适合在痤疮期间使用。晚上务必卸妆。

- 痤疮药应该在使用化妆品之前搽。
- 请严格遵照医生处方治疗。皮肤在变好之前先“变糟”很正常，特别是在最开始几周，药物会引发脱皮、疏通堵塞的毛孔，当这个阶段过去之后，瘙痒和灼烧感都会消退。请确保孩子的皮肤疗程持续足够的时间，否则痤疮会复发，只能从头再来。
- 保持卧室空气湿润。任何年龄的皮肤都不喜欢中央暖气带来的干燥空气，所以痤疮爆发在冬天会加剧（空气干燥、缺乏日晒都会引起冬季痤疮，详见P025“给孩子湿润的空气”）。
- 粗暴的擦洗会刺激皮肤，有时候会导致痤疮恶化而非好转。
- 青少年不应使用别人的痤疮药（尤其是处方药）。
- 搽药动作过于粗暴、搽药过多都会使皮肤状况恶化，导致红肿和炎症加剧。
- 关于如何保持皮肤整体健康，详见P030。

第二步：学习外部疗法

痤疮的有效治疗包括你往皮肤上搽什么以及你用什么滋养皮肤。我们先从外用的部分开始。医生可能建议过你从外用过氧苯甲酰（BP）开始（药物可能是霜剂、凝胶或乳液），这种配方能够帮助清理黑白头和油腻的导管，让油脂变薄，杀死部分引起痤疮的细菌。BP是痤疮治疗的第一步，也是整个治疗的主要支柱。你可以从2.5%浓度的非处方剂开始，更高浓度的BP则可能需要处方。先尝试温和的强度，因为药物越强刺激性就越大，可能引起皮肤灼烧感、发红和干燥。孩子如何正确使用BP，请参照下列指导：

- 使用标明“不会诱发粉刺”的洗面奶（而非肥皂）清洗皮肤，这个词的意思是说这种洗面奶能清洁毛孔，不会引起堵塞。用完洗面奶后，用温水冲洗干净并拍干而非擦干，剧烈擦洗可能会使痤疮恶化。
- 正常洗完脸后，用一种燕麦片制成的非处方磨砂膏轻柔地（而非用力地）打圈按摩痤疮周围的区域。洗面奶结合温和的磨砂膏，能够去除多余油脂和部分不顽固的黑白头。
- 睡前在所有容易长痤疮的区域薄薄搽一层BP，不要只搽痘痘。用指尖取豌豆大小的药抹在皮肤上，如此反复，直到搽完脸部。够不到的地方可以请父母帮忙，比如背上。不要只关注长出来的痤疮，凝胶应搽满整个脸部或受影响的区域，通常情况下就足以控制不太严重的痤疮了。请注意，BP 可能会导致床上用品和衣物褪色。搽完 BP 后约 15 分钟内最好不要脱衣服或躺在床单上，好让药物渗入皮肤。

- 如果痤疮继续发作，你也可以每天早上重复上述过程，具体取决于你使用的 BP 浓度以及它是否刺激皮肤。如果你的皮肤对外用药过度敏感（过度发红、过度瘙痒或过度脱皮），试试隔夜使用好让皮肤休息一下，不要每晚都用。

从脱皮开始：皮肤科医生正在采用一种新型疗法，叫作液氮冷冻疗法。医生或护士会用棉签蘸取液氮，滚压脸部皮肤，引发脱皮过程，以便使处方药尽快生效，这和冷冻治疗疣的方法相同。有的皮肤科医生会采用其他更温和的化学品促使发炎或有疤痕的皮层逐渐脱落。

局部外用类视黄醇：类视黄醇是维生素 A 的衍生物，如果痤疮恶化，可能会采用类视黄醇外用霜剂或软膏取代或配合某些上述疗法。外用类视黄醇可避免皮肤过油，但同时也会导致皮肤过干、受到刺激。一般而言，医生或皮肤科医生会尝试各种类型和强度的外用类视黄醇。根据痤疮的严重程度，医生可能会推荐 BP 和（或）类视黄醇制剂：睡前用一种，早上用另一种。

健康小贴士：为孩子找到正确的产品

我们家有一个孩子曾面临过痤疮的严峻挑战。他花了大概 3 年时间，试遍了所有疗法（不包括异维 A 酸），并定期拜访皮肤科医生进行面部脱皮。虽然状况的确有所改善，但问题仍然——我们不妨称之为“颇为严重”。后来我们听说有一种新疗法，使用更多天然产品，以现行的刺激性较小的面部疗法作为辅助。这种方法立竿见影，大约 3 个月后，孩子的面部情况得到了极大的改善。现在我们觉得他的痤疮只算中等程度，旧的疤痕也几乎消失了。在治疗痤疮时，每种疗法应坚持几个月看看有没有效果，这很重要，如果你对孩子取得的进展不满意，那就换个法子。

这类药物可能要过 4 ~ 6 周才会看到明显的改善，不过上述疗法在 90% 的情况下有效。虽然其“无疼痛，无收获”的宣言有些言过其实，但痤疮治疗的初期的确会有一些不舒服的感受。在这些药物的说明书上，瘙痒和脱皮被标注为“副作用”，但实际上它们十分正常和普遍，毕竟这些药物实际上是脱皮剂，它

们必须先清理毛孔，然后才能起效，所以必然会有点儿不舒服。事实上，我们会告诉病人要有心理准备，至少在最开始的几周里，皮肤会有一些发红、干燥、瘙痒、刺痛的现象。

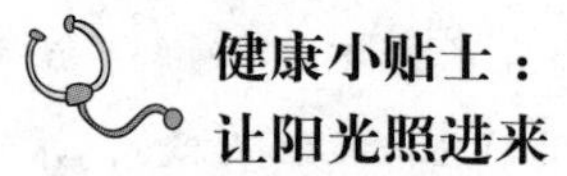

健康小贴士：
让阳光照进来

在阴郁而缺少阳光的冬天，痤疮常会恶化（中央暖气吹出的干燥空气也无疑会雪上加霜）。可能的话，每天用15分钟让脸暴露在阳光中，不过一定要注意避免脸部晒伤，否则会加剧疤痕。如果脸部不小心晒伤，停止使用外用处方凝胶，否则可能造成脱皮和疼痛。许多痤疮处方药都会增加皮肤对阳光的敏感性，所以在准备去外面让脸晒晒太阳之前，请擦掉脸上搽的药，或当天根本不用药，也可改搽不会诱发粉刺的轻薄防晒霜。

第三步：可能需要抗生素疗法

如果炎症和感染恶化，医生可能会改开过氧苯甲酰或抗生素复方凝胶，以代替单纯的BP。这种复方凝胶通常在BP的基础上添加了克林霉素或红霉素。

健康小贴士：
痘痘不治疗可能留下痘坑

对于中等痤疮和严重痤疮，治疗十分重要，这不但是因为它可能影响孩子的社交生活，痘痘还会对孩子的脸产生长期影响。痤疮不加治疗或未充分治疗，可能会留下伴随一生的疤痕和痘坑。有一些新的皮肤科手段能够帮助消除部分疤痕和痘坑，例如激光治疗，不过预防才是最好的治疗。

口服抗生素疗法。如果痤疮对外用抗生素没有响应（痘痘更大、更红、更多），医生也许会开口服抗生素，这些药物将从内部调理皮肤，清除造成感染的细菌。常用的抗生素是各种形式的四环素和红霉素，口服抗生素可能需要6～8周才能看到明显效果，知道这一点很重要。

混合疗法。根据痤疮的严重程度，医生可能会综合运用多种上述疗法及药物，帮助孩子制定个性化的痤疮治疗方案。

最后的选择——异维A酸（泰尔丝）

孩子也许会问：“为什么我不能和朋友一样吃泰尔丝呢？”因为异维A酸可能带来严重的副作用（具体见下

文），医生把异维A酸作为最后的治疗手段，留给对上述所有疗法都无响应的严重痤疮。异维A酸用于治疗"囊肿型痤疮"，这种情况下痘痘又大又多，孩子的脸上和背上感觉像有数百个红肿的囊块。

健康小贴士：别吃致痘食物

虽然传说中有许多食物与痤疮有关，可你务必要让孩子知道，垃圾食品一定会带来垃圾的皮肤。既然严重痤疮是堵塞的油脂腺发炎造成的，那身体的免疫系统越强健、炎症控制得越好，皮肤也就越好，请务必让孩子遵循P037列出的健康饮食建议。青少年的饮食中普遍缺乏ω-3脂肪，它对健康的皮肤非常重要。虽然吃油腻的食物未必会带来油腻的皮肤，但是摄入正确的脂肪会让皮肤更健康。

之所以要用异维A酸来治疗这种最严重的痤疮，是因为这种痤疮最可能留下永久性的疤痕和"痘印"。美国食品药品监督管理局（FDA）严格控制异维A酸的处方使用，皮肤科医生必须持有专门的执照才能开异维A酸的处方。因为这种药物可能导致生殖缺陷，如果处方医师要求孩子签署服用异维A酸期间不发生无保护性行为的同意书，别吃惊。服用异维A酸期间，还应每隔数月进行周期性血检，务必确保医生拥有开具异维A酸处方的执照。

别忘了"喂养"孩子的皮肤

我们在P012提到的"多保健，少吃药"的思想将在痤疮控制方面大放异彩。让孩子摄入足够的ω-3脂肪、植物营养素、抗炎食品并充分水合，可以从内部调理皮肤。这些营养成分在P031介绍皮肤健康的章节中曾提到过。

3. 过敏反应（全身性过敏反应）

过敏反应的形式和程度多种多样，这个部分我们主要讨论过敏反应中最严重的形式——全身性过敏反应：手脚或脸部肿胀；呼吸或吞咽困难；气喘；头晕或眩晕；爆发皮疹；严重流涎或呕吐。如果孩子的过敏反应没这么严重，请参见P380，"荨麻疹"；P453，"皮疹"；P134，"过敏"。

严重的过敏反应（全身性过敏）可能造成休克和危及生命的呼吸困难。接触某种致敏物（例如蜂蜇或花生）后，易过敏人群可能会在几分钟或数小时内发生全身性过敏。几乎所有致敏物——包括花粉、胶乳、某些食物和药物——都可能引起全身性过敏，你有时候甚至弄不清楚到底是什么引发了全身性过敏。

严重过敏反应的症状

- 孩子可能爆发风疹，眼睛或嘴唇可能会肿。
- 风疹和（或）肿胀越来越严重，喉咙内部也可能会肿，甚至可能导致呼吸困难和休克。
- 可能还有眩晕、精神错乱、腹部绞痛、恶心、呕吐或哮喘。

准备措施

如果孩子曾经发生过全身性过敏，请随身携带急救药物。

- 严重过敏反应最常用的药是肾上腺素。这是一种针剂，必须由医生开具处方（肾上腺素注射剂或青少年用肾上腺素注射剂），注射后请立即寻求急救。
- 手边还应准备抗组胺药，例如苯海拉明。这种长效药通常与短效的肾上腺素一起使用。

出现全身性过敏怎么办

- 拨打 120 或当地急救电话。
- 按照说明注射肾上腺素——通常是把自动注射剂按压在孩子的股部，然后保持不动几秒钟。
- 如果没有吞咽困难，让孩子吃一剂抗组胺药或药液。
- 让孩子静卧，保持脚高于头。
- 解开紧身的衣服，不要喝任何饮品。
- 如果孩子失去生命迹象（没有呼吸，不咳嗽也不动），立即开始做心肺复苏（CPR）。

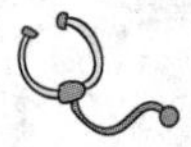

健康小贴士：做好准备

如果医生给孩子开了肾上腺素自动注射剂，请提前阅读使用说明，不要等到问题出现再做准备。让家里其他人也读一读。

4. 过敏

过敏在孩子身上很常见，因为过敏性鼻炎是过敏最常见的症状，所以我们将集中讨论过敏性鼻炎的诊断、治疗和预防。这些信息可能也可用于其他过敏的情况，例如哮喘和湿疹。食物过敏可能也会引起鼻部症状。如果孩子的过敏问题涉及这些领域，请参考相关内容P155“哮喘”、P304“湿疹”和 P336“食物过敏”。

症状

过敏性鼻炎需要留心的主要症状有：

- 鼻塞
- 流清鼻涕
- 鼻子瘙痒
- 频繁擦拭造成鼻头擦伤
- 过度打喷嚏
- 眼睛瘙痒流泪、红眼
- 长期咳嗽
- 气喘
- 打鼾

以上所有症状也可能是普通感冒。那么家长如何判断孩子是感冒还是过敏呢？最好的办法是看这些症状持续的时间以及是否反复出现。普通感冒只会持续 1 ～ 3 周，然后便会消退；鼻窦感染持续的时间可能更长，但会出现流绿色的鼻涕、发烧、头痛等明显的感染症状。从另一方面来说，过敏则有一些不同的特征：

症状持续 3 周或以上。如果症状持续时间超过 3 周，既没有加剧为鼻窦感染也没有好转，那可能就是过敏。

症状反复出现。过敏可能会持续一两天就消退，也可能持续一周以上才好转，然后隔上一两个星期再次发作。

症状突然消失。感冒会持续好几天，然后逐渐减弱消失，而从另一方面来说，过敏可能在一天之内全面爆发，第二天就消失得无影无踪。

具有可预测的季节性特征。有的过敏会在特定季节出现，持续一个月或更长时间，通常是在春季或秋季。要发现这样的季节性特征，需要观察一两年时间。

反复感染。如果孩子反复出现咳嗽、感冒、鼻窦感染或耳部感染，那可能是过敏引发的。慢性过敏性鼻炎造成的鼻塞会成为细菌和病毒的温床。

健康小贴士：过敏的快速诊断

要检查孩子症状的原因过敏还是感冒，有一个简单的办法：给他吃一剂抗组胺药（见下文治疗方案）。如果症状好转了几个小时，那你就知道是过敏了；如果没有好转，那很可能是感冒。不过，这种方法没法告诉你是什么引起了过敏，要找出过敏源就费事多了，接着往下看吧。

下面四种情况常被误认为过敏，但实际上不是：

- 孩子确诊为普通的发烧、感冒和咳嗽，一两周后好转，但鼻部症状又延续了几个星期。有时候感冒会逗留长达 6 周。
- 眼睛下面有黑眼圈但没有鼻部症

状，那很可能不是过敏的信号，有的孩子肤色就是这样。

- 冬季慢性或反复出现的感冒和咳嗽症状通常就是反复感染，而且冬季也的确是感冒季节。
- 反复出现耳部感染，但没有鼻部症状，这很可能不是因为过敏。

原因

一种名为过敏源的外来物质通过眼睛、鼻子、肺、胃或皮肤进入了身体。如果你对某种过敏源敏感，该区域的免疫系统细胞就会做出反应，释放出一种名为组胺的化学物质，刺激身体该区域的细胞。这种刺激原本的目的是把过敏源冲出体外或抵消掉，但不幸的是，它也会引发我们的过敏症状。

家族史在过敏反应中也扮演着重要的角色。如果父母中有一方患有过敏性鼻炎或皮炎，孩子就有25%的机会出现同样的过敏；如果父母双方都过敏症状，孩子过敏的概率会增加到75%。

非处方药（OTC）治疗

咨询医生之前，你可以先尝试几种能够帮助孩子缓解症状的治疗方法：

冲洗鼻子。只要每天两次用盐水冲洗鼻子，再擤一擤，就能尽量减少与过敏源的接触，缓解鼻塞。小一点的孩子可以用盐水鼻喷雾，大一点的孩子和成人可以用洗鼻器，药房均有售。使用鼻部喷雾药之前冲洗鼻子可以帮助药物更好地起效。冲洗鼻子的窍门详见P021。

口服短效抗组胺药。这是抑制过敏症状最有效的非处方药，可是它会使人困倦嗜睡。苯海拉明和氯苯那敏是最常用的两种，它们的药效持续约6小时，不过有的配方能延长到12小时。

口服长效不致困抗组胺药。氯雷他定和西替利嗪药效持续12～24小时，效果相当不错。非索非那定将于今年从处方药变成非处方药。这些药物有的是药片，有的是液体，有的是口腔崩解片。

口服组合抗组胺/解充血药。如果在过敏症状之外还有严重的鼻塞和头痛，可以尝试组合药。药店有各种品牌的组合药。

合适的儿童剂量。照着瓶子上的说明服用，大多数药物标注了4岁以上儿童的剂量。如果说明书上没有标明你孩子的年龄段应该吃的剂量，请咨询医生。

处方药

如果非处方药效果不明显，请约见医生，医生可能采取这些措施：

口服长效不致困抗组胺药。这种药需要开处方的主要有三种：地氯雷他定、盐酸左西替利嗪和非索非那定。它们的有效性因人而异，一种药可能对某人完全无效，对另一个人却效果良好。以上三种药并不是12岁以下的孩子都能吃，而且大多数医疗保险只涵盖一种特定品牌，这可能会阻碍你为孩子寻找疗效最好的药物。在和医生会面之前先查一查你的保险涵盖哪个品牌，可以节约你和医生的时间。

口服组合抗组胺/解充血药。大多数处方药品牌也有组合类的产品。

类固醇鼻腔喷雾。这种喷雾能够非常有效地抑制过敏，而且它和健美运动员使用的类固醇不一样，非常安全。类固醇鼻腔喷雾的绝大部分成分在鼻腔中直接起效，吸收进体内的部分很少或根本没有。由于鼻腔喷雾起效不是很快，所以它不是用来紧急使用的，持续使用一段时间效果更好。

抗组胺鼻腔喷雾。它是类固醇鼻腔喷雾很好的代用品，对某些孩子同样有效。

组合处方疗法。如果症状特别严重，可以组合使用口服抗组胺药和类固醇鼻腔喷雾。

选择药物

关于选择哪种类型的药物，这里有一些指引：

偶发症状。如果孩子只是偶尔发生过敏，那最好使用口服的非处方长效不致困抗组胺药。如果效果不好，有需要的话可以请医生开处方的那种。

夜间偶发症状。如果孩子偶尔的过敏主要在夜间发作，可以先尝试一下非处方短效药，因为它们的效果很好，而且致困效果到早上就消失了。第二选择是口服长效抗组胺药，然后是处方药。

季节性持续症状。如果你知道春天或秋天孩子会长期过敏，那先尝试一下口服长效非致困抗组胺药。要是还不够的话，试试处方口服抗组胺药或鼻腔喷雾，哪种效果好就坚持用下去。如果单独使用的效果都不够理想，试试一起使用一周，过敏季节结束后即停药。

爆发性严重鼻塞和头痛。如果孩子在吃抗过敏药期间，鼻窦不适恶化，给他加一味非处方解充血药来缓解头痛和鼻塞，直至症状消退。要避免这些症状恶化为鼻窦感染，请采取冲洗鼻子和蒸汽清洁的措施（P021）。

全年性过敏。如果孩子随时都需要抗过敏治疗，最好的选择可能是抗组胺鼻腔喷雾，较好的第二选择大概是类固醇鼻腔喷雾，爆发期间你还可根据需要添加处方口服抗组胺药。当然，要是孩子过敏这么严重，你肯定希望投入更多精力调查病因，加以预防。请继续阅读。

追踪过敏的原因

虽然很多家长发自内心地想要找出孩子过敏的真正根源，不过请容许我们先提出一点小小的建议。追踪过敏原因很耗时间也十分复杂，在你踏上这条道路之前，最好先等等，看看症状是否会在几周内消失。如果到时候过敏仍未消失，或者好转后又复发，影响到孩子的日常生活，那就确实值得着手调查。

确定过敏发生的时间和地点能够帮助你找出最可能的原因。

夜间和刚醒来的时候。如果孩子整天都好好的，可是晚上却出现了过敏症状或是早上醒来时发生严重过敏，那罪魁祸首可能是卧室里的某样东西。卧室里最常见的过敏源有尘土、霉菌和床上用品。见下文“预防特定过敏”。

季节性过敏。如果孩子一年到头都好好的，可是在某个特定季节（通常是春天）会突然出现过敏症状，或是只在刮风的日子过敏，那他很可能是对该季节特有的某些花粉或植物过敏。这样的过敏可能在白天或夜间发生。见下文“预防特定过敏”。

学校过敏。如果孩子只在学校或日间托儿所出现过敏症状，在家的夜间和周末都好好的，那过敏源很可能是学校里的某样东西。见下文“预防特定过敏”。

在朋友或亲戚家里过敏。如果你注意到孩子只会在某人家里过敏，在自己家和学校都没事，那过敏源可能是那家人独有的某样东西，例如吸烟、宠物或植物。而最简单的解决方案是，要么不去，要么去之前先吃一剂抗组胺药。

全年性过敏。如果孩子一年到头都在过敏，那肇事者可能是以上列出的原因之一，也可能是食物过敏。二手烟也会引发全年性过敏。

如果这些方法能够让你将怀疑对象缩小到一两种很容易就能预防的东西，那么接下来的工作就很简单了，下一个部分将指导你如何预防。可是如果还不清楚从哪儿着手去查，或是孩子一年到头都在过敏，那也许最好的方法是直接去做过敏测试。通过测试找出孩子对什么东西过敏，可以帮助你把精力集中在最可能起效的地方。

预防特定过敏

食物过敏

别忽视食物过敏。食物过敏的全面讨论见P336。最常见的可能引发过敏性鼻炎或哮喘的食物有：牛奶、小麦和豆制品。

季节性过敏和花粉

花粉是花朵里小小的、像灰尘一样的小粒子。花粉被风吹起来飘浮在空气中，沾到接触的东西上，比如头发和衣服，就会进入孩子的鼻子和肺。如果你怀疑孩子的季节性过敏是花粉引起的，你可以采取以下步骤最大限度地减少孩子接触花粉的机会：

- 花粉季节起风的日子和花粉值高的日子（可以在网上查询）待在室内。
- 别让孩子在长着花朵和草很高的地方玩。
- 在孩子容易过敏的季节关闭所有门窗。
- 在花粉季节勤洗帽子和外套。
- 睡觉前给孩子洗头洗澡，去除花粉。
- 孩子的衣服不要挂在外面晾干，可能会沾上花粉。
- 给家里的中央冷暖系统安装专门的过滤器，清洁从外面进来的空气。
- 买个便携式高效滤网（HEPA）过滤器，以去除花粉、霉菌、孢子、粉尘螨滴、动物毛皮垢屑和其他多种刺激物，价格约为 100 ~ 200 美元，通常只能清洁一间房间。或者你可以尝试离子过滤器，大概要花 400 ~ 600 美元，不过一台就可以清洁整个屋子。
- 花粉值最高的时候通常是中午前后，因此过敏季节里调整孩子在户外玩耍的时间，限制在清早、傍晚和晚上。
- 将窗式空调调到再循环模式，隔绝外部空气。
- 靠近房子的树和灌木要常常修剪，不要让它们长得太过茂盛。
- 不要让孩子在刚刚修剪过的草地附近玩耍。
- 孩子的衣服（会藏纳花粉）直接送进洗衣房。

HEPA 过滤器和离子过滤器：该买哪种？

HEPA 过滤器会吸入空气直接过滤，然后将干净的空气排放回房间里，它的价钱相当便宜，不过通常每间屋子里都需要装一台（除非在中央空调和暖气系统里装一台，这种很贵）。从另一个方面来说，离子过滤器会释放出离子（带电粒子），放在屋子中间的一台机器就能把离子送往四面八方，这些离子会粘住空气中的绝大部分过敏源，让它们掉到地上。用离子过滤器比给一个房间用的 HEPA 过滤器贵得多，不过整个房子只需用一台。对于大多数过敏来说，这两种选择都有帮助，因此，如果你试过了一种还不太放心，那就试试另一种。有的过滤器还会利用臭氧来清洁空气，但臭氧可能会刺激哮喘患者的肺，如果家里有人患有哮喘，我们不推荐使用带臭氧功能的过滤器。

尘螨

灰尘本身不会致敏，致敏的实际上是生活在灰尘里的微生物尘螨和它排出的粪便微粒。温暖、湿润的环境非常适合尘螨生长。你可以采取下面的措施去除家里的灰尘，控制空气中的尘螨过敏源。把卧室里容易招灰的物品都移走：填充动物玩偶、书架上的书、衣服堆、羽绒被或羽毛枕头、有软垫的家具、盒子堆、床底储存的物品、羊毛毯、厚重的窗帘和百叶窗、电风扇和大型室内植物。对于常用的卧室用具，可以采取下列预防措施：

- 每周用热水清洗一次毯子、床单和枕套，杀灭螨虫。
- 使用能够每月清洗、每年更换的合成纤维枕头。
- 在卧室的通风口上蒙一层粗棉布过滤灰尘。使用中央空调或中央暖气期间，每几个月更换一次粗棉布。
- 保持卧室衣柜门关闭，卧室的衣柜里不要储藏玩具、盒子、皮箱或厚外套。
- 清扫时用湿布除尘。
- 每两周给褥垫吸一次尘。
- 使用前面讨论过的空气过滤器。
- 给褥垫、弹簧床垫和枕头套上能隔绝尘螨的拉链式套子。
- 使用带 HEPA 过滤器或其他带有专门过滤系统（能预防尘土和其他微粒到处飞扬）的吸尘器。

严重过敏。也许你还需要这些更加昂贵也没那么方便的预防措施：

- 移走卧室里的地毯，可能的话整幢房子都不要用地毯。硬木、瓷砖和油毡铺成的地面可以清理得几乎无尘。使用能够经常清洗的小块地毯。
- 有需要的话，可以使用短绒商用地毯，它没那么容易藏匿尘螨。
- 控制湿度。在卧室里放一个湿度计，有需要的话其他房间也放。高湿度有利于霉菌和尘螨的生长，湿度最好控制在 25% ~ 40%。有需要的话打开除湿机。
- 清扫中央空调管道。请专业人员来打扫大约要花几百到一千多美元。至少每隔几年清扫一次，有能力的话可以更频繁地清扫。

霉菌

这是家里可能存在的另一种过敏源。霉菌喜欢阴暗、凉爽、潮湿的环境，它们会向空气中释放孢子，然后被人吸入。环境检测公司可以测试你家房子里是否存在霉菌问题。有时候，清理霉菌实在太贵，你可能需要搬家；不过一般而言，专业公司可以帮助你尽量清除霉菌，减少全家与霉菌的接触。你可以采取这些措施控制房子里的霉菌：

整体措施

- 定期使用能够杀灭霉菌的消毒剂(例如 10% 的漂白剂）清洁易感区域。
- 控制湿度——和上面防尘螨部分介绍的一样。
- 如果闻到霉味儿，可以在空调的进风口喷洒杀霉喷雾。
- 每周几次打开所有窗户通风。
- 和防尘部分的措施一样，在中央空调内和通风口处安装过滤器。
- 在家使用 HEPA 或离子空气过滤器。

卧室

- 保持衣柜里的夜灯长亮，可以抑制霉菌生长。
- 定期使用杀霉剂清理窗框。
- 如果天气干燥时使用了加湿器或蒸汽发生机，请经常使用杀霉剂清洗墙纸（过度潮湿会使霉菌滋长)。
- 换掉反复被水浸毁的地毯。

厨房

- 定期清理冰箱底部和橡胶门封条周围。
- 经常使用漂白剂清洗垃圾桶。
- 烧水时打开排气扇。

浴室

- 洗澡时打开排气扇，预防霉菌在湿润中滋长。
- 定期使用杀霉剂清理淋浴器、浴室瓷砖和马桶。
- 定期清理浴帘，隔一段时间更换一次浴帘。
- 定期清洗墙纸，如果被水浸毁则更换。

屋外

- 移走院子里潮湿的垃圾堆。
- 靠近发霉灌木的窗户长关。
- 定期修剪灌木和树，避免房屋被过度遮蔽——阳光有助于杀灭霉菌。
- 解决排水系统问题，积聚死水或草的池塘容易长霉。

宠物

引发过敏的实际上不是宠物的毛发，而是皮垢，这些小小的薄片是皮屑与唾液的混合物，它们从宠物身上脱落下来，飘浮在空气中。猫、狗和鸟都有皮垢，哪怕是短毛的宠物也有。啮齿动物的尿也可能致敏。要确认过敏源是不是宠物，最简单的方法是给孩子做测试。如果孩子对宠物过敏，而你觉得无法送走它，这些预防措施也许有所帮助：

- 经常全面清扫房屋，去除家里的宠物皮垢。
- 别让宠物进入孩子的卧室。
- 尽量让宠物待在一个房间里，让这

个房间保持良好通风。

- 保持房屋良好通风，尽量打开窗户，让空气循环。
- 使用前面提到的 HEPA 或离子空气过滤器。
- 定期给宠物洗澡，尽量减少皮垢脱落。
- 使用带有特殊过滤器的吸尘器清理过敏源。
- 试试抗敏剂，这种清洁剂能够洒在地毯上，使堆积的皮垢失活。

学校过敏

如果孩子的症状似乎只在学校里出现，可以考虑以下几种可能的过敏源：

- 教室里的宠物——班级里常常养着沙鼠、兔子或其他啮齿动物。你可以试一试，请老师找人把宠物带回家两周，看看孩子有没有好转。
- 尘螨和霉菌——和你自己家里一样，教室里也可能藏着尘土和霉菌。请和学校负责人谈谈能采取什么措施。
- 植物和草地——可能是只有学校里种植的特定的草或花粉让孩子过敏，但要避开这些十分困难。
- 储物柜或其他地方的蟑螂——孩子可能对这些昆虫的粪便过敏。

如果无法消除以上过敏源，也许你就需要给孩子吃药了。

香烟

暴露在二手烟中是最容易被忽视却又可预防的过敏或哮喘原因之一。要预防这种过敏，最好的方法是彻底停止吸烟。如果家里人做不到，可以采取这些预防措施：

- 别在孩子周围吸烟。包括家里、车里和户外靠近孩子的地方。
- 别在家里或车里吸烟，哪怕孩子不在家的时候也不行。烟雾可能逗留好几个小时甚至好几天，孩子会持续吸入残留的烟雾。吸烟者闻不到残留的烟味儿，因为他们习惯了，可是问问那些不吸烟的朋友吧，他们通常会告诉你，你家有很大一股烟味儿。
- 在外面吸烟，别靠近打开的窗户，避免烟雾飘进家里。
- 吸烟的亲戚来做客的时候，记住，这是你的家，你说了算。告诉他们去外面吸烟。详见 P494。

咨询儿科医生

这些信息可能太多太繁杂，不要绝望！先试试最简单的那些建议，然后观察孩子有无改善。如果没有明显改善，也许是时候和医生讨论如何对付过敏了。

医生能为你提供什么。虽然孩子的

医生可能没法为你提供更多预防和控制过敏的建议，但也许他能够帮助你缩小过敏源可能的范围。他可能还会建议你用药物治疗过敏，并和你讨论各种非处方和处方的过敏药。最后，他可能会给孩子做血液过敏测试，帮助你寻找过敏的原因。

咨询过敏专科医生

过敏专科医生也许能为你提供一些儿科医生无法提供的服务：

时间。专科医生通常会有更多时间坐下来和你好好讨论孩子的过敏问题，他可能会锁定最可能的过敏源，这样你可以更精准地进行预防。医生也许还能花更多时间向你介绍如何预防过敏。

皮肤点刺试验。过敏专科医生可以给孩子做皮试,帮助确认确切的过敏源。医生会用一根小针将可能的过敏源（例如乳蛋白或宠物皮垢）刺入皮肤。专科医生一次可能只会测试少数几种怀疑的过敏源，也可能一次性测试三四十种过敏源（也会刺穿皮肤三四十次）以获得更完备的过敏档案。如果测试结果为阳性，该测试会在皮肤上形成一个包。

最新的治疗方式。过敏专科医生通常比全科医生更了解减轻过敏症状的最新药物，在有需要的时候，他可能还更擅长使用组合药物。

抗过敏针。抗过敏针是一种长期、耗时、昂贵的治疗方案。最初几周需要每周打几针，然后几个月内每周打一针，最后在一年或几年内每一两个月打一针。这种针会慢慢降低孩子对特定过敏源的敏感度，是一种十分激进的（但有时候却是必要的）治疗手段。

5. 贫血

贫血的意思是“血红蛋白过低”。血红蛋白就是让血红细胞呈现红色的物质，它搭载着血液里的氧，将氧送到身体组织中。血红蛋白不足的孩子身体组织无法得到足够的氧，这会影响全身。

症状

- 孩子的皮肤呈灰色，尤其是脸和耳垂。
- 你也许会注意到孩子的心跳比较快。
- 孩子可能特别疲倦。
- 贫血会影响大脑里的神经化学物质，所以贫血的孩子可能性格毛躁，还可能发生除贫血外无法解释的行为问题。
- 贫血婴幼儿可能达不到最佳的成长水平。

原因

- 孩子的身体无法制造足够的血红细

胞，通常是因为缺铁。

- 身体损失的血红细胞过多，最常见的原因是轻微的慢性肠道出血。
- 血红细胞的破裂率增加，通常是因为遗传缺陷。这种情况下，血红细胞破裂的速度高于身体能够繁殖的速度。

诊断

最开始几个月里，婴儿体内有过量的血红细胞和血红蛋白；不过到两三个月的时候，这些过量的细胞开始耗尽，婴儿开始产生更多自身的血红细胞。婴幼儿贫血最常见的原因是缺铁，血红蛋白需要足够的铁来让血红细胞完成自身的工作。若婴儿无法从膳食中获取足够的铁，或是由于肠道微量出血失去了过多的血红细胞——也就是过多的铁，就会发生缺铁性贫血。

怎么办

儿科医生非常注意观察贫血的迹象并加以测试，他们会特别关注那些可能有贫血风险的宝宝，例如出生时体内铁储量较低的早产儿。如果医生告诉你孩子贫血，你应该这样做：

给宝宝补铁。如果宝宝贫血比较严重，除了增加膳食里的铁以外，医生可能还会开一些每天服用的补铁滴剂，请务必按照处方使用这种富含铁的药物。血红蛋白水平恢复正常后通常还需要再吃一两个月，以恢复宝宝体内的铁储存。

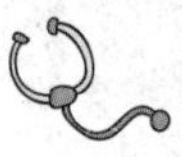

健康小贴士：重视缺铁性贫血

缺铁性贫血的孩子不光会身体疲累——他们的大脑也很疲累。新研究表明，患有缺铁性贫血的婴儿如果长期不加治疗，生理和心理发育迟缓的风险会增加。有时候，儿科医生给孩子刺破皮肤检查血红蛋白的结果是“偏低”（婴儿正常的血红蛋白水平是 11 ~ 13）而非最佳，在这种情况下，给孩子补铁或多吃添加了铁的食物，让血红蛋白水平变成“偏高”的做法并无害处。如果你认为有必要的话，可以更精确地检测宝宝的血清铁蛋白水平，即真正的血液铁水平，这种测试需要去实验室抽血。如果孩子的检测结果或饮食史暗示铁水平偏低，哪怕血红蛋白值正常，医生可能也会在推荐补铁剂之前给孩子预约一次血清铁蛋白水平测试以防万一。

给孩子吃加铁的配方奶。有一些婴儿配方奶标明了低铁，如果医生同意的话，换成铁含量更高的配方奶。

推迟给婴儿喝牛奶或让幼儿少喝牛奶。美国儿科学会营养委员会建议，家长最好在幼儿一岁以后再开始将牛奶作为主要的营养来源，原因有二：牛奶的含铁量低（婴儿配方奶是加了铁的），而且牛奶可能刺激婴儿肠壁，导致微量出血和铁损失。如果怀疑肠道出血，医生可能会检查孩子的大便以查探是否出血，并建议你减少或停止宝宝的牛奶摄入（相关主题“大便带血”见 P201）。比起牛奶来，酸奶更不容易过敏，对肠道的刺激也较小，所以我们推荐 9 个月以上的婴幼儿将酸奶作为主要的乳制品营养源。

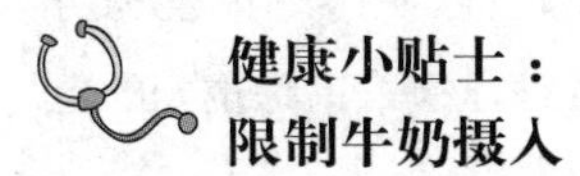

健康小贴士：
限制牛奶摄入

限制幼儿的牛奶摄入，每天不要超过 16 盎司（约 454 克）。

给幼儿吃富含铁的食物。适合幼儿的最佳高铁食物包括：

- 牛肉
- 羔羊肉
- 禽类的暗色肉（如腿肉）
- 鱼（金枪鱼和野生三文鱼）
- 黑糖蜜
- 西梅汁
- 番茄酱
- 带皮土豆（自制法式薯条时不要削去富含铁的土豆皮）
- 甘薯
- 豆子和小扁豆
- 葡萄干
- 水果干（杏干、无花果干、桃干）
- 加铁麦片

健康小贴士：
维生素 C 和铁一起补充

维生素 C 可以促进身体吸收上述食物中的铁，所以请鼓励孩子吃饭时喝一杯橙汁，吃自制肉丸时配上富含番茄的意面酱，吃饭时多吃富含维 C 的水果和蔬菜。所以老人老说“肉和菜都要吃”，这从预防贫血的营养角度来说是对的。高铁食物和富含维 C 的食物一起吃可以让你吸收到双倍的铁。

6. 厌食

在过去的 20 年里，有许多关于厌食研究。在一个媒体、电视和电影大肆推崇“超模”价值的社会里，越来越多的个人处于厌食这一毁灭性疾病的风险之中。青少年，特别是少女面临着保持苗条“范儿”的极大压力。

厌食症的高风险人群是 10 多岁的少女，不过今时今日，厌食症出现的年龄越来越早，因为女孩接触的各种媒体资源迫使她们觉得自己必须减肥，而另一方面，男性青少年出现厌食症的情况也越来越多。

信号和症状

标志着孩子可能出现厌食症风险的潜在警告信号如下：

- 对所有食物都不感兴趣。
- 突然出现无法解释的减重或是体重在成长百分表中的位置大幅下降。
- 体重在成长表格中的位置低于5%。
- 出现整体营养不足——看起来“骨瘦如柴”。
- 头发脆弱易折。
- 皮肤干燥。
- 身上长出脆弱、柔软、发白的毛发，尤其是脸颊部位，这种毛发叫作“绒毛”。
- 过度关注体重和外表。
- 过度运动，随时随地都觉得需要上健身房或参加其他高强度活动，例如跑步，过度沉迷这些通常健康的运动。
- 月经不规律、停经或是到了通常应该月经来潮的年龄仍无初潮。
- 总是头晕眼花或时常晕倒。
- 反复出现无法解释的恶心作呕。
- 新近出现痉挛。
- 抑郁或焦虑症状。

如果你家的孩子或年轻成人出现上述部分或所有情况，请咨询医生。

怎么办

咨询儿科医生。如果儿科医生怀疑孩子有厌食的风险，则必须进行血检以排除严重疾病的可能性。厌食可能造成严重而危险的特定营养及电解质缺乏，尤其是钠和钾，这可能导致痉挛甚至死亡。治疗厌食症需要多方面的健康专业人士合作，综合采用跨学科方法治疗。儿科医生会密切监控病人的进展，孩子需要多次拜访医生以便跟踪体重和身高，还要进行各种血检以追踪重要的电解质水平。

健康小贴士：塑造健康的体重

厌食症的种子可能很早就扎根在了生命中，因此对家长来说，传达给孩子健康的体型理念十分重要。例如对孩子说：“我喜欢你这个样子。”过度在意外表和体重常常是孩子从父母和朋友身上学来的，你要教给孩子什么样的体重才健康，并以身作则，鼓励孩子养成良好的饮食和锻炼习惯。多注意孩子的同龄伙伴，鼓励孩子和那些不过分注重外表和体重的人交朋友。

咨询营养专家。营养专家应密切监控病人的每日热量摄入，提出建议帮助病人养成健康的饮食习惯。找到一位对厌食症经验丰富的营养专家尤为重要。

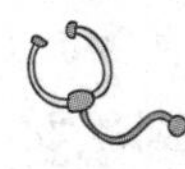

健康小贴士：
食物脂肪和身体脂肪是好东西!

10 多岁的女孩总会不断听到这样的话："食物中的脂肪是坏东西。"错！这种说法在科学上是不正确的。她们还听说："身体里的脂肪是坏东西。"再错！你应该告诉孩子哪些食物脂肪是好的（例如海鲜、橄榄油、亚麻油、坚果酱和牛油果），健康的食物脂肪能够帮助身体各器官——尤其是大脑——健康发育。虽然"苗条"很重要，但你还是应该以身作则地告诉孩子，"苗条"是指身体的脂肪含量与自身体型匹配——不多也不少："如果身体里没有足够的脂肪，你就不会发育成健康的女人。体脂适量才能产生雌激素，帮助你的胸部发育，引发月经来潮，赋予你迷人的女性曲线。说到底，要是妈妈的身体没有足够的脂肪就不会有你——没有足够的体脂就没法怀上你，也没法给你喂奶。"

咨询治疗师。治疗厌食必须有心理医生或精神科医生的参与，因为厌食通常会伴有抑郁或焦虑症状，必须加以治疗和解决。受厌食折磨的人自杀风险较高，必须进行评估，而在治疗厌食的过程中，特定的行为治疗师也能有所帮助。

然而，就算有最好的治疗条件，厌食症也很难控制和解决。它常常会持续终生，病人需要不断地斗争以重新认识自己、更加健康地生活。谢天谢地，过去 20 年来，我们的诊疗手段对于这种会导致身体衰弱的疾病已经大大进步了。

关于健康营养的脂肪详见 P428，"肥胖：西尔斯医生的儿童瘦身计划"，或参阅《家庭营养书》。

7. 阑尾炎

原本健康的孩子开始恶心作呕、食欲减退，于是你觉得他是感冒了。几小时或一天内，他开始抱怨肚脐周围隐约作痛，同一天内，疼痛转移到腹部右下，即右髋骨正上方或背部周围。你看到孩子捂着那个位置说："妈妈，我疼得走不动路了。"你摸摸他的额头，发现有点发烧，于是你立刻给医生打电话："我觉得孩子得了阑尾炎。"

症状

下腹疼痛有很多原因（最常见的是

便秘、尿路感染［特别是女孩］、肠道感染、流感、食物中毒），可是如果孩子出现以下情况，请立即求医：

- 食欲减退、恶心作呕。
- 腹痛以“转圈信号”的形式开始（孩子用整只手打圈示意肚脐周围），几小时或一天内变成“指点信号”（孩子指着腹部右下方，即胸腔右下与骨盆之间的区域，或右背周围）。
- 走路的时候一瘸一拐或是捂着肚子右下方。
- 轻微发烧。
- 跳的时候会痛。让孩子坐在桌子上，脚悬空够不到地板，然后叫他跳下来，也可让他原地跳跃。如果他拒绝跳跃，说“会痛”，或者跳的时候立即捂住右下腹，你应该怀疑是阑尾炎，特别是在出现了上述其他信号的情况下。

健康小贴士：别给孩子吃东西！

如果基于上述迹象，你觉得孩子可能得了阑尾炎，去看医生之前别给孩子吃东西（不过可以喝清水），胃肠道中的食物只会耽搁麻醉和手术。发炎的阑尾越快装进“泡菜坛子”越好。

原因

阑尾是挂在大肠起始端的指头大小的“附加物”，看起来完全没有用处。这条虫子似的小玩意儿会在大肠上开口，如果这个开口被未消化的食物或粪便的硬块堵住，阑尾就会发炎，被生活在该处的细菌感染。如果阑尾发炎（即阑尾炎）未加诊断切除，通常在24小时内就可能“破裂”，将细菌和感染散布在腹腔中，导致严重的全身感染。阑尾炎越早诊断、越早开始治疗，危险就越小，其目标是在术后在破裂之前切除发炎的阑尾。孩子通常在术后第二天就能出院，几天内就会蹦蹦跳跳胃口全开，只有伤口处一小块疼痛的地方和一条2.5厘米长的疤痕会让他记住那“糟糕的一天”。

医生会做什么

医生会立即检查孩子，并采取以下步骤：

- 他会听你讲各种信号和症状是如何出现和发展的。
- 他会对孩子说：“告诉我哪儿痛。”同时观察孩子的“指点信号”。
- 他会检查孩子的腹部。你会注意到医生轻轻按压疼痛区域，然后迅速松手，如果孩子疼得一缩，那阑尾炎的可能性很高。这种测试叫作“反跳痛”，是指医生迅速松开手时，发炎的阑尾会跳起来撞到腹壁，引起疼痛。

- 儿科医生也许还会做一些其他的实验室检查，例如验尿以排除尿路感染的可能性，尤其是女孩。他还可能检测白细胞数量，因为血液中的白细胞数量会增加以对抗感染，所以得了阑尾炎的孩子白细胞数量一般会升高。
- 医生还会检查孩子的右髋，尤其是在孩子一瘸一拐的情况下，因为有时候右髋的问题（例如脱臼或感染）也可能将疼痛辐射到腹部。

当诊断结果十分清晰，医生会立刻打电话给外科医生，送孩子去医院。这时候我们总是告诉家长 ：“很快小阑尾就会装进‘泡菜坛子’里。”如果诊断结果还是“不确定”或“可能为阑尾炎”，医生可能会送孩子去做 X 光、超声波或 CT 扫描，检查该区域，这些检查通常可以看到发炎的阑尾。

也许你听说过，有的孩子（和成人）去做阑尾切除术只是为了确认阑尾“正常”。就算有了现代的诊断技术，诊断结果有时候也靠不住，不过对待阑尾炎的古老格言仍然有效 ：“怀疑有问题就取出来。”因为阑尾破裂可能导致严重的腹部感染。

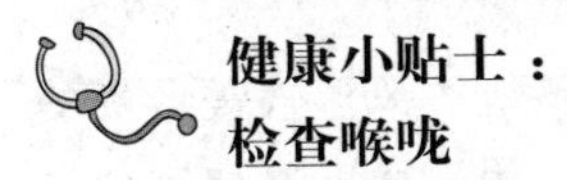

健康小贴士 ：检查喉咙

有时候，得了链球菌性喉炎的孩子开始时也会出现类似阑尾炎的腹痛，这是因为肚子里阑尾周围的区域长着类似扁桃体的腺体，当喉咙里的扁桃体肿胀起来，肚子里的淋巴结也会肿大，喉咙痛可能也会引起肚子痛。在这种情况下，一旦治好了链球菌性喉炎，类似阑尾炎的症状就会魔术般消失。

8. 关节炎

关节炎的普遍含义是“关节疼痛肿大”。关节炎最常见的形式又叫骨关节炎，通常发生在年长的成人身上。骨关节炎的发病原因是关节整体磨损撕裂，同时伴随着保持关节活动性的软骨缓慢退化，很少出现在年轻人身上。

另一种没那么常见的关节炎叫作类风湿性关节炎。虽然这种类型的关节炎在成人中更为常见，但幼年型类风湿性关节炎可能出现在 1 ~ 16 岁的孩子身上，且儿童类风湿性关节炎与成人的区别很大。

幼年型类风湿性关节炎（JRA）

女孩得幼年型类风湿性关节炎的概率高于男孩。JRA 是由身体某些关节腔的炎症反应引起的。我们的正常免疫系统中有一些细胞原本应该只攻击外来物质，但是出于某些未知的原因，某些细胞开始攻击关节里面的细胞，引起炎症反应，还会损害甚至毁坏关节内的区域，这叫作自体免疫反应。在美国，JRA 在儿童中的发病率约为十万分之五十至十万分之一百，发病年龄通常小于 16 岁。

症状

最常见的症状是某些关节疼痛、发红、无力及（或）肿大。膝盖、脚踝、手指和手腕都可能受到影响。

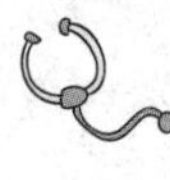

健康小贴士：不明原因的发热可能是 JRA 的信号

学龄前儿童可能会出现不明原因的发热（FUO）。孩子可能会周期性地急剧发热，却没有其他信号或症状。虽然这种情况通常是病毒引发的疾病，不过也可能是 JRA 的早期信号，关节的信号要稍后才会出现。

大一点的孩子可以清晰地描述某处关节不舒服，但 3 岁以下的孩子可能很难与父母交流自己的症状。幼儿的症状可能包括嗜睡、亢奋或不愿意玩耍。随着时间增加，这种疾病的病程在不同人身上的差异极大，症状可能只在某个关节出现，也可能缓慢发展到上面提到的多个部位。疼痛和炎症可能只出现在一边，也可能两边都有——比如一边膝盖或两边膝盖。JRA 特有的关节症状如下：

- 关节僵硬，尤其是早上醒来的时候
- 关节活动范围受限
- 关节发热、肿大、疼痛
- 背痛
- 不愿意使用某个关节
- 上肢或下肢发育缓慢或不平衡

患 JRA 的孩子偶尔会出现伴随关节炎的全身症状，包括一天内波动起伏的发热，这可能伴有皮疹。有的病人可能还会出现淋巴结或腺体肿大。

诊断与治疗

JRA 可能很难诊断，尤其是对于年幼的孩子来说，通常要过很长一段时间，综合上述线索之后才能确诊，因为这种疾病自身会发展。如果孩子的症状扩展到全身多个关节，儿科医生也许会开始怀疑 JRA，这时应该进行全面的检查，特别要注意受影响的关节、活动时的疼痛程度和关节的活动范围，也许还需要照X光以寻找炎症和关节损伤的证据。如果怀疑成人患有类风湿性关节炎，可以采用血检帮助确诊，不过对于孩子，这样的血检结果通常为阴性，哪怕孩子确实患有类风湿性关节炎。

JRA的治疗取决于症状的严重程度：早期和中期通常要用抗炎药；如果症状更为严重，或是该疾病的症状正在发展，那就要用类似于治疗成人类风湿性关节炎的处方药。在这种情况下，通常由儿科风湿专科医生来治疗。

你能做什么

为了舒缓孩子发炎的关节，你可以：

加强肌肉。除药物治疗之外，物理治疗和专门的锻炼项目可能有所帮助。请咨询理疗师，鼓励孩子参加相应的强化项目，加强受影响最大的关节周围的肌肉。

保持孩子身材苗条。过度肥胖和超重会从三个方面损害已经发炎的关节：

（1）过量的腹部脂肪会将致炎化学物质喷洒到孩子的血液中，助长炎症，磨损和撕裂已经发炎的关节，导致关节炎恶化（见P036“红孩儿”）。

（2）超重会给已经发炎的关节增添额外的压力，进一步恶化髋关节、膝关节和踝关节的磨损和撕裂。

（3）超重会让孩子走路失去平衡。过度肥胖的孩子走起来可能摇摇摆摆，这不光会给膝盖增加额外的压力，还会给背部下方的关节和髋关节增加压力，进一步恶化这些部位的关节炎。

活动关节。JRA有“缓和”和“恶化”阶段，也就是说它会消失一段时间，孩子看起来完全正常，然后又会周期性地复发。在缓和阶段，请高度重视肌肉、骨骼和关节健康的原则：用进废退。咨询孩子的医生和理疗师，让孩子参加运动和锻炼项目，活动受到影响的关节。

健康小贴士：
游泳非常适合肿大的关节！

游泳是关节炎患者最安全也最有效的锻炼方式之一，哪怕是在JRA发作或恶化期间通常也能进行。游泳能活动关节，浮力会避免发炎的关节承受过度的重力而产生磨损和撕裂。给孩子看病的风湿专科医生和理疗师会向你解释什么时候该让关节休息，什么时候该活动。

给关节“打气”。孩子身体里所有关节周围都有天然的润滑剂，叫作滑液，它的作用就像是汽车的发动机润滑油。除了润滑以外，它还能充当缓冲软垫，还会像送货车一样给关节输送维护和愈合所需的营养。最有效的锻炼之一

（尤其是对膝盖）是：抬起一只脚做踩踏运动；或坐着同时踩踏双脚。这种类似“打气”的方法适用于所有关节。打气运动的屈伸动作能够激荡关节周围的滑液，用润滑剂、营养物质和修复物质给发炎的地方“洗个澡”。

“喂养”关节。请参阅 P037 健康食品列表（尤其是 ω-3 脂肪的天然抗炎特性），确保孩子发育中的骨骼摄入充足的钙（见 P097“营养”）。长期研究表明，骨骼的强度主要是在生命最初几年里奠定的。骨骼发育健壮的儿童和青少年以后罹患关节炎的概率小得多，因此要构建强壮的骨骼，幼年时补钙更为有效。

健康小贴士：多“盯着”点儿！

确诊了 JRA 的孩子要让眼科医生定期检查眼睛，这很重要。出于未知的原因，患有 JRA 的孩子出现某些严重眼科疾病的风险较高，应该每 3 ~ 6 个月检查一次眼睛，具体请听从儿科医生的建议。如果你的孩子被确诊为 JRA 并出现以下症状，请立刻去看医生：

- 红眼
- 眼睛痛
- 视力变化
- 望着光眼睛会越来越痛

长期预后

好消息是，大约 75%JRA 患儿的病症最终会彻底缓和，损失的关节活动性极少，关节变形也很轻微。不过有的孩子会有周期性的复发，JRA 较为严重的儿童和青少年发展为成人类风湿性关节炎的风险较大。

是成长疼痛还是反常疾病？

我们诊所里经常会有孩子抱怨关节疼痛，这通常没有什么可担心的，我们可以向家长确认这是儿童成长的正常现象。成长疼痛真实存在，影响到很多儿童，它是由关节板（尤其是膝关节、踝关节和髋关节）爆发性成长引发的。一般而言，成长疼痛的症状没有 JRA 严重。我们会告诉病人注意寻找警告信号，例如疼痛、清晨关节僵硬、关节肿胀或变形以及成长迟缓。此外，成长疼痛通常不会明显拖慢孩子的发育，而真正患有 JRA 的孩子常常会受到疾病的严重影响，关节炎会大大阻碍孩子的活动。当然，如果孩子某个或多个关节疼痛，你的确应该让儿科医生看看（详见 P355“成长痛”）。

败血病关节炎

这种病在儿童身上十分罕见，不过如果孩子真的患有败血病关节炎，那情况十分紧急。这种疾病本质上是关节腔感染，可能发生在身体的任何关节中。最普遍的是髋关节和膝关节受到影响，通常会导致脓肿的形成，也可能最终导致关节本身损毁。引发败血病关节炎的原因如下：

贯穿伤。虽然很罕见，但某些关节部位受到穿刺伤或贯穿伤可能导致败血病关节炎。

全身感染。细菌可能会从血液扩散到关节腔，最终导致败血病关节炎。孩子通常会出现感染迹象，例如高热、嗜睡，看起来病得厉害，孩子还可能会抱怨某个关节部位很痛。

性传播疾病。虽然非常罕见，但淋病（一种由淋病奈瑟菌导致的疾病）引发的感染可能扩散到身体其他部位，侵入关节腔，尤其是膝关节。

治疗

这种严重感染通常需要住院、静脉注射抗生素，常常还需要手术排脓。

银屑病关节炎

银屑病是在儿童和成人中相对常见的一种皮肤失调，其深层病因未知，不过被普遍认为是一种自体免疫疾病，由于身体免疫系统攻击自身的皮肤细胞而导致，它通常会导致皮肤上爆发十分不适而疼痛的脱皮式皮疹。该疾病在幼儿中并不常见，不过多达三分之一的患者会在 15 岁之前出现症状。某些银屑病患者也会发展出潜藏的关节炎，导致银屑病关节炎，但银屑病患者出现关节炎症状的原因仍属未知。

炎症性肠病（IBD）

某些炎症性肠病（例如克隆氏症或溃疡性结肠炎）患者也会出现关节炎症状（见 P389“炎症性肠病”）。

9. 阿斯伯格综合征

1944 年，奥地利医生汉斯·阿斯伯格描述了这种综合征。阿斯伯格综合征（AS）属于自闭症谱系，不过许多该疾病专家更愿意将 AS 与自闭症区分开来，因为许多 AS 儿童在语言表达、社交和行为方面的表现与自闭症儿童区别很大。我们认为从综合来讲，AS 属于“古怪儿童”的一种。AS 儿童最普遍的特征如下：

- 他们的行为不太合时宜。有的孩子社交冷淡；有的孩子只是举止尴尬。大部分这样的儿童难以领会社交暗示，也难以做出恰当反应。他们可能会在社交对话中或课堂上突然发表一些与话题无关的意见。
- 他们在普通对话中难以正常交谈和对答。

- 对于正常的眼神交流，他们似乎感到很不舒服。持续的对话和社交互动可能也会让他们感到不适。
- 他们难以形成亲密友谊。
- 他们可能会表现出一些奇怪的小动作，例如摆动双手。
- 使用身体语言时他们可能表现得笨拙而不合时宜。

这些小毛病的数量和严重程度可能因人而异。

许多被诊断患有AS的儿童都很聪明，且富有创造力。这些孩子的思路常常别具一格，如果给予恰当的教养和专业的帮助，他们通常会很好地成长起来。

怎么办

AS儿童大脑的工作方式不同，很多时候，我们可以将这样的不同转化为孩子的优势。

为孩子的社交护航。给AS儿童带来麻烦的通常是社交上的小毛病。家长应注意观察孩子与哪些伙伴相处时举止得当，鼓励孩子与他们建立友谊。让AS儿童学习与性情相投的伙伴结成深厚的友谊，这非常重要。虽然有的孩子擅长一对一的关系，不过有的孩子更喜欢团队游戏。你可以邀请和孩子脾气相投的朋友来家里玩、过夜，帮助孩子成功建立友谊。你也许会发现，孩子和那些与他同样聪明有趣的伙伴相处得最好，很容易厌倦那些他觉得无趣的人。如果你看到孩子做出不合适的社交行为，帮助他渡过难关。孩子可能需要你当他的社交顾问，比如有别的孩子接近他、想和他一起玩的时候，他可能没法领会对方的暗示，也许需要你来告诉他：“约翰尼想让你和他玩。”

塑造正确的社交行为。帮助孩子舒适地参与到普通对话中。鼓励孩子倾听并进行眼神交流，比如你可以说：“吉米，我需要你看着我，我需要你听我说。”以生动的面部表情帮助他感觉舒适、乐于看别人的脸。

鼓励他的特殊才华。每个孩子都有特殊的才华，家长要去发现、展示、鼓励这类才华的发展。孩子的才华可能在运动、艺术、音乐或学业方面，如果他成功完成某个尝试，感觉很好，“延滞效应”很可能会帮助他在其他情况下做出合适的行为。

塑造同理心。这些孩子常常会有同理心方面的问题，他们难以透过别人的眼睛进入别人的思想，想象自己的行为会让朋友产生什么印象，比如朋友悲伤的时候，他们可能会笑。当孩子表现出情感，例如悲伤或快乐的时候，应报以感同身受的回应，例如“我很抱歉”或“我也很高兴”。如果你看到孩子对社交暗示做出了不恰当的回应，例如对着悲伤的人大笑，要提醒他：“这不合适！”

咨询专家。许多大城市里都有 AS 专家，找几位专家面谈，为孩子找到最合适的那位。

> **了解更多**
>
> 请访问 www.Aspergers.com 或阅读医学博士罗伯特 · W. 西尔斯的著作《自闭症》(*Autism Book*)。

10. 哮喘

哮喘这个词的意思就是“气喘”，喘鸣音是空气通过肺部变窄的呼吸道产生的。哮喘患者呼吸道变窄出于两种机制：

- 收缩（又称支气管痉挛）。呼吸道周围的肌肉挤压气管，导致气管变窄。
- 炎症。呼吸道内壁肿胀，分泌多余的黏液。

治疗气喘的目标是舒缓收缩，扩张呼吸道，缓解炎症，使呼吸道内壁消肿，停止分泌多余黏液。P012“多保健，少吃药”的方法会在哮喘治疗中大放异彩。除了用药物舒缓呼吸道、抑制炎症，我们还将告诉你如何教育孩子自我保健，舒缓支气管痉挛、抑制炎症。

症状

只出现过一两次气喘的孩子不一定是得了哮喘。哮喘是一种慢性疾病，孩子会反复出现气喘或呼吸胸紧的情况。这些症状可能每天发生，也可能很少发生，除非孩子出现过好几次阶段性气喘或反复发作，才能诊断为哮喘。

要知道孩子是不是得了哮喘，这里有四个主要信号：

- 气喘。这是哮喘的标志性症状。气喘是指呼气时出现哮鸣音，病情严重的话吸气时也可能出现气喘。
- 呼吸胸紧。有的患者会感觉肺部很紧，难以自如呼吸。他们会抬高肩膀再放下，以此辅助呼吸。
- 回缩。哮喘发作时，孩子一吸气，颈部胸骨正上方或上腹部胸腔正下方的皮肤就会凹陷下去或回缩。
- 慢性咳嗽。有的孩子会在白天和（或）夜间出现慢性咳嗽。这种咳嗽通常是浅浅的受迫单声咳（与支气管炎的剧烈深咳相反）。哮喘患者需要借助咳嗽的回压迫使空气进入肺部（虽然咳嗽主要是向外呼出气体）。

哮喘的类型

要理解哮喘的病因和防治措施，关键是理解孩子得的是哪种哮喘。以下三种哮喘可能单独出现，也可能两种或三种共同出现。

运动诱发性支气管痉挛（EIB）

这种类型的哮喘孩子只会在运动时出现症状。幸运的是，夜间或普通的日常活动孩子不会气喘或呼吸胸紧。这种疾病常被称为“运动性哮喘”。

反应性气道疾病（RAD）

在这种情况下，孩子只会在感冒或咳嗽时出现气喘或呼吸胸紧，在没有其他疾病时，孩子不会呼吸困难，哪怕是在运动中。所以，如果没有运动或过敏引发的问题，我们并不认为这种情况是真正的哮喘。随着免疫系统逐渐成熟、感冒减少，孩子的 RAD 会自然消退。

过敏性哮喘

这是一种最麻烦的哮喘，孩子暴露在过敏源中就会发生呼吸困难。症状的严重程度和发作频率取决于孩子对什么东西过敏、这些东西是否容易避开。患者可能一年里只会在过敏季节发作一次，可是如果过敏源既有食物也有周围环境中的东西，那患者可能日日夜夜都在挣扎。大体来说，如果孩子不光会在运动、感冒或咳嗽时出现哮喘，那他的哮喘很可能有过敏因素。

诊断

孩子头两次出现气喘时，我们通常会认为是暂时性的症状，由感冒、肺炎之类的感染或过敏引发。除非这样的情况反复出现几次，或是一次性持续超过几周，才会怀疑是哮喘。

接着，你和儿科医生会根据上述分类判断孩子得的是哪种哮喘。如果医生能在孩子出现症状时进行检查，确认是否真正的气喘，那会有所帮助。如果你怀疑孩子得了哮喘，检查时医生却无法找到任何呼吸异常的迹象，可以请过敏或肺部专科医生来做肺功能测试（非常简单，只需要孩子往一根管子里吹气），检查孩子是否有呼吸障碍。

不同哮喘的治疗

治疗哮喘绝对是团队工作，而你作为家长，是团队中最关键的人物。治疗开始时，你需要理解每种哮喘如何治疗。

治疗运动诱发性支气管痉挛（EIB）。随着时间推移，孩子的运动性哮喘可能自然消失，务必鼓励孩子保持运动。爆发使用体力前 20 ~ 30 分钟，孩子应使用支气管舒张吸入剂（如沙丁胺醇）或抗炎吸入剂（如色甘酸二钠，见 P158“药物”），这些药物会避免气道在运动中收缩。有需要的话，孩子在运动中也可再次使用吸入剂。你也许会发现某些运动

(特别是频繁爆发性用力的运动，例如短跑或网球）比持续的中低爆发性运动（例如长跑）更容易引发呼吸困难。

治疗反应性呼吸道疾病。幸运的是，孩子感冒和流感时气喘的倾向可能会自然消失。主要的治疗方法是，在刚开始出现感冒或咳嗽迹象时使用沙丁胺醇之类的支气管舒张吸入剂或喷雾（见 P158“药物”），这会帮助孩子跑在气喘的前面，呼吸就不会变得过于困难。你还应该遵循 P227“感冒和咳嗽”条目下我们提出的清肺建议。增强孩子的免疫系统（见 P033），从源头减少感冒也有帮助。

治疗过敏性哮喘。能否成功治疗这种哮喘取决于过敏的程度。如果孩子的过敏源可确定、容易预防，那么无须太多努力就能克服哮喘。可是对多种物质过敏的孩子必须更努力地避免接触过敏源，哮喘可能会伴随多年甚至终生。接下来，我们将集中讨论过敏性哮喘的预防和治疗。

控制孩子的哮喘

既然你已经确定了孩子的哮喘类型，我们将为你和孩子列出控制哮喘应采取的步骤，不要让它控制你们。

（1）**保持肺部健康。**整体肺部保健请见 P025。

（2）**增强孩子的免疫系统。**见 P033 相关章节。

（3）**在家做好防过敏措施。**防过敏措施需要做到什么程度取决于孩子过敏的严重程度。首先要集中做好孩子卧室的防过敏措施，因为这是他待得最久的地方。尽量给卧室做好防尘；移走羽毛枕头、填充动物玩偶和容易积灰的毛绒玩具；禁止宠物进入卧室；打开 HEPA 或离子空气过滤器，去除过敏源。冬季关掉中央暖气，改用蒸汽发生器。尽量让湿度保持在 50% 左右，如果空气过于潮湿，可能会引发霉菌生长；如果湿度不够，呼吸道的分泌物可能会增厚。你还可以在家中采取许多防过敏措施，详见 P134“过敏”。

（4）**记录哮喘日志。**写下孩子每次气喘的时间，有五件最重要的事情需要追踪：

- 气喘发作的频率。
- 严重程度。比如说，孩子是没法上学、不能睡觉还是需要去急诊室，或者只是偶尔出现呼吸杂音，稍微有点拖累但并未真正影响生活。
- 是什么引发气喘。尽可能确认每次发作的诱因，做个侦探家长吧。气喘发作时孩子在哪里？外面、卧室或吸烟者周围？他紧张或沮丧吗？家里来了新宠物吗？
- 孩子用药的频率。哪种药有效，哪种药无效。

- 过去一年中孩子看医生或送急诊室的次数。这一数据是哮喘日志的重要组成部分，因为下面你将看到，它会帮助医生做出重要的决断：孩子是只在气喘发作期间需要用药，还是需要每天预防性用药以避免气喘发生。它还能帮助医生判断孩子的哮喘只需要支气管舒张药就能控制，还是需要加入抗炎药，以及加哪些抗炎药。密切观察、准确报告孩子的哮喘，这将帮助医生给予孩子恰当地治疗——用药既不过多也不过少。

（5）**使用峰值流量计监控哮喘。**儿科医生能为你提供这种工具，帮助你测量孩子气喘的严重程度。让孩子用力朝简单的手持管里呼气，该装置会测量孩子能迅速呼出多少空气。你应该记住孩子健康时的读数，以之为基准（医生会告诉你以孩子的年龄和身高，峰值流量应该是多少）。孩子气喘发作时，你可以比较峰值流量计的读数与正常时相差多少。

（6）**帮助孩子学会放松。**放松孩子的大脑就是放松孩子的呼吸道。压力会导致呼吸道周围的肌肉收缩，所以哮喘又叫支气管痉挛。当孩子觉得自己无法得到足够的空气时会开始恐慌、焦虑，导致呼吸道进一步收缩，哮喘恶化，这会形成恶性循环。你要教给孩子放松的技巧，比如说："你觉得自己开始气喘的时候，放松下来，静静坐着想点儿高兴的事儿，想象有许多空气流经你的肺部……"给他读松弛情绪的故事或者唱一支安抚摇篮曲，尝试让孩子逐步建立控制气喘的信心。

西尔斯医生建议：以颜色标注气喘	
绿灯： 别担心。	轻度哮喘发作——峰值流量为正常时的 80% ~ 100%。
黄灯： 警报，开始用药。	中度发作——读数为正常值的 50% ~ 80%。
红灯： 立即寻求医疗救助！	重度发作——读数小于正常值的 50%。

（7）**咨询医生。**带着孩子和日志去看医生。哮喘评估通常是这样的：确认孩子患有哮喘后，医生会根据病情的严重程度给予适当治疗。根据你的描述和孩子的哮喘日志，医生会决定孩子是应该只在发作时用药还是应该每天预防性用药。

药物

偶发性哮喘

这种哮喘是季节性的，并不严重。

孩子一年也许会发生几次气喘，不过上学、玩耍和睡觉都不会受到太大影响。如果是这样，医生会开所谓的急救药。这种药应在孩子症状发作时按需使用。最常用的急救药是沙丁胺醇。这种非类固醇吸入剂会松弛呼吸道周围的肌肉，避免其压迫呼吸道在 5 ～ 15 分钟内起效。在重度哮喘发作期间，医生也许还会开 3 ～ 5 天的类固醇口服药。虽然它要过大约 8 小时才能起效，但却是消除呼吸道内部炎症、解决呼吸堵塞最有效的办法。

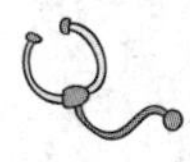

健康小贴士：使用类固醇治疗哮喘是安全的

许多家长对于给孩子用类固醇和抗炎药有顾虑，但广泛的研究显示，这些药物安全有效。我们知道，慢性、未控制的气喘和哮喘会导致发育问题和心脏问题，所以比起不控制哮喘可能带来的风险，药物副作用的风险几乎可以忽略。

儿科医生会建议你继续记录哮喘日志、使用峰值流量计。如果孩子的哮喘恶化，缺课、送急诊室、看医生、使用急救药（吸入剂，可能还有类固醇）的情况增多，医生会采取下一步行动。

较为严重的哮喘

有的药物用于每天服用以预防呼吸道收缩和炎症，使用这种药物，孩子的哮喘症状会减少甚至完全消失。当然，如果在不用这些药的情况下孩子频繁发作，你只好开始使用这种控制药。如果孩子每个月出现症状的天数超过 3 天，或是每年都会出现需要看医生或送急诊室的重度哮喘发作，那么也许必须使用控制药。这些药分为三类：

- 吸入式控制药。包括类固醇与色甘酸二钠，能抑制呼吸道内的过敏性炎症；长效支气管舒张剂，能缓解呼吸道收缩。这些药可能是泵式吸入剂，也可能是碟式吸入剂。
- 口服控制药。包括类固醇药片和白三烯抑制剂，能抑制呼吸道内的过敏性炎症；还有口服支气管舒张剂，不过很少用于儿童。
- 抗过敏药。抗过敏药片或鼻喷雾（见 P134“过敏”）也许能够帮助孩子在过敏季节预防哮喘症状。

医生会帮助你决断孩子的发作频率是否到了必须使用控制药的程度。过敏季节或寒冷的流感季节通常会更多使用控制药来帮助孩子更顺畅地呼吸。

哮喘药可能的副作用。支气管舒张剂（例如沙丁胺醇）最主要的副作用，是它可能会使孩子心跳加速，这可能导致孩子感觉紧张或亢奋。这种副作用罕见而无害，可以接受，因为气喘必须加以治疗。类固醇和其他抗炎药的副作用非常少。

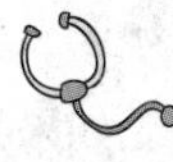

健康小贴士：
如何正确使用标准泵式吸入剂

手法得当才能让吸入剂发挥最大效力，请遵照下列简单步骤：

(1) 将吸入器举到离嘴巴约5厘米处（不要放进嘴里）。

(2) 告诉孩子轻松地呼气，然后深深吸入。

(3) 孩子开始吸气时立即将吸入剂喷出。

(4) 告诉孩子轻松地屏息5～10秒，但不要超过这个时间。

(5) 等待两分钟，然后重复上述动作（如果医生要求喷两次的话）。碟式吸入剂的工作原理不同，各品牌的使用方法也不同。

如何给予吸入式药物。根据孩子的年龄，需要采用不同的方法才能最有效地给予吸入式药物：

- 对于婴儿，医生通常会开喷雾器。这种小小的气泵会将液体药物转化成雾状，让孩子在几分钟内吸入。
- 对于幼儿，医生会开带有储雾罐的吸入器，储雾罐与吸入器以一根管子相连。家长将吸入剂泵入储雾罐，孩子从管子里吸几口气。
- 对于较大的儿童，医生、药剂师或哮喘专家通常会教他正确地使用普通的吸入器。

如果每日用药似乎控制住了孩子的哮喘，几个月或更长时间没有发作，医生可能会在某个时间建议停用此种药物，回归只在发作时使用急救药的模式。医生会不断调整疗法，控制哮喘发作以帮助孩子更加快乐健康地生活，同时不过度用药以免带来过多副作用。再说一次，密切观察、准确报告孩子的哮喘症状将帮助医生给予孩子恰当的治疗。

哮喘的紧急情况

孩子的哮喘可能随时发作，从轻度到重度，重要的是你应该提前知道该怎么办，这样可以立即行动，不必等着询问医生。在这种情况下，峰值流量读数（P158）能提供帮助。请遵照下列指引：

哮喘首次发作。如果孩子第一次出现气喘，你手里没有哮喘药，做检查之前医生可能没法通过电话给孩子开药。你可以先给孩子做P207介绍的清肺措施，如果无效，应该立即拜访儿科医生（上班时间）或寻求急救、送孩子去急诊室（下班时间）。

哮喘轻度发作（已确诊为某种哮喘）。哮喘轻度发作时，你会听到一些喘鸣音，不过孩子不应感到气短或干扰到正常日常活动的气紧。呼吸时不应出现回缩，孩子不应抬放肩膀来辅助呼吸，呼吸频率不应超过每分钟 40 次。

请使用吸入式急救药（很可能是沙丁胺醇）并观察有无好转。如果孩子每用一次药就能好转几个小时，你也许可以等到诊所开门再去。继续遵处方使用急救药（一般是每 4 小时一次），稳定孩子的病情。

哮喘中度发作。你会观察到回缩，孩子的活动等级下降，你也许还会看到他更加用力地抬起肩膀帮助呼吸。孩子的呼吸频率可能为每分钟 40 ~ 60 次。初步治疗与轻度发作相同，不过你应该更加密切地观察孩子。如果用药后并无好转，请致电医生讨论病情。

哮喘重度发作。孩子会用力抬高肩膀帮助呼吸，呼吸频率超过每分钟 60 次，孩子可能脸色苍白、嘴唇发乌，你还会观察到明显的回缩和喘鸣音（你也有可能听不到喘鸣音，因为进出肺部的空气非常少）。如果孩子出现重度发作，你应该直接送他去看医生或去急诊室，同时给予急救药，并在路上给医生打电话讨论病情。如果你觉得孩子的呼吸严重受阻，请拨打 120。

健康小贴士：
制订书面的哮喘应急计划（AAP）

咨询儿科医生，写下一份计划，告诉你在各等级的哮喘发作时具体该用什么药、采取什么行动。

你能做什么

如果孩子得了哮喘，需要持续用药，不要俯首听命、任由药物掌控一切。你应该采取以下必要行动：

预防过敏。我们之前提到过这一点。尽己所能从源头预防过敏，见 P138，有必要的话去做过敏测试。

交流和观察。和孩子聊聊他的呼吸情况，这很重要。在日历上标注孩子使用吸入剂或其他药物的日子，记录哮喘发作日志（哪怕是轻度发作）给医生看，尽量参加当地医院举行的哮喘普及研讨会。对于大一点的孩子，你可以使用峰值流量计来追踪呼吸状况。

适当用药。在儿科医生的指导下使用控制药。如果控制药使用不足，孩子可能不得不过度使用急救药，长时间这样可能导致急救药效果减退。每天使用控制药比每天使用急救药安全。

哮喘预防清单		
	是	否
你和医生一起制订了哮喘应急计划吗？		
你记录哮喘日志了吗？		
你给孩子的卧室做防过敏措施了吗？		
在孩子周围禁止吸烟了吗？		
你使用峰值流量计来为哮喘发作分级了吗？		
你知道什么时候使用急救药、如何使用吗？		
你知道什么时候使用控制药、如何使用吗？		
你家有家用喷雾器吗？		
你给孩子吃增强免疫力的膳食了吗？		
你教孩子放松的技巧了吗？		

11. 脚气

如果孩子的小脚瘙痒，最大的可能是得了脚气。别担心，你没做错什么事，这很常见，如果孩子的脚温暖而潮湿（比如穿了袜子），那他很可能早晚会得脚气。

脚气是脚部破裂脱皮的红色皮疹，趾间瘙痒、有灼烧感，如果挠得太厉害，皮疹会红肿出水，鞋子和脚可能会有不愉快的臭味。脚气在青少年和成人中十分常见，事实上，大约75%的人都得过脚气，它的医学术语是足癣。

脚气是一种喜欢生活在温暖潮湿的皮肤上的真菌引发的。夏天脚气更容易发作，容易出很多汗的人也更容易得脚气。和大众认识正好相反，脚气的传染性其实不是很强。孩子可以继续去健身房运动、游泳，普通的洗衣程序足以灭菌，洗澡时也不需要采取特别的预防措施。如果加以治疗，脚气会在几周内痊愈。不过，脚气常常复发，所以你也许需要遵照下面的预防建议。

怎么办

使用抗真菌霜剂。大部分非处方乳膏（如托萘酯、克霉唑和咪康唑）效果良好。每天两次将霜剂搽在皮疹处和趾间，持续1～2周（皮疹痊愈后至少再搽7天）。

止痒。瘙痒是脚气最烦人的症状，而且常常是睡觉时痒得最厉害！可将1%浓度的氢化可的松乳膏擦拭在瘙痒部位能快速止痒，但不要频繁使用，因为它无助于治本，只能止痒。频繁抓挠会拖慢愈合速度。

保持脚部干爽。因为真菌喜欢温暖潮湿的皮肤，所以保持脚部干爽很重要。使用抗真菌乳膏前先用清水洗脚并彻底擦干，穿棉袜以避免汗脚，经常换袜子或尽可能穿凉鞋或人字拖。帆布鞋也很透气，不过应该避免穿太紧的鞋子。

健康小贴士：
脚气的天然疗法

如果你喜欢更天然的疗法，可以试试茶树油乳膏或粉剂。这种天然油脂具有抗真菌的特性，能够治疗多种真菌皮肤感染。或者你也可以试试用 1 盎司白醋兑 8 盎司水，每天使用两次。

预防

如上所述，只要保持脚部干爽，通常就可预防脚气复发。每周用一半清水、一半白醋的溶液泡脚也很有效，浸泡约 10 分钟后将脚彻底擦干，尤其是趾间。

什么时候该担心

- 皮疹似乎感染了（流出黄色脓水、出现红斑或红色条纹扩散）
- 治疗一周后皮疹仍未好转
- 治疗两周后皮疹仍未痊愈
- 脚很痛

医生可能采取的措施

对于家庭疗法无效的脚气，医生可能会开给你更强效的抗真菌乳膏，如果瘙痒很严重，可能还会开一些可的松。这些霜剂大体安全，不过应遵医嘱使用。

12. 亲密育儿（AP）

你也许听说过“亲密育儿”这个短语，这种照料宝宝的风格最有可能激发出孩子和父母天性中最好的一面。1980 年，比尔医生和玛莎创造了这个短语，我们也回顾了一些已有结果的研究文献，研究人员跟踪那些在不同教养方式下成长的孩子，观察他们最后是什么样子。经过 40 年的儿科实践，目睹了由亲密育儿法教养长大的成人，我们相信这是家庭教养的最佳方式。

要理解亲密育儿法，最简单的途径是想象你正在盼望孩子的到来。你和丈夫居住在一座偏僻的岛上，无法接触到育儿书、心理学家、儿科医生或是你的婆婆。宝宝出生时，你必须靠自己的基本直觉来照顾孩子，而亲密育儿法就是你直觉想到的东西。请尽量实践下面介绍的“育儿 7B 法则”。你也许没法时刻做到每一条，但你可以依靠手头的资源做到最好，有朝一日，你的孩子会感谢你。

最近，一位曾经用亲密育儿法养大儿子的母亲告诉我们：“前几天我的儿媳妇来了，她拥抱了我，然后说：‘谢谢你养大了这样一位善解人意又体贴的男人。’”

育儿 7B 法则

（1）**与宝宝建立最初的联系**（Birth bonding）。宝宝诞生之初的那几周是个敏感时期，在此期间，你和宝宝将开始奠定你们母子关系的基调。尽可能多地和宝宝肌肤相亲、眼神交流，哪怕健康问题可能打扰到这样的亲密时刻。记住，你是宝宝医疗团队中最重要的部分。事实上，作为一家大学医院新生儿护理专科的前负责人，我（比尔医生）教给人们这样的理念：对于早产儿或是住在 ICU 里的孩子来说，亲密育儿更为重要，我称之为治疗性触摸和治疗性哺乳。

（2）**母乳喂养**（Breastfeeding）。母乳喂养不但能为宝宝提供天然的最佳乳品，也能训练你读懂孩子。哺乳的肌肤相亲和眼神交流会让你和孩子的联系更加紧密。你会学到宝宝饥饿时的面部表情和身体语言，甚至宝宝还没哭着要奶吃，你就会开始喂奶。你的母乳是宝宝最好的“成长奶”，而哺乳这一举动本身会为你们奠定一生的关系——妈妈是抚慰者，也是深受信任的源泉。尽量频繁、长时间地哺乳。事实上，长期研究表明，母乳喂养的宝宝倾向于更健康、更快乐、更聪明。不过，如果健康问题或生活方式问题使得你无法母乳喂养，请在用奶瓶喂养孩子的时候多触摸孩子，多做交流，随时记住：奶瓶两端各有一个活生生的人。喂奶不光是为孩子提供营养，也是你和孩子建立联系、互相交流的机会。

（3）**把宝宝“穿”在身上**（Baby wearing）。被抱着的宝宝更少哭，宝宝快乐妈妈就快乐，就这么简单。新家长到我们的诊所来给孩子做首次新生儿检查时，我们会给他们上一堂“穿”宝宝速成课。我们坚持认为，父亲应该尽可能参加首次检查。新妈妈们喜欢看着我们把婴儿系带挂在爸爸身上，让他把宝宝舒舒服服地抱在怀里，然后看着爸爸和宝宝在办公室里来回溜达。我们还观察到，被抱着的宝宝有更多时间处于“安静机警”的状态，这种状态下的宝宝通过周围环境学习到的东西最多，也最容易接受你与他的互动。教会爸爸们如何“穿”宝宝可以增进父子的亲密关系，或者说促进“父亲照料”——“照料”指的是安抚，不光是哺乳。没错，父亲也能照料孩子。

（4）**睡觉时靠近孩子**（Bedding close to Baby）。美国儿科学会（AAP）

推荐让婴儿和母亲睡在同一个房间里，这是为了夜间的亲密接触。试试那种可以安全地装在大床边上的婴儿连睡床，更方便夜间亲密育儿。见 P493。

（5）**信任宝宝的啼哭**（Belief in Baby's cries）。宝宝的哭声是他的语言，请好好倾听。宝宝啼哭是为了交流，而非操纵。早在研究亲密育儿的效果时我们就注意到，用亲密育儿法养育的宝宝更少哭，就算是在难缠的时候，他们的哭声也不会尖锐恼人。原因之一是使用亲密育儿法的母亲能够读懂宝宝哭之前的信号——身体语言或面部表情的变化——宝宝不需要哭就能得到安抚。这也是亲密育儿法养大的宝宝茁壮成长——这个医学术语含义丰富，不单指长高长重，也指孩子生理、情感和智力各方面的发育都达到最佳状态——的原因之一。宝宝没有浪费许多精力去哭，就能将省下来的精力投入到成长发育中。

（6）**当心"育儿权威"**（Beware of Baby trainers）。最近有一大堆书让我们想起了用来训练宠物的控制法，从某种意义上说，这是数十年前就被证伪的"溺爱理论"卷土重来。肯定有好心的朋友和亲戚喋喋不休地向你传授他们自己训练宝宝的心得："给他安排个时间表……""让他哭，这样他就会知道自己没法操纵你……"还有"你老是抱着他，都把他宠坏了……"要帮助宝宝适应你的生活方式，肯定要对亲密育儿法做出一定修正，可是如果你不多加小心，训练宝宝会成为双输。你不再相信自己能读懂宝宝的暗示并做出回应，取而代之的，是你一板一眼地遵从别人的摆布来抚养自己的孩子："第一个晚上让他哭 20 分钟，第二晚 18 分钟，如此等等。"整个世界上唯一有可能知道该如何回应宝宝的人是曾与他血肉相连的那个人——妈妈。若宝宝大哭不止，却没有人搭理，他会不再相信自己的暗示能够被母亲领会。

（7）**掌握平衡与界限**（Balance and boundaries）。"宝宝太需要我了，我连洗澡的时间都没有。"在宝宝马修最难缠的那段日子里，我疲惫的妻子玛莎曾这样哀叹。那天晚些时候，我在浴室的镜子上贴了一张纸条："请记住，我们的宝宝最需要的是精力充沛的快乐妈妈。"适当剂量的药可以治病，过量却可能有害，和吃药一样，过度的亲密育儿也会有害。你热情地为宝宝付出的时候，会很容易忽视自己的需求和自己的婚姻。所以，我们前一阵子调查新父母选择什么教养方式时会问："你觉得有用吗？你的宝宝在茁壮成长吗？生理、情感和发育方面？你呢？你喜欢这些育儿法则吗？如果不喜欢，也许我们需要做出一点修正。"

更多信息请见西尔斯育儿系列图书《西尔斯亲密育儿法》。

13. 注意力缺失障碍（ADD）

有 ADD 和 ADHD（注意力缺失多动障碍）的儿童正在增加，近 10% 的学龄儿童被贴上了这些标签，虽然这二者是童年期最容易被误解、误诊、错误对待的问题。请把 ADD 中的“D”(Deficit) 看作“不同”，而非“缺陷”或“障碍”。事实上，更精确的表达是“描述”。ADD 描述的是孩子思考、学习、行动的方式。有的孩子的确会有怪异之处，他们思考、学习、行动的方式与别人不同，所以他们需要不同的教养和教育方式。不过，如果不对孩子进行恰当的辨认和管理，ADD 可能会变成缺陷和障碍，甚至变成残疾。

理解 ADD

ADD 和 ADHD 有四个主要特征：

（1）**选择性的注意力**。对于那些似乎和自己没什么关系的主题，大多数 ADD 患儿难以集中注意力；不过对于那些他们认为重要、和自己有关系的事物，这些孩子实际上能够更加专注。比如说，在对方队员带球冲过来的时候，冰球队的守门员会进入高度专注的状态；不过当冰球远在场地另一头的时候，他可能会进入心不在焉的状态。在学校里，有选择性注意力的孩子会神游天外，注意教室窗外树上的鸟，而老师正在讲一千年前的一场毫无关系的战争，孩子似乎心不在焉。不过，要是把历史课变成一场表演，让一个有选择性注意力的孩子领衔主演，他会大放光彩。

（2）**注意力分散**。ADD 患儿难以过滤掉杂乱扰人的图像和想法，所以他的思维总会偏离主题，跑到似乎毫无关系的地方。比如说，课堂上老师正在讲数学问题，孩子看到一只蛾子飞到课桌上，于是他的注意力分散到蛾子身上，就不那么专心听数学问题了，而且孩子似乎常常无法从蛾子身上收回注意力。当老师布置大量作业的时候，必须阅读和学习的东西会把他压垮，导致他很难着手去做。

（3）**冲动**。ADHD 患儿行动比观察快，反应比思考快，这种特性使得他更容易捅娄子，在老师和伙伴面前惹麻烦。“不合时宜”就是他的典型写照，在课堂上，他也许等不及老师叫到自己就大声说出自己觉得正确的答案；他也许还会有同理心——看透他人的眼睛，想象自己的行为会给对方留下什么印象的能力——方面的问题，想要猛推同学一把的冲动来得迅速而猛烈，甚至没有机会去想自己会惹来什么麻烦、被推的同学会有什么感觉。

（4）**多动**。某些孩子的表现被称作“沉默的 ADD”（女孩中更常见），而有的会多出来一个 H（hyperactivity）——

多动。不光是说他们十分活跃，而且是在不恰当的时机“过分”活跃，例如课堂上或餐桌上。

如何判断孩子是否有 ADD

循序渐进的方法如下：

（1）**记录日志**。在日志中列出让老师、其他权威人物（如运动教练）和你自己担心的行为。试着把这些行为分为三类：注意力跳跃、不当行为和学习困难。

（2）**按照严重程度和进度排列你的顾虑**。这些问题有所改善、有所恶化还是毫无变化？这些行为对孩子的学习、社交进程和快乐度有多大影响？是无足轻重的小毛病，似乎对孩子的学习和社交没有影响，还是严重影响了孩子的整体发育及亲子关系？

怎么办

如果你觉得孩子很快乐，孩子自己、老师和同学都能够很好地应付这些小毛病，而且孩子的情况正在改善，那么你也许可以等等看。随着时间推移，孩子逐渐长大，他可能会摆脱“ADD”的标签，成为一个学习和行为稍微有些不同的人。但是，如果咨询了孩子的老师和健康服务提供者，再结合你自己的父母天性，你认为 ADD 干扰了孩子的生活，孩子需要专业人士、教育专家和父母的帮助，请接着看下面的措施：

（1）**持续记录日志**。专业顾问很可能会问你：“孩子主要的毛病是什么？”“有没有好转、恶化，还是说毫无变化？”以及“这些问题对孩子的影响有多大？”要获得准确的评估，持续记录日志非常重要。

（2）**请阅读 P012“多保健，少吃药”的方法**。对你来说，让健康服务提供者和专业人士理解这种“多保健，少吃药”的模式非常重要。只靠药物不管用，这种情况简直太常见了：医生给 ADD 或 ADHD 患儿草草开上一堆药，可是同等重要（如果不是更重要的话）的保健部分却被完全忽视了。根据“多保健，少吃药”的方法，你首先应该观察孩子能否只靠保健控制住病情，如果不行，这时候也许才需要开始吃药。根据我们的经验，大多数 ADD 患儿能够只靠保健控制病情，有的孩子需要保健与药物相结合，不过任何时候都不应只依靠药物。

（3）**询问孩子周围的人**。ADD 患儿的问题具有跨情境一致性，也就是说，你日志中记录的主要担忧无论是在学校还是在家，与伙伴一起还是在其他社交场合都会出现。和其他人面谈很重要，因为若是这些奇怪的行为只在学校发生，孩子患 ADD 的可能性就会变小，出现这些行为可能只是因为孩子不适应学校。从另一方面来说，如果孩子周围大多数甚至所有人都有相似的担忧，那孩子可能的确患有 ADD。

（4）**调查孩子的教室**。志愿去孩子教室里“帮忙”，观察问题行为并记录到日志中。你的目标是：打造最适合孩子的教室。请老师让孩子坐到最不容易分心的位置，例如远离窗户、靠近老师的地方，一定要避开其他ADD患儿。

（5）**确保孩子能适应老师和班级**。有的孩子被不公平地贴上了ADD的标签。因为这些孩子的思考和学习方式不同，所以他们常常需要不同的教育方式，家长要努力确保孩子的需求在学校里能得到满足。

（6）**给孩子吃健脑早餐**。大脑会受到营养的影响——或好或坏。如果孩子以垃圾早餐作为一天的开始，出现垃圾行为你也别吃惊，就这么简单。由健康、高蛋白碳水化合物和优质脂肪组成的健脑早餐请参见西尔斯育儿系列图书《社区里最健康的孩子》或《西尔斯营养书》。

（7）**锻炼孩子的身体**。最近的研究表明，许多被贴有ADD标签的孩子只要每天进行至少一小时的剧烈运动，就能获得显著改善，通常可以减少服药剂量甚至彻底停药。这种方法尤其适合ADHD患儿，运动似乎能够促进身体分泌放松精神、提高专注度的神经化学物质，让孩子更加专注、不那么多动。在实践中，我们曾用这种方法帮助过几个孩子，让他们写作业的时候周期性停下来休息一会儿，在迷你蹦床上跳五分钟、小跑片刻或是用弹力带简单锻炼一下。这种物理活动能促进脑力活动。

（8）**确保孩子安眠**。最近的研究发现，造成ADD及其他孩子学习、行为问题最普遍的原因之一，是缺乏高质量的睡眠。许多医生相信，用药物治疗ADD之前应该全面评估孩子的睡眠习惯，有必要的话应咨询儿科睡眠专家。肥胖、焦虑、抑郁、过敏和关节痛，这些健康问题和心理问题都会引发睡眠不良进而导致学习和行为问题。阻塞性睡眠呼吸暂停也对ADD有影响，却常被忽视，而睡眠缺氧可能影响大脑功能，详见P485。

（9）**培养孩子的特殊才华**。每个孩子都有特殊的天赋或才华，比如运动、艺术或音乐，家长要发现孩子生命中的特别之处，让它放出光彩。学习或注意力与众不同的孩子常常会感觉自己跟别人不一样，对孩子来说，感觉自己和别人不一样约等于感觉自己不如别人。当孩子的自尊心急剧下降，就会进一步加剧怪异的行为。发挥自己的特殊才华并获得成功能提升孩子的自尊，我们称之为“延滞效应”，意思是说，一次成功的尝试能够帮助孩子以后在学习和行为上获得成功。

（10）**正面地形容孩子**。对老师和家长来说，要想为ADD患儿提供帮助，学会如何形容非常重要。如果孩子不得不每天排队从学校护士手里领“专注药”、接受特殊指导或是被当作问题儿童孤立起来，那么正面的形容就变得尤为重要。比如说，你正在参加家长会，孩子出现了破坏性行为或不专心，你听到老师说："他真能捣乱。"你应该反驳说："他的性格确实很活跃。"如果别人说孩子"固执"，你要反驳说"他十分坚持。"如果有人说："天哪，他真好动。"你应反驳说"他的确热情洋溢、精力十足"。当老师、你和孩子自己重复听到正面的形容，这会改变他在每个人眼中的形象，帮助大家看到 ADD 闪光的一面。大多数 ADD 患儿聪明、有趣、富有创造性、精力充沛。事实上，许多曾改善世界的创造力十足的人——例如沃尔夫冈·阿马德乌斯·莫扎特和托马斯·爱迪生——要是活在今天，也许都会被看成 ADHD。孩子对自己的看法取决于他认为别人如何看待自己。如果他总是听见负面的评价，比如"懒惰""愚蠢"或是"坏"，早晚他会真的变成那样。

健康小贴士：我喜欢自己的十点

让孩子列出最喜欢自己哪十点，框起来挂在墙上，这会不断提醒孩子，自己身上有这些自己欣赏的特质，能帮他消除持续的压力。

你看到这个控制计划的目标了吗？现在你有了控制方法，能够帮助孩子以应有的方式学习、掌握集中注意力的技巧。在考虑使用行为或注意力矫正药物之前，父母和孩子生命中其他重要的人都应该专注于利用这些药物之外的保健方法，这很重要。

（11）**寻求恰当的专业协助**。成功控制孩子的 ADD 需要老师、学习专家、行为治疗师、心理医生和其他方面医生（例如为孩子提供主要医疗服务的医生或神经学专家）组成的团队共同努力。应该给孩子做听力测试和视力测试，确保一切正常。为了最大限度地维护孩子的利益，父母必须充当团队中的四分卫，听从各团队成员的意见并协调实施。

（12）**试试神经反馈训练**。事实上，大脑神经反馈训练是现有最古老的疗法之一，它诞生于 20 世纪 60 年代，用于帮助美国海军战斗机武器学校的战斗机飞行员更好地集中注意力。你可以把大脑的神经反馈训练看作肌肉的重量训练。让孩子坐在电脑屏幕前，头皮上贴着记录脑电波的细电线，当他开始玩电子游戏（从本质上来说是这样），他的注意力等级控制着屏幕上发生的事情。如果他的注意力分散或是"放空"，屏幕上的图像会发生变化，立即刺激反馈提醒他注意力不集中。在这个过程中，孩子会锻炼神经通路以集中注意力，随着时间推移，相对于孩子的年龄，这些通路会变得更加强壮而合适。几乎每座大城市里都有神经反馈中心。国际神经反馈和研究学会的网站是 www.ISNR.org。

(13) **考虑使用药物**。关于什么情况下应该考虑使用药物，我们的指引如下：

- 如果你已经尝试过“多保健，少吃药”模式中的所有保健方法，但孩子的学习或行为问题仍十分严重，注意力分散和不当行为不光影响到他的学习，还全面影响自尊心、发育和家庭关系，那么可以考虑使用药物。
- 请使用药物辅助而非取代上述自我保健方法。
- 我们认为，改变情绪的药物和“专注药”只能由专研 ADD 的医疗专业人士开具处方。既然药物会影响大脑，那么值得为孩子请一位专家。ADD 没有万灵药，不同的孩子需要不同剂量的不同药物。
- 把药物包装成“专注药”，告诉孩子药片的作用只是帮助其他保健方法更好地发挥效果。你肯定希望孩子觉得成功主要是因为他自己的努力而非药片。此外，有的孩子会觉得，需要吃药肯定是自己有问题，他们会觉得自己“有病”或“不一样”（这个词等同于“不如”），这会破坏你的整个控制计划。当孩子成功时，你一定要强调是他通过努力做到了，药物只是辅助。
- 在日志里记录用药情况。要弄清该用哪种药、用药的时机和剂量，医生需要你的反馈。日志格见下表。

列出你的主要顾虑，例如冲动行为、无法集中注意力等，然后在每种顾虑后面列出服药后发生的变化，例如“好转”、“恶化”或“无变化”。列出药物名称、剂量和每天的用药时间。去看医生、调整用药的时候，带上日志，医生要恰当地调整用药，非常需要你（和老师及其他重要人士一起）记录下来的这些情况。如果孩子的确需要用药，药效应该很明显。模糊的描述不算数，譬如

药物名称	开始用药的日期	剂量	观察到的变化	副作用

“我觉得他好点儿了”，因为几乎所有药物都有安慰剂效应，这意味着我们为了康复而吃药之后，就会想象自己真的好转了。所以你需要尽量客观，找出明显的变化，例如“他只花以前的一半时间就写完了作业”。

如果用药期间出现不良副作用，例如失眠、食欲减退、药物过山车效应（一天结束、药效消失时，孩子的行为恶化）、异常的小动作（例如脸部痉挛）或其他不好的行为，请务必记录下来并告诉儿科医生。

了解更多

以上步骤只是给予指导，告诉你如何起步。若想深入讨论 ADD：

- 阅读威廉·西尔斯和琳达·汤普森的作品《注意力缺失障碍》(*A.D.D.Book*)。汤普森医生是加拿大多伦多 ADD 中心主任。
- 阅读威廉·西尔斯的作品《西尔斯营养书》。
- 咨询 CHADD 组织——注意力缺失障碍的儿童和成人，访问 www.CHADD.org。

14. 自闭症

自闭症是一种神经系统及身体失调，大脑里控制交流、行为、社交互动、学习和协调的部分功能异常。自闭症儿童无法正确处理感官输入，常常无法将这些输入转化为典型、可理解的输出。每个人受到影响的方式不同，程度也各不相同，有的只会表现出一些自闭症特征，但有的患儿会出现大量甚至全部自闭症特征。

今天，自闭症可能是在影响儿童的疾病中最让人泄气的一种。在过去的十年来，自闭症患病率大幅升高，每 100 个儿童中就有大约1个被归入自闭症谱系（截至本书写作时）。父母最难接受的是，自闭症似乎是一下子凭空出现的，神经系统正常的健康婴儿可能会在 1～2 岁时突然退化为自闭症，也有的婴儿不会向后退化，只是停留在原地，不再朝着正常的社交和语言里程碑继续发育。有一些婴儿甚至会在出生时就表现出自闭症特征。

同样糟糕的事情还有：孩子被诊断为自闭症，医生却无法解释其原因，没有任何特定的物理或身体异常可被归结为病因。虽然我们对自闭症的原因所知甚少，但对早期检测和早期干预的知识却很丰富。下面我们将介绍自闭症的症状、早期筛查、怀疑孩子有自闭症时家长可以采取的初步行动，以及目前正在使用或研究的普遍治疗方法。

想更广泛、综合地了解自闭症的诊断、治疗和预防，请见罗伯特·W. 西尔斯作品《自闭症》。

信号和症状

如果出现下列迹象，孩子可能患有自闭症：

- 很少或从不说话，或者不当使用语言、重复使用语言
- 出现自我刺激行为，例如摆动双手、重复性动作
- 不理解典型的社交界限；不理解在普通的社交情境中如何表现和互动
- 观察到规律和“相似性”
- 只吃特定食物，拒绝吃不熟悉的东西
- 和其他孩子相比，不爱玩想象和假装的游戏
- 明显过于活跃或是明显过于安静
- 非常极端地发脾气
- 独自在自己的世界里玩
- 沉迷于旋转的物体，例如轮子或风扇
- 不照玩具的设计意图去玩玩具
- 侵略性过度或自伤倾向过度
- 对疼痛的容忍度高得过分或低得过分
- 很少与人进行眼神交流或是喜欢斜着窥视东西
- 人多、嘈杂、混乱的时候总是烦扰不安
- 不喜欢甚至很反感拥抱和亲密接触
- 喜欢独自研究有趣的物品或事件，不愿意邀请别人共享乐趣（术语叫作缺乏“共同注意力”）
- 身体感觉十分敏感，例如衣服标签、不合脚的鞋子、气味、脚下的草或沙子都会让他难受

发病类型

自闭症的形式和程度多种多样，它是一种“谱系”障碍，意思是说有的病情十分轻微很难被发现（例如阿斯伯格综合征），也有非常严重的。父母应该警惕这两种迥然不同的发病方式：

早发性自闭症。在生命最初的几个月里，有的宝宝不爱与人眼神交流、不愿意互动、对他人的关爱没有兴趣、缺乏生动的面部表情。家长常常觉得这样的宝宝很好带，但他们实在过于好带了。第一年里，他们没有在通常的年龄开口牙牙学语，发出的声音停留在出生时的水平；一岁以后，他们还没开始说话，不愿意社交互动的倾向也表现得更为明显；到两岁时，更多自闭症的信号出现，现在可以确诊了。从本质上说，这样的孩子天生就有自闭症。

退化性自闭症。这种情况更为常见，宝宝看起来完全健康，所有发育都

很正常，甚至已经开始说几个词儿了。然后，在 1 ～ 2 岁时，他们要么停滞在此前的阶段，要么干脆退化，失去了许多当前年龄应有的技能，包括语言。退化的患儿到两岁时常常会出现自闭症的其他信号，父母无法接受，沮丧不已，对孩子的前途十分迷茫。那些没有退化只是停滞不前的孩子通常要到 3 岁左右才会被确诊为自闭症。

早期检测与筛查

自闭症发现得越早，恰当的发育干预开始得越早，最终结果就越好。早早诊断出自闭症（18 个月～ 3 岁）并开始做各方面治疗（包括语言治疗、行为治疗、社交发育指导和药物治疗等）的孩子，恢复效果好于那些诊治得晚的孩子（4 岁及以上）。较早开始治疗的孩子追赶发育里程碑的速度更快，社交和互动能力可达到更高水平，学习能力更好，也更有可能成长为“正常”儿童（或接近正常）。

儿科医生使用的筛查工具。医生曾一度并未严肃看待语言迟缓和异常行为，他们和父母一样，希望孩子自然成长度过这个阶段。父母常常听到这样的说法：“哦，只是因为他是男孩，男孩说话晚。”但现在情况不同了。自闭症发病率不断升高，医生比什么时候都警惕，也应该警惕。18 个月和 2 岁检查时，医生很可能会请你填一份标准的社交发育筛查问卷。下面是从 CHAT（幼儿自闭症检查表）中摘录的问题：

- 孩子喜欢你把他放在膝盖上摇动或是上下晃动吗？
- 孩子喜欢别人以物理方式表达对他的喜爱、渴望得到你的关注吗？
- 孩子对其他小孩有兴趣吗？
- 孩子喜欢玩躲猫猫和其他社交游戏吗？
- 孩子喜欢玩假装游戏吗？例如开茶会、喂洋娃娃、假装做饭。
- 孩子会用食指指着某件物品或要某件物品吗？
- 孩子是否会按照玩具（小汽车、积木、洋娃娃）的设计意图去玩，而不光是放进嘴里、随手摆弄或是到处丢？
- 孩子会拿东西给你看吗？
- 孩子是否有 P175 列出的症状？
- 18 个月时，孩子是否会说几个简单可理解的词语？ 2 岁时，孩子是否会说 2 ～ 3 个词语组成的句子？

父母应该明白，这张检查表上的问题几乎每个孩子都会有一两个否定回答，这没什么可担心的。表格是一种筛查工具，不是诊断工具，它的设计用途是找出那些可能发育迟缓的幼儿，而不是光靠一两个标准就做出诊断或是给孩子贴上自闭症的标签。

儿科医生还会观察幼儿在检查过

程中的互动行为。再引用一次 CHAT 表格，他也许会观察下列内容：

- 孩子会做持续的眼神交流吗？
- 医生指着某件物品说："看那个！"孩子会表现出兴趣吗？
- 孩子会正确地玩玩具吗？比如说，如果给她杯子和洋娃娃，她会喂娃娃喝水吗？或者给他一辆玩具车，他会推着车跑并模仿汽车的声音吗？
- 医生问："灯在哪儿？"孩子会用眼神和医生交流，然后用食指指灯吗？
- 孩子会堆几块积木吗？

健康小贴士：
只是说话晚——可能不是自闭症

有的孩子走路比较晚，同样的，也有很多孩子——尤其是男孩——说话比较晚（见 P500）。如果孩子发育迟缓的只有说话这一项，没有出现症状列表中的其他信号，那么孩子很可能不是自闭症。不过，这样的孩子应仔细筛查有无自闭症倾向。

诊断

筛查工具不能诊断自闭症，它们只能帮助医生和父母判断孩子是否有发育问题、是否需要进一步评估。如果孩子未通过筛查，或是怀疑孩子有标准筛查测试以外的问题，那就应该进行更全面的评估。你的选择如下：

政府地区性发育治疗中心。这些中心能为 3 岁及以下的儿童提供发育评估，并为所有的发育问题提供全面治疗。通过这些中心，你的孩子可以免费地（在大多地区）接受医生或其他医疗专业人士的评估。

公立学校系统。一旦孩子满了 3 岁，当地的公立学校特殊教育部门通常能提供诊断与治疗服务。

儿科神经学专家。专家能够为孩子做出评估和诊断，最好去看专门自闭症治疗中心的专家。

发育儿科医生。该细分领域的专家会为孩子做全面的发育评估，判断自闭症的可能性。

心理医生。许多儿科心理医生接受过诊断自闭症的良好训练。

语言治疗师。自闭症的第一个信号常常是言语迟缓。语言治疗师可以帮助你判断孩子的言语匮乏只是简单的单项迟缓，还是从属于更大的发育问题。

其他治疗师。你也可以带孩子去看协助治疗自闭症的专科治疗师，例如职业治疗师、感觉统合治疗师或应用行为分析治疗师，寻求这些专家对孩子发育的意见和看法。

健康小贴士：不要想着“等等看”

如果真的有问题，孩子越早接受治疗越好。如果你只是决定“等等看”，或者医生建议你6个月后再来复查，这可能是在给孩子帮倒忙。如果你进一步寻求帮助，结果发现孩子安然无恙，你浪费掉的只是一点时间和金钱，可是要是等到问题严重到足以确诊，那么你就错过了早期干预的好几个月甚至好几年。

诊断标准

自闭症的诊断有专门的具体标准，称为DSM-IV标准，专家会观察孩子是否符合这些标准。概要如下：

- 非口头语言（眼神交流、脸部表情、姿态和手势）、伙伴关系、与他人互动和情感交流方面的社交缺损。
- 语言交流缺损，在能够开口说话的患者身上表现为缺乏主动发起或维持交谈的能力；语言重复或使用无意义、古怪的词句；不玩假装游戏和想象游戏。
- 重复、沉迷、强迫性或模式化的行为，例如痴迷某些范式或流程，有异常的身体动作或极度执着于狭窄的兴趣范围。

其他形式的类自闭症障碍

有其他一些术语用于形容“类似自闭症”但还没有达到自闭症所有诊断标准的孩子：

待分类的广泛性发展障碍（PDD-NOS）

这个术语用于形容这样的婴幼儿：大多数领域发展迟缓，却缺乏可确诊为自闭症的足够典型信号。被专家评估为发展迟缓的幼儿最初常会被诊断为PDD；6～12个月后，如果类似自闭症的问题开始出现，便会诊断为真正的自闭症。PDD通常会随时间流逝而被确诊为自闭症，应立即着手治疗，无需等待自闭症完全确诊。

阿斯伯格综合征（AS）

这种障碍又被称为高功能自闭症，它与其他类型的自闭症有一个明显的区别：AS患儿语言发展正常。他们开口说话的年龄与正常儿童相同，大一点儿以后，他们也可以进行较为正常的交谈。不过，随着AS患儿的成长，他们会表现出一些自闭症的行为、动作和异常的社交互动。因为AS患儿的言语发展正常，所以确诊时间要比标准自闭症晚得多，其治疗方法与自闭症大体相同。关于 AS 更详细的讨论见 P153。

非语言学习障碍（NVLD）

这一诊断描述这样的儿童：无法理解多种形式的非口头语言和社交暗示，却没有自闭症典型的行为问题和神经学表现。患儿还会出现某些精细动作及大肌肉动作失调，因为大脑难以协调空间感。它与阿斯伯格综合征（AS）的区别在于：NVLD 患儿知道并在意自己无法领会非语言暗示，他知道自己和别人不一样，而且这让他感到烦恼。自闭症儿童不知道自己不一样（除非他们好转了），AS 患儿知道但不一定在意（除非他们好转了）。NVLD 还未被充分理解，它深层的病因可能类似自闭症，也许应该被纳入自闭症谱系障碍。

感觉处理障碍（感觉统合障碍）

当孩子的大脑不知该如何正确处理感觉输入的时候，就会出现这种障碍，大脑收到全部五种感官送来的信号，却不知如何正确地将这些信息转化为正常的回应动作和行为。这不光会导致患者在童年期难以掌握许多正常的感觉（例如脏手、衣服上的标签、嘈杂混乱的玩耍环境、各种食物的质地、光脚走在沙子或草地上），还会造成大脑整体混乱，可能表现为注意力问题、难以听从指示、平衡和协调问题、坐立不安及某些社交尴尬，但这类儿童语言发展普遍正常。许多自闭症患儿有感觉统合障碍，不过这种障碍也可能在其他方面完全正常的儿童身上单独出现。

治疗

自闭症儿童可从多方面着手治疗，包括药物方面和行为方面。这些治疗相辅相成，都很重要。

行为治疗。行为方面的治疗专注于刺激、教育和增强大脑机能失常的部分。下列方法中的大部分或全部都应纳入整体治疗方案：

- 治疗师的一对一项目。例如分别单独进行应用行为分析、分解式操作训练、教导特定正确行为等。
- 基于学校的集体项目。要么与其他自闭症患儿一起，保持较高的老师/学生人数比，要么在正常儿童的班级里，采用各种技巧教给孩子各种方法，帮助他们学习该如何行动。
- 参加一对一的社交技能训练，例如人际关系发展干预，或是参加社交技能培训班，学习如何与其他孩子交往，克服许多自闭症行为。
- 语言治疗会帮助孩子逐渐学会口头交流，不愿意口头交流的孩子可以学习利用图片系统交流（例如图片交换沟通系统，PECS）。

- 职业治疗（OT）会帮助孩子提高肌肉强度和协调性。
- 感觉统合 OT 能帮助孩子学习如何正确处理触觉、听觉、味觉和嗅觉。

药物治疗。自闭症的药物疗法和其他健康问题大体相似，有两种基本方法：

- 若要治疗痉挛（如果有的话），辅助控制侵略行为、多动和自闭症其他症状的药物通常由儿科神经学专家或精神科医生开具。
- 目前，治疗一些相关的健康问题（例如慢性腹泻或便秘、食物过敏、肠道感染、病毒感染、维生素及矿物质缺乏、重金属含量过高，所有可能加剧自闭症症状的问题）也开始被看作是药物的替代方案，对于治疗自闭症有所贡献。随着更多研究与经验为大众所知，这些方法或许会变得越来越流行。在《自闭症》一书中，鲍勃医生更加详细地介绍了这些新兴疗法。

15. 背部问题

孩子在童年期可能出现多种背部问题：有的会痛，有的不会；有的是轻微、暂时的，有的可能较为严重，需要即可就医。在这个部分中，我们将讨论各种背部问题，告诉你如何向儿科医生寻求帮助。

信号与症状

如果背痛伴有下列信号和症状，应迅速进行进一步的检查和评估：

- 伴有肌肉无力，尤其是手臂和腿
- 走路异常或走路困难
- 从脊柱移动到手臂或腿的麻木感或刺痛感
- 无法憋尿或无法排尿
- 无法憋住或排出大便
- 会让孩子在夜间醒来的背痛
- 伴随背痛的其他全身症状，例如发烧、减重或感觉不适

健康小贴士：
该去看医生还是做推拿？

我们相信，先去看医生比较有用，这样可确认有无必须立即检查或治疗的紧急健康问题。如果医生认为身体没有毛病，不需要做什么检查，诊断孩子只是单纯的背痛，没有什么严重的病因，那么就可以去做推拿了。推拿师可以帮助孩子矫正肌肉移位、韧带和脊椎骨，这样的调整通常能够缓解普通背痛。对于各种颈部和背部损伤（例如肌肉或韧带拉伤、挥鞭伤）及其他慢性疾病（如脊柱侧凸和其他脊柱缺陷），推拿也有很大帮助（讨论见下）。

儿科医生会全面检查孩子的肌肉、骨骼和神经系统，根据检查的结果和孩子的病史，医生可能会建议先观察一段时间或采取一些影像检查，如X光、MRI或CT扫描，目的是更全面地评估背痛的原因并给予恰当的治疗。

原因

下面我们来介绍背痛的各种原因，不过你应该知道，儿科背部问题的诊疗非常复杂，超出了本主题描述的范围。更详尽的信息请咨询儿科医生或骨科专家。

背部肌肉拉伤

这种损伤在活跃的青少年中十分普遍。背部有很多大肌肉群，它们支撑着脊柱，对正常的动作也很重要，某些损伤和活动可能导致肌肉拉伤：

- 运动损伤
- 不恰当的推举运动
- 举起、抬起或提起过重的物体
- 向背部反复施加压力的活动
- 背部猛然扭转或不恰当地扭转
- 背部创伤

背部的肌肉很多，有一块受伤都会出现这样的情况。病人常常抱怨背上某个特定部位痛，疼痛通常不会直接出现在脊柱的位置，不过很靠近脊柱。特定的动作，例如扭腰或弯腰，常会使疼痛恶化。儿科医生会给孩子的背部做物理检查并做出诊断。

治疗。背部肌肉拉伤治起来可能很难，因为肌肉拉伤可能要过很长时间才会愈合，重要的是不要加剧拉伤，应该避免最初导致拉伤的活动。每天数次冰敷患处，持续三天，有时候还需要休息一段时间，促进愈合。医生偶尔会使用抗炎药——例如布洛芬——来缓解疼痛，但就算有了最好的治疗，这些损伤还是要过几周才能好。治疗肌肉拉伤的忠告：别做那些会让疼痛加剧的动作或运动。

背包痛

现在，幼小孩子背的书和重物越来越多，背包痛的现象正在增长。当成长的脊背遇上沉重的包袱，背部肌肉疼痛在所难免，尤其是在小孩子身上。背的包太重、背包姿势不当是童年期背痛最普遍也最容易预防的原因。一项针对1700位儿童的研究表明，背包越重，背痛的发生率越高。一项研究调查了345位小学五年级到初中二年级的学生，结果表明，超过半数的学生背包重量超过自身体重的15%，而在这些背着沉重背包的孩子中，三分之一的人曾因严重背痛去看医生或缺课。预防背包痛的要点如下：

挑选合适的背包。不要买只有一根

带子的背包，因为这种包最容易导致背痛。选择有两根带子的背包，肩带应宽阔、有衬垫，背包还应该有腰带。带金属框架的登山包能更加平均地分散髋部后方的负重。

减轻负担。骨科医生推荐，背包和内容物的总重量不应超过孩子体重的10%，所以，35 千克重的孩子背包不应超过 3.5 千克。把孩子的背包放到体重秤上称一下吧，结果也许会让你大吃一惊。

拉着走，不要背着走。试试“轮包”，也就是带轮子的背包，这是给孩子的背减轻负担的最好办法。

掌握背包的技巧。背包最重的部分应该放在背部靠下，髋骨上面一点点，先装沉的东西，这样它们的位置就比较低。不要在背包最上面放一大堆沉重的东西，因为这样压力最大。

使用正确的背包动作。向孩子演示和讲解，背重包或其他重物的时候应该屈膝蹲下去背，不要直着腿弯腰去背，那样会给背部肌肉造成额外的压力。

准备两套书。虽然这种方法成本最高，但却很有用。与其让孩子拖着做作业要用的书来来回回，不如在家再买一套或是租一套最重的那些书。

对于已经出现脊柱弯曲或背部肌肉发育不对称的孩子来说，减轻背包负担尤为重要。在检查中，医生经常发现孩子背部某一边的肌肉比另一边发育得好，导致两边肩胛不平，沉重的背包很可能加剧这种不对称。最后，如果孩子不得不背很沉的包，除了上述预防措施外，还应该教给他拉伸背部肌肉的方法：蛙泳或在指导下进行力量训练。

腰骶痛

如果医生排除了无法解释的背痛或重病引起的背痛，那孩子可能会被诊断为普通的腰骶痛。这种慢性疾病更常见于较少活动的肥胖儿童和青少年。治疗腰骶痛极为重要的一点：多动！我们总是告诉病人，要想健康成长、表现良好，拥有强壮的脊背非常重要。

可以让孩子做特定的背部运动来强化脊柱和支撑脊柱的肌肉，减少活动和运动只会使问题更糟！我们让病人尽量少用抗炎药，因为它只会掩盖症状。多加活动，待漫长的一天结束时，热敷患处可以舒缓疼痛。其他辅助疗法包括脊柱推拿矫正和背部按摩。

脊柱侧凸

脊柱侧凸的定义是：脊柱异常弯曲，通常出现在脊背中部和（或）下部。脊柱侧凸的原因通常未知，在十分罕见的情况下，脊柱侧凸是由脊柱结构异常导致，或是由肌肉障碍或神经障碍引发，例如脑瘫或肌肉萎缩症。

脊柱侧凸的症状常常在青春期初期开始出现。有时候10多岁的孩子会因为脊柱侧凸出现轻微疼痛，不过年龄大一点才出现疼痛的情况更为常见。脊柱侧凸常常是因家长观察到孩子双肩高度不一或衣服不合身而发现的。

检查脊柱。儿科医生会为脊柱侧凸做专门的筛查，如果怀疑脊柱侧凸，医生也许会决定做专门的X光来查明侧凸程度。这很重要，因为治疗方案基于问题的严重程度。

治疗脊柱侧凸。大部分情况下，轻微的脊柱侧凸完全无需治疗，密切观察即可。偶尔会有脊柱侧凸较为严重或正在恶化的病例，那就需要佩戴特殊的支具。在极其罕见的情况下，患者需要做脊椎手术。

脊柱侧凸详见P466。

脊椎前移

脊柱是由许多块脊椎组成的，通常情况下，脊椎就像积木一样叠成一列。脊椎前移（表示“脊椎滑动”）通常是因为组成脊椎的小骨头有一块出了毛病，所以一块脊椎就从正常的相对位置滑开了。如果某块骨头的轻微骨折未能正确愈合，进而导致脊椎滑移，就可能出现脊椎前移。脊椎前移通常出现在腰骶部，随着时间推移可能逐渐恶化。如果孩子参加腰骶承受大量压力的活动，就有脊椎前移的风险，例如体操、橄榄球、拉拉队和舞蹈。

症状。可能完全没有症状，也可能出现经常转移到腿部的腰骶痛，站起来可能痛得更厉害，病人可能偶尔还会出现腿筋处肌肉痉挛。如果孩子出现这些症状，儿科医生会对其背部和神经系统进行全面检查，如果怀疑有脊椎前移，医生会安排X光或CT扫描以深层探查脊椎。

治疗。通常利用专门的强化锻炼来治疗脊椎前移，同时完全停止可能会使病情恶化的活动，例如橄榄球或体操，偶尔还会使用类似背部支具的定制矫正装置来协助控制疼痛。通常情况下，随着孩子逐渐长大，骨骼损伤自然愈合，大多数孩子最后会完全康复，完全没有或只有一点点背部问题。在极罕见的情况下，滑移恶化需要做进一步的诊疗，这可能需要做脊柱手术。

脊柱后凸（驼背）

脊柱后凸的定义是：脊柱胸部或中间部分过度弯曲。脊柱后凸最常见于青春期初期至中期的男孩身上。我们见到的大多数小病人是由忧心忡忡的父母或祖父母送来的，他们发现孩子的姿势随着时间推移越变越差。

症状。孩子自己通常不会报告任何症状，不过他们的驼背十分明显，尤其是坐下来的时候。不过，脊柱严重后凸的患者也许会肯定地报告说很痛。儿科医生会让孩子做一系列的背部屈伸动作以评估弯曲程度，通常还需要做 X 光来评估脊柱是否畸形。

健康小贴士：站直了！

老妈说得对！鼓励孩子站有站相坐有坐相十分重要。不要对孩子太过挑剔，不过如果他老是垂头丧气、没精打采，请温和地时时提醒他站直了。

治疗。有时候，这种弯曲会随着孩子的发育进一步恶化，可能会影响到孩子未来抬举重物或特定运动的能力。好消息是，这种情况通常不会发生。大部分驼背只是坏姿势引起的，可以通过周期性的背部锻炼来矫正，儿科医生也会教孩子正确的姿势。脊柱后凸一般完全无需其他任何治疗，除非出现真正的脊柱畸形，那可能就需要佩戴支具，在极罕见的情况下需要做手术。

脊柱与颈部外伤

背部钝伤或事故（尤其是车祸）可能会导致背部和颈部损伤。严重外伤或事故之后，医生通常会进行彻底的脊柱 X 光检查来排除严重损伤的可能性。

挥鞭伤。这在车祸中很常见，通常伴有脊柱上部（颈椎）拉伤。如果被诊断出挥鞭伤，患者有时候需要佩戴一小段时间的颈部支具，这种损伤可能要花很长时间才能愈合。

脊柱骨折。这种损伤在儿童与青少年中比较罕见，不过严重事故可能引起脊柱骨折。如果孩子被诊断为脊柱骨折，请立即咨询脊背专科医生。

背部拉伤。通常由不恰当的活动或车祸导致，应该进行 X 光检查以排除其他更为严重的损伤。

其他非常罕见的原因

以下病因在儿童和青少年人群中极其罕见，通常可通过 X 光、CT 扫描或 MRI 详细检查排除。

青少年骨质疏松。这可能导致脊椎变得薄弱。这种情况十分罕见，通常病因只可能是严重的缺钙或缺乏维生素 D。骨质疏松的信号通过基本的 X 光就可看到。

良性和恶性肿瘤。肿瘤在年轻人群中极端罕见，一般通过健康史和物理检查即可排除，有必要的话可以做 X 光。

脊柱感染。又名骨髓炎，在少年儿童中非常罕见，可能由背部或腰部穿刺（又名脊椎抽液）的外科程序导致，也可能由全身性感染引发。几乎没有健康儿童发生该病的案例。

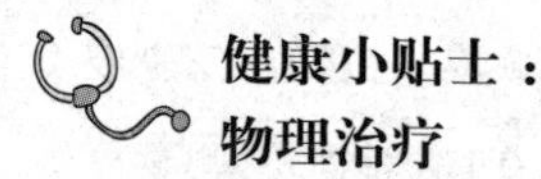

健康小贴士：物理治疗

对于大多数慢性背痛或背部畸形来说，学习正确的背部锻炼方法十分重要。我们推荐你去看几次理疗专家，和孩子一起学习适合孩子背部问题的拉伸方法和姿势练习。每年复查也很有用。

16. 口气（口臭）

虽然一般而言，口气算是烦恼而非疾病，但它也许有着很容易解决的潜在原因。

原因

口臭有七大普遍原因，我们按照常见度排序：

- 感冒或鼻部感染引起的鼻后滴漏综合征：根据我们的经验，慢性鼻部感染是持续口臭最常见的隐藏原因之一。就像封闭池塘里的水一样，液体聚集在鼻窦中，为细菌提供了温床，而细菌聚集在存积的黏液中腐败，散发出难闻的气味。持续的口气通常意味着潜在的鼻窦或扁桃体感染。慢性鼻部过敏也可能导致口臭。
- 肥大的扁桃体中深深的凹孔聚集了口腔、鼻腔的分泌物和腐败的食物（叫作扁桃体结石，见 P538）。
- 蛀牙。
- 口腔干燥：唾液自然的清洗活动减少，口腔中的细菌就会滋长，散发出臭气。应鼓励孩子每天至少喝 3 ～ 4 杯水。
- 胃食管反流病（见 P347）。
- 舌臭：细菌和分泌物在舌后聚集。
- 鼻部异物（见 P427）。

怎么办

口气通常意味着你应该去看儿科医生，确认孩子没有潜藏的鼻窦或咽喉感染。去看医生之前，你要在家做好日志，记录孩子嘴里的气味是什么样，你观察到口气的频率以及是否有其他线索，例如流鼻涕、咳嗽、疲惫和声音嘶哑。GERD 引起的口臭是孩子反流的胃部内容物的气味，偏酸，通常在打完“湿嗝”之后最明显。在家检查一下孩子的喉咙，看看有没有食物残渣卡在齿间甚至扁桃体缝隙中，扁桃体结石是看起来呈白色或黄色的干脓点（见 P538）。还应该检查孩子的舌头，用塑料勺子或牙刷刮一刮孩子的舌头后面，如果刮下来的东西闻起来和孩子嘴里的气味差不多，那很可能是孩子舌后积聚的鼻滴涕或食物残渣引起了口臭。

如果你和儿科医生都找不出孩子口臭的原因，可以带孩子去看牙医，牙菌斑、堵紧的食物或龋齿都会有臭味。

家庭疗法

诊治之外，试试下面的疗法：

- 西尔斯医生最爱的疗法："冲鼻子"和"蒸汽浴"（见 P021）。
- 虽然不太可能教会孩子漱喉，但可以教他漱口。4 岁以上的儿童应该用温盐水溶液漱口（四分之一茶匙的盐兑 8 盎司水），药房买来的儿童漱口水也有帮助。我们不推荐儿童使用成人的漱口水，因为其中可能含有酒精，孩子也许会吞下去。
- 每晚使用舌刷刷洗舌头，在孩子允许的情况下尽量深地清洗他舌头后面。
- 教孩子正确地刷牙，让他把牙齿上所有的"糖虫子"都刷掉。

17. 尿床

尿床在医学上称为遗尿，是孩子成长过程中很常见的麻烦事儿。5 岁儿童大约有 15% 还会尿床，男女比例为 4 ∶ 1。几乎所有孩子最终都会自然成长度过这一阶段，不过还是有多达 5% 的孩子 10 多岁的时候偶尔还会尿床。

原因

头出生的一两年，我们膀胱排空反射是完全自动的，孩子会尿湿尿布。到两岁左右的某个时候，孩子会开始感觉到膀胱满了，会有意识地憋住尿，抑制自动的膀胱排空反射。憋尿会拉伸并锻炼膀胱肌肉。白天，几乎所有孩子都能有意识地抑制膀胱排空反射，而夜间憋尿，也就是无意识地抑制膀胱排空反射，通常要等到 3 ～ 6 岁之间的某个时候，男孩通常会晚一些。

有的孩子天生膀胱就是比较小，更容易装满，有的研究还提出，某些孩子没有分泌足够的抗利尿激素（ADH），这种激素由脑垂体在睡眠中分泌，导致肾脏制造的尿液减少，这样膀胱就不会装满。如果"大脑 - 膀胱"夜间通讯发育迟缓，或是膀胱较小无法容纳整夜的尿液，孩子就会继续尿床。时间和发育通常可以解决这两个问题。

对尿床者的睡眠研究表明，尿床最可能发生在睡眠的 Δ 阶段，即深度睡眠阶段，而且尿床者的 Δ 阶段可能睡得更深，持续时间更长。

膀胱成熟的年龄因人而异，男孩比女孩晚一些。你干脆把尿床看作另一种发育里程碑吧，有走路晚的孩子、说话晚的孩子，也有较晚停止尿床的孩子。等孩子能够无意识地抑制膀胱排空反射时，夜间膀胱控制就算大功告成了。

四个要点

（1）**尿床是一种睡眠问题**。你可以把尿床看作大脑与膀胱之间的通讯问题，当孩子睡得太沉，就会完全忽略膀胱发出的信号，晚上，他既不知道自己的膀胱满了，也没有发育出抑制膀胱自动排空的能力。事实上，“睡眠遗尿”这个词比“尿床”更为形象、准确。

（2）**尿床很少出于心理问题**。你已经明白了孩子尿床的生理原因和神经发育学原因，现在可以丢掉“孩子晚上懒”的想法了。你要给予孩子同情和抚慰，就像是他生其他病的时候一样。

（3）**尿床可治**。在很久以前，父母和医生治尿床都采取“他会长大”的办法。虽然这个办法没错，而且确实有效，不过以现代的观点和管理技术而言，你完全可以避免让孩子在湿漉漉的床上醒来，而你的洗衣房里扔满了尿湿的床单。

（4）**尿床可能有遗传方面的原因**。如果父母双方都在 6 岁之后还尿床，那孩子大约有 80% 的几率尿床；如果父母中只有一方夜间尿床，孩子大约有 40% 的几率会出现该问题。

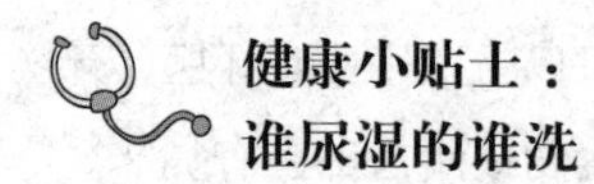

健康小贴士：
谁尿湿的谁洗

膀胱长在孩子身上，要学会控制膀胱的也是他，因此他同样应该为自己尿湿的东西负责。家长高高兴兴地鼓励、帮助孩子洗床单，要具体取决于他的年龄和成熟度。千万别让孩子把洗床单看作惩罚，而应看作尿床之后自然的后续事件。此外，这样做很有可能激励孩子更加努力地训练自己的膀胱。

干爽夜晚九步走

这套循序渐进的方法我们在自己的诊所里实践了近 30 年，根据我们的估计，这套久经考验的办法有效率至少有 70%。虽然有的孩子可能需要做完全套九步，不过问题通常解决得很快，大多数孩子几个月内就会迎来干爽的夜晚。

（1）**记录日志**。以 30 天为周期，在日历上写下孩子尿床的频率。尿床的日子标“W”，干爽的日子标“D”。在出现“W”的那天，要记录下白天和晚上出现过什么不寻常的事情，例如不同的膳食、不同的活动、不同的压力等级、家里或学校里发生的丧气事等等，尝试找出尿床的诱因或模式。

比如说，孩子周末是否较少尿床，因为比起上学的日子来，周末活动量更大、压力更小？

(2) **咨询医生**。虽然大多时候尿床只是发育中的小毛病，不过偶尔也会有生理上的异常或健康问题影响到膀胱控制。医生首先会为孩子做全面的物理检查，确认与控制膀胱有关的神经没有异常。儿科医生还可能会观察孩子排尿，确认尿流稳定有力，排尿的开口（尿道口）大小正常。

如果孩子的膀胱小于正常值，医生可能会让你测量孩子的尿量。方法如下：给孩子喝很多水，让他尽量憋尿，然后让他尿到一个杯子里，排空膀胱。确保孩子彻底排空（“嘘嘘三次”）。孩子的膀胱容量通常是年龄乘以 2，单位为盎司，5 岁的孩子应该能憋住 7 盎司尿液。如果医生怀疑孩子的膀胱过小，他可能会推荐孩子采用下面的锻炼方法延展膀胱，憋住更多尿液：

“尽量长时间憋尿……”这叫作渐进性憋尿：每天一次，鼓励孩子喝很多液体，然后尽量长时间憋住。你要告诉孩子，这是在扩展膀胱容量，就像气球一样，膀胱容量增大了，他就不用老跑厕所。以这种方法锻炼几周后，再用杯子测量一下孩子的憋尿量有无增长。不过这种方法需要孩子自己愿意并能够配合，通常要到 8 ~ 9 岁。

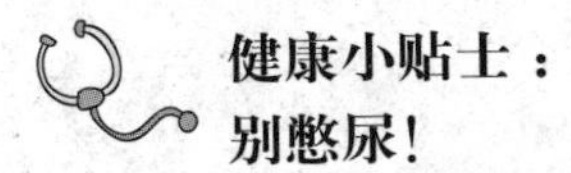

健康小贴士：别憋尿！

如果医生没有建议，不要尝试憋尿法。一般而言，我们希望孩子注意聆听膀胱的信号，不要置之不理，而渐进式憋尿法只能短期使用，帮助孩子提高膀胱容量。同时，我们倾向于少在女孩身上使用这种蓄意的憋尿法，因为女孩的生理特征使得她们更容易尿路感染 (UTI)，而减轻尿路感染最好的办法之一便是常上厕所，保持膀胱空置。有尿路异常（如膀胱回流）的男孩也不应尝试憋尿法。

如果医生怀疑孩子的尿路有结构异常或功能异常等问题，他可能会送孩子去看泌尿科医生，做超声波或 X 光探查孩子的肾脏、膀胱和整个尿路管道。在日志的帮助下，医生可能会寻找某些尿路之外会影响到排尿的隐藏原因，例如下面这些：

- 扁桃体 / 增殖腺肥大。根据我们的经验，这是尿床最容易被忽视的原因之一。在夜间，扁桃体或增殖腺会部分阻塞呼吸，导致阻塞性睡眠窒息，干扰正常的睡眠循环。这会进一步干扰睡中的“大脑 - 膀胱”通讯，导致尿床。

- 便秘。满当当的肠子会把满当当的膀胱“挤空”（便秘的治疗见P245。）
- 食物敏感。垃圾食物会造成垃圾的睡眠，尿床就是其中的一部分。人工色素和含咖啡因的饮料都对尿床有影响。
- 压力。充满压力的白天常常会带来湿漉漉的夜晚，你要试着为孩子的生命减减压。
- 注意力缺失障碍（ADD）。ADD儿童更有可能尿床，大概是因为白天他们集中注意力的时间太短，不够让他们乖乖坐着或站着彻底排空膀胱。出于这个原因，他们的膀胱容量可能较小。此外，ADD儿童的睡眠质量通常较差，这会促进夜间尿床（见P166）。

尿床的孩子大约只有5%有隐藏的健康原因，对其他的孩子来说，这只不过是发育中的小毛病而已。

了解更多

《干爽一整夜》(*Dry All Night*)之类的图画书能够帮助你向孩子解释他的肾脏是如何制造尿液并灌满膀胱的。

(3) 看图讲故事。在图片的帮助下，给孩子讲解大脑和膀胱的联系。我们在办公室里向5～7岁的孩子这样解释膀胱训练：画一幅图，大脑上有“导线”连着膀胱，并向孩子解释“大脑-膀胱”通讯：“你的膀胱就像是一个棒球大小的气球，气球里面是小小的神经，就像触须一样，膀胱满了它们就会告诉你。当膀胱满了的时候，它会向你的大脑发信号，大脑就叫你去尿尿。晚上大脑睡觉了，膀胱满了告诉大脑，可大脑却说：‘别烦我，我睡觉呢。’可膀胱实在涨满了，必须排掉，所以你就尿在床上了。我们要做一些好玩的事情，帮助你的大脑在晚上听膀胱的话。”

(4) 排空膀胱再上床。很多孩子上床前很累，或是只去厕所尿了一点点，所以他们睡着的时候膀胱是半满的。你要教会孩子“嘘嘘”三次，可以向孩子这样解释：“嘘，嘘，嘘嘘三次，挤空膀胱，这样尿就排光啦，你上床的时候膀胱就是空空的。”

(5) 临睡前给孩子讲“大脑-膀胱”的故事。在快上床的时候提醒一下孩子：“晚上你的大脑和膀胱是怎么互相说话的呀？”这样，在半睡半醒之间，他就会记住膀胱太满的时候要起来尿尿。就在孩子快睡着的时候，让他重复一下脑子里记得的程序，就像条件反射一样，知道膀胱觉得满了该干什么：“我感觉膀胱很胀就起来上厕所……我会往脸上泼水好清醒一点，嘘嘘三次。”蒙头睡去之前，要让孩子最后听到的话是：晚上他和他的膀胱应该怎么表现。如果你不想晚上和孩子一起起夜，在他的卧室里放一个闹钟，设定为孩子睡觉后 2 ~ 3 个小时内响，或者按照日志上记录的孩子经常尿床的时间提前设定闹钟。就在他睡着之前，告诉他闹钟响了该干什么："闹钟响了，你觉得膀胱满满的，于是你走到厕所，嘘嘘三次排空它。"务必在卧室通往厕所的过道上留好夜灯。孩子越大，就需要为尿床负更多责任，你不应该总在半夜被迫起床，那是他的膀胱，不过你可以做一位支持他的教练。

(6) **摇醒孩子**。大多数儿童尿床的时间是入睡几小时内，有的会在更晚的时间尿床。无论你的孩子属于哪种，你可以在睡觉前试试下面的演习：

- 彻底叫醒孩子，帮助他走到厕所。
- 让他在脸上泼水好彻底清醒过来。
- 让他"嘘嘘三次"彻底排空膀胱。
- 陪他走回床上。

叫醒孩子的时候，提醒他重复一下第五步中背诵的睡前条件反射程序。

(7) **奖励干爽的夜晚**。孩子掌握一项技能的时候你会激励他、奖励他，比如说音乐技能的提高，那么，当他掌握身体技能的时候你也应该奖励。试试贴纸表格，做一份日历，尿床的夜晚贴"W"，干爽的夜晚贴"D"。不尿床的日子让孩子自己把贴纸贴上去，一连出现五张 D 就奖励一次。对于那些需要几个月时间来进行夜间膀胱训练的孩子来说，也许更合适的奖励策略是以月为单位，比上个月的干爽夜晚多就奖励(比如允许他邀请朋友来过夜)，这通常会提供足够的激励。

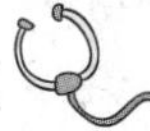

健康小贴士：
鼓励孩子去朋友家过夜

开始的时候你也许会觉得，让尿床的孩子去别人家过夜太尴尬了，不过这也能成为一种鼓励，此外，他可能会有至少一位朋友还在尿床。从鼓励孩子去最好的朋友家过夜开始，因为好朋友不太可能嘲笑他。和孩子谈到去别人家过夜时，你要表现出"没什么大不了"的态度，如果孩子觉得你没有因为他的问题"受辱"，他害怕的可能性就没那么大。告诉孩子朋友的父母他尿床的问题，他们大概能理解，可能还会想出些主意让孩子舒服一点儿。你可以让孩子带一条塑料床单，或是在睡袋里用别针别个垃圾袋。如果孩子想去的话，还可以鼓励他参加一周或两周的活动营。对于尿床，你越努力帮助他摆脱尴尬，它就越不成为问题。

（8）**试试高科技**。如果孩子大部分晚上还是会尿床，甚至在你尝试过上述步骤以后仍无改善，而且这种晚上的麻烦事儿越来越让他感到困扰，试试膀胱调节设备吧。这种设备在儿科医生处或网上有售，包含一块穿在孩子内衣里或是内置在床单里的湿度感应板，如果有一两滴尿液滴到感应板上，就会触发连在孩子睡衣领口的蜂鸣器。这项技术背后的原理是条件反射，孩子的膀胱一满，警报就会响起，满足了让孩子感觉到膀胱装满的条件，使孩子醒来。这个游戏的目标是“打败蜂鸣器”，对孩子来说，就是在警报响起之前起床去上厕所。这种设备我们在儿科实践中使用了 20 多年，成功率约为 90%。我们会在诊所的检查室里试用一次，教孩子和父母如何使用它。我们假装检查室就是孩子的卧室，然后排练整晚的程序。我们在诊所里做的排练是这样的，你在家也可以做：

- 去厕所“嘘嘘三次”，排光尿液。
- 按照制造商的说明书把设备连到孩子身上。
- 向孩子解释会发生什么：“蜂鸣器会在你晚上睡觉的时候帮助膀胱和大脑交流。假如你的膀胱满了，你就该起来了。想象一下自己醒来去上厕所。”
- 练习一次。在孩子躺在床上的时候，手动打开警报，让孩子听到警报就尽快跳下床，然后带着他走到卫生间，提醒他如何向脸上泼水来让自己清醒，让他“嘘嘘三次”排尿。将这一过程重复三次。

剩下的就取决于孩子了。记住，在没有完整演练之前不要使用该设备，要让孩子习惯警报的声音或振动，免得被吓到。

（9）**吃药治疗尿床？**我们非常不鼓励使用那些老套的药物来防止尿床，例如抗抑郁剂。根据我们的经验，睡眠障碍或焦虑之类的副作用比尿床本身带来的麻烦更加糟糕。DDAVP（醋酸去氨加压素）安全有效，它的作用机制是模仿抗利尿激素 ADH 的自然反应，减少夜间尿液生成。DDAVP 有鼻喷雾也有药片，睡前服用，2 ~ 3 个月后逐渐停药。记住，对付尿床也要采用“多保健，少吃药”模式，单靠药物不能让孩子不尿床，不过用药物来辅助上述保健技巧通常很有用。大多数时候，解决尿床的是保健而不是药片。

资源

我们在实践中使用两种膀胱调节设备：夜间列车 R（www.nitetrain-r.com）和嘘嘘报警器（www.pottypager.com）。

18. 胎记

在出生时或是出生后不久，几乎所有婴儿的皮肤上都会出现粉色、蓝色或红色的斑块，这是皮下多余的血管导致的。发育中的儿童皮肤成长很快，而皮肤里有大量高速成长的血管，包含多余血管的区域透过皮肤表现为胎记。

鹳咬痕

“鹳咬痕”是红色的斑块，最常出现在后颈、前额或眼皮上。从医学上说，这是痣，不过人们幽默地谑称其为“鹳咬痕”。它是多余的血管透过皮肤较薄的区域而导致的，随着宝宝的发育，这些区域的皮肤增厚，红斑会逐渐消退。宝宝哭时前额上的红点会更为明显，所以妈妈们戏称之为“额头上的灯”。这些胎记通常会在 1 ～ 2 岁时消退。

草莓斑

“草莓斑”是另一种常见胎记。从医学上说它叫血管瘤，发生的原因是皮下的血管长啊长，长到凸出了皮肤表面，有的斑块长得很大，就像草莓一样。草莓斑通常在一岁前出现，一岁或两岁时长到最大，3 ～ 5 岁起开始缩小，10 来岁的时候几乎彻底消失。草莓斑生长和消退的速度因人而异，待其中央开始变灰时，血管停止生长，草莓斑就会开始缩小消失。草莓斑无害，也不是癌症前期，通常不需任何治疗。有时候我们需要做激光手术或其他治疗让草莓斑收缩，尤其是斑块出现在干扰器官功能的区域时，例如眼皮上。虽然大多数幼儿都不会注意到这些“特别的记号”，不过别让孩子老去碰这些奇妙的红包包，因为可能导致流血或感染。

背部蓝斑

这种淤伤似的浅蓝色斑块很常见，出现在腰骶部和臀部，叫作“蒙古斑”，因为这种基因异常最初是在蒙古人中被发现的，这样的胎记在亚洲、拉丁美洲、非洲和美国本土血统的孩子中也很常见。这些斑点是含有色素的细胞（黑素细胞）过度富集引起的。

怎么办

这些常见的胎记无害，非癌症前期，通常到了学龄就会部分消退，有些胎记会在整个成年期以较轻的程度继续存在。

虽然这些斑点无害，有时候却会给父母惹麻烦。我们见过这样的案例，人们误以为孩子身上的胎记是“打屁股的淤伤”，于是父母受到了不实的指控。我们建议父母拍下这些胎记归档以自我保护，辩驳指控。我们的惯例是在孩子的情况表格中记录下胎记并告知父母这样的可能性。送孩子去日间托儿所时，家长也最好告知院方这些“特别的记号”，免得他们误以为是淤伤。

向孩子解释胎记。3 岁左右时，孩子可以理解胎记了，这时候可以和他玩看图讲故事，告诉孩子，他一生下来就有这些“特别的记号”，并给他看相应的图片。再次向孩子保证，很多孩子都有这种“特别的记号”，它们通常会随时间而消退。

19. 咬伤：人类、动物和昆虫

人类咬伤

这事儿早晚会发生，两个幼儿在一块玩上一个小时，就很可能有人被咬伤。这样的咬伤基本都不严重，不过你可以按照下列步骤清理伤口，看看是否需要看医生。

治疗

如果没破皮，那就什么都不用干。不过孩子的牙很锋利，所以如果出血了，请按照下列步骤尽量冲洗掉微生物。

- 冲洗伤口。你可以用厨房水槽或浴室里强劲的水流冲洗伤口，但这样的水不是无菌的。可能的话，最好去药店买一瓶无菌盐水、一具冲洗注射器（不带针头），用 8 ～ 16 盎司盐水冲洗伤口，也可以用无菌水。
- 使用消毒剂。也可以用稀释过的过氧化氢，也就是双氧水（一半水一半双氧水）或极稀释的聚维酮碘溶液（聚维酮碘与水的比例为 1：10）擦拭伤口，杀灭微生物，然后再次用盐水冲洗，避免消毒剂残留在伤口中。
- 使用抗生素软膏和绷带包扎。

什么时候该担心

大多数伤口不需要看医生，不过若是出现以下情况就得去了：

- 缝针。是否需要缝针请参考 P264。
- 脸、手、手指、脚或脚趾上的破皮咬伤。这些地方有很大几率受到口腔细菌感染，可能需要使用抗生素。如果只是被牙齿尖轻轻戳了一下，别担心。
- 如果你注意到伤口发生了感染（变红、流脓、伤口周围肿胀疼痛），去看医生。

动物咬伤

大多数动物咬伤来自家养宠物。狗比猫更容易咬伤人，不过猫咬伤的地方更容易感染。如果被未免疫的家养宠物和野生动物咬伤，可能有狂犬病的风险。

浣熊、臭鼬、蝙蝠和狐狸的狂犬病风险远高于猫狗，兔子、松鼠、老鼠和其他啮齿动物很少携带狂犬病。如果孩子被动物咬伤，请遵照以下指引：

治疗

如何治疗取决于伤口的严重程度。

小伤口。如果咬伤只有一点点破皮(轻微划破，未出血)，该动物也不太可能有狂犬病，当作普通的小伤口处理即可。用肥皂和清水彻底清洗，使用抗生素药膏预防感染，然后用干净的绷带包扎伤口。

伤口较深。如果咬伤很深，或者皮肤严重撕裂出血，请用洁净的干布加压止血，然后去看医生（下班时间请去急诊室)。

什么时候该担心

感染。如果你发现了肿胀、发红、越来越痛或是渗液之类的感染信号，请立刻去看儿科医生。根据咬伤的严重程度、被什么动物咬伤以及伤口位置，医生可能会开口服抗生素预防感染。脸、手、脚上的咬伤更有可能感染，靠近身体中央的咬伤不太可能感染。

怀疑有狂犬病。如果你怀疑咬伤孩子的动物可能带有狂犬病（见上文)，请立即去看医生或去急诊室。医疗人员会协助你判断是否需要接种狂犬病疫苗。如果孩子是被家养宠物咬伤的，请向主人索取免疫信息以确认该宠物是否接种过狂犬病疫苗；如果是被野生动物或看起来是家养宠物却找不到主人的动物咬伤，不要试图捕捉该动物，联系动物控制部门（如果找不到号码可以拨打110）寻求协助，可以对该动物进行检疫测试或观察有无狂犬病。

健康小贴士：
打一针破伤风加强疫苗

如果孩子最后一次注射破伤风疫苗超过5年，而且伤口很深或是很脏，那应该在受伤后48小时内打一针破伤风加强疫苗。

蛇咬伤

大多数人在日常生活中不会碰到蛇，不过生活在乡村地区的孩子很可能会碰上蛇，了解被蛇咬伤该如何处理十分有用。在不会被再次咬伤或受到其他损伤的前提下，尽量确认蛇的种类，弄清楚蛇是否有毒很重要。

怎么办

清理伤口。用肥皂和清水彻底清洗伤口。寻找并清除尘土或可能脱落在伤口里的蛇牙。

固定肢体。继续活动受伤的肢体可能会帮助毒液更快扩散。将受伤的胳膊用吊索挂起来，如果伤口在腿上，尽量不要走路，有夹板的话用上夹板，不过要小心别把肢体捆得太紧以免切断血流。不要让这些程序耽误你太多时间，尽快寻求急救。

寻求急救。如果你十分确定那条蛇无毒，不去急诊室没关系，像对待其他伤口一样自己在家处理就好。如果你不确定，或是你知道那条蛇有毒，请立即去最近的急诊室。

摘下首饰。如果肢体肿胀，可能需要切断首饰。

注射破伤风疫苗。和其他动物咬伤一样。

考虑抗毒血清。如果确认那条蛇有毒，医生会和你一起决定是否使用抗毒血清。中毒症状包括休克、肌肉无力、昏迷、呼吸困难和神经机能失调。这些症状可能在数小时内出现，也可能会延迟出现，医生会帮助你决定在医院里观察多长时间。

什么不该做

不要冰敷伤口。这可能会减少流向伤口的血液，增加组织损伤的风险。

不要试图切除或吸出毒液。切除会增加感染和组织损伤的风险，目前也没有证据显示吮吸能够有效移除毒液。

不要使用止血带。流向手臂的血液减少可能会增加组织损伤的风险。

蜂蜇

蜂蜇很痛，如果看到了蜜蜂，被蜇的时候通常会明显感觉到。有时候，孩子赤脚踩到了蜜蜂或是坐在地上也会被蜇，就算没看到蜜蜂，你很可能也会在被蜇的皮肤上找到蜂刺。

怎么办

移除蜂刺。可以用镊子或指甲。

冰敷。用在冰水里浸过的冷毛巾或是装满冰水的袋子（孩子通常受不了直接用冰）冰敷，若孩子受得了的话，时间越长越好，直至蜇痛好转。接下来几小时内你可能需要周期性地重复冰敷。

使用抗组胺药。如果患处肿胀，按照药膏管子上的说明搽一些苯海拉明(苯那君)。如果肿胀不消或是迅速恶化，给孩子吃一剂口服苯海拉明。有需要的话，每 6 小时重复一次。

什么时候该担心

蜂蜇唯一需要担心的是严重的过敏反应，幸运的是，大多数孩子不过敏。如果你的孩子出现了严重过敏反应的症状（气喘、呼吸或吞咽困难、手或脸肿胀——见 P134），请立即拨打 120 或前往急诊室。一旦知道了孩子对蜂蜇过敏，可以让孩子随身携带处方肾上腺素注射剂，以防再次被蜇伤时出现严重过敏。

蜘蛛咬伤

大多数蜘蛛无害。北美地区只有两种蜘蛛值得担心：黑寡妇和棕色遁蛛。

黑寡妇蜘蛛咬伤

黑寡妇是一种亮黑色蜘蛛，腿很长，躯干上有一个红色（有时候是橙色）的沙漏状斑记，体长约2.5厘米，包括腿在内。被黑寡妇咬伤，伤口周围会立即疼痛肿胀，痛性肌痉挛可能会持续6～24小时。这种咬伤几乎不致命，除非孩子的年纪太小或是被多处咬伤。

冰敷患处（帮助减缓毒液扩散），然后立刻打电话给儿科医生或是去最近的急诊室。别用止血带，但是保持冰敷至少20分钟。到达急诊室后，医生会监测孩子的生命迹象，如果咬伤严重，还会使用抗毒血清，也许还会用药缓解痛性肌痉挛。

棕色遁蛛咬伤

这种蜘蛛比黑寡妇小，也更难辨认。它体长约1.2厘米，包括腿在内，颜色为棕色，头上有黑色提琴状斑记。棕色遁蛛喜欢藏在阁楼角落里，所以在阁楼上翻找盒子的时候千万要小心。这样的咬伤要过一会儿才会痛，4～8小时后患处会形成水疱，水疱中央会变黑（浅蓝黑），然后出现溃疡或火山口状伤口。“火山口”是棕色遁蛛咬伤需要重视的部分，如果伤口变得很大，可能需要植皮。这种咬伤几乎不致命。

怎么办。用肥皂和清水彻底冲洗伤口，冰敷，然后打电话给儿科医生。可能的话，留下蜘蛛以供鉴别。如果咬伤得厉害，患处可能需要外科手术排液和清理。

其他蜘蛛咬伤

大多数蜘蛛——包括狼蛛——会导致不危险的局部反应。蜘蛛咬伤一般会疼痛肿胀一两天，就像蜂蜇一样。

家庭疗法。首先，用肥皂和清水冲洗患处，然后把嫩肉粉敷在患处。最好用棉球棒浸透一半嫩肉粉一半水的溶液擦拭，持续约10分钟。如果家中没有嫩肉粉，可以用冰敷。如果疼痛和肿胀持续不退，试试口服或局部外敷苯海拉明。

什么时候给医生打电话

- 咬伤处起了水疱。
- 咬伤处变黑（紫色或浅蓝黑）。
- 孩子出现肌肉痉挛。
- 咬伤处看起来感染了，有渗液迹象。

预防

- 翻动堆积的木头、排水管、石头堆、

窗台或在户外干园艺活儿的时候让孩子戴上手套。

- 如果发现了黑寡妇或棕色遁蛛，请在该区域喷洒杀虫剂。
- 天气变冷时蜘蛛会向室内转移，请做好准备。修理好门窗裂缝，在这些区域喷洒杀虫剂。

健康小贴士：上一堂自然课

与其杀光家里出现的所有无害蜘蛛（比如一般的长腿蜘蛛），不如和孩子聊聊蜘蛛如何网住苍蝇和蚊子。对于无害的蜘蛛，我们一般不去理会，或是安全地把它们放到户外。

蚊子、跳蚤和其他虫子叮咬

大多数昆虫叮咬没有长期的坏处，通常不需要去看医生确认咬孩子的是哪种虫子，因为治疗方法都一样：止痒、预防感染。毕竟医生一般也分不清楚是哪种生物拿孩子的嫩肉当了午餐。

怎么办

按照下面的建议止痒防感染：

冷却患处。把毛巾浸在冰水中，然后敷在患处。用冰块擦拭各患处亦可。

涂药。在患处涂抹局部麻醉凝胶（盐酸普莫卡因凝胶）是我们最喜欢的即时止痒法之一。如果患处被挠破了皮，可能会有刺痛，不过没破皮的话止痒效果很好。

敷药。柔和的粉色炉甘石洗剂能松弛瘙痒的患处。脸上的开放伤口不要用炉甘石洗剂，因为洗剂干掉后残余的粉末可能停留在伤口里，留下小疤痕。

蜱叮咬见 P529。

蝎蜇

被蝎子蜇伤可能很吓人，因为人们都认为蝎毒会致命。但事实上，美国大部分蝎子都是无毒的，毒蝎子主要生活在美国西南部的沙漠地区。若被蝎子蜇伤，最好在不会被再次蜇伤的前提下尽量抓住蝎子，这样有助于分辨它到底有没有毒。

怎么办

- 用肥皂和清水冲洗患处。
- 用冰冷却患处（不要直接把冰放在皮肤上，用冰包或冰袋）十分钟，间隔十分钟后再重复冰敷，作用是减缓毒液扩散。
- 摘下首饰。
- 尽量让身体受伤的部分保持不动，以减缓毒液扩散。

- 不要切开伤口或试图吸出毒液。
- 如果你能够抓住那只蝎子，请向专业人士求助，他们会帮助你鉴别蝎子的种类。

急救

如果确认蝎子有毒，或者你不确定它是否有毒，采取上述处理措施的同时应立即去急诊室。被毒蝎子蜇伤的症状类似于被其他有毒动物咬伤，包括休克、呼吸困难和神经系统症状，这些症状可能在被蜇伤两小时内开始出现。如果你确定蝎子无毒，要在家观察孩子，一般不需要打破伤风，因为蝎蜇的伤口不是很深。

20. 咬人行为

小朋友其他方面都很可爱，可是他偏偏会咬别人的手，可照顾他的也恰恰是这双手，这自然让父母困惑不已。不过，尽量不要把咬人和其他坏行为（例如拍打和尖叫）看成针对你个人的，大多数父母都会遭到小朋友的啃咬和拍打，这都是正常的行为，因为孩子还没有语言能力来表达自己的需求，所以他只好动用小手和嘴巴。有时候，这些小啃咬是闹着玩的交流，有时候则是表达挫败和失望。一旦孩子有了足够的语言能力来表达需求，这些坏行为就会消失。

怎么办

追寻诱因。是什么诱发了孩子咬人、打人？孩子累了、饿了、无聊了，还是有太多孩子挤在太小的空间里？尽量消除诱因，遏制这些行为。

用事实说话。用事实告诉幼儿，咬了会痛。轻柔慈爱地把他的前臂压在他的上颌牙处，给他看自己胳膊上留下的牙印。孩子咬人以后，立即向他演示这种咬自己的动作，这样他就会把两件事联系起来。这种方法重在教育而非惩罚，你要注意态度和方式，你希望的是他能学到“看，咬了会痛！”

不要回咬他。经常有人建议回咬孩子，但这种做法实际上并不明智，因为这会告诉孩子，咬人没关系，毕竟孩子会这样总结：“老爸老妈能做，那我也能做。”

把他和其他咬人的小朋友分开。孩子也许是从日间托儿所或者其他幼儿那里学到这些坏行为的，有可能的话，限制他和其他幼儿待在一起的时间。如果你的孩子接触到太多喜欢咬人、打人或是尖叫的小朋友，他也许会觉得这是“正常”行为，照样学样。

采用替代行为。引导孩子的小手，把拍打变成更能接受的身体替代动作，例如“击个掌！”

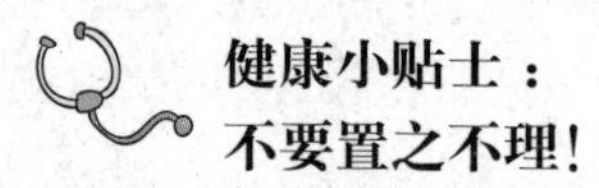

健康小贴士：
不要置之不理!

有时候，“别管他，他自己会好的”的确可以抑制坏行为，但我们更希望父母教给孩子更能接受的行为，帮助孩子摆脱坏行为。这种方法有双重的好处，它会帮助你发展出创造性的教养技巧，还能让孩子知道你是有价值的资源。你肯定希望在孩子心中早早建立这样的印象，孩子长大后，麻烦的等级提高了，他也会本能地向你寻求帮助。

21. 膀胱感染（尿路感染）

肾脏的主要工作之一是过滤血液中的废物、制造尿液，尿液会通过一根管子流到膀胱里，这根管子叫作输尿管。随后，尿液将通过膀胱进入另一根管子——尿道，最终排到尿布上或是厕所里。在这套被称为尿路的“管道”系统中，感染可能发生在任何一个环节。医生通常会把膀胱感染简称为尿路感染（UTI），虽然它通常只发生在膀胱或尿道。

孩子为什么会得 UTI

正常情况下尿路是无菌的，只要管道系统正常工作，尿液通畅，孩子能够轻松排尿，尿路就会保持无菌状态。人体的生理疾病有个原则：哪里的液体堵塞，哪里最终就会导致感染。所以，若有任何畸形、习惯或健康方面的问题阻碍尿路正常工作，孩子就会尿路感染。因为女孩的尿道较短，与阴道相连，阴道细菌更容易通过尿道进入膀胱，所以女孩比男孩更容易得 UTI。下面介绍孩子患 UTI 的几种原因：

肾脏或膀胱系统畸形。任何阻碍尿液正常流动的发育障碍（如肾脏生理学异常或任何输送尿液的管道障碍）都可能导致感染。最常见的畸形叫作膀胱回流：输尿管进入膀胱处的瓣膜失灵，使得尿液能够从膀胱回流到输尿管和肾脏中，于是孩子永远没法彻底排空膀胱。这些残留的尿液很容易造成感染，流错了方向的尿液如果停留多年，持续的回流压还可能导致肾脏损伤。

便秘。下消化道中高尔夫球似的粪便会挤压膀胱，让膀胱无法彻底排空。

憋尿。有时候，孩子会“忘了”上厕所，因为他们不想排队的位置被别人占掉，或是不好意思告诉老师自己要上厕所。在正常情况下，膀胱满了，传感器就会告诉大脑：“快去厕所！”可有的孩子，尤其是男孩，不太注意膀胱发出的信号。记住，膀胱必须定期排空以防感染。孩子玩电子游戏的时候尤其容易忽略上厕所的信号。

婴儿 UTI 症状

孩子越小，感染的诊断就越困难，因为婴儿没法告诉你他痛不痛，而且他们排尿很频繁，UTI 的迹象并不明显，尤其是在头几个月里。有两个潜在信号需要家长注意：

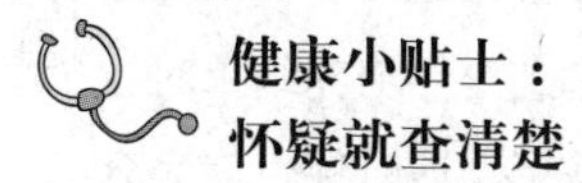

健康小贴士：怀疑就查清楚

婴儿 UTI 的信号和症状很模糊，所以如果你的孩子病了，却没有明显的病因，儿科医生基本上总会查查宝宝的尿，这有两个原因：第一，UTI 如果未加诊断，反复发作，可能导致肾脏损伤；第二，最开始时 UTI 可能并不严重，可如果不加诊治，任其进一步发展，细菌可能会扩散到血流中，导致宝宝生重病甚至需要住院。UTI 越早诊治越好。

原因未知的发热。如果宝宝发烧，你和医生都找不出原因，那可能是尿路感染。

宝宝病了，却没有明显的原因。宝宝没精打采、呕吐、发烧、“像换了个人似的”。

给宝宝验尿

你没法叫一岁的孩子“尿到一个杯子里”，所以我们将介绍你和医生可能采取什么方法诊断宝宝是否有 UTI：

给宝宝套个袋子。医生诊所的护士（或家长）可以在宝宝的阴道或阴茎处套一个特制的袋子，再在外面裹上尿布。护士事先会擦拭宝宝的阴部，去除该区域正常生长的细菌，宝宝一尿到袋子里，护士或医生就会用其做尿检，可能会检查出 UTI。袋子里的尿样通常不是完全无菌的，不过这至少是个方便的办法。如果尿样中没有 UTI 的迹象（出现血迹、白细胞或亚硝酸盐——这是一种细菌产物），宝宝患 UTI 的可能性就很小，不过也不能完全排除。但是，如果尿样显示出 UTI 的证据，也许就得往实验室送培养样品了（见下）。

准备一个杯子。清洗阴茎或阴唇，给宝宝喂奶，别裹尿布。准备无菌杯来接尿液，取“尿到一半时的样品”。虽然这种取样方法更难，不过比用袋子取样准确。医生会进行尿检并将样品送到实验室培养，让细菌生长。尿样培养会得出两项有价值的信息：(1) 宝宝是否患有 UTI；(2) 如果培养结果为阳性，那么入侵的是哪种细菌。然后，实验室会做抗生素敏感性测试，确定哪种抗生素对入侵细菌最有效。

导管取样。如果宝宝病得厉害，需要非常准确的诊断，医生可能会做导管取样：把一根很细的导管通过尿道插入宝宝的膀胱。当然，这种取样方法更痛，不过要鉴定入侵细菌，这是最准确的办法，因为这会避免正常生活在阴茎和阴道周围的无害微生物污染取到的尿样。

儿童 UTI 症状

孩子越大，患有 UTI 的症状就越明确。最常见的症状包括：

- 尿频
- 突然急着尿尿，每次却只尿一点
- 尿液的外观或气味异常
- 尿痛或尿尿灼烧感
- 发烧：如果感染的只有膀胱则不会发烧，发烧通常意味着更为严重的肾脏感染

治疗

根据上述症状，如果医生怀疑孩子患有 UTI，他会在诊所里检查孩子的尿液以确认。医生会叫孩子清洗阴唇或阴茎，取“尿到一半时的样品”或者“尿到杯子里”，显然，你需要帮助孩子取样。然后，医生可能会将无菌尿样送到实验室培养以鉴别微生物。

如果孩子的症状和尿检结果均显示为 UTI，儿科医生会给孩子开最可能有效的抗生素。从另一方面来说，如果诊断仍有疑问，医生可能会等待尿样培养的结果，然后再开抗生素。

什么时候该在培养结果出来之前开始治疗，什么时候应该等等看，具体取决于孩子的症状有多明显，身体有多难受。

对于没有发烧的轻微膀胱感染症状，如果你和医生决定等等看，你可以先让孩子每天喝三杯蔓越莓汁（或是吃健康食物店买来的蔓越莓提取物）、吃两次维生素 C（1 ~ 4 岁的孩子每次 250mg，5 岁以上每次 500mg），把感染冲掉。等你拿到尿样培养结果时，孩子可能觉得好些了，这时候也许完全不需要抗生素了，哪怕培养结果是阳性的，你应该和医生谈谈这种方法。

健康小贴士：在家取尿样

如果你怀疑孩子患有 UTI，希望正确地取尿样送到医生诊所，可以采取下面的办法：

- 取清洁的“尿到一半时”的样品，最好的时间是早上第一次排尿。
- 清洁阴茎或阴唇。
- 准备无菌杯（或是用沸水消过毒的罐子）。务必先让孩子尿几秒钟后再取样，杯子里只需要接大约一厘米深的尿液。
- 立即把尿样送到医生诊所。如果你预约的时间较晚，先把尿样储存在冰箱里。

严重 UTI 或肾脏感染的症状

UTI 诊治的目标是防止感染向上扩散到肾脏，如果已经扩散，下面的症状表示孩子可能发生了肾脏感染：

- 病得比膀胱感染厉害
- 可能高烧达 40 度
- 腰侧或背部下方肾脏的位置疼痛
- 下腹疼痛
- 打冷战、发抖
- 呕吐

如果医生怀疑孩子有肾脏感染，会给孩子做同样的尿检。儿科医生可能还会抽血查验感染是否进入血流，肾脏感染出现这样的情况很常见。治疗肾脏感染通常需要肌肉注射或静脉注射更强力的抗生素。根据病情的严重程度，抗生素生效期间孩子可能需要住几天院。

预防

预防 UTI 的两个简单目标：

- 清除尿液里的微生物
- 保持尿路畅通

你可以采取下列方法帮助孩子防治 UTI：

避免局部刺激。强效肥皂、泡泡浴和紧身衣物都可能刺激到女孩的尿道。避免在含肥皂的洗澡水或泡泡浴中久坐，可以降低你家小姑娘罹患 UTI 的风险，洗澡的时候让她只在温水里玩，最后准备出来时再用肥皂。

教孩子正确地擦拭。教你的小姑娘从前往后擦屁屁，而不是从后往前，避免阴道微生物进入尿道。

教孩子听从膀胱的信号。鼓励孩子听从膀胱的信号（教育孩子听从膀胱信号的对话模式见 P183，“尿床”），及时尿尿。

治疗便秘。让小肠子保持运动（见 P245，“便秘”）。

教孩子排空膀胱的技巧。急匆匆的孩子常常不会排空膀胱，教孩子“嘘嘘三次，尿干净”（深入了解排空膀胱的技巧请见 P183，“尿床”）。

每天喝果汁。鼓励孩子每天喝一杯蔓越莓汁或吃一片蔓越莓提取补充剂（健康食品店有售），还可以每天给孩子吃蓝莓。这些浆果中的植物营养素可以阻止细菌黏附在膀胱壁上，因此减少感染的概率。

复发性 UTI：医生可能给出的建议

如果孩子患有复发性 UTI，重要的是确保他尿路没有结构上的异常。我们的目标是尽量减少 UTI，保护发育中的肾脏，所以医生可能会建议全面检查孩子的尿路，确认结构正常。需要的测试如下：

- 超声波也许能检查出重大的结构异常。
- VCUG——排泄性膀胱尿道造影。在这种测试中，放射科医生会将导管插入尿道，向膀胱中注射染料，待孩子排空膀胱时，医生会拍摄X光照片。VCUG很有用，因为它会检测引发复发性UTI最常见的异常——膀胱输尿管反流（VUR），又称膀胱回流，这是复发性UTI患儿最常做的测试。

如果孩子的VUR并不严重，医生可能会采取等等看的办法，期待瓣膜发育成熟，自行矫正。如果症状在恶化，孩子可能需要每天吃抗生素确保尿路无菌，同时你和孩子要采用上述方法，认真锻炼膀胱。如果VUR严重或无法自愈，医生可能会推荐门诊手术矫正瓣膜。目前有一种新的治疗方法叫作DEFULX抗反流，医生会在失效的瓣膜处注射愈合凝胶，这种方法的侵害远小于手术矫正。据估测，大约1%的儿童患有程度不一的VUR。

22. 水疱

水疱通常是摩擦或烧烫伤（烧烫伤处理见P210）导致的，最好的处理方法是保持水疱完整。水疱外面未破损的皮肤是细菌的天然屏障，可降低感染风险。你可以用粘贴式绷带保护小水疱，再盖一层外敷的大块透气纱布，吸收水分的同时让伤口透气。

如果水疱很大，承受的压力较大，或是位于常常受到摩擦的部位，你可以放干里面的水，缓解部分疼痛。方法如下：

- 用肥皂和水清洗手和长水疱的部位。
- 用消毒剂或医用酒精擦拭水疱。
- 用医用酒精擦拭锋利的针，给它消毒。
- 用针在水疱边缘扎几个小孔，让液体流出，但外面那层皮肤要留在原地。
- 用抗生素软膏涂抹水疱并用绷带包扎。

几天后，用医用酒精消毒剪刀，然后剪去死皮，继续用抗生素软膏和绷带包扎开放的水疱。

感染信号。如果发现下列信号，请打电话给医生：

- 化脓
- 发红
- 越来越痛
- 皮肤发热

预防。重要的是在水疱出现之前搞清楚哪里可能起水疱。穿新鞋的时候你常常可以预感到“高危区域”，你也应该记住，长途步行或是远足都很容易让脚上长水疱，而骑自行车或者划船容易让手上起泡。你应检查摩擦发热或是发红的部位，用手套、袜子、绷带或类似护具保护被摩擦的部位。有些特殊的运动袜在关键部位有额外的缓冲，你也可以在鞋子里的“高危区域”垫上厚绒布以预防或减少摩擦。

23. 大便带血

宝宝大便中出现血迹最常见的两个原因是直肠裂伤和食物过敏。

直肠裂伤。这是直肠内壁的轻微撕裂。直肠裂伤表现为大便中只出现几点鲜红色血迹。很多时候，医生检查宝宝的直肠时也许能看见裂伤，而直肠裂伤最常见的原因是便秘（见 P245）。

食物过敏。大便带血的第二常见原因——也是更加有害、更值得担心的原因——是食物过敏使得肠壁受到刺激引起的出血。最常见的两位肇事者是牛奶和小麦。食物过敏而非直肠裂伤引起大便出血，出现的通常是暗红色甚至黑色的血迹，因为出血发生在更深层的肠道里。另外，在食物过敏情况下大便可能更稀、更疏松、黏稠、略带绿色，而直肠裂伤排出的大便更为紧实，不黏稠也不带绿色。

健康小贴士：注意“靶信号”

食物过敏会产生酸酸的大便，所以线索之一便是孩子肛门周围出现烧烫伤似的红疹，这是因为皮肤受到了频繁大便中酸性物质的刺激。如果你看到了这样的“靶信号”，而且孩子出现了食物不耐受的其他信号和症状（如腹痛、腹胀、皮疹、大便带有前述特征），请务必告诉宝宝的医生。

怎么办

直肠裂伤失去的血液通常不足以让宝宝贫血，除了采取一些措施让宝宝的大便疏松一些以外，你还可以在宝宝的直肠周围搽少许甘油或其他润滑剂来让大便更容易地通过裂口，甘油栓剂也有帮助。

食物过敏引起的失血更应重视，因为食物过敏的婴儿可能失去过多的血液，从而造成贫血，出现这种情况应尽快去看医生（详见相关章节 P143，“贫血”；P336，“食物过敏”）。

24. 幼年儿童狐臭

对大多数有腋下狐臭的前青春期

儿童来说，这只不过是讨厌的小毛病。与大众的普遍认知相反，汗液不臭，汗液接触到皮肤才会产生臭味。有的孩子出汗很厉害，这种小毛病叫作多汗，而有的孩子青春期出汗比其他人开始得早，甚至6～8岁就会开始。虽然孩子出多少汗是由基因决定的，因人而异，不过好消息是，要改善汗液的气味，你有很多可用的方法。

健康小贴士：
多用“小毛病”这个词

在讨论许多异常的行为、体征、身体麻烦的时候,“小毛病”这个词比“病”“症”之类的词好。小毛病的意思仅仅是说无害的不同之处，不会让孩子太过敏感或产生不必要的担心。你要向孩子解释：“我们每个人都有小毛病，这是你的小毛病，不过我们可以这样来解决。”使用“小毛病”这个词，可以帮助孩子建立“没问题”“别担心”的态度。在儿科实践中,我们经常使用“小毛病”这个词儿，我们发现，它的褒贬性不那么强，听起来也不那么让人担心。

原因

首先，我们来理解孩子如何出汗，如何防止汗臭。有的孩子活跃的汗腺较多，皮肤上藏纳的细菌也较多。孩子全身共有数百万个汗腺，在童年期早期，这些汗腺没有发育，所以孩子很少出汗；大约在童年期中期，汗腺部分发育；青春期，汗腺完全发育，开始真正地工作。孩子的身体会产生两种汗液：位于身体光滑表面的汗腺分泌出的汗液主要是水，几乎无味，而毛发区域附近，例如腹股沟和腋下，这里的汗腺分泌出的汗液里含有一些蛋白质和高脂物质，正常生活在皮肤上的细菌靠这些高脂物质为食，于是散发出气味。记住这一点很重要：产生气味的是那些靠汗液为生的细菌，因此，除臭的方法自然是控制这些细菌。

腋下体味过重可能是青春期早期或青春期提前的信号,下次常规检查时，请务必把这个小毛病告诉孩子的医生，医生会检查孩子有无青春期提前的其他信号，例如腋下或脸部毛发增长、胸部增大或长出阴毛。如果孩子没有青春期提前的信号，那你就把体味看作无害的小毛病吧，它不是健康问题。

帮助孩子减轻狐臭的六种方法

（1）帮助孩子理解出汗的小毛病。出汗过多是一种遗传性倾向，尤其是手掌和脚底多汗。如果孩子遗传了这种倾向，把它当成小毛病就好，这并不意味着他有什么问题，有的人就是出汗比别人多。要向孩子解释，处理自己的小毛病是个人卫生的一部分。有的人吃辛辣食物时出汗更多，情感也会让人流汗，尤其是手掌和上唇周围，但这并不意味着有什么问题。

（2）**保持皮肤清洁**。如上所述，发出臭味的是以汗液中的脂类物质为食的细菌，所以皮肤上的细菌越少，气味就越轻。家长可现身说法，教育孩子汗臭来自细菌的盛宴，他会明白，用肥皂和水洗掉“虫子”会让他的汗不那么臭。孩子明白了为什么需要洗手、洗澡，他就更愿意去做。务必让孩子冲洗干净，教多汗的孩子勤洗腋下，每天多洗几次，尤其是在玩耍之后，并教孩子彻底擦干身体，皮肤的某些部位（例如腋下、腹股沟和趾间的皮肤皱褶）如果不擦干，会进一步促进细菌生长。再说一遍，家长应提醒孩子，让细菌“大吃”汗液的时间越少越好。

（3）**吹干汗水**。最臭的汗来自身体折叠起来的部位，如腋下和腹股沟。穿宽松的棉质衣物，让皮肤自如呼吸，让空气流过这些部位等，都可以推迟细菌的盛宴，从而延缓臭味的出现。

（4）**用纯净的食物“喂养”皮肤**。孩子吃的食物能够影响汗水的气味，因为汗水属于身体垃圾处理系统的一部分，你吃进身体里的垃圾越少，身体需要处理的垃圾就越少。在儿科实践中，我们得到过很多次这样的验证：给孩子吃“纯净”膳食（尽量吃有机食品、未加工的纯粹食物）的妈妈们发现孩子的汗臭减轻了。家长也要让孩子孩子学习到这一点：垃圾的食物会制造出垃圾的汗水。

（5）**若有必要，使用除臭剂，但别用止汗剂**。物如其名，除臭剂用于掩饰汗臭，而从另一个方面来说，止汗剂实际上是一种堵塞汗孔、减少出汗的化学品。我们不鼓励前青春期的孩子使用止汗剂，因为许多止汗剂里含有刺激性化学品，而且堵住的毛孔很容易引起炎症，所以还是用最温和的除臭剂吧。腋下皮疹在使用除臭剂的孩子中十分普遍。给孩子用除臭剂没问题，不过它是用来辅助而非取代上述控汗措施的。一旦出汗过多变得更为明显（青春期时），那用除臭剂和止汗剂都可以。

（6）**不要表现出被冒犯的样子**。最好别把孩子的狐臭太当回事儿。小朋友很敏感，他们常常会觉得：“我的汗是臭的，所以我是臭的。”所以，如果孩子真的问起，你应该解释说，有人就是有这种小毛病，这只是生命中的小麻烦而已，你会帮助他解决。让孩子觉得你受到的困扰越少，孩子自己的困扰就会越少。

25. 疔

疔是皮肤上的红色肿块，就像大型

丘疹，有触痛感。疖可能发生在身体任何部位，不过最常见的是腋窝、臀部、肩部、颈部和脸部。

原因

疖是毛囊或汗孔受到细菌感染的结果。金黄色葡萄球菌(通常简称为“葡萄球菌”）在我们的皮肤上很常见，通常不会引发问题，不过，这些细菌可能进入我们感染的汗孔或毛囊，导致抗炎物质（血流、白细胞和其他抗炎化学品）蜂拥而至，与感染开战，形成充满脓液的疖。身体表面的细菌通过皮损（如抓伤或割伤)渗入也可能引发疖。糖尿病、湿疹、免疫系统薄弱或贫血的孩子更容易长疖，所以，如果孩子长疖超过三个，请告诉医生。

怎么办

孩子的免疫系统通常会在几天内自行打败感染，疖会慢慢愈合。我们可以通过下列措施促进疖愈合：

清洗患处。每天数次用肥皂和温水轻柔地清洗患处。

热敷患处。用一块干净的布浸透热水，加压热敷患处 15 分钟，每天 3 ～ 4 次。这样可以帮助杀灭细菌，促进疖尽快长出头来，成熟流干（不要用太热的水，以免烧烫伤）。

让疖自己爆开。不要试图挤破疖，这可能导致细菌进入皮肤更深层的组织。你可能会注意到，疖的中央会渐渐出现白色或黄色的头。如果疖爆开了，继续用温水热敷，辅助将脓液清理干净。可以用肥皂和清水冲洗患处，涂抹局部抗生素软膏促进其愈合。

包扎患处。疖的头爆开后，用无菌敷料包扎患处，预防感染扩散。

什么时候该担心

如果出现下列症状，请去看医生：

- 疖没有好转。
- 疖变得更大而非更小。
- 疖没有长出头。
- 孩子开始抱怨越来越痛。
- 患处出现红色条纹并扩散。
- 孩子开始发烧。
- 皮肤上长了好几个疖。
- 孩子有潜藏的健康问题，例如糖尿病或免疫缺陷。
- 疖长在眼睛附近。

如果出现上述症状，医生可能会开口服抗生素并提供处理伤口的更多建议。一直恶化的疖可能会变成脓肿，这种情况需要手术排液以彻底清除感染。但这一般就是个简单的门诊小手术，有的大型脓肿可能需要短期住院接受进一步治疗，通过静脉注射抗生素以彻底清除脓肿。

预防

孩子可能一直长疖，甚至可能传染给家里其他人。下列措施可以尽量预防长疖：

- 阅读P033，“增强孩子的免疫系统”。
- 一旦疖破渗液，注意保持患处清洁，用无菌敷料包扎。
- 长疖之后使用1～2周特制杀菌肥皂。
- 长疖之后用热水清洗孩子的所有床品、面巾和毛巾。
- 引发疖的细菌通常来自鼻腔，在鼻孔里搽几周处方抗生素软膏可以根除这些细菌。如果医生怀疑孩子或其他家庭成员携带葡萄球菌，他可能会培养鼻腔样品进行观察。
- 医生可能会取一份渗液的样品或是做血检来排除潜藏的健康问题。
- 请见相关章节：P417“MRSA：耐甲氧西林金黄葡萄球菌”。

26. 呼吸困难

婴儿和儿童出现呼吸困难的原因多种多样，这一情况通常需要医生来评估。下面我们将帮助你学习最佳的解决措施。

症状

重要的是分清孩子的呼吸问题属于哪种，这能帮助你缩小怀疑范围，搞清楚自己能做什么。

喘音。这是一种急促而尖锐的破裂音。如果孩子有哮喘或是曾出现过气喘，那你对它可能很熟悉了。如果你只在孩子呼气时听见喘音，那是个好兆头，表明情况不太要紧；如果孩子呼气和吸气都有喘音，那就严重一些。喘音通常不会在咳嗽后完全消失。对新手父母来说，无害的胸闷听起来像是气喘，不过这种声音好好咳一阵就会消失。

喘鸣音。这个词描述的是孩子吸气时嘶哑粗嘎的声音。你也许还会注意到，孩子声音嘶哑，可能还有听起来很奇怪的咳嗽，就像海豹的叫声一样。

回缩。这个词指的是孩子吸气时皮肤向内凹陷，你可以在腹部（胸腔下方）或颈部胸腔上方观察到回缩。回缩意味着孩子很难把空气吸进肺里。

呼吸急促。如果孩子的呼吸比平常急（每分钟呼吸的次数超过30～40次），那意味着为了摄入氧气，他的肺部必须更加努力地干活。

呼吸吃力。呼吸吃力指的是孩子不得不利用肩部肌肉协助将空气吸入肺部。孩子可能每次呼吸都会抬起肩膀，甚至还会向前倾身或是用胳膊撑住什么地方。

不要紧的症状

有的父母看到或听到异常的呼吸音或呼吸模式，担心孩子可能有什么要紧的毛病，不过实际上可能不用担心。下面是一些无害的信号：

胸闷。如果你听到孩子肺部有模糊的震颤音，好好咳一阵就会消失，那很可能只是无害的上呼吸道黏液引起的。幼儿进食时也常常出现这种无害的声音。

健康小贴士：发烧和呼吸急促

如果孩子发高烧时呼吸急促，别忙着担心。呼吸急促是发烧的正常反应，可以排出一部分多余的热量，与其担心孩子的肺有什么问题，不如先退烧。如果体温降低以后，孩子的呼吸仍然急促，那就该去看医生或是给医生打电话了。详见P325，“发烧”。

鼻塞。幼儿严重鼻塞时似乎听起来每次呼吸都很艰难，父母可能担心孩子的肺有问题。如果宝宝每次呼吸都重重喷气，试试我们在P021介绍的鼻部清洁法，你很可能会发现这些暂时的困难一下子就缓解了。

咳嗽时倒抽气或气紧。孩子咳嗽时可能发出千奇百怪的声音，这时候无论你看到或听到什么都别担心，重要的是孩子不咳时呼吸是什么样的。

原因

呼吸困难有许多原因，下面我们列出一些可能的病因，看看孩子最像是哪种：

哮喘发作。如果孩子第一次发生气喘，那可能是哮喘发作，你可能还会注意到他出现呼吸吃力和回缩。判断和处理方法详见P155介绍哮喘的章节。

呼吸道合胞病毒（RSV）。RSV是一种常见的感冒病毒，会感染幼儿肺部，引起流鼻涕、咳嗽和气喘，你也许还会注意到回缩。如果宝宝有这些症状，请见P462的相关内容。

过敏反应。如果孩子刚刚吃了可疑的食物或是刚刚被昆虫咬了就开始气喘，那很可能意味着麻烦的过敏反应。见P133，“过敏反应”。

反应性呼吸道疾病（RAD）。普通感冒病毒让肺部受到轻微刺激、诱发气喘时，可能会出现RAD，它是哮喘的温和版本，不过只会在感冒期间出现。如果孩子感冒气喘，请见P156。

哮吼。这种病毒性疾病常常导致伴有粗嘎音的喘鸣音，还会有海豹叫声似的咳嗽。如果孩子出现这种症状，请见P255。

肺炎。这种感染常常导致呼吸急促吃力，甚至退烧以后也无改善。详见P445。

吸入异物。如果孩子发生窒息或是吸入了异物，你可能会听见喘鸣音或气喘，可能还有呼吸吃力。见P222。

什么时候该担心

除了本书其他部分提供的信息与上述症状，下面我们将提供指引，帮助你判断孩子的情况是否紧急：

- 轻微气喘或胸闷，但没有呼吸急促、吃力或回缩症状——这意味着孩子的情况基本可以等到第二天诊所开门。试试本页我们提供的清肺技巧。
- 轻微喘鸣，但没有呼吸急促、吃力或回缩症状——这种情况下，你应该给医生打个电话告知症状，这样他们可以帮助你决定是否该去看医生。
- 若是出现呼吸急促、吃力或回缩症状，应该立刻去看医生，下班时间请去急诊室。

27. 支气管炎

支气管炎是一种肺部上呼吸道感染。人们普遍错误地认为支气管炎是细菌性的，需要抗生素治疗，但事实并非如此。支气管炎很多时候是病毒引发的，尤其是在幼儿和儿童身上，不过病毒性感冒和咳嗽可能会引发细菌感染，因为感冒时停留在上呼吸道里的黏液会让细菌滋长。下面我们将指引你理解、诊断和治疗支气管炎。

症状

发生支气管炎时，发炎的上呼吸道（无论引发炎症的是细菌还是病毒）会比普通感冒咳嗽产生更多、更厚的黏液。你会发现下列症状：

- 低沉的咳嗽
- 呼吸受阻，胸口有颤音
- 咳嗽时胸口或喉咙痛

怎么办

治疗方法类似于普通咳嗽和感冒，不过要重点解决胸闷：

蒸汽浴。花点儿时间，让孩子待在充满蒸汽的浴室里并用嘴巴深呼吸，或是尝试我们在P021介绍的其他方法，每天至少三次。

清肺。我们建议白天不要吃止咳药（除非咳嗽对孩子干扰很大），要鼓励孩子时不时咳一咳，清清肺。化痰止咳糖浆可以帮助疏通厚厚的黏液，让孩子更容易把它咳出来，天然的草药补充剂（如

百里香 - 常春藤叶合剂，见 P229）也有所帮助。

叩击胸部。孩子做完蒸汽浴或是吃过化痰药以后，花几分钟时间轻轻叩击胸腔正面、侧面和背面，这能帮助摇松黏液，让孩子更容易咳出痰来。

健康小贴士：痰可以吞下去吗?

很多父母向我们诉说他们的担心：孩子不把咳出来的痰吐掉，他们担心吞下痰液会让疾病缠绵不愈。可是事实并非如此。只要孩子把痰从肺里咳了出来，痰液下一步的去向就无关紧要了（吐到垃圾桶里、水槽里或是吞下去最后排到厕所里，都没关系）。

什么时候该担心

孩子刚开始咳得厉害的时候，没必要马上冲到医生诊所去治支气管炎，因为大多数儿童支气管炎是病毒性的。不过如果出现下列迹象，那可能是需要使用抗生素的严重细菌感染：

- 咳嗽时胸口或喉咙中度至重度疼痛，而病毒性支气管炎不会在气道内引起太多疼痛。从另一方面来说，细菌可能引起组织溃疡，导致咳嗽时出现明显疼痛。
- 发烧超过五天，或高烧超过三天，必须去看医生。
- 呼吸急促、吃力或是气喘。如果孩子的呼吸持续恶化，请立即去看医生。这可能是肺炎（见 P445）或哮喘发作（见 P155）。

28. 暴食

这种疾病又名神经性暴食症，由暴食活动和催吐、催泻活动组成，通常因为体型失常而引发。这种疾病在女性中的发病率远高于男性，青春期女孩的发病率最高。暴食症的典型阶段包括暴饮暴食，稍后自我催吐或使用泻药排出体内过量食物，可能还会使用利尿剂或灌肠剂。暴食症通常会经历饮食习惯失控的感觉，而患者试图用催吐、催泻行为纠正暴食。这种疾病的病程可能非常长，常常持续数年甚至数十年，如果不加恰当治疗，它可能导致长期严重的健康问题。

信号与症状

暴食与催吐、催泻。暴食与催吐、催泻行为常常十分隐秘。如果孩子的体重远低于其食量应有水平，那他可能在暗地里催吐、催泻。

自我催吐。这是暴食症的典型

线索。

指关节上的伤痕。孩子常常用手催吐，牙齿可能会在指关节上磕出伤痕。

不当使用泻药或利尿剂。孩子可能过度依赖这些药物。

龋齿与牙釉质腐蚀。当口腔不断接触胃酸，牙釉质可能受到侵蚀，引起龋齿。

电解质失衡。反复呕吐可能导致体内电解质水平偏低，特别是钾，这可能导致严重的健康问题，甚至致死。

严重脱水。过度使用泻药、利尿剂和反复呕吐可能导致孩子失去过多体液。

过度在意体重。孩子可能总喜欢称体重，表达对自己体重的不满。

个性过于争强好胜。孩子可能表现出对完美和成功的过度焦虑。

产生抑郁或其他情绪障碍的信号。在暴食症患者中，抑郁症的发病率很高。

长期并发症

- 牙齿持续接触胃酸引起严重的龋齿
- 反复呕吐引起食道撕裂，进而导致严重的消化道出血甚至致死
- 长期滥用泻药引起的慢性便秘，身体对泻药产生耐受
- 失去过多体液导致脱水
- 胰腺炎——暴食与催吐、催泻导致胰腺过度分泌消化酶，可能引起胰腺发炎，甚至致命
- 电解质异常，尤其是低钾，这可能导致心律不齐、猝死
- 罪恶感和失控感会导致严重的心理问题，尤其是重度抑郁
- 自杀风险（暴食症患者自杀率更高）

请注意，暴食和厌食（见P145）的信号可能同时出现在一个人身上，这两种疾病的患者长期预后都十分不乐观。虽然暴食的原因未知，但它应该与社交方面的原因有关，可能还有基因方面的原因。暴食常常出现在家庭发生重大问题的时刻。在他人眼中完美无缺的人或是过度看重外表的人，罹患暴食的风险较高。

治疗

如果出现前述严重并发症，那可能需要住院治疗，在解决危及生命的并发症之后，还需进行长期治疗。请咨询营养学家，制订健康饮食计划，这十分重要。行为矫正技术已被证明对暴食的治疗很有效，应由有治疗暴食症经验的专家来实施。有时也许还需要进行精神科咨询，使用抗抑郁药来配合其他情绪改变技术。另外，评估自杀风险也很有必要。

目前，有许多很棒的后援组织在帮助暴食症患者，为他们提供强大的资源。

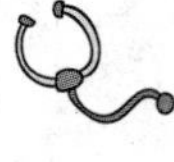

健康小贴士：

全家参与

我们必须把暴食看作群体问题，或者说家庭问题，它不光是孩子一个人的事情，有必要让整个群体或家庭参与到上述治疗活动中。当家庭得到帮助，个人也会得到帮助。

29. 烧烫伤

我们在诊所里常常接到父母心急如焚的电话，说孩子刚刚被烧伤或烫伤。我们强烈推荐父母在烧烫伤发生之前阅读本章节，重点注意预防烧烫伤的建议。大多数烧烫伤是热水或热饮料造成的，其他原因包括火、热炉子、灶台、油脂、电卷发器、电吹风、暖气、蒸汽发生器和熨斗。根据受伤面积和深度，烧烫伤的严重程度分为一级、二级和三级。

健康小贴士：

别挑水疱！

最好让水疱保持原样。水疱外面未破损的皮肤是细菌的天然屏障，可降低感染风险，加速愈合。

一级烧烫伤。伤到的只有皮肤最外层，皮肤会红肿疼痛，但没有水疱。一级烧烫伤通常在家就可以治疗，除非影响到手部、足部、脸部或腹股沟的大片区域。

二级烧烫伤。皮肤的内外层都被烫伤，疼痛程度比较严重，皮肤会严重发红，出现水疱。如果是小面积（直径小于5厘米）的二级烧烫伤，在家治疗一般没问题。如果烫伤面积太大，或是伤在手部、足部、脸部、腹股沟、臀部或主要关节处，请寻求医疗救助。

三级烧烫伤。这种烧烫伤通常不痛（因为痛觉神经受损），但却是最严重的。三级烧烫伤波及皮肤所有层级，甚至还会影响到脂肪层、肌肉层和骨骼。受伤部位可能被烧成黑色，或是显得又干又白。小面积（小于硬币面积）的三级烧烫伤请打电话给儿科医生，如果面积较大，请直接送往急诊室。

怎么办

尽可能冷却伤处。立即用冷水冲洗伤处。一般来说，水龙头里流动的冷水足以冷却伤处，可能的话，也可以在水桶里加一些冰块浸泡伤处。持续冷却伤处15分钟，但不要把大面积严重烧烫伤区域浸入冰冷的水里——这可能导致休克。

不要搽黄油或软膏。

覆盖大面积烧烫伤。用干净的湿布或塑料布轻轻覆盖伤处。在你去急诊室的途中，这会减轻疼痛、保持伤口干净。

如果出现下列情况，请打电话给儿科医生：

- 三级烧烫伤。
- 直径超过5厘米的二级烧烫伤。这种情况可能需要处方烫伤膏磺胺嘧啶银。
- 位于手部、足部、脸部、腹股沟、臀部或主要关节处的任何烧烫伤。

拨打120。如果孩子出现呼吸困难或伤得很严重，请拨打120。

家庭疗法

经过上述急救处理之后，小的烧烫伤通常可在家治疗。

止痛剂。使用布洛芬缓解疼痛。轻度一级烧伤可喷涂晒伤喷雾。

保持水疱完整。水疱的外层是避免感染的最好防线。

清洗伤处，每天用温水清洗一次。除非伤处脏了，否则不要用肥皂洗（肥皂会延缓愈合过程）。

用抗生素软膏保持伤处湿润。每天用温水清洗一次伤口，搽上抗生素软膏，然后用干净的绷带覆盖。

使用不粘纱布。当水疱破裂，暴露出下面红色的嫩肤时，请用无菌不粘纱布覆盖在软膏层外，避免绷带粘连伤口。每天更换绷带，持续一至两周，直至红色嫩肤看起来恢复了正常皮肤的样子（粉红干燥）。

去除死皮。用无菌剪刀剪掉死皮（水疱破裂一至两天后），用湿毛巾擦拭也能去除死皮。对于预防感染来说，这很重要。

什么时候给医生打电话

如果发生下列情况，请打电话给儿科医生：

- 伤口开始感染（红肿或渗液加剧）。
- 次日后疼痛或发红加剧。
- 发烧。
- 到第十天，烧烫伤仍未基本愈合。

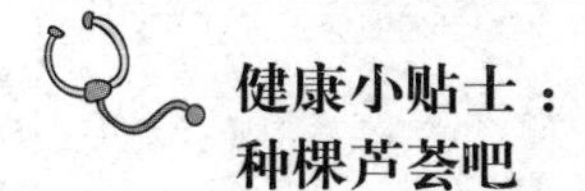

健康小贴士：种棵芦荟吧

芦荟汁是治疗一级烧烫伤（例如晒伤）最好的方法之一。撕一片叶子，挤出少许汁液，然后轻轻搽到伤处。

长期治疗

防晒。这是预防疤痕最重要的因素之一。愈合后伤处的皮肤看起来比周围更粉一些，时间可长达一年。这块新皮肤更容易受到阳光的损伤，导致永久性疤痕。请使用有效的隔离霜、帽子或防晒衣。

预防烧烫伤

烧烫伤发生后，所有父母都会进行反思，而我们的目标是让你在意外发生之前就开始考虑：

- 抱着婴儿的时候不要喝热的东西，如果宝宝伸手去抓杯子，热咖啡、热茶或热可可很容易洒出来。拿着热饮料的时候也不要靠近孩子。
- 使用灶台靠内的灶眼，平底锅把手要转到内侧。
- 热的东西不要放在桌子边缘。
- 不要把熨斗、电卷发器或电吹风到处乱放，好奇的小指头去抓这些有趣的东西就会被烫伤。
- 确保热水器内水温不高于52摄氏度，把它调到中低档，否则孩子无意中打开热水龙头，几秒内就会被烫伤。
- 如果家里有年幼的孩子，小心你的热蒸汽发生器，如果孩子靠得太近，可能造成严重烧烫伤。改用冷雾加湿器更安全。
- 教孩子哪些东西“烫”。幼儿常常能分辨出壁炉里的火是“热的”。使用无明火的危险物品(例如电炉、熨斗或热蒸汽发生器)时，告诉孩子：“好烫——痛！”

去疤霜。市面上有一些设计用于烧烫伤或割伤后长期使用的霜剂。这种霜剂可日常使用，整形外科医生常常推荐用于减轻疤痕。目前最受欢迎的霜剂叫美德（Mederma），大多数药房有售，无需处方。

化学灼伤

如果皮肤遭受化学灼伤，请遵循以下步骤：

（1）**脱掉被化学品弄脏的衣服**。小心一点儿，不要把化学品蹭到身上别的地方。有必要的话用剪刀剪开衣物。

（2）**用流动的冷水冲洗皮肤15分钟**。这会冲掉灼伤皮肤的东西。

（3）**轻轻包扎伤处**。用干的无菌纱布或干净布料包扎。

轻微的化学灼伤通常无需更多治疗就会自行愈合，还可吃布洛芬止痛。晒伤喷雾或芦荟也能帮助减轻不适。

若出现下列情况，请寻求医疗急救：

- 孩子出现休克迹象，例如头晕、脸色苍白或呼吸困难。
- 化学灼伤渗透皮肤表层，导致二级或三级烧烫伤，面积超过5～7.6厘米。
- 化学灼伤发生在眼部、手部、足部、脸部、腹股沟、臀部或主要关节处。

不确定某物质是否有毒？可以给

防中毒中心打电话，如果要去急诊室，请带上化学品的容器或该物质的详细描述以供鉴定。

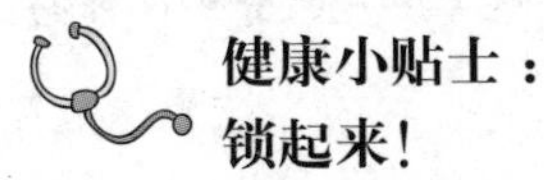

健康小贴士：锁起来！

不安全的化学品务必储藏在孩子接触不到的地方。对于危及孩子安全的东西来说，柜子上的童锁不够保险，应把这些东西要锁在孩子够不到的高处柜子里。

电烧伤

电烧伤看起来可能十分轻微甚至完全没有外伤，但它造成的损伤可能深入皮下组织。如果强电流通过孩子的身体，可能造成内伤，例如心率失常或心脏停搏。有时候，电烧伤带来的冲击可能会让孩子颤抖或摔倒，导致骨折或其他相关损伤。

如果孩子被电烧伤，出现疼痛、神志不清，或呼吸、心跳、意识出现变化，请打 120 寻求医疗急救。

等待医疗救助时，请采取以下行动：

（1）**先看别碰**。孩子可能仍和电源连接在一起，触碰可能会让电流传导到你身上。

（2）**尽可能关闭电源**。不行的话，使用纸板、塑料或木头材料的绝缘体将电源从你和孩子身边移开。

（3）**检查生命循环的迹象（呼吸、咳嗽或移动）**。如果孩子失去生命迹象，立即做心肺复苏（CPR）。

（4）**避免休克**。让孩子躺下，头部略低于身体，抬高腿部。

（5）**覆盖受影响区域**。用无菌纱布覆盖烧伤区域，没有纱布的话用干净的布也可以。别用毯子或毛巾，松散的纤维可能粘到伤口上。

30. 癌症症状

关于癌症诊治的详细讨论不属于本书范围之内，不过我们非常希望你警惕儿童癌症的早期症状，这样的话，若有任何担心，你可以及时告知医生。癌症的症状多种多样，具体取决于身体哪个系统受到影响。最常见的儿童癌症及其症状如下：

白血病及其他血癌

这是最常见的儿童癌症，初期症状可能十分微妙，不过最终会变得明显。如果孩子出现下列症状之一，那原因可能是无害的，但若出现两种以上的症状，就要小心了：

- 疲劳。逐步加剧的疲劳和没精打采可能代表着与血癌有关的贫血。
- 容易淤青。轻轻碰一下就会出现淤伤，淤伤面积看起来比普通的大，或是过了很久还不消，都可能有问题。
- 容易流血。常常流鼻血，且很难止住；牙龈出血、便血或尿血都可能有问题。
- 频繁生病，久病不愈。当孩子生病越来越频繁，就要亮起红灯了。
- 骨头痛。虽然这种迹象十分微妙，但是如果伴随其他症状出现，就要多加小心。
- 淋巴结肿大。颈部和腹股沟周围能摸到小的淋巴结，这很正常。但是如果这些区域或腋窝处的淋巴结越肿越大，那就要小心。

血癌可通过简单的血液测试轻松筛查。如果孩子出现两种以上的上述症状，或是只有一种症状但你也很担心，不妨和医生谈谈。

骨癌

骨内可能长了肿瘤的信号如下：

- 包块或肿大。骨头上出现硬质增生，或是肿胀致密的区域越来越大，都值得担心。
- 不断恶化的固定疼痛。如果骨头某个固定区域总是痛，而且不断恶化，那可能有问题。
- 跛行。腿部骨癌会让孩子走路越来越跛，几周内都不会消退。
- 容易骨折。患有癌症的骨头很容易折断。

骨癌可通过X光探查。如果出现上述症状，请咨询医生。

组织肿瘤

有的肿瘤会生长在肌肉、脂肪组织中或皮下。信号如下：

- 增生或包块。如果孩子身上出现以前没见过的任何异常包块，应该让医生看看。
- 疼痛。身体某部位或腹部器官越来越痛，都可能有问题。

腹部肿瘤

肚子痛是儿童最常抱怨的疼痛，不过这种疼痛基本都不是腹部肿瘤。真正需要担心的信号如下：

- 慢性腹痛，却不是P120我们讨论过的各种常见病因，无法通过相应治疗缓解。
- 按照常见病因治疗后肿胀无法消退。
- 腹部某区域能触摸到硬质增生。
- 非便秘或食物过敏引起的便血。

皮肤癌

在生命最初的两年内，每个孩子都会长痣，痣在接下来的几年里可能还会变大。皮肤癌在儿童中极度罕见，不过学会辨别什么样的痣可能有问题很重要。详见 P410，“痣”。

脑肿瘤

如果孩子老抱怨头痛，父母就总爱往最糟的方面去想，不过脑瘤极度罕见。脑肿瘤的症状见 P358，“头痛”。

31. 口腔溃疡

咬了舌头、磕了嘴皮，类似损伤都会导致口腔内出现大大的白色或红色溃疡。口腔溃疡通常一次只会出现一两个，一般是因为在神经组织里安安稳稳待了很多年的疱疹病毒，在受伤或疾病期间突然爆发。溃疡会持续一周左右，可能很痛，如果溃疡很大，疼痛可能遍布整个脸颊甚至下巴。没有什么办法能够有效促进溃疡快速愈合，不过吃饭时使用非处方麻醉凝胶可暂时止痛。如果孩子一次出现多个口腔溃疡，请见 P414,“口疮”。

32. 晕车

坐车的时候小家伙很容易出现晕动病，这是大脑从胃部和眼部接收到混乱信号造成的。当孩子缩在后座上，眼睛只能看见静止的前排椅背，可耳朵里的运动感受器却告诉大脑身体正在移动。有的孩子平衡中心比别人更加敏感，当平衡中心受到扰乱时，大脑也受到了扰乱，于是肚子就不高兴了。试试下面的方法来安抚坐车的小肚子吧：

提前计划。试试把坐车的时间安排在平常小睡的时候。睡眠可以安抚恶心作呕，而且到达目的地的时候，你的孩子也会高高兴兴、休息良好。

喂饱孩子。进食会刺激神经系统，能够安抚胃部作呕的那个部分。坐车前给孩子吃些不含脂肪的轻食——例如麦片、意面和水果。另外，带一些胃部容易吸收的零食，例如自制饼干、带吸管的盒装冷饮，来满足饥肠辘辘的旅行者。

给车加满油。孩子对加油站的味道十分敏感，所以试试趁孩子不在车里的时候加满油箱。

规划较直的路线。可能的话，尽量走直的公路和高速公路。绕来绕去、频繁停车、起步，小肚子会不高兴。

频繁小憩。像喂养婴儿一样开车：少量多次比一次走很远要好。驾驶长距离时，准备好时常停下来小憩一下。

让孩子坐在能看到风景的位置。孩子看不到窗外就容易晕车，不过不要为了风景牺牲安全。对 12 岁以上的孩子来说，坐前排座椅望向前方不容易引发晕动病。而对于更小的孩子，可以使用有质量保证的增高垫或汽车座椅，最好是高度能让孩子看到窗外的那种。

天然疗法。利用生姜和薄荷的老套方法可能确实有效。对某些人来说，用手指压按摩手腕内侧关节上方 2.5 ~ 5 厘米处也有帮助。

提供新鲜空气。新鲜空气是闹腾的小肚子最好的朋友。打开一扇车窗通风，车内不要使用污染空气的东西，例如香水和香烟。

带着旋律走。保留坐车的专用曲目，时不时再来点儿惊喜。当小耳朵忙着捕捉旋律，他们的注意力就不在肚子上了。

聊聊天。如果你能够在专心开车的同时跟孩子聊聊天，那旅程对你们俩来说都愉快多了。以邀请孩子回应的方式和他聊聊天（当然，小睡时间例外）。如果孩子很无聊，他就有更多时间去想着自己不安分的肚子，但当孩子高兴地忙碌起来，就不会老抱怨着要求停车。

玩游戏。跟孩子玩需要集中注意力的游戏，也可以让他不要老想着自己的肚子。试试“我是小间谍”之类的游戏，让孩子的注意力集中在遥远的东西上，比如广告牌、建筑物和山峰。比起近处的彩色书来，把注意力集中在遥远的东西上能让肚子更舒服。对一些孩子来说，看 DVD 或是玩手持电子游戏反而会加剧恶心作呕。

33. 猫抓病

猫抓病又叫“猫抓热”，它是一种由猫传给人的细菌感染。每年美国大约发生两万例猫抓病。

症状

孩子出现猫抓病的线索包括：

- 近期被猫抓或猫咬
- 抓伤或咬伤几天后出现水疱或疼痛的小包块
- 抓伤或咬伤一两周后，附近的淋巴结变得脆弱肿胀（最可能出现症状的淋巴结位于肘部、腋窝、颈部或腹股沟处，肿胀最长可持续 4 个月）
- 发烧，通常不严重
- 疲劳
- 头痛
- 食欲减退
- 在较罕见的情况下，其他器官（如肝、脾或肺）会受到感染
- 在极罕见的情况下，脑部会发炎，导致痉挛

原因

猫抓病是由一种叫作汉塞巴尔通

体的细菌引起的，这种细菌会通过跳蚤在猫之间传播，但带菌的猫不会生病，也不会出现感染该细菌的症状。这种细菌生活在猫咪的唾液中，一次可存活几个月，人类被带菌的猫咬或抓挠就会感染猫抓病。这种病不具传染性，不过同一只猫可能感染多名家庭成员。

治疗

儿科医生会询问病史并对孩子做彻底检查，如果怀疑是猫抓病，他可能会开一个疗程的抗生素以缩短感染病程，减轻症状。在较罕见的情况下，淋巴结会严重发炎疼痛，需要排液。为了确诊猫抓病或排除淋巴结肿大的其他原因，医生可能会给孩子做血液检查和淋巴结活体检查。热敷淋巴结肿大的地方可减轻不适，还可以辅助使用抗炎药，例如布洛芬。

如果孩子使用抗生素期间出现高烧、淋巴结肿大和疼痛加剧，或是孩子看起来病得厉害或出现其他任何症状，请再次去看医生。

34. 蜂窝组织炎

蜂窝组织炎是皮肤内的细菌感染，通常需要立即使用抗生素治疗。你需要知道的信息如下：

症状

通过下列五个信号，我们可以将蜂窝组织炎和其他非传染性皮疹区分开来：

发红。被感染的皮肤会在 12 ~ 24 小时内从粉红色变成红色并向外蔓延。

发热。触摸时会感到患处明显比周围的皮肤热。用指背或手背触摸患处，与附近区域的温度相比较。

肿胀。感染区域会出现轻微肿胀。眼睛周围的蜂窝组织炎（叫作眼眶蜂窝组织炎）会导致眼睑发红、中度至重度肿胀。

疼痛。感染区域被触碰时会痛。

发烧。蜂窝组织炎早期可能不会引起发烧，但感染一两天后很可能会开始发烧。

许多非传染性或不严重的皮肤问题可能也会出现一两个上述迹象，不过如果同时出现三个以上的症状，那么很可能是蜂窝组织炎。

原因

蜂窝组织炎一般是由细菌引起的，最常见的是链球菌或葡萄球菌。细菌常常会通过割伤或昆虫叮咬的伤口进入深层皮肤。在较罕见的情况下，鼻部、耳部或眼部感染可能扩散到皮肤，在周围区域引起蜂窝组织炎。

治疗

如果早早使用口服抗生素，也许能有效治疗蜂窝组织炎。不过，有的情况需要在医院里静脉注射一两天抗生素，以阻止感染进一步发展。每隔一会儿用在温水中浸泡过的面巾湿敷患处 15 分钟也有帮助。

什么时候该担心

如果你怀疑孩子得了蜂窝组织炎，请当天去看医生（就算是下班时间也要去急救中心或急诊室），不要等到第二天。如果口服抗生素无法在 12 小时内控制红肿扩散，请立即打电话给儿科医生。

35. 胸痛

儿童心脏问题和心脏病发作几乎闻所未闻，所以如果孩子抱怨胸痛，别急着冲到急诊室去，几乎所有的儿童和青少年胸痛都不是心脏问题引发的。下面我们将帮助你找出是什么引起了孩子胸部疼痛，什么时候该寻求医疗救助。

原因

下面我们列出儿童胸痛的各种原因。虽然心脏问题的可能性最小，但我们还是从它开始，好让你脑子里的弦放松下来。

心脏病发作。这会导致心脏部位出现突发性、挤压式的严重疼痛。其他症状包括气短、感觉缺氧、呼吸急促、出汗、脉搏急促和左臂急促向下移动的疼痛。如果孩子出现这些症状，希望你已经放下了本书，打了 120。不过你要知道，儿童心脏病发作几乎闻所未闻。

胃灼热。胃酸可能向上移动到喉咙处，被孩子理解为胸痛。询问时，孩子可能会说是“灼烧”痛，可能还会说嘴里有酸味或有轻微反胃。详见 P120,“腹痛”。

肋软骨炎。这个词描述的是肋骨与胸骨连接处的软骨发炎，某些感冒和咳嗽病毒会刺激这些软骨（原因未知），产生显著疼痛。你可以通过按压每根肋骨与胸骨连接的地方来测试，如果按到了发炎的地方，孩子会大声告诉你。

肋部损伤。肋骨挫伤、骨折或肋部肌肉拉伤都很痛，深呼吸、咳嗽、打喷嚏或挥舞胳膊都会使疼痛恶化。按压受伤区域的疼痛感也是肋部损伤的信号。

支气管炎。沉重的咳嗽、胸口或喉咙疼痛意味着支气管炎。它与肋软骨炎的区别在于：如果是支气管炎，按压肋骨不会痛。详见 P207。

肺炎。剧烈咳嗽、发烧、呼吸急促或吃力、伴有疼痛，这可能是肺炎。详见 P445。

肌肉撕裂。这个原因常常被忽视。

问问孩子最近有没有做什么新运动（例如引体向上和俯卧撑）。如果按压胸肌、挥舞胳膊会导致疼痛，那可能是肌肉拉伤。

哮喘。哮喘患儿的胸部肌肉容易痉挛，因为它们必须一次次努力地工作来帮助呼吸。这种尖锐的疼痛只会持续数秒。

焦虑。不要忽视青少年的焦虑，它能导致实实在在的胸痛（由压力激素和肾上腺素引起）。如果胸痛症状总在每天特定时间出现，或是与每天特定的情感压力活动有关，那其原因可能就是焦虑。

治疗

要确定儿童胸痛的确切原因并不总是那么容易。一个简单的办法是尝试各种疗法，从最方便的到最不方便的，看看哪种有效。这里有几个办法 ：

抗酸剂。给孩子吃几片碳酸钙咀嚼片，或是吃点儿名叫胃能达或美乐事的药。如果疼痛迅速消退，那就是胃灼热，详见 P121。

布洛芬。它能够缓解炎症（如肋软骨炎）和疼痛（如肋骨挫伤、骨折或肌肉撕裂）。

抗生素。它能治疗细菌性支气管炎或肺炎。

薄荷脑按摩。如果出问题的是肌肉，将薄荷脑揉进撕裂的胸部肌肉能够缓解疼痛。

劝告。如果你怀疑是焦虑引发孩子胸痛，请专业人士或熟悉的长辈跟孩子交谈几次，可能会有改观。

36. 水痘

水痘曾是一种常见的童年期疾病，现在已经成为过去式，不过它发生的几率还不算很低，你的孩子没准会成为“幸运儿”。水痘的传染性很强，传播途径类似普通感冒。下面我们将指引你鉴别、治疗水痘。

症状

水痘病毒会引起发烧和独特的瘙痒皮疹，但问题在于，你必须等到一两天后才能确定出的疹子到底是不是水痘。如果发现孩子的皮肤上突然出现异常的红色包块，你可能需要将他隔离一天，直至确认。症状如下 ：

红色包块（第一天）。第一天你会在孩子的躯干上发现 5 ～ 20 个红色包块，看起来像是昆虫叮咬。包块可能会痒，孩子会发烧，感觉不是很舒服。也许你意识到了可能是水痘，也许没有，不过在第二天之前没有办法确认。

水疱（第二天）。到了第二天，你会发现第一天的红包变成了透明、充满液体的小水疱。你还会看到更多包块冒出来，遍布躯干大部并开始向上臂和腿部蔓延。现在，孩子会感觉很痒，同时发烧。

结痂（第三天）。第一天的红包在第二天变成了水疱，现在水疱破掉了，形成痂壳。第二天的红包现在成了水疱，你还会看到新的包块在身体各处和脸上冒出来（可能有几百个）。

水痘的标志性特征是“红包 - 水疱 - 结痂”的三日模式，每天批量出现红包的情况还会持续 3 ～ 4 天。

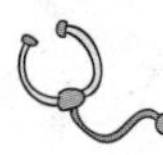

健康小贴士：
别在第一天就急着看医生

在红包变成水疱之前，儿科医生也没法确定孩子得的是不是水痘。去看医生的最好时机是皮疹出现后的第二天。

治疗

治疗的目标是尽量减少瘙痒，限制抓挠(这可能导致皮肤感染，形成疤痕)，尽量让孩子舒服一点：

剪掉指甲。当孩子控制不了抓挠的欲望时，剪掉指甲可以减少抓挠处的创伤。你也可给孩子以戴上长袖套、穿上长裤，让他没那么容易够到水痘。

缓解瘙痒。出水痘时止痒的办法很多：

- 口服苯海拉明。这是止痒最有效的办法。
- 用燕麦粉洗澡。药店可买到相应产品。
- 用冷毛巾敷在特别痒的地方。
- 止痒霜也有帮助，例如炉甘石或苯海拉明。不要把粉红色的炉甘石洗剂涂在破掉的水痘上，可能会留疤。

不要试图退烧。有趣的是，研究表明，在水痘期间只要不超过 38 摄氏度，让孩子发烧反而能缩短病程。所以不要着急用药退烧，但如果孩子发烧超过 38 度，可以用对乙酰氨基酚或布洛芬退烧。

警告：别用阿司匹林。水痘或流感期间给孩子吃阿司匹林可能导致一种罕见的危及生命的免疫反应：瑞氏综合征。

抗病毒药。皮疹出现后 72 小时(48 小时更好）内使用阿昔洛韦（处方药，有软膏、注射液和片剂)，效果十分显著，可以缓解瘙痒、发烧和整体的不适症状，减少水痘数量和尺寸。不过，阿昔洛韦很贵，副作用的风险也比基础的抗生素高，出于这些原因，不推荐 12 岁以下的健康儿童使用（不过家长和医生可斟酌使用)。较大的青少年、成人或免疫力较低可能导致病程特别艰难的人可以使用阿昔洛韦。如果你打算考虑这种疗法，请在水痘开始的第二天去看医生，这样就会有足够的时间确诊水痘，而开始使用阿昔洛韦的最佳窗口仍未关闭。

传染期。24 小时未发烧并且所有水疱都破掉结痂（通常需要至少一周）后，孩子就可以回到正常的生活中了。你认为孩子达到这一标准后，最好再多隔离一天。

孩子接触了水痘病毒怎么办

水痘的潜伏期为 10 ～ 21 天，这意味着没有打过疫苗的人接触水痘病毒后可能要到 10 ～ 21 天后才发病。如果孩子接触了病毒，每天放他出门之前要仔细检查，一旦他开始发烧或不舒服应立即隔离。你还可以采取这些措施：

给孩子打疫苗。如果孩子已经打过疫苗，那你就没什么可担心的了。不过有时候，疫苗没有完美起效，孩子可能还是会出现较轻的水痘。事实上，这是件好事，因为以后他的免疫力可能会更强。

如果孩子之前没打过疫苗，你可以在接触病毒 72 小时内让他打疫苗，那他很可能不会生病（或者症状很轻）。

准备好阿昔洛韦处方药。在此前约见儿科医生，讨论你是否希望孩子使用阿昔洛韦，同时为家里其他成人和 12 岁以上的青少年也准备好阿昔洛韦。开好的药要放在手边，可以让你在最初 48 小时内开始服用。不过，不要太急着去看医生，要等到孩子身上至少有几十个红包出现，其中一部分变成了水疱，才能确诊是水痘。

什么时候该担心

虽然大多数得水痘的孩子能够安稳痊愈（死亡率只有 1/65000），不过还是应该小心一些罕见的并发症：

皮肤细菌性感染。如果你注意到哪个水痘特别红，或是水疱破掉一天后结的痂还在渗液，那可能意味着细菌性感染。发烧超过 5 天也是细菌性感染的征兆之一。儿科医生也许希望通过局部外用或口服抗生素来对付细菌感染。

肺炎。细菌性肺炎容易在水痘末期发生（原因未知）。肺炎的症状见 P445，出现这种情况要及时看医生。

脑部感染。水痘的罕见并发症之一是病毒扩散到脑部，这会导致严重头痛、头昏眼花、脖子僵硬、走路困难和其他神经系统症状。如果孩子出现上述症状，请去急诊室。

孕期水痘和新生儿水痘。如果打过水痘疫苗，那么孕期接触到水痘病毒也不用担心。不过，如果易受感染的女性在孕期前半程接触了水痘病毒，胎儿可能会出问题，出现这种情况请立即联系产科医生。还有一种危险的情况是怀孕末期（临产前 5 天～婴儿出生后 2 天内）爆发水痘，新生儿会出现严重水痘，甚至可能致命。

带状疱疹（再活化水痘）

带状疱疹又名“缠腰龙”，常见于成人和老年人，是一种十分疼痛的爆发性皮疹。带状疱疹是引发水痘的病毒再次活化而导致的。水痘（通常是童年期）痊愈后，水痘病毒仍潜伏在某些神经细胞中，通常是在胸部周围，生病、压力过大或焦虑会降低身体免疫力，让病毒苏醒，在神经末端的某个皮肤区域爆发皮疹。虽然带状疱疹发病的大部分是成人，不过大约有 5% 的案例发生在 15 岁以下的孩子身上。

带状疱疹的症状。在皮疹出现前几天，可能出现下列模糊症状：

- 身体不同部位疼痛
- 皮肤瘙痒
- 低烧
- 疲劳
- 头痛

此时，家长会注意到孩子的皮肤上出现类似早期水痘（甚至类似跳蚤叮咬）的皮疹，通常是在胸部和背部。孩子可能抱怨该区域有灼烧感和痛感，有时候甚至看不到损伤孩子就会开始抱怨。这类疱疹只有直接接触到疱疹的分泌物，才会传染病毒。

诊断与治疗。带状疱疹的症状和出现的位置十分独特，大多数病例完全不需化验就能诊断。抗病毒药可能会缩短皮疹病程、减轻症状，却无法治愈它。皮疹通常会持续 2 ~ 3 周，患处会缓慢结痂，随时间渐渐消退。皮疹在孩子体上出现 3 天之内使用抗病毒药最为有效，不幸的是，带状疱疹常会在一生中反复发作。不过只要及时诊治，至少可以减轻症状。

37. 窒息

食物或液体意外“误入”气管，孩子就会窒息。软的食物和液体干呕一会儿一般就会被咳出来，而葡萄和热狗之类的硬质食物可能会卡在气道中，这样问题就严重多了。如果气道被完全堵塞，孩子会恐慌，完全无法哭叫、说话、咳嗽和呼吸，一至两分钟内就会失去意识，所以你必须快速行动。我们希望你能在出现该情况前阅读本章节，了解必要的信息，做好充分准备。如果此刻你的孩子正在窒息，你应该打开免提拨打 120，听从专业人士的指导。关于心肺复苏（CPR，包括人工呼吸与胸部按压）的信息请参阅 P250。

如果孩子能够发出哭喊或咳嗽的声音，那窒息的情况还不太严重。鼓励孩子继续咳嗽，他应该会在约一分钟内清通气管。不要给他喝的，除非堵住气管的是某种又干又薄的东西（例如薄脆饼干），因为额外的液体可能会使问题恶化。如果孩子脸色变青或是失去意识，请拨打 120。

如果孩子停止呼吸，无法咳嗽或无法发出任何声音，那么你需要尝试排出堵塞物。

怎么办

排出堵塞物

对于一岁以上的儿童，请采取海姆里克腹部冲击法：

- 大喊寻求帮助并请人帮忙拨打 120。
- 从背后抱住孩子（就像“熊抱”一样），手放在孩子胸腔下方、肚脐上方，一只手握拳，另一只手放在拳头上握住。
- 迅速有力地向上、向后压迫（就像要把孩子提起来一样），挤出孩子肺部空气，迫使堵塞物冲出体外。
- 快速重复以上动作十次，直至堵塞物排出。
- 如果孩子太重，你的胳膊支撑不住，或是孩子失去意识你没法把他扶起来，就让他仰躺下来，双手按压在孩子胸腔下方的肚子上，迅速有力地压迫以排出堵塞物。

对于一岁以下的儿童，应拍击背部、推压胸口：

- 对于一岁以下的婴儿，采取海姆里克急救法或拍击背部之前请拨打 120，援救来得越快越好。
- 采取坐姿，让婴儿脸朝下趴在你的前臂上，婴儿身体稍稍向下倾斜。
- 用手在孩子的两边肩胛之间快速拍击五次。这个动作将迫使空气流出孩子的肺部，排出堵塞物。
- 如果宝宝还是没有呼吸，将他翻过

身来，用两根手指快速推压胸骨下三分之一处，重复五次。

- 交替重复以上两组动作，直至堵塞物排出。
- 对于一岁以下的婴儿，不要按压肚子（即海姆里克腹部冲击法），因为你可能损害孩子的肝或脾。

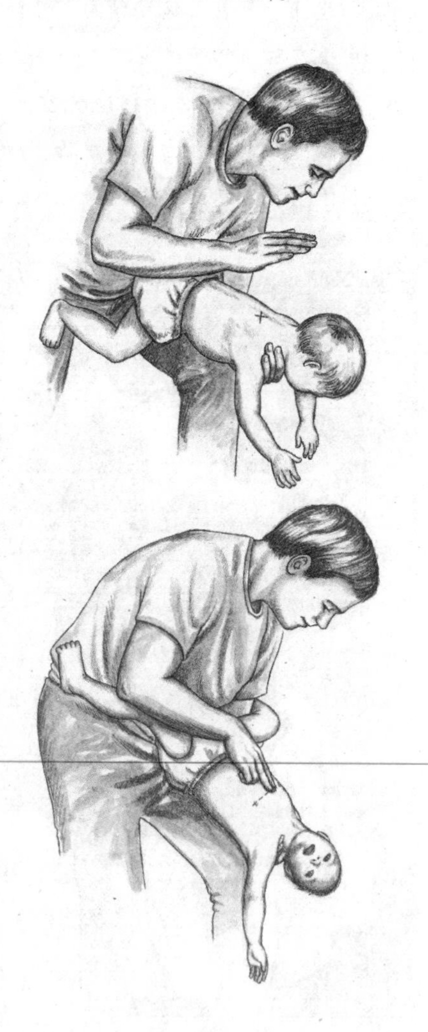

如果堵塞物已经排出，但孩子仍失去意识、停止呼吸，应开始嘴对嘴人工呼吸：

- 掰开孩子的嘴巴，检查有无堵塞物。如果你看见了堵塞物，试试能不能用手指掏出来，不过别“盲掏”，因为可能会把看不见的堵塞物推到气管深处。
- 用嘴横向覆盖孩子的嘴巴（如果是婴儿，则鼻子也包括在内），紧紧对准向内吹气，对于婴儿，短短喷一口气即可，每吹一口气你都应该看到孩子的胸口鼓起，如果两次吹气后仍未观察到胸口鼓起，请调整孩子的头部位置，确保颈部不受压迫，然后再吹两口气试试。如果调整后孩子胸口开始鼓起，请继续做人工呼吸，每5秒吹一口气，直至救援到达或孩子恢复呼吸。你还需要检查孩子的脉搏，考虑进行心肺复苏（CPR），详见P250。如果你没观察到孩子的胸口随着吹起而鼓起，那可能是气管被堵塞了，应再次采取海姆里克急救法或拍击背部、推压胸口。
- 记得每隔一段时间再检查一下孩子的口腔，看看有无松脱的堵塞物。

健康小贴士：做好准备

最好去上个有资质的培训班，学习海姆里克腹部冲击法和完整的 CPR。今天就去报一个吧！

预防窒息的策略

食物和其他物品都可能导致儿童窒息。下面有几条简单的诀窍，能帮助你避开这种危及生命的状况：

食物

- 不要给小孩吃硬质食物：坚果、爆米花、口香糖、硬糖、葵花籽、橙子籽、樱桃核、西瓜籽、生胡萝卜、生豌豆、生芹菜和硬质水果（如生苹果）都有较高的窒息风险。大部分 4 岁以下的儿童都不明白这些东西需要仔细咀嚼，也不知道要把籽吐掉。
- 软质食物要切开：热狗、腊肠、大块的肉、葡萄、橡皮糖、太妃糖等等都容易引起窒息。
- 务必让临时保姆和哥哥姐姐们明白，这些食物不能给小孩子吃。
- 教育孩子在吞下食物之前要充分咀嚼。
- 别让孩子吃得腮帮子鼓鼓的，像金花鼠一样。
- 不要鼓励孩子含着满嘴的食物哭喊或大笑。
- 别让孩子在运动时嚼口香糖。

玩具

- 不要给婴儿玩那些带有可拆卸小零件的玩具——这些东西很容易被吞下去或是卡在气管里。
- 确保哥哥姐姐们把自己的小玩具（乐高积木、洋娃娃的配饰等）放在安全的地方。
- 橡胶气球要放在小孩够不到的地方，无论充没充气，气球都很容易引起窒息。

家庭日用品

- 小小的纽扣电池要妥善放置。
- 聚会后要彻底清扫房间，地板上可能有很多容易让孩子窒息的小东西。
- 把宝宝放下来的时候一定要简单清理一下周围的东西

38. 包皮环切术

要不要给宝宝做包皮环切术呢？父母经常有这样的疑问。包皮环切术是指用外科手术切除阴茎头（龟头）外包裹的那层皮肤（包皮）。很久以前，美国绝大部分新生儿都会做包皮环切术，如今，一些宗教中仍保留这一习俗，许多人将它看作标准流程，不过如今许多父母会在信息充分的情况下做出抉择。现在，美国儿科学会（AAP）建议人们不要再把包皮环切术看作标准流程，与之相反，除非父母非常倾向于给孩子做，否则还是顺其自然比较好。下面我们将提供一些信息，帮助家长做出选择：

包皮有必要留着吗？包皮能保护敏感的阴茎头，还能形成一种保护性的润滑涂层——包皮垢，割掉包皮也会移除这种保护性组织。

留着包皮会怎样？虽然出生时包皮看起来很紧，但它的开口肯定足够让宝宝正常排尿，所以在最初的一两年里，包皮不需要什么特别的关注，而分泌物（包皮垢）在洗澡的时候也能自然洗掉。宝宝每次正常勃起（每天会勃起很多次），包皮都会拉伸，接下来几年里它会逐渐向后回缩，包皮自然回缩得越多，保持清洁就越容易。等到孩子大一点的时候，应该教育他在洗澡时轻轻向后拉包皮，清洗残余的分泌物，这会逐渐成为孩子保持个人卫生的一个环节，就像洗头一样。

应该向后拉扯帮助包皮回缩吗？不，不要用力拉扯帮助包皮回缩。原因如下：包皮自然黏附在龟头上，尤其是在最开始的一两年。如果你向后用力拉扯包皮，就会非自然地破坏包皮与龟头之间的组织粘连，受伤的组织会反应过激，迅速生长恢复原状，导致更为严重的粘连，这样在包皮自然回缩时会引起痛楚。我们的底线是：不要干扰自然的过程！让包皮自然回缩就好。

支持包皮环切术有什么医学方面的原因吗？过去几十年来，围绕包皮环切术作为标准流程是否有医学上的正当性，人们爆发了激烈的争论。至本书写作时，大体结论如下：如果勤做包皮清洁，那么将包皮环切术列为标准流程对健康并无太大好处。至于未进行包皮环切术的男性尿路感染（UTI）的风险是否更大？这个问题仍无确切答案，而且UTI在男性中本来就很罕见。一些研究提出，未进行包皮环切术的男性罹患UTI的风险较高，而AAP对这些研究的可信度提出了质疑。《新英格兰医学杂志》上的一项研究的确表明，割过包皮的男性感染人类乳突病毒（HPV，一种性传播疾病）的概率较低，结论是割过包皮的男性的女性伴侣通过HPV罹患宫颈癌的风险较低，不过仍有争议。人们曾经认为阴茎癌在未割包皮的男性中更为常见，不过经过对已有研究的彻底梳理，AAP得出结论：推荐男性婴儿都做包皮环切术并无医学上的理由。

有什么办法能缓解疼痛吗？有。现在标准的流程是在阴茎根部周围注射局部麻醉剂，使包皮失去知觉。

了解更多

如果你想完整了解包皮环切术的过程，请参阅《西尔斯亲密育儿百科》中的相关章节。学习如何照料刚刚做了环切术的阴茎、预防并发症，请见P049。

39. 感冒和咳嗽

这个主题十分宽泛，不过大多数感冒开始时症状都差不多。孩子得了小感冒，有一点儿咳嗽，中度的症状持续一两周后消失，或者恶化为更加麻烦的感染。要照顾孩子安然痊愈，你需要知道的一切都在这里：

普通感冒的症状

- 周期为几天到3周
- 有几天出现绿色的黏液
- 发烧，最多可达5天
- 有些胸闷，咳嗽听起来很沉重
- 中度耳痛
- 头痛和鼻塞
- 喉咙痛
- 咳嗽可能引发干呕和呕吐
- 哭闹、夜间惊醒
- 食欲减退

原因

感冒病毒。大多数感冒是由普通感冒病毒引发的，一般会持续1～2周，通常伴有发烧和"黄绿鼻涕"。幸运的是，感冒病毒通常无需任何抗生素治疗就会自行消失。

细菌。有的细菌会引发咳嗽和感冒症状，孩子会发几天烧，出现绿色的鼻涕。就算是细菌引起的感冒和咳嗽通常也无须抗生素，身体免疫系统就能对付它们。

流感病毒。咳嗽和流鼻涕也可能是更麻烦的流感，患者通常会出现高烧、身体疼痛、恶心呕吐和其他流感症状。如果你觉得孩子可能得了流感，请见P334。

健康小贴士：
是普通感冒还是流感?

在流感季节里，每个感冒的人都想知道自己得的是不是讨厌的流感。最佳的分辨方法是：大体来说，流感初期出现的疼痛和发热要严重得多，并且伴有各种呼吸道和消化道症状；普通感冒初期通常只是喉咙有点痛，有点流鼻涕，然后才会发展为成熟的感冒。

什么时候不要担心

要知道什么时候该担心，什么时候不要担心，我们首先应该好好了解一下普通感冒病毒会如何表现。大体来说，普通的感冒和咳嗽有两种形式：逐渐恶化和突然爆发。只要孩子的情况和下面描述的内容差不多，你大可放下心来，孩子的感冒很可能不是细菌性的。

逐渐恶化。有的感冒初期会有清澈的鼻涕和中等的干咳，不过大体上孩子的感觉还好。几天内，鼻涕越来越浓，变成黄色或绿色，咳嗽逐渐加剧，听起来很沉重。再过几天，孩子开始发烧（通常不超过 39 摄氏度），可能持续 1 ～ 5 天。就在你打算去看医生的时候，情况又开始改善了：鼻涕清澈了一些，烧退了，胃口也恢复了，只剩下沉重的咳嗽和中度鼻塞缠绵不去，孩子似乎没什么大事儿了。感冒开始 2 ～ 3 周后，孩子已经完全康复。

突然爆发。另一些感冒和咳嗽会突如其来，来势汹汹，孩子出现发烧和疼痛、食欲减退、活动等级下降等症状。剧烈咳嗽和严重鼻塞十分恼人，可是只过了几天，情况就改善了：孩子的烧退了，好像又恢复了正常；严重的鼻塞和沉重的咳嗽还在，不过对孩子的影响已经不大了。轻微的症状还会持续 1 ～ 2 周，最终完全康复。

如果孩子的病情大体符合上面的描述，而且通过下面介绍的办法你能让他尽量舒服一些，那么你就可以放下心来，孩子不需要其他医疗服务了。

治疗

下面我们介绍一些方法，帮助你清通孩子的鼻子和肺，让孩子更快康复：

冲鼻子。清理黏稠的鼻涕，保持鼻腔畅通，这是避免细菌感染的最好办法之一。详见 P021。

增强免疫系统。紫锥菊、维 C 和锌都是有益的补充剂，也许能够帮助免疫系统击退疾病。详情和剂量见 P039。

坐起来睡觉。睡觉时在宝宝的床垫下面放个枕头，或者用几个枕头把孩子的脑袋垫起来，这会帮助他更顺畅地呼吸。

蒸汽浴。晚上在卧室里打开热蒸汽发生器（警告:这可能会烫伤好奇的小手，使用之前教育孩子热蒸汽的危险性）。如果孩子在夜间因为严重鼻塞而惊醒，打开热水让他在小浴室里坐几分钟，这样有助于迅速缓解鼻塞，大一点的孩子可以让他坐着把脸凑到热水池上（请不要凑到炉子上）。在洗澡的热水、热蒸汽、美容蒸脸器、热水壶或蒸汽发生器里加几滴桉树油或薰衣草油，这些天然的蒸汽能够帮助清通堵塞的鼻子和肺。

拍打胸口和背部。做蒸汽浴的时候，张开手掌用力拍打孩子的胸口、身侧和背部，摇松堵塞的肺部。

鼻腔和呼吸道天然疗法。药房和健康食品店里有无数种草药补充剂。多年来，我们自己和病人尝试过很多，其中我们觉得最有效、临床研究也证明了其安全性和有效性的有两种：欧龙马和百里香 - 常春藤叶合剂（药店和健康食品店有售）。这些草药合剂的功效是疏通黏液，辅助排出鼻涕，打开呼吸道，增强免疫系统。

非处方（OTC）感冒药和止咳药。虽然这些药物无法很快地清除感染，但却能减轻症状。不过许多新家长可能不知道选哪种药，站在眼花缭乱的药房货架前不知如何是好。止咳药、化痰药、抗组胺药、解充血药，挑哪种呢？你可能也为此感到头疼。在本书写作之时，4 岁以下的幼儿不应该吃非处方的感冒药和止咳药。下面我们将指引你选择药品：

- 对症下药。比如说，孩子只是咳得很厉害却没有鼻塞，那你大概不需要对付复合症状的感冒止咳药，光止咳就可以了。
- 有必要的时候才吃药。如果孩子的感冒症状并未影响睡眠和日常活动，那你大概不需要给他吃药。治疗感冒最有效的东西常常是一些“非药物”，例如鼻腔盐水喷雾、热蒸汽和简简单单的多喝水。
- 了解感冒药的四种主要成分：
- 鼻腔解充血剂——这种成分主要是缓解鼻塞，它会轻微抑制黏液分泌，收缩肿胀的鼻腔，以达到让空气通过鼻子的目的。但它可能造成孩子易兴奋的副作用、干扰睡眠。
- 抗组胺剂——这种成分主要是抑制鼻部黏液分泌，止住流得太厉害的鼻涕。它最可能造成的副作用是嗜睡，晚上没问题，不过可能干扰日间活动。
- 止咳剂——它会抑制喉咙和肺部的咳嗽反射，让黏液和刺激无法引发咳嗽，从而止咳。没什么副作用。
- 化痰剂——它能疏通厚厚的黏液，让孩子更容易咳出来，从而缓解胸闷。没什么副作用。

健康小贴士：
选对药

药物的品牌不重要，也别被那些化学成分长长的名字搞糊涂，想想你认为需要对付哪种症状。药品包装正面标签的品牌下方会列出它所属的种类（例如解充血、止咳等），这能够帮助你更轻松地做出选择。同时用药超过一种也没问题，不过不要重复吃同类的药物（上述四类），比如抗组胺 - 解充血合剂可以和止咳 - 化痰合剂一起吃。

对症下药		
症状	推荐用药	注释
干咳	止咳剂	如果孩子咳得厉害，尤其是喉咙又干又痒，却不怎么流鼻涕也没有鼻塞，那就只用止咳剂。
轻微咳嗽，有痰	化痰剂	如果孩子咳嗽十分轻微——每小时只咳几声，不会干扰睡眠，或者胸口闷闷的，痰很难咳出来，请用化痰剂。
咳嗽，胸闷	止咳剂，化痰剂	如果孩子有痰、咳得厉害，干扰睡眠或日常活动却没有流鼻涕也没有鼻塞，请用止咳－化痰合剂。如果家里只有止咳药，单吃这个也可以。
鼻塞	解充血剂，化痰剂	如果孩子鼻塞但没有严重瘙痒、流鼻涕，那解充血剂应该能帮上忙；如果黏液很厚，化痰剂有所帮助。解充血剂可能干扰睡眠（与抗组胺剂组合使用），所以最好在白天吃。
咳嗽，胸闷，鼻塞	止咳剂，化痰剂，解充血剂	如果孩子有痰、咳得厉害、胸闷、鼻塞或鼻窦堵塞，但没有瘙痒也没有流鼻涕，请用止咳－解充血合剂。如果黏液很厚，化痰剂也有所帮助。解充血剂可能干扰睡眠（与抗组胺剂组合使用），所以这种合剂最好在白天吃。有的制剂可能还含有对乙酰氨基酚成分（退烧药），能够缓解孩子可能出现的疼痛或发烧症状。
夜间咳嗽，鼻塞，流鼻涕，胸闷	抗组胺剂，解充血剂，止咳剂，化痰剂	这种合剂对付鼻子瘙痒流涕、鼻塞、干扰睡眠的频繁咳嗽很有效，夜间使用也没问题，因为抗组胺剂会让孩子昏昏欲睡。有的制剂可能还含有对乙酰氨基酚成分（退烧药），能够缓解孩子可能出现的疼痛或发烧症状。
流鼻涕，鼻塞	抗组胺剂，解充血剂	症状同上，但没有剧烈咳嗽，这种合剂对付鼻子瘙痒流涕和干扰睡眠的鼻塞很有效，夜间使用也没问题，因为抗组胺剂会让孩子昏昏欲睡。有的制剂可能还含有对乙酰氨基酚成分（退烧药），能够缓解孩子可能出现的疼痛或发烧症状。

什么时候该担心

在普通感冒期间，孩子的耳朵、鼻子、喉咙和肺部都会聚集黏液，成为细菌的温床。如果这些微生物增生到一定程度，可能会出现继发性的细菌感染。症状如下：

耳部感染。耳部感染最明显的信号是耳朵痛，孩子常常会发烧。太小而无法说出自己耳朵痛的幼儿可能会表现出哭闹不安，抓扯自己的耳朵。不过并不是所有的耳部感染都需要急救或抗生素。关于如何判断孩子的耳部感染是否需要看医生，详见 P291。

鼻窦感染。鼻塞、厚厚的黄色或绿色鼻涕、窦性头痛、鼻、眼、前额或脸颊周围疼痛、发烧，这些通常是鼻窦感染的征兆。在鼻窦感染的最初几天内没必要使用抗生素，孩子的免疫系统也许能够击退疾病。如果恼人的鼻窦疼痛和发烧持续超过几天，请打电话给儿科医生。详见 P483。

支气管炎。支气管炎是一种上呼吸道感染，会导致有痰咳嗽，咳嗽时可能伴有喉痛和胸痛。儿童支气管炎大部分实际上是病毒性的，不需要抗生素治疗。不过，如果疼痛很严重，发烧持续超过几天，那很可能是细菌感染。详见 P207。

肺炎。肺炎的症状包括气短、呼吸急促、胸痛、剧烈咳嗽、发烧、嗜睡、气喘，有时伴有呕吐。一般情况下，通过对上述症状的评估、听诊肺部，医生可以诊断肺炎，如果需要确诊，偶尔需要做胸部 X 光检查。详见 P445。

需要专门治疗的咳嗽

有三种咳嗽需要不同于普通咳嗽和感冒的特别治疗：

哮吼。这指的是一种声带和肺上叶感染。哮吼区别于普通感冒的典型特征是：咳声听起来像是海豹的叫声。孩子说话、呼吸或哭喊的时候可能会声音嘶哑。如果孩子的症状如上所述，请参考 P255，“哮吼”。

百日咳。这种咳嗽是由百日咳细菌引起的。普通的咳嗽和感冒症状出现 1 ～ 2 周后，孩子会出现更为剧烈的咳嗽，持续 30 秒～ 1 分钟。咳嗽十分剧烈，以至于咳完之前孩子几乎无法呼吸，咳完以后孩子会“呼”一声深吸一口气。如果孩子的症状如上所述，详见 P553。

婴幼儿喘息。有的婴幼儿会在普通支气管炎期间出现气紧咳、呼吸困难、气喘的症状。虽然这并不是哮喘，不过在幼儿期它的治疗方法和哮喘很相似。如果宝宝出现上述症状，请参考 P462，呼吸道合胞病毒（RSV）。

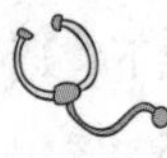

健康小贴士：感冒还是过敏？

许多父母在孩子刚出现感冒症状时就来到我们的诊所，因为他们想知道孩子到底是感冒还是过敏。实际上，在这些症状持续几周之后，医生才能告诉你确切的答案，而且你也没必要立即区分这两种情况，因为初步的治疗措施完全一样：冲鼻子、蒸汽浴、非处方解充血剂或天然药物。不过你可以利用下面这张表格推理一下：

感冒病毒	过敏
咳嗽得较深，痰较多	流清鼻涕
发烧，感觉难受	干咳，清喉咙
无过敏史	有过敏史
鼻塞	鼻子发痒，打喷嚏
鼻涕黏稠	没觉得很不舒服

如何确定孩子是否过敏详见 P134。

什么时候去看医生

孩子感冒咳嗽、发烧时，父母经常陷入这样的窘境：什么时候该带孩子去看医生呢？没必要的话，你肯定不想浪费时间和金钱；可是你又不想等得太久，万一有严重的感染，那可不能耽误治疗。在拿不定主意的时候，你最好还是稳妥一点，如果出现下面这些迹象，应该在上班时间给儿科医生打个电话预约一下：

- 发烧超过 39 度，持续 48 小时以上。这并不意味着一定要给孩子用抗生素，不过值得检查一下，看看是否需要专门治疗。
- 发烧 5 天以上，无论温度多少。大部分病毒感染不会发烧超过 5 天，所以这种情况必须去看医生。
- 出现 P231 描述的细菌感染症状。
- 呼吸急促、吃力。如果孩子呼吸比平常吃力，用肩部辅助吸气，出现气短或是一岁以下的婴儿每分钟呼吸超过 60 次、1 ～ 4 岁的幼儿超过 50 次、4 岁以上儿童超过 40 次，那可能是严重肺炎或哮喘发作的信号，应该立刻带孩子看医生或是送急诊室。

什么时候该用抗生素

对于中度到重度的细菌并发症，医生一般会开抗生素。不过，不是所有的细菌感染都需要抗生素治疗，健康的免疫系统可以自行击败细菌。由于滥用抗生素和细菌出现耐药性，现在医生开抗生素时更为小心了。轻微的耳部感染和鼻窦感染通常不需要抗生素，无发烧症状的支气管炎基本也不需要。

返回学校或托儿所

大多数感冒和咳嗽在整个病程中都有传染性，时间可能长达数周。虽然我们没有理由让孩子离开学校或托儿所这么长时间，可是早早把孩子送回学校又会让其他孩子面临被传染的风险。记住，生病的最开始几天传染性最强，所以在孩子病得必须请假回家之前，那些同学很可能已经接触过病毒了。你把孩子送回学校的时候，孩子可能还有传染性，不过生活就是这样。务必教导孩子勤洗手、不要和同学分享食物和饮料、康复之前不要亲吻别人。根据下面的信号，你可以决定孩子什么时候该回学校：

发烧。在不用退烧药的情况下，孩子连续 24 小时未出现发烧症状，那就可以返校了。

持续咳嗽和流鼻涕。孩子醒着的时候，可以给他吃天然或人工的感冒止咳药。如果咳嗽仍然很频繁，流鼻涕也没有好转，那还是留在家里吧。

黄绿鼻涕。感冒药也许还能减轻或彻底消除黄绿鼻涕，但如果没有好转，让孩子留在家里。这时候你可能很想用抗生素快点儿消灭黄绿鼻涕，可是如果孩子病得不太厉害，最好还是别用。好好做个蒸汽浴、早起吃一次感冒药大概足以最大限度地减少黄绿鼻涕，让孩子能够返校。

健康小贴士：
黄绿鼻涕不一定意味着……

人们普遍误解黄绿鼻涕意味着传染性更强，但事实并非如此，感冒初期流清鼻涕的阶段才更容易通过咳嗽和擤鼻涕传染，不过此时具有传染性的是病毒。一旦鼻涕变成绿色，密切接触鼻涕的孩子就容易传染到细菌。如果孩子的手安安分分不去接触别人、勤洗手，那么黏稠的黄绿鼻涕没那么容易传染。

40. 感冒疮

感冒疮又名热性水疱，发生在口腔外部嘴唇周围，是由疱疹病毒引起的。感冒疮开始时可能是非常小的点，一般不痛，几天后会长成水疱，持续约一周。感冒疮一次可能出现好几个，有一些非处方的药物可以帮助疱疹更快消退。如果感冒疮反复发作、爆发成为疼痛难看的大片疱疹，可以使用处方局部外用软膏阿昔洛韦尽量减少疱疹。

41. 婴幼儿肠绞痛

婴幼儿肠绞痛是儿科最容易被误解的术语之一。最近，有一些新见解揭开了婴幼儿肠绞痛的神秘面纱，不但阐明了婴幼儿肠绞痛是什么，还告诉了我们如何治疗真正经历痛苦的宝宝。婴幼儿肠绞痛（colic）这个词来自希腊语“kolikos”，意思是“结肠难受”。通俗简单地说，婴幼儿肠绞痛就是肠子痛，这个术语用于形容频繁且无法安慰的疼痛爆发。宝宝会拼命哭喊，随后恢复正常，一天中可能爆发多次，除此以外宝宝非常健康快乐。如果宝宝其他方面看起来健康茁壮，而一阵阵哭闹符合以下“3 原则”，那儿科医生通常会认为是婴幼儿肠绞痛引起的：

- 始于出生 3 周内
- 每天至少持续 3 小时
- 每周至少出现 3 天
- 持续至少 3 周
- 很少持续超过 3 个月

关于婴幼儿肠绞痛，家长应该记住三件事：

- 婴幼儿肠绞痛是一种描述，不是一种诊断。
- 婴幼儿肠绞痛通常是有原因的。
- 把“婴幼儿肠绞痛”这个词换成“宝宝在痛”。

在儿科医疗实践中，要追踪婴幼儿肠绞痛的原因、制订治疗方案，我们要做的第一件事是从诊断表上划去“婴幼儿肠绞痛”这个词，代之以“宝宝在痛”。这个形容更为准确，而且可以促使医生和家长努力寻找疼痛的原因、寻求各种办法让孩子好过一点。这个标签还能让家长放松下来：看到宝宝是在“痛”而不是在“哭闹”，你更容易感同身受，就像孩子因其他病症（例如耳部感染）而经受痛苦时一样。使用“宝宝在痛”的表述，我们不再把哭闹看作宝宝“掌控”父母的工具（这种说法位居婴幼儿肠绞痛的传说榜首），反而可以督促、激励父母和医生努力去解决问题。当父母对宝宝的痛苦更加感同身受，宝宝哭闹的时候父母就不再自怨自艾（因为朋友家的孩子都“很乖”）。此外，医生可以更加专注于依靠医学思维寻找办法治疗痛苦，而不是搪塞了事。

怎么办

现在，你和医生封存了“婴幼儿肠绞痛”这个词，代之以“宝宝在痛”，那么我们可以按照下面的方法逐步探寻疼痛的原因并加以治疗：

第一步：记录日志。记录下宝宝的每次爆发非常有用，有两个原因：日志也许能够帮助医生诊断出宝宝肠绞痛的隐藏医学原因；通过试错，你也许能够找到自己的家庭疗法和安抚工具。你要在日志中记录以下内容：

- 什么引发了宝宝大哭大闹？什么让哭闹停止了？
- 多久爆发一次，每次持续多长时间？
- 宝宝晚上会痛醒吗？或者哭闹主要发生在白天？如果晚上会痛醒，通常意味着疼痛有医学方面的原因。
- 每次爆发有好转、恶化还是一直差不多？
- 爆发是否总与进食有关，如哺乳方式、配方奶类型、奶瓶类型？哺乳的方式或配方奶有无改变？
- 宝宝频繁吐奶吗？频率如何？力气多大？哺乳多长时间后吐奶？
- 如果是母乳喂养，你是否注意到宝宝的哭闹程度和你吃的东西有关？
- 宝宝看起来“肠子有问题”吗？宝宝的肚子鼓鼓的吗？他爱吞咽空气吗？
- 记录宝宝的大便。大便频率如何？容易拉出来吗？大便是软的还是硬的？喂养方式或食物改变时，你是否注意到大便的频率和性状有变化？
- 你尝试过哪些改变或安抚方法？
- 什么办法总是很有用？什么没用？

第二步：录下宝宝爆发时的样子。为了帮助医生理解这样的爆发多么可怕，请录下宝宝哭闹的视频，看医生的时候带上以辅助医学评估。我们发现，观看这些痛苦的视频能够帮助我们辨别宝宝只是在哭闹还是真的很痛，哭闹的方式常常也会透露出诊断的线索。

第三步：安排医学评估。不要满足于五分钟的紧凑预约。要全面评估宝宝的疼痛，儿科医生需要时间。请诊所安排一个宽松的时间，最好是早上的最后一位或是平常医生安排会诊的时间。为了从“宝宝疼痛的医学评估”中得到最大收益，请采取下列措施：

- 带上日志和视频。
- 不要掩饰宝宝的哭闹给你带来的烦扰。正如一位筋疲力尽的母亲曾经对我们说的：“除非你们找出宝宝哭闹的原因，不然我就一直在你们诊所里搭帐篷。”
- 可能的话，看医生的时候请父母双方同时到场。母亲们总倾向于轻描淡写地描述宝宝的哭闹和整个家庭受到的影响，因为“传说”宝宝哭闹一定是因为“当妈的做了什么或者没做什么”。而父亲们的描述常常是这样：“我老婆快累死了，宝宝的哭闹在我们耳朵里简直像是丧钟。”

第四步：如果出现下列情况，那可能有潜藏的医学原因：

- 宝宝因痛楚频繁惊醒（经常哭闹却没有明显医学原因的敏感宝宝晚上通常睡得很好）。
- “婴幼儿肠绞痛”持续不退。
- 宝宝的哭闹十分强烈，直觉告诉你，“我的宝宝有哪儿痛。”
- 宝宝发育得不好，比如增重不明显，频繁出现呼吸道和肠道疾病。

原因

“宝宝在痛”常见的医学原因有五个：

（1）**胃食管反流病（GERD）**。根据我们的经验，这是“婴幼儿肠绞痛”最常见的原因。反流的胃酸会导致“胃灼热”，其线索如下：

- 哺乳后宝宝很快开始频繁吐奶，或者喂到一半喝下去的乳汁就会回流。
- 宝宝仰躺的时候更痛。
- 直着抱宝宝他似乎更舒服。
- 宝宝哭闹不安，夜间常常痛苦地惊醒。
- 哺乳后宝宝会痛苦地缩起来。

如果你怀疑宝宝的“婴幼儿肠绞痛”是 GERD，请参考 P347 关于 GERD 诊治的详情。

（2）**过度反应性母乳喷射**。有的乳房对宝宝吮吸的反应“过于良好”，每次哺乳的最初几分钟母乳呈喷射状，这会导致宝宝狼吞虎咽，咽下过多的空气，肚子就会胀气痛。另外，这种“前乳”的乳糖含量也高于高脂肪的“后乳”，消化时产生的气体也更多。请咨询哺乳顾问，了解如何让喷射的乳汁减速，如何增加后乳。

（3）**母乳喂养的宝宝对妈妈吃下的食物敏感**。在“婴幼儿肠绞痛”的隐藏原因中，对妈妈吃下的食物敏感位居第二。虽然可能并不全面，但下面这些食物是我们在实践中，最经常听到母亲们报告的罪魁祸首：

- 乳制品
- 蛋白
- 字花科蔬菜（卷心菜、西兰花、洋葱）
- 香料和味道强烈的食物（例如大蒜）
- 含咖啡因的食物（软饮料、咖啡、巧克力、冷饮）
- 豆制品

如果宝宝对妈妈吃下的食物敏感，可能出现下列迹象：

- 宝宝吃奶的时候总是吐出乳头哭闹，就像有哪儿痛一样。给过敏的宝宝哺乳异常艰难，妈妈会觉得十分挫败。
- 吃奶后宝宝胀气或是肚子鼓鼓的。

- 吃奶后肠绞痛很快发作。
- 宝宝的大便很稀、带有黏液，有时候是“喷出来”的。
- “靶信号”：宝宝肛门周围出现环形红疹（食物敏感导致大便过酸，引起灼伤似的皮疹）。
- 妈妈调整膳食后，宝宝的行为有明显改善。

妈妈应着手调整膳食：

- 列出最可疑的问题食物，特别是妈妈喜欢吃或容易“多吃”的那些。食物敏感常常和吃下的分量有关，意思是说，如果妈妈喝了一杯牛奶，宝宝可能没什么反应，但喝上三杯就不行了。妈妈应该把最可疑的问题食物全部剔除出食谱至少两周，如果宝宝的情况有所改善，再一样一样地往回加。
- 如果你不确定惹祸的是哪种食物，就从最容易出问题的开始——乳制品。科学已证明，乳制品中的蛋白质会让过敏的宝宝出现肠绞痛症状。如果一周或10天后仍没有明显改善，再从食谱里去掉小麦。有少量证据表明，小麦中的谷蛋白也可能引起宝宝的反应。而问题食物名单上的其他成员引起过敏的科学证据就更少了，主要是靠口口相传。根据我们的经验，只要哺乳的母亲停止或减少乳制品或小麦的摄入，大多数宝宝因食物敏感引起的肠绞痛就会好转。

如果妈妈完全不吃最可疑的问题食品，可宝宝还是会发生严重肠绞痛，那再试试更极端的纯净食谱吧（若无必要，大部分母亲不需要这么走极端，否则可能会让自己营养不良，防治宝宝肠绞痛，妈妈也需要更多的能量）：

- 1～2周的时间内，妈妈应该只吃火鸡、羊羔肉、土豆（烤或煮）、甘薯、南瓜和梨，谷物则只吃大米和小米，喝不加糖的加钙大米饮料来替代牛奶。在此期间，妈妈可能需要吃补充钙、复合维生素和ω-3的营养品。说到底，当妈的可不能让自己营养不良。
- 务必坚持记录日志，写下三四种宝宝最常见的哭闹模式（例如夜间醒来的频率和严重程度），尽可能客观记录。在努力试图找出原因、尽力安抚宝宝的时候，你很容易失去客观性。如果宝宝的哭闹是因母亲吃下的食物而引起的，迹象通常很明显，一旦妈妈的饮食发生了变化，大多数哭闹宝宝的表现会在短短几天内发生巨大变化。
- 根据记录下的日志，如果宝宝的哭闹情况明显且客观地缓解了，那妈妈可以逐步将其他食物加入膳食中，从最不容易过敏的食物开始，例如三文鱼、牛油果、葵花籽及其他水果和蔬菜。问题食物应该放到最后再加入食谱。

“我什么时候才能吃上正常的东西啊？”妈妈可能都会这么问。大多数母乳喂养的宝宝在 8 个月时会度过食物敏感的阶段，此时宝宝的肠道内壁成熟了一些，能够筛除刺激性的过敏源。不过正常饮食的具体时机和对食物过敏源的反应因人而异，差别很大。

（4）**配方奶过敏**。某些婴幼儿配方奶中的两种成分可能导致宝宝肠道敏感、出现肠绞痛：牛奶蛋白和乳糖。根据 P236 列出的母乳敏感线索，如果怀疑宝宝对配方奶过敏，请与宝宝的医生商议，试试下列措施：

- 改喝经过预消化的配方奶，这些配方奶中的牛奶蛋白已被分解，不易引起过敏。标有“防过敏”或“温和型”的配方奶经过了部分的预消化，也可以喝，而且比前面两种便宜一些。
- 如果怀疑宝宝对乳糖不耐受（只有胃肠道症状，例如腹胀、放屁、腹泻），试试不含乳糖的配方奶。
- 美国儿科学会（AAP）营养委员会建议，不要把大豆配方奶作为肠绞痛婴儿的标准食品，因为对牛奶蛋白过敏的宝宝有三分之一对大豆也过敏。
- 如果宝宝对配方奶过敏尤其是对乳糖过敏，那么喂奶的分量常常会成为问题。所以，记住西尔斯医生的“2 原则”：2 倍喂奶频率，每次 1/2 分量。每次摄入的配方奶较少，蛋白质和乳糖对宝宝幼嫩肠道的刺激也较小，不至于超出肠道的负担能力。有时候，只需改变喂奶的频率和每次的分量，宝宝就会舒服一些。

关于配方奶过敏详见 P340。

（5）**感觉处理障碍**（SPD）。虽然大多数肠绞痛的宝宝并没有感觉处理障碍（SPD），但这种新发现的发育障碍（又名感觉统合失调）可能与某些宝宝的肠绞痛症状有关。SPD 患儿的大脑无法正确处理特定类型的感觉，对于这些宝宝的大脑来说，日常生活中许多正常的感觉刺激性大于安抚性。比如说，如果被襁褓裹住或是被抱在怀里，SPD 患儿可能会有被束缚的感觉，因受到过度刺激而恼怒，他们希望能够更加自由地活动，可能更喜欢被直着抱住，而不是平着依偎在父母怀里。衣物摩擦皮肤可能会让宝宝觉得受到刺激、不安，尤其是在晚上。外界的声音也可能会让 SPD 宝宝吓一跳，嘈杂混乱的环境可能给他们带来紧张和不安的感觉。由于SPD宝宝的大脑不得不应付这些持续的刺激，可能导致他整天都有肠绞痛症状。幸运的是，SPD可通过感觉统合职业疗法治疗，详见P474。

健康小贴士：有的宝宝肠绞痛没有确切原因，只能静待自愈

在实践中，我们发现上述步骤能够帮助绝大部分肠绞痛患者改善症状或彻底痊愈，不过哪怕用尽所有办法，仍有的宝宝没有太大改善。有的肠绞痛可能根本就不是由食物、配方奶或胃食管反流引起的。幸运的是，随着肠道发育成熟，大多数宝宝到四个月时会明显好转，所以，如果你实在没法找出宝宝哭闹的原因，你至少可以再次相信，事情不久后就会好起来的。

安抚宝宝肠绞痛的十个窍门

事实上，传统"治疗"肠绞痛的方法是用坚定的手抚摸宝宝的肚皮和父母的肩膀，敷衍着说："喔，他随着长大会度过这个阶段的！"对付肠绞痛的大部分方法，目的其实在于稳住父母而非缓解宝宝的疼痛。保持"宝宝在痛"而非"婴幼儿肠绞痛"的思路，你和医生将结为搭档，坚持不懈地寻找宝宝疼痛的原因和解决方案。

虽然父母需要不断试验哪些安抚措施有用，但归结下来，大多数安抚措施无非是放松小肚子、在合适的时机给予宝宝合适的抚摸。下面的十个窍门应该有所帮助：

（1）更慢、更频繁地哺乳。无论是母乳还是配方奶，过度喂养都会增加宝宝肠道里的气体，那是分解多余的乳糖时产生的。第一条铁律：2倍喂奶频率，每次1/2分量。宝宝胃的大小和他的拳头差不多，要深刻理解每次喂奶的分量和宝宝胃大小的差异。把宝宝的拳头放在一瓶4～6盎司的配方奶旁边进行比较，你就明白小肚子为什么绷得那么紧了。

（2）改变抱孩子的姿势。现在我们介绍几种久经考验的安抚宝宝肠绞痛的搂抱姿势，由父亲来做尤其有效，我们称之为"哭闹小鬼头的最爱"。

- 橄榄球抱。让宝宝肚子朝下趴在你的前臂上，脑袋放在你的手肘旁，双腿在你手上叉开。稳稳抓住宝宝胯下，用前臂压住紧张的腹部。你也可以把这个姿势颠倒一下，让宝宝的脸颊贴着你的手掌，肚子沿着前臂伸展，胯部依偎在你的手肘处。
- 贴颈抱。让宝宝的脑袋依偎在你下

巴和胸膛之间的凹陷处，来回摇晃并轻轻哼唱缓慢、低沉的重复旋律，例如《老人河》。

(3) **抱着宝宝跳个舞**。抑制肠绞痛的舞蹈由三个基本动作组成：上下、左右、前后——本质上也就是宝宝在子宫里习惯的摇晃。跳舞时抱宝宝的姿势可以是贴颈抱、橄榄球抱，也可以是蜷缩抱(见后文)。我们最喜欢的舞步叫作"坐电梯"：上下颠动宝宝，重心从脚跟到脚趾，频率为每分钟 60 ~ 70 次(默数 1、2、3……)。这套韵律与宝宝习惯的子宫血流脉动相似。还有一种对很多孩子有效的安抚动作，我们称之为"晚餐舞"。有的宝宝喜欢在你跳舞的时候缩在背带里吃奶，你的动作加上宝宝的吮吸，通常能够成功安抚哪怕最沮丧的宝宝。宝宝常常喜欢和妈妈一起手舞足蹈，毕竟他还没出生就已经认识这位舞伴了，这也解释了为什么有的父亲想帮把手、解脱筋疲力尽的妈妈时会倍感沮丧。然而，许多哭闹宝宝也喜欢改变一下习惯的流程，他们欢迎爸爸不同的搂抱和舞步。还有，别忘了邀请奶奶也加入舞曲。奶奶的臂膀耐心而富有经验，她可能还有自己拿手的舞步呢。

(4) **屈伸动作**。宝宝疼得最厉害的时候，我们有两个久经考验的方法：

- 蹬自行车。让宝宝仰躺在你的大腿上，脑袋搁在你的膝盖上。推拉宝宝的双腿，就像蹬自行车的动作一样，同时做一些滑稽的表情来转移他的注意力。
- 蜷缩抱。这是绷紧肚皮、弓起后背的宝宝最喜欢的搂抱姿势。让宝宝坐在你怀里，面朝前方，把你的胳膊垫在宝宝屁股下面，让宝宝向后仰，这样他的头和背的上半部分就会靠在你的胸口，下半身则轻轻蜷缩在你前方。你也可以试试转个身，让宝宝面朝你，让宝宝的脚蹬在你胸口上。这个姿势能让你可以和宝宝进行眼神交流，做一些表情游戏。

(5) **颠一颠**。让宝宝趴在一个大皮球上，用手护住他的后背，然后转圈来回滚动。如果你有大皮球（可从婴儿产品目录里买个"理疗球"）的话，给宝宝颠一颠吧。让宝宝安全地坐在球上，距离靠近一点，用眼神和宝宝建立联系，然后上下颠动宝宝。我们（比尔医生和玛莎）仍保留着"大红球"，那是过去颠宝宝时留下的纪念品，我们称这种方法为"袋鼠时间"。我们曾遇到过一位父亲，他把自己的健身时间安排在宝宝晚上哭闹的时间段。他会贴颈抱着宝宝在一张小蹦床上有韵律地轻轻跳动，既能消除宝宝的紧张，又能赶走爸爸的脂肪。不过，做这种运动时父母应该小心保持平衡，千万别让宝宝颠得太厉害。

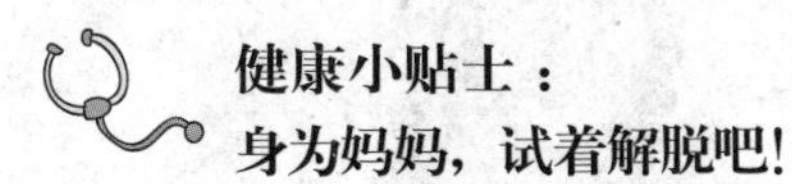

健康小贴士：
身为妈妈，试着解脱吧！

如果宝宝的闹腾让你筋疲力尽，甚至失去了耐心，那该试着解脱了。一次，一位因安抚哭闹宝宝而累垮的母亲带着闹腾的宝宝和另一个两岁的孩子来到我们的诊所，大一点孩子身上的T恤上写着："妈妈今天累坏了。请拨打1-800-奶奶。"

（6）**捂住小肚子。**宝宝胀气痛的时候，把温水瓶（不是热水瓶！）裹在布尿布里给他捂住肚子。要进一步放松紧张的小肚皮，让宝宝趴在垫子上，腿自然垂下，然后轻轻按摩宝宝的背部。

（7）**按摩小肚子。**用手掌捂住宝宝的肚脐，五指打圈按摩他的腹部，让宝宝紧张的小肚皮在你温暖的手掌下放松。爸爸的大手能覆盖的范围更大。试试"我爱你"这种久经考验的婴幼儿按摩手法：想象宝宝的肚皮上有个倒写的"U"，U字下面就是宝宝紧张的肠道，小肠子需要放松，你希望通过按摩让里面的气体排出来。在手上涂一些暖和的按摩油，摊平手指，打圈揉搓宝宝紧张的腹部。先在左边从上到下划一个"I"，然后沿着倒写的"L"按摩到腹部上方，再按照倒写的"U"沿路按摩，沿着右边肚子向上划一笔，向左，再从左边向下。让宝宝躺在你的腿上，脚朝向你胸口，用这种温馨的腹部按摩手法为他按摩吧。

(8)**温暖接触。**试试温暖接触法(这也是爸爸的最爱)：你躺在床上或地板上，让宝宝肚子朝下趴在你身上，让他的耳朵贴着你的心跳，你温暖的身体和胸膛的起伏可以安抚宝宝的哭闹。用这个姿势一起洗个热水澡效果更好。

(9) **把宝宝"穿"在身上。**经过时间的检验，安抚肠绞痛最有效的办法之一是用背带把闹腾的宝宝"穿"在身上，最好在宝宝晚上发作之前就预防性地把他"穿"上。世界各地对安抚婴儿有所研究的人类学家提出了这一相关性：被抱着的宝宝更少闹腾。我们说的是"穿"宝宝，因为比起单纯的抱起宝宝、在宝宝闹腾的时候把他放进摇篮，"穿"这个词的含义更为广泛，这意味着宝宝不需要闹腾就能获得每天几个小时的搂抱。采用这种方法的妈妈告诉我们："宝宝好像忘记闹腾了。"我们曾遇到过一位母亲，她肠绞痛的宝宝只要待在背带里就不闹腾。不过宝宝在六周的时候，她必须回去工作，我给她的托儿服务提供者开了这样一张"处方"："要让宝宝不闹腾，每天用背带'穿'着他至少3小时。"

有一种理论认为，婴幼儿肠绞痛是

生物节律混乱的症状。在孕期的9个月中，子宫的环境会自动调节宝宝的身体系统，当宝宝越快得到外界的帮助来整合这些系统，

就越容易适应子宫外陌生的生活。通过模拟子宫体验，把宝宝“穿”在身上的父母提供了外部调节系统，平衡了宝宝失去规律、陷入混乱的倾向。你可以这样想：子宫体验持续18个月——9个月在妈妈体内，9个月在外面。在实践中，我们曾遇到过一位“穿”宝宝的妈妈，她相信哺乳后把宝宝“穿”在身上能够促进“消化系统平衡”。

（10）**魔镜**。在我们的实践中，这个小花招把许多宝宝拽出了哭闹的泥潭：把肠绞痛的宝宝抱到一面镜子前，让他观看自己的表演。让宝宝用小手或光脚触摸自己在镜子里的倒影，你会看到着了迷的宝宝神奇地安静了下来。

什么时候才算完？

肠绞痛爆发很少持续到4～6个月以后，不过有的哭闹行为在最初的一年里可能会贯穿始终。到宝宝6个月时，激动人心的发育变化就会降临，引领宝宝告别肠绞痛。

他们能够清晰地看到房间对面的东西了，当他们被周围的新世界所吸引，就忘记了哭闹。

他们会玩自己的小手，沉迷于自娱自乐地吮吸指头。此时宝宝更加自由了，他们挥舞着四肢，吹开面前的蒸汽。同时，在第一年的下半年中，宝宝的肠道更加成熟了，食物过敏和胃食管反流状况开始消退。如果你的宝宝正处于肠绞痛的阶段，你可能很难想象这样的哭闹有朝一日竟会终结。不过它终将过去，请耐心等待。让身边的人帮你度过这一阶段吧。只要再过短短一段时间，你的宝宝又会重新快乐起来，而你可以继续向前，享受亲子关系。

如果你希望更深入地了解婴幼儿肠绞痛的原因和治疗方案，学习别的父母行之有效的安抚方法，请阅读我们的另一本书《西尔斯橙色亲子课》（九州出版社，2015）。

健康小贴士：
提前准备好“开心一刻”

肠绞痛的宝宝爆发时总在黄昏或薄暮，甚至有时会出现十分冤枉的巧合：他正好在你父母天性消耗殆尽的那一刻爆发。如果你的宝宝容易在下午哭闹，请在他爆发之前准备好迎接“开心一刻”：提前准备晚餐，预烹调过的冷冻炖菜是肠绞痛阶段的理想晚餐。靠近黄昏时和宝宝一起打个小盹；一旦醒来，立即进入松弛流程，例如给宝宝按摩20分钟，然后用背带“穿”着宝宝散步40分钟(这也是你锻炼的好时机)。经过这套准备流程，每天的这个时间段宝宝会期待一个小时的快乐时光而非一个小时的疼痛。

---

42. 脑震荡

脑震荡指的是一种脑部损伤，头部撞到其他物体或是运动的物体击中头部都可能发生脑震荡。儿童或年轻成人可能在运动、车祸、摔落或其他创伤事件中受到脑震荡；在较小的儿童中，脑震荡不那么常见。评估婴幼儿和较小儿童的轻微头部损伤请见P360，“头部损伤”。

症状

如果儿童头部受到严重冲击，应进行脑震荡评估。如果出现下列症状，那孩子可能有轻度到中度脑震荡：

- 短暂失去意识（持续一分钟以内）
- 头痛
- 短期记忆丧失

上述症状是轻微脑震荡的信号。如果你的孩子出现下列症状之一，请立即送他去急诊部门：

- 持续失去意识
- 意识模糊
- 嗜睡或难以唤醒
- 呕吐
- 持续思维迷糊
- 出现抽搐或痉挛的迹象
- 瞳孔大小不均
- 瞳孔对光线的反应迟缓

- 走路困难
- 肌肉无力

儿科医生会做什么

如果儿科医生怀疑孩子脑震荡，他会进行初步的神经系统检查。他可能会问孩子一些问题，例如今天是几月几号、你住在哪个城市、你受伤时场上的比分是多少，以测试孩子的思维和意识是否清晰。医生还会观察有无物理信号，例如走路困难、无力、眼睛异常。根据孩子的症状，医生可能会做头部 CT 扫描或 MRI 以评估损伤程度，排除颅内出血的可能。

儿科医生可能会利用各种评分系统，将脑震荡评定为轻度、中度或重度(也叫一级、二级和三级)。他会考虑以下内容：

- 孩子是否失去意识，如果失去意识，持续多长时间
- 孩子脑子混乱或失去方向感的时间有多长
- 有无更为严重的脑震荡的其他症状

治疗

大多数情况下，脑震荡的孩子只需要观察症状是否消退即可。在非常罕见的情况下，严重脑震荡会导致脑部损伤或出血，那可能需要住院甚至手术治疗。

恢复运动

年轻运动员何时能够重返运动场，完全取决于脑震荡的严重程度和症状消失了多长时间。只有医生才能给孩子发放重新开始运动的通行证。影响医生做出决定的另一个因素是：你的孩子是第一次脑震荡还是曾经有过多次脑震荡。现在，就连专业的运动队也比从前更重视脑震荡，因为多次脑震荡可能引发严重后果。

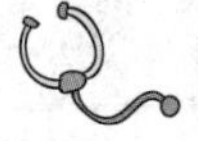

健康小贴士：
二次冲击综合征

如果在第一次脑震荡痊愈之前再次发生脑震荡，可能出现二次冲击综合征，导致严重脑部损伤。所以运动员在第一次脑震荡的症状完全消失至少一周之后，才能重新开始运动，这一点极端重要。如果孩子出现脑震荡，在医生许可之前不要让他再参加运动。

潜在的长期并发症

大多数情况下，一次脑震荡——特别是轻度脑震荡——不会引起长期并发症。如果孩子经历了两次以上脑震荡，或是脑震荡十分严重，才可能有后续问题。每次脑震荡之后都应进行医学评估，

以判断如果再次脑震荡，运动员出现更为严重脑部损伤的风险有多大。经历过多次或重度脑震荡的部分人会抱怨一些长期问题，包括头痛、视觉模糊、偶尔思维混乱。记住，脑部损伤的个体差别很大，因人而异，脑震荡的评估和治疗也必须考虑多种因素，适用于某个人的治疗方案不一定适合其他人。

43. 便秘

几乎所有儿童都经历过便秘。虽然对于父母和孩子来说，便秘都可能既痛苦又可怕，可是只要加以适当治疗，便秘也可轻松度过。不过，有的孩子会出现慢性便秘。通过合适的饮食加上软化大便的补充剂，我们将指引你和孩子克服儿童期便秘问题。

症状

有时候家长可能注意不到便秘，但是它会引起腹痛反复发作。如果出现下面这些线索，你的孩子可能得了便秘：

- 大便时非常用力（但孩子没说）
- 大便很粗，像麻绳一样
- 好几天才大便一次
- 大便时间很长（在便盆上蹲的时间超过 5 分钟）
- 一次排出很多大便
- 排出的大便像小球一样（或者是一堆堆的小球）
- 内裤上有小块的大便痕迹

如果孩子好几天才拉一次大便，却并不肚子痛，而且大便看起来柔软、大小适中，那就不是便秘。大部分婴儿最初几周每天都会大便，随后大便的频率逐渐减少，有的婴儿甚至 4 ～ 7 天才大便一次。如果你的宝宝排便舒适，粪便柔软，那你没必要担心。

儿科医生会做什么

儿科医生会采取几种办法来帮助你。如果需要确切查证是否便秘，他可以给孩子做一次腹部 X 光检查（大坨粪便在 X 光上很容易看出来）；如果情况严重，医生可以摸到孩子肚子里的硬结粪便；医生还能帮助你排除腹痛的其他原因，有必要的话还可以做一次直肠检查以排出秘结大便。

怎么办

在这个部分里，我们将主要解决慢性或反复出现的便秘。如果孩子第一次便秘，而且他只是排便比较吃力，那你无须阅读所有细节。这里有个见效快的法子：买一些儿科甘油栓剂和纤维混合饮料（适用于一岁以上儿童），每天或隔天使用甘油栓剂（请阅读说明书），给孩子喝几天纤维饮料，二者结合能够软化、排出大便。如果这么做没有效果，你可以买儿科灌肠剂（一定要看说明书）。如果连灌肠剂都没用，请去看医生。

除了快速解决方案之外，便秘期间你还可以做很多事来解决潜在的问题：第一步是剔除可能的病因，第二步是使用天然补充剂或药物来缓解问题。

剔除可能的原因

可能引起便秘的原因如下：

在6个月时开始吃固体食品。暂停固体食品，每天给孩子吃一些西梅酱或桃子酱，让肠子动起来。

容易引起便秘的食物。下面这张表格中的食物，如果孩子吃得太多或者刚刚开始吃，很容易引起便秘。从孩子的食谱中暂时移除这些食物，就算他已经吃了好几年也要暂停一下：

• 苹果	• 坚果
• 香蕉	• 大米
• 胡萝卜	• 白面包
• 玉米	• 白马铃薯
• 乳制品	

排便训练。如果幼儿最近觉得使用便壶来排泄很有压力，暂停训练，过几个月再试。

对于大一点的儿童，便秘可能是因为压力或忧虑。开诚布公地和孩子谈一谈，看看是否有家庭、学校或社交方面的问题。

健康小贴士：喝了太多牛奶？

喝牛奶是幼儿便秘的一大原因，却常常被忽视。哪怕是大一些的孩子喝了过量的牛奶也可能发生便秘。试试一两个月完全不喝牛奶，看看情况有无改善。

便秘的天然疗法

剔除可能的原因之后，你可以往孩子的日常饮食中添加一些东西帮助肠道重新运动起来。从最先提到的食物开始，按照下列顺序每隔几天往孩子的饮食中添加一样东西，直至情况改善：

有利于肠道运动的食物。多吃以下食物：

• 杏	• 李子
• 柑橘	• 西梅
• 亚麻油	• 葡萄干
• 葡萄	• 沙拉
• 绿色蔬菜	• 全麦麸麦片
• 桃子	• 全麦面包

益生菌。健康食品店里可以买到这些健康的细菌，有粉剂也有液体，它们能够辅助调节肠道功能。请购买含有乳酸菌或双歧因子的制剂。

纤维混合饮料。纤维混合饮料能有效促进肠道运动，对于天然纤维食物摄入不足的挑食幼儿尤其有效。大一点儿的学龄儿童可能更愿意听话并多吃富含纤维的食物，那时候就不用依赖纤维饮料了。

奶昔。把天然补充剂和高纤维食物混合打成奶昔。

芦荟汁。健康食品店里可以买到这种健康饮料，对软化大便十分有效。6 个月以上的婴幼儿每天喝大约 1/4 杯，9 岁以下的学龄前儿童每天半杯，大一些的孩子每天 1 杯。

健康油脂。亚麻籽油或鱼油之类的油脂可能也有帮助。喝几天矿物油（大约每天 1 ～ 4 茶匙——按需调整）也能让大便通畅，虽然它没什么营养价值。

浓缩果酱。大部分健康食品店有售，果酱中含有多种水果成分，能够刺激排便。

补镁剂。药店有售，两岁以上的孩子可以每天服用约 100 ～ 200 毫克（注意掌握剂量，既要解决便秘，又不要让大便过于松散）。

遵循西尔斯医生的“2 原则”。2 倍频率，1/2 分量，咀嚼 2 倍时间。这种进食方式可以让消化道上端多承担一些工作，减轻消化道末端的负担。

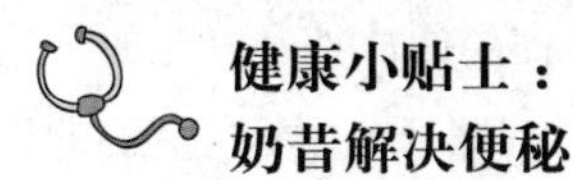

健康小贴士：
奶昔解决便秘

水果、酸奶和亚麻籽粉拌成的奶昔是治疗便秘最健康的方法之一，我们在医疗实践中也经常使用。因为搅拌机完成了大部分消化工作，所以肠道要干的活儿很少，进入结肠的未消化食物也很少。

治疗便秘的药物

如果上述措施都没有用，或者孩子需要快速解决问题，你可以给两岁以上的儿童吃这些非处方（OTC）药：

多库酯钠。这种大便软化剂能帮助大便更顺利地排出。

聚乙二醇 3350。这种药物能让更多水分进入结肠软化大便，让大便松动。

番泻叶。一些非处方药中含有这种草药成分，它能够刺激结肠推动大便。虽然其他一些便秘药可以连续服用数周甚至数月，但是如果每天服用番泻叶超过一周，结肠可能会产生依赖性。

处方药。儿科医生可以给孩子开一些处方药，但它们的效果和强度其实并不比非处方药好。

重新调节便秘的结肠

健康的结肠喜欢空空如也的感觉，当大便灌满结肠开始拉伸的时候，结肠就会自然收缩，把粪便往外推（这时你自然会感觉很想上厕所）。慢性便秘的结肠过于适应满当当、紧绷绷的感觉，于是它失去了推出粪便的能力。你需要让慢性便秘的孩子继续服用补充剂至少 3 个月（记住，我们不推荐长期服用含有番泻叶的药）来让结肠保持排空的状态，让它缩回正常大小，3 个月后，通过逐渐减少补充剂观察孩子是否能够自己顺利排便。

如果孩子有大便失禁的问题，请参阅 P497 帮助孩子解决这一窘境。

44. 接触性皮炎

接触性皮炎的特征是红色凸起、偶有渗液的刺激性皮疹。毒漆藤是引起接触性皮炎的常见原因，不过其他许多物品接触皮肤后也可能引起该反应。

类型

要小心观察两类反应：

孤立红斑。这种典型的反应大体出现在身体接触环境的各孤立部位，例如脚踝、腿部和手臂，出现在躯干部位也很常见。因为瘙痒十分剧烈，所以红色凸出的肿块和红斑很容易顺着抓挠痕迹蔓延。

大片皮疹。这种皮疹出现在身体表面积更大的部位，整个手足部位都可能出现大片皮疹，具体症状为皮肤泛红、冒出很多红色小丘疹。

原因

有时候引发皮炎的原因很明显，例如孩子参加野营回家，营地里有毒漆藤。不过更常见的情况是诱因不明。从本质上说，所有类型的接触性皮炎症状都很相似，所以别指望医生能告诉你确切的病因。幸运的是，大多数病例都只会发作一次，最好的处理方案是直接治疗皮炎，无需追究病因。但要是皮炎反复出现，那就应该找找源头了。最常见的可能性如下：

- 植物和灌木——在暖和的季节里，繁茂的毒漆藤和橡树可能是罪魁祸首，不过许多普通植物也可能引发皮炎反应。如果孩子最近在灌木丛里钻过或是爬到树上玩过，那很可能就是植物引发的皮炎。
- 家用清洁剂或其他家用化学品——这些东西可能刺激皮肤。
- 个人护理产品——新的肥皂、洗发水、乳液、洗涤剂和其他常见日用品都可能触发大片皮疹。

治疗

非处方药。咨询医生之前，先试试这些办法：

- 超强效型氢化可的松霜剂——每日使用 2 ~ 3 次，持续数天。
- 止痒膏——药店有售几种不同的止痒膏，挑一种配合氢化可的松使用。
- 粉红色的炉甘石洗剂——它能辅助干燥皮疹、减轻瘙痒。等其他霜剂吸收完毕后再用。
- 燕麦浴——好好泡个燕麦浴也有帮助。
- 口服抗组胺药——苯海拉明是最有效的止痒措施之一，不过可能导致孩子嗜睡，也可考虑使用不致困的抗组胺药。

处方药。如果家庭疗法效果不佳或是几天后皮疹仍未好转，医生可能会开这些药：

- 更强效的氢化可的松霜剂——这种药物非常有效，不过可能要等一两天才能看到效果。
- 更强效的抗组胺药——治疗接触性皮炎有一种非常有效但会致困的抗组胺药——羟嗪。不致困的长效处方抗组胺药效果也很好。
- 口服类固醇——这种药效果最好，不过一般只开给最严重的病例或持续长时间的中等皮炎。

预防

如果你或孩子正在计划出门旅行，可能会发生接触性皮炎，那么你可以采取这些措施降低风险：

- 防毒漆藤和橡树过敏的乳液——如果这些植物的汁液蹭到皮肤上，防过敏乳液能中和其中的刺激性油脂。每天早上出门前在暴露区域涂上乳液，运动商品店有售。
- 去除毒漆藤汁液的乳液或肥皂——每天下午回来后洗个澡，用这种清洁剂洗掉可能粘在皮肤上的有毒油脂。
- 衣物——穿长裤，上衣扎进裤子，裤子扎进袜子。不要用手直接触碰鞋子和脚踝。
- 避开危险源——远足的时候尽量走有路的地方，避开有毒植物。

如果你知道孩子的皮肤很敏感，曾出现过过敏状况，请采取以下措施：

- 在家尽量使用天然有机的清洁剂，因为它们对皮肤的刺激可能较小。
- 一旦找到了不会引起孩子皮肤问题的肥皂、洗发水和衣物洗涤剂，请坚持使用，不要再换牌子。
- 新衣服给孩子穿之前先洗一次，去除生产过程中可能残留的刺激性化学品。

45.CPR（心肺复苏）

CPR（心肺复苏）用于帮助或唤醒呼吸或心跳停止的人。要学习 CPR，做好应付突发情况的准备，最好的办法是参加本地医院有资质的实际操作教学课程。下面我们将简单讨论基础的 CPR，不过这里的内容无法取代完整的 CPR 课程。如果你此刻正在遭遇危及生命的紧急情况，请拨打 120 并遵从他们的指导。儿童窒息的应急措施详见 P222。

儿童失去意识的初步评估

如果你发现儿童（或其他任何人）失去意识，请轻轻摇晃他的身体，大声询问他有没有问题。如果对方没有反应，下一步的行动取决于该人的年龄：

8 岁及以下儿童

如果你孤身一人，请立即把耳朵贴在孩子的嘴巴处听听有无呼吸、气流，并观察孩子胸口有无起伏，评估孩子是否还有呼吸。如果没有呼吸，在拨打 120 之前，请按照下文描述的方法人工呼吸 1 分钟。儿童停止呼吸、失去意识的最可能原因是窒息，在最初的几分钟里，尝试清理气道、辅助呼吸比拨打 120 更重要。如果你有同伴，让他立即拨打 120，然后回来协助你。

8 岁以上儿童及成人

如果你孤身一人，开始人工呼吸之前请先拨打 120。对于较大的儿童和成人来说，心脏直接停搏的可能性大于窒息，重中之重是尽快寻求急救。如果你有同伴，让他立即拨打 120，然后回来协助你做急救呼吸。

急救呼吸

第一步是调整孩子的气道位置，检查确认有无呼吸：

调整气道位置

重要的是确保孩子的头和嘴位置合适，能让气流顺利通过。用一只手轻轻抬起孩子下颌，另一只手轻推前额，让孩子的头微微后仰。

观察、倾听、感觉有无呼吸

把耳朵贴到孩子嘴边听听有无呼吸声，也可用脸颊感觉有无气流，观察胸口有无起伏。如果孩子仍有呼吸，请继续观察直至急救人员抵达；如果孩子没有呼吸，请继续做 CPR。

人工呼吸

捏住孩子的鼻子，用嘴含住孩子的嘴巴吹两口气并观察胸口有无鼓起。对

于一岁以下的婴儿，请用嘴含住孩子的嘴巴和鼻子，小口吹气观察胸口有无鼓起。如果你观察到孩子的胸口随吹气而鼓起，请进入下文描述的胸部按压流程。如果孩子恢复了呼吸，请继续观察直至急救人员抵达。如果胸口未随吹气鼓起，请调整孩子头部和下颌的位置，然后再次尝试；如果胸口仍未鼓起，那可能是孩子的气道被堵塞，应实施海姆里克急救法，具体见 P222 介绍窒息的章节。

AED：自动体外去颤器

这种急救设备能够评估患者的心脏状况，并在有必要的情况下对特定类型的心脏停搏提供电击。现在这种设备在大型商业设施、机场和其他公共场所都很常见。在 CPR 的最初几分钟里，你手边不太可能有 AED，但如果有的话，请停止胸部按压，打开该设备并按照语音提示使用。AED 语音提示将指导你把导线连接在患者胸口，然后根据心脏停搏的具体类型，可能会提示你操作仪器提供电击以试图让心率和心脏功能恢复正常。对患者的心脏状况做出评估后，AED 还可能还会提示你继续进行胸部按压和急救呼吸。

胸部按压

成功进行两次人工呼吸后，你就该把注意力转到心脏上来了。如果孩子恢复了呼吸，这意味着他的心脏已经恢复运作，无需按压胸部；如果孩子仍然失去意识、没有呼吸，请开始按压胸部。虽然现在对于所有年龄层的患者来说，按压胸部的时机都一样，不过具体的手法却有很大区别：

1 岁以下婴儿。将两根手指置于婴儿胸口中央胸骨处，垂直位置为乳头下方，向下按压 2.5 厘米。

1 ～ 8 岁儿童。单手掌根置于乳头之间的胸骨处，向下按压约 4 厘米。

较大儿童及成人。单手掌根置于乳头之间的胸骨处，另一只手覆盖其上。身体向患者倾斜，肘部固定，用全身的重量向下按压 5 厘米。

以每分钟 100 次（或略快于每秒一次）的速率按压胸部 30 次，时间应为约 20 秒；然后停止按压，再做 2 次急救呼吸。如此循环进行，30 次胸部按压加 2 次人工呼吸，直至 AED 设备就位或急救人员抵达，或你观察到孩子开始动了或是恢复了呼吸。

46. 乳痂

乳痂是婴儿头皮上硬板似的壳状皮疹，它是多余的皮肤细胞堆积而成的。

原因

婴儿发育十分迅速，皮肤生长的速度很快，皮肤细胞更新换代也很快。与此同时，头皮中的特殊腺体皮脂腺会分泌一种油性物质——皮脂，它能保持皮肤湿润健康。不过，皮脂过量（婴儿出生时会继承母亲身上的一些激素，皮脂过量可能是这些激素残余造成的）会导致死皮细胞在头皮上堆积起来，变成乳痂。大部分婴儿都有不同程度的乳痂，医学上称之为脂溢性皮炎。有时候乳痂甚至会出现在耳朵、脖子和眉毛周围。乳痂通常会在婴儿出生前 3 个月内出现，到 6 个月时消退。

怎么办

和湿疹（又痒又难受）不同，乳痂几乎不影响孩子，但这种不那么美观的皮疹也许会影响家长。在大多数情况下，完全不需治疗或仅需很少的治疗，乳痂就会自然消退。不过，如果鳞片状皮屑堆积成了厚厚的硬壳，我们在儿科实践中通常会采取这些行之有效的方案：

给宝宝的头皮涂油。用植物油（如橄榄油）按摩软化头皮上的硬壳。等到油脂浸入乳痂至少 15 分钟后，再用柔软的发刷或梳子去除硬壳。

用洗发水清洗宝宝的头皮。每周一次用焦油基的非处方洗发水清洗宝宝的头皮，预防乳痂复发，含茶树油的天然婴儿洗发水也不错。洗头的时候要注意，别把洗发水弄进宝宝的眼睛里。柔软部位的乳痂通常比别的地方严重，因为父母不敢用力清洗，但有时候这些地方比别的地方更结实。因为柔软部位下方实际上有很厚的纤维组织，所以你可以用洗发水清洗、轻抓这些区域，就和洗别的地方一样。

滋润宝宝的头皮。冬季干燥的中央暖气会让皮肤干燥结壳的情况恶化。用加湿器（见 P025）滋润宝宝的房间。

让宝宝的头皮晒晒太阳。确保宝宝得到足够的新鲜空气，晒几分钟太阳也有利于头皮健康。可能的话，在寒冷的冬季里尽量让孩子的皮肤和头皮每天至少晒 15 分钟太阳。

多吃鱼！ ω-3 补充剂能够帮助软化干燥、剥落、发炎的皮肤。如果是母乳喂养，母亲应该服用 ω-3 补充剂；如果是配方奶喂养，请务必给宝宝吃添加了 ω-3 的婴幼儿配方奶（整体皮肤保养详见 P030）。

在最初的几个月里，随着宝宝激素和皮脂腺逐渐平衡，你会发现乳痂慢慢消失，宝宝头顶的“硬壳”渐渐变成柔软丝滑的头发。

47. 颅缝早闭

新生儿的颅骨是由很多块独立的骨头组成的，骨头紧紧靠在一起，由纤维组织相连。因此，新生儿的颅骨柔韧性更强，能够适应孩子发育中的大脑。独立的颅骨之间有狭小的空间，称为颅缝，它对于颅骨和大脑的正常发育成长十分重要。随着孩子长大，一旦大脑彻底发育完成，所有颅骨最终会闭合起来。颅缝早闭是指颅缝（或者说颅骨之间的空隙）过早闭合，这会干扰大脑和颅骨的正常发育，如果不加治疗，还可能导致发育问题和其他健康问题。

颅缝早闭的确切原因尚不明确，发病率约为 1/2000，男性发病率为女性的 2 倍。颅缝早闭显示出遗传影响的特征，因为同一家族中可能出现多个病例。不过，大多数颅缝早闭患儿并无家族病史。人们认为，颅骨早闭的遗传可能会与其他基因缺陷伴随发生。

颅缝早闭的严重程度取决于受影响的颅缝数量、具体哪块颅骨受到影响以及颅缝开始闭合的时间有多早。

还有一种与其相关的病症叫作体位性斜头畸形，指的是婴儿老朝着某一边睡（而不是转动头脸朝向不同的方向）造成的头形不对称。当头部的重量一整晚都压在同一个地方，持续数月，就会把这个地方压扁。详见 P332，“扁头”。

信号和症状

下列症状可能意味着颅缝早闭：

- 头形异常或不规则
- 宝宝的头部发育减缓，具体表现为随着时间推移，头围在成长百分表中的位置下降
- 颅缝边缘出现硬质突起的脊线
- 宝宝头顶的“软点”过早消失

- 发育延迟（如果未能早早发现治疗的话）
- 不愿意进食
- 越来越嗜睡或兴奋

如果宝宝出现上述线索中的任意一条，请去看医生。

健康小贴士：注意“软点”

宝宝头顶的“软点”是四块独立颅骨会合的地方。“软点”又叫前囟门，在最初的一年里它通常会慢慢消失。在孩子一岁前，如果你注意到“软点”提前消失，请在检查时告诉医生。

诊断

诊断的第一步是完整回顾孩子的情况并进行体格检查。在全面检查孩子的颅骨结构、面部结构，评估颅骨发育程度之后，儿科医生可能会考虑进一步的测试。如果你有颅缝早闭或其他头部、脸部畸形的家族病史，应该告知医生，因为这表示孩子可能有其他基因缺陷。

如果孩子的头围在百分表上的位置越来越低，也许该提高警觉了，儿科医生会进一步告诉你这可能意味着什么。

如果医生怀疑孩子颅缝早闭，可能会做下列专项检查：

- 颅骨和面骨的 X 光检查
- 颅骨和面骨的 CT 扫描，这项检查将拍摄头部骨骼、大脑和其他结构的照片

治疗

颅缝早闭的治疗方法取决于问题的严重程度、涉及的颅缝、颅骨的位置和数量，以及孩子的症状是否恶化、发育是否延迟。

大多数情况下，医生会推荐进行手术。手术的目标是确保颅骨中有足够的空间允许大脑正常发育成长，解除颅缝早闭可能给大脑造成的压力，改善孩子头部和脸部的整体外观。手术通常在孩子一岁前完成，因为这个年纪的骨头柔软坚韧得多，手术效果更好。如果情况比较严重，可能需要在孩子很小的时候就进行手术。

长期预后

患者的恢复程度完全取决于畸形的严重程度及手术的及时性。如果较早发现孩子颅缝早闭、手术成功，那问题通常可以圆满解决，孩子今后都生活得很好；如果未加矫正，颅缝早闭可能导致颅内压力升高，引发孩子癫痫和发育延迟。如果你对新生儿或婴儿的颅骨大

小、形状有所顾虑，请与儿科医生谈谈。

48. 哮吼

孩子轻微咳嗽了一两天，晚上睡觉时你开始听见这样的声音：吠叫似的刺耳咳嗽，听起来就像是海狮在要吃的。如果你以前听见过“哮吼性”咳嗽，那就不会弄错了。如果孩子从没出现过哮吼，那第一次可能挺吓人的。

哮吼是一种很常见的疾病，大多数儿童总会得上一次，所以在它真的到来的时候，你最好有所准备。它是一种病毒感染，最常见于年龄较小的儿童（5 岁以下）。它会导致孩子声带肿胀，发出吠叫似的咳嗽。声带所在的区域是气道中最狭窄的部位，感染引起的任何肿胀都可能足以阻塞呼吸。哮吼通常持续 5 ~ 6 天，夜间更为严重，症状通常在第二天和第三天晚上达到峰值。哮吼的出现可能没有前兆，也可能开始时像是感冒，然后逐渐恶化成哮吼性咳嗽。

哮吼会传染吗？会，它的传染性和普通感冒差不多。要预防传染，好好洗手很重要。

症状

除了咳嗽与感冒症状外，孩子可能还会出现大部分下列症状：

- 吠叫似的咳嗽。哮吼咳有时会让孩子从睡梦中惊醒，对父母和孩子双方来说可能都挺吓人的。
- 发烧。哮吼常会伴有发烧，不过通常不高于 40 摄氏度。
- 嗓音嘶哑。这也是声带肿胀造成的。
- 喘鸣音。这是哮吼最令人担心的症状。喘鸣音是孩子吸气时发出的一种刺耳喘音，可能会让呼吸十分艰难。
- 回缩。你会看到孩子胸骨正上方的颈部出现小小的凹痕，每次吃力呼吸时这里都会下陷。这是严重哮吼的信号，需要立即治疗。
- 不该出现的症状。如果孩子除了上述哮吼症状外，还有严重流涎、吞咽困难、几乎无法吸入空气，那可能是会厌炎，这是一种十分罕见但危及生命的喉部感染，比哮吼更为严重，应立刻向医生寻求帮助。

不严重哮吼的信号

观察孩子的行为，判断哮吼是否在恶化，这十分重要。如果孩子面带笑容、高高兴兴、喜欢玩闹、东张西望、对周围的东西感兴趣、呼吸未明显受到哮吼干扰，那么这些都是好兆头。他可能有点吠叫似的咳嗽，却没有出现喘鸣音和回缩。最后再确认一下，如果吠叫咳的孩子能够躺下来睡觉，不会受到太多干扰，那么他的呼吸基本没什么问题。

严重哮吼的信号

如果出现这样的情况，你就该警惕了：气道严重受阻的孩子脸上出现忧虑的表情，对任何玩耍和互动都没兴趣，就像正在集中全部精力吸入空气。孩子不会躺下来，光是坐着发出吠叫咳，睡不着觉，出现回缩和喘鸣音。孩子烦躁不安或哭闹时喘鸣音听起来更严重，平静地休息时听起来轻一些。

治疗

让孩子保持冷静。哮吼可能会吓到孩子，而哭闹会加剧喘鸣。家长应冷静地搂住孩子，让他放松下来，让孩子直着坐在你腿上，放轻柔的音乐，唱催眠曲，给他读个故事。如果是母乳喂养，就给他伟大的安抚奶嘴吧。

来点儿热蒸汽。湿润的空气能够帮助清通孩子的呼吸道。关上浴室门，打开热水龙头，让孩子保持冷静的同时，抱着他坐在蒸汽腾腾的浴室里，10 分钟内你就会看到孩子好转一些。

冷雾疗法。如果家里有冷雾加湿器或喷雾器,让孩子直接凑到冷雾上呼吸。一旦孩子有所好转,晚上保持冷雾开启,放在孩子的床边。如果你家只有热蒸汽加湿器，也可以打开，不过别靠得太近，否则你或孩子可能会烫伤。

凉爽的夜间空气。让孩子开着窗户睡觉，凉爽潮湿的夜间空气时缓解哮吼十分理想。在房间里整晚开着热蒸汽加湿器，同时开窗放进来夜间空气，二者结合也许是缓解哮吼最理想的潮湿微凉环境。有必要的话，把孩子裹起来带到外面呼吸 10 分钟凉爽的夜间空气，或是开着车窗带他兜一小会儿风。哮吼婴儿常常在去急诊室的路上就有好转，雾蒙蒙的夜间空气也许就是原因所在。

退烧。用对乙酰氨基酚或布洛芬。

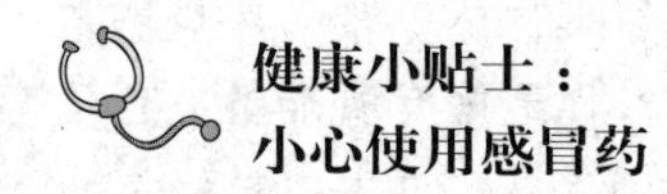

健康小贴士：
小心使用感冒药

重要提示：如果孩子有哮吼，在没有医嘱的情况下不要给他吃抗组胺药或解充血药。水分会努力打开变窄的气道，而这些药物可能会使气道过于干燥。

上述建议通常会在 20 分钟内显著起效（退烧需要 1 小时），孩子应该能够安然躺下睡着了。家长应和孩子睡在同一个房间里，继续密切观察，因为哮吼很可能再次发作，你需要重复上述治疗措施。

哮吼在夜间会恶化，白天则会改善，睡觉前带孩子在户外散步 20 分钟可预防喉咙肿胀。3 ~ 4 天后，哮吼咳会变成较轻松的有痰咳嗽，这个阶段会持续一两周。

什么时候该去看医生

尝试过上述措施后，看看孩子的情况如何。如果情况有所改善（回缩和喘鸣减轻，孩子苍白的脸颊上有了血色），请保持环境湿润并密切观察、倾听；如果采取措施后你觉得孩子仍在恶化，请直接去急诊室。医生没法通过电话治疗哮吼，所以最好直接去急诊室而不是等着医生回话。

注意观察下列紧急信号，如果出现其中任何一种，请直接送宝宝去最近的急诊室：

- 回缩变得更加严重，孩子吸气时从低低的喘鸣音变成口哨似的啸声。
- 孩子脸色更白。
- 因为气短，孩子无法说话或哭闹。
- 孩子呼吸更艰难。
- 孩子开始流涎过多或出现吞咽困难。
- 回缩越来越厉害，但呼吸声在减弱。

哮吼的急诊治疗

急诊室里医生会对孩子做什么？工作人员评估孩子的情况时，他们会鼓励你把孩子抱在腿上好让他冷静一些，他们可能会用血氧计或“脉动式血氧计”测量孩子的血氧水平，在孩子的手指或脚趾上裹一个小光源以辅助判断孩子是否能得到的足够空气；他们可能还会让孩子呼吸一些湿润空气，持续 20 分钟或以上。如果孩子的哮吼很严重，他们可能会给予雾化的肾上腺素，让孩子混着潮湿的空气吸进去，这种药物能够快速打开气道。急诊医生会推荐短期使用类固醇药物，帮助孩子在接下来几小时到一天内保持气道畅通。孩子只会吃几天类固醇药物，短期使用的话不必担心有什么副作用，而第一剂通常是注射形式，因为孩子的呼吸非常困难，口服药物可能难以下咽或者吐出来。

49. 让他哭

“如果我不抱他，孩子就会一直哭。朋友告诉我让他哭个够，可是我觉得不太对头。我应该就让他哭吗？”

你的感觉很正确，而你朋友的建议是错误的。“让孩子哭个够”是最糟糕的建议，它从生物学角度上说是不对的。研究表明，母亲听到孩子哭的时候，流向乳房的血液会增加，激素会刺激她抱起孩子加以照顾（此处的照顾意为安抚，不仅仅是哺乳）。

研究表明，哭闹时能得到自然、合适回应的宝宝，大一些以后会更少哭闹；与此相反，生长环境更为压抑、哭闹得不到理会只能自己入睡、受到严格时间表约束、需求未得到合适满足的宝宝要么完全不再哭闹，要么哭闹得更厉害。我们逐字研究一下“让孩子哭个够”，你就会明白这个建议的不妥之处：

“让孩子……”最有资格决定是否让孩子哭、让孩子哭多久的人，是曾与孩子脐带相连的那个人——母亲（或者照顾孩子最多的人）。与你的孩子没有血缘关系、不了解你的孩子、不曾在孩子身上投资过时间精力、凌晨三点孩子大哭时也不在场的人没有资格教育你该对孩子的哭声做何反应。

“哭……”哭是婴儿的语言，它的出现是为了让宝宝幸存，让父母成长。对宝宝哭声的分析显示，哭泣分为两个不同阶段。宝宝嘹亮的哭声表示需要亲密接触，它会诱发母亲敏感的神经——“我需要做出反应”；如果嘹亮的哭声无人理睬，很多宝宝会进入下一个阶段，发出更加尖锐扰人的哭声，让妈妈实际产生的感觉是恼怒而非心疼。早点对宝宝的哭声做出反应对亲子双方都好。

“个……”宝宝哭泣不是为了激怒你，他的哭声是为了交流而不是要操纵你。哭是因为宝宝有情感和生理方面的需求，他的哭声实际上是告诉你：“我需要某件东西”或“某件东西不对劲，请调整一下。”

“够……”如果你让宝宝哭个够，那你们亲子关系中的某样东西就会耗尽——信任。让宝宝哭个够会造成双输的局面：宝宝不再相信哭泣能起到交流的作用，而你也不再相信自己能够做出适当的回应。

健康小贴士：

学习分辨宝宝哭泣前的信号

你和宝宝共同成长，自然能建立起“哭泣-反应”之间的联系，开始分辨宝宝哭泣之前的信号：一些身体语言，例如拼命挥舞胳膊或是做怪相。如果你对这些信号做出反应，宝宝就会知道，不需要升级到哭泣自己的需求也会得到满足。事实上，你教会了孩子更好的交流方式。

站到宝宝的角度上，设身处地地想象哭泣对他意味着什么。宝宝的哭声是交流的工具，如果无人聆听，他就会有两个选择：要么哭得更大声更用力，发出更为扰人的信号；要么闭上嘴巴，不再哭泣，变成所谓的“乖宝宝”（不打扰别人）。我们注意到，采用“让他哭”这种方式的父母最终会失去对宝宝的敏感性，因为这些父母放弃了对哭泣信号的反应，于是哭声就烦不到他们了，但这会让新手父母陷入麻烦。最终，不敏感的父母和失去信任感的宝宝之间会产生距离。

随着宝宝的成长，他将学会用其他方式来表达需求，你对宝宝的哭声反应速度有多快，将决定宝宝哭泣的频率。在最初的几个月里，你和宝宝“哭泣-反应”的模式会重复演练数百次，宝宝逐渐学会自我安抚的策略，你也将逐渐懂得什么哭声是“红色警报”，需要立即重视，什么哭声不需要这么快的反应。当然，对于8个月大的婴儿，你对哭声的反应不需要在他一周时那么快。

了解更多

要全面讨论婴儿哭泣与母亲反应之间的生理学和心理学联系，请阅读我们的作品《西尔斯橙色亲子课》或《宝宝安睡魔法书》。

健康小贴士：站在宝宝的角度思考

西尔斯家族乐于与新手父母分享一条最实用的养育诀窍：任何情况下，如果你希望知道该对宝宝做出什么反应，马上问问自己：“如果我是宝宝，我希望爸爸/妈妈怎样反应？”跟着直觉走，你基本上就不会出错。

我们身边两个“哭个够”的故事

有的宝宝哭泣是因为疼痛

一位妈妈带着6个月大的宝宝前来咨询。宝宝出生后不久就老哭，有时候哭得太厉害，妈妈不得不带他去看急诊，因为担心有什么问题。朋友都告诉这位母亲，你把宝宝宠坏啦，就应该让他哭个够，但几位医生也说她反应过度。但这位母亲极富母性，我们谈话时她这样开头：“比尔医生，我知道宝宝有哪儿不对头，我从他的哭声能听出来。”妈妈是对的！经过全面的医学评估，我们发现宝宝有严重的胃食管反流病（GERD），而他哭泣是因为疼痛。做出诊断时，宝宝的食道内壁已经因为胃酸腐蚀出现了溃疡，需要立即手术矫正（见相关章节：P234，“婴幼儿肠绞痛”；P347，“胃食管反流病”）。

警惕“婴儿训练班”

一对父母带着3个月的宝宝来做常规检查。这个宝宝出生以来一直是我(比尔医生）在照管，以前他们一家子的情况都很棒。然而，我发现了他们变化的第一个线索：以前妈妈一直用背带把宝宝穿在身上，可现在他们却用塑料婴儿篮装着孩子，还把宝宝扑通一下放在几步开外。然后，爸爸骄傲地开口了：“你知道吗，比尔医生，我们家宝宝可乖了，她都不哭。”这是第二条线索！爸爸继续夸耀：“而且一睡就是一整晚！”检查孩子的时候，我发现她很冷漠，不愿意做眼神交流，看起来也不愿意和别人发生联系。我发现第三条线索：她的身高和体重比起上次检查来几乎没有增加。

由于出现了这三条线索，我询问了这对父母最近是否有什么变化。他们表示自己去上了一个宝宝训练班，那里的人教他们：“别让宝宝摆布你”“如果你让宝宝哭个够，她就会学会自我安抚”还有“如果你能够让宝宝遵从规律的作息时间，那你的日子就好过多了”。显然，这对脆弱的新父母落入了婴儿训练班的魔爪，堕入了“让他哭个够”的泥潭，而他们全家都在付出代价：宝宝不再茁壮成长，父母对宝宝的信号也不再敏感。我向他们解释了这是怎么回事，当妈的一下子崩溃了，她本能地说：“我就知道那样不对。”我建议他们先回家去，照以前的老样子照顾孩子，不要强迫孩子听从别人的什么训练方法。现在，与父母亲密接触的插头被拔掉了，宝宝不再茁壮成长，她需要重新和父母建立联系。

一个月后再来检查的时候，宝宝的发育情况很好，她的成长和发育也回到了正常水平。当爹的幽默地说：“她没有原来那么‘乖’了。”我们都很清楚他的意思：宝宝用哭泣来表达需求，现在这些需求得到了合适的满足。

50. 腿脚弯曲

最开始几年，发育中的腿脚会经历许多变化。大部分宝宝出生时腿脚都向内弯曲，不过随着宝宝开始走路，弯曲会逐步消失，大部分儿童的腿脚最终会变成直的。不过，有的孩子会保持异常的弯曲，俗称罗圈腿、内八字。下面我们将指引你理解这种下肢的小毛病，告诉你何时该寻求医生的建议。本书中其他脚部相关问题还有：P330，“扁平足”；P532，“踮脚走路”；P325，“脚臭”。

脚部内弯（跖内收）

有时候幼儿的腿是直的，脚却向内弯曲。事实上，大多数新生儿的脚都会内弯，因为他们在子宫里是蜷起来的姿势（还记得那些可爱的超声波照片吗）。

治疗。对于内弯特别严重的小脚，专门的拉伸锻炼或许有好处：用一只手坚定地握住孩子脚后跟，另一只手握住脚前端，轻柔地逐步把脚扳直，然后让小脚保持在直的位置至少 5 秒，每天至少做 6 次，或者每次换尿布时都做。大多数孩子的脚部弯曲到 6 个月时就会消失，如果到了 4 ～ 6 个月孩子的脚仍有内弯，那可能需要穿特制的鞋子（由矫形外科医生配置）直至孩子开始走路。一般而言，特制的鞋足以治疗内弯，有时医生会用短期塑形架把孩子的脚扳直，只有在非常罕见的情况下才需要手术矫正。

怎么办。怎样判断孩子的脚是很快会变直的正常内弯，还是需要矫治呢？方法如下：用一只手握住孩子脚后跟靠近脚踝处，另一只手握住脚前端，保持握后跟的手不动，用另一只手尝试扳直小脚。如果轻轻用力就能扳直，那很可能是正常的新生儿脚部内弯，无需治疗，很快就会自然矫正；但如果内弯感觉很僵硬，你没法扳直，或是发现了另一条线索——脚跟往前一点点的脚底处（也就是发生弯曲的地方）有深深的褶皱，这种发育缺陷则名为足内翻，需要由儿科矫形医生进行评估。

足内翻的程度各有差别。有的可通过无痛的方法（名为系列塑形）成功扳直：医生会给宝宝的脚上打石膏，每几周更换一次，就像白色的小靴子一样，每次换石膏的时候，宝宝的脚就会变直一点。石膏塑形后，宝宝会穿几个月特制的鞋子（看起来没有明显的左右脚之分，不过会区分哪边较直，哪边向相反方向弯曲）来让成长的小脚丫保持直的位置。足内翻通常只在一只脚上出现，不过正常的位置性弯曲通常会出现在双腿或双脚上。

罗圈腿

罗圈腿指的是孩子双足并拢时膝盖无法并拢。由于双腿在子宫内呈蜷曲状，所以所有新生儿都有不同程度的罗圈腿。随着孩子开始走路，腿部开始承受重量，婴儿罗圈腿通常会在 12 ~ 18 个月时开始自然变直。在较为罕见的情况下，罗圈腿可能是佝偻病的信号，这是缺乏维生素 D 引起的。潜藏佝偻病的孩子罗圈腿的情况通常比较严重。如果怀疑孩子有佝偻病，儿科医生会进行血检验证。

怎么办。几乎所有罗圈腿的“治疗”方法都仅仅是观察而已，只有非常严重的病例才需要进一步治疗。如果孩子出现下列症状，可能需要照 X 光、进行其他治疗：

- 罗圈腿不断恶化。
- 3 岁以后仍有罗圈腿。
- 孩子经常摔倒。
- 孩子走路或奔跑有问题。
- 罗圈腿的情况某一边比另一边更严重。

在较罕见的情况下，孩子进入青春期后罗圈腿仍未消失，那么就需要进行手术矫正。罗圈腿的长期预后一般很好，因为绝大部分孩子的罗圈腿会随时间自愈。

内八字（腿部内弯引起的趾朝内）

内八字用于形容脚趾向内或走路像鸽子的婴幼儿或儿童。所有新生儿来到这个世界时都有内八字，因为他们的小脚在子宫里被挤压了好几个月。罗伯特·索尔特博士写了那本关于儿童脚部问题的书，他说："婴儿出生时就有内八字，因为子宫里没地方给他们站！"这种暂时性的发育小毛病通常会在孩子2～3岁时自然变直。孩子内八字可能是两个地方的骨骼发生了弯曲：小腿骨内弯，叫作胫骨扭转；或是大腿骨内弯，叫作股骨前倾。由于脚部与腿部相连，所以一旦腿骨向内弯曲，脚也会相应扭转。人们发现这种病症有遗传基础，可能在家族中流行。

原因

小腿弯曲（胫骨扭转）。和脚部弯曲一样，人们认为小腿弯曲是胎儿在子宫内形成的，因为小腿必须扭转来适应狭窄的空间。出生后，腿骨开始自行慢慢变直。当膝盖下方小腿处的大骨头（叫作胫骨）向内弯曲时，就会发生小腿弯曲，进而导致脚部向内弯曲，而膝盖本身位置正常向前。父母通常是在孩子开始学走路的时候注意到小腿弯曲，并常常担心这种小毛病会带来行走或协调性的长期问题。

要分辨孩子内八字是因为胫骨弯曲还是股骨弯曲（下文即将讨论），可通过观察孩子站立的姿势。如果髌骨向内彼此靠近，即"髌骨内旋"，那很可能是股骨前倾；如果髌骨向外分离，那内八字很可能是胫骨扭转造成的。

大腿弯曲（股骨前倾）。孩子的大腿骨（叫作股骨）向内弯曲时，就会出现大腿弯曲，这种情况可能在孩子2～6岁前并不明显。所有婴儿出生时股骨都有不同程度的内弯，通常在最开始几年里会自行变直。大腿弯曲造成的内八字特征十分明显：膝盖和脚都会向内弯曲。再次强调，在孩子开始走路之前，大腿弯曲可能并不明显。由于大腿弯曲通常要过好几年才能自行纠正，所以父母发现孩子五六岁时还有内八字可能会有些担心。

治疗

好消息是，几乎所有的内八字都会自然纠正，但这个过程可能十分缓慢，通常要到孩子6～8岁时才会完全恢复正常。虽然自然纠正的过程可能要花好几年，但是矫正带、塑形架、特制鞋等外部措施的效果并不明显。在十分罕见的情况下，弯曲十分严重会影响到走路，那可以通过手术矫正小腿骨来让脚部朝向正前方。谢天谢地，需要手术的情况极端罕见。

怎么办

几乎所有学步的孩子都会经常摔跤，不过发育正常的幼儿会摔得越来越少。如果内八字的孩子摔跤越来越多，请务必告诉医生。而家长的另一个顾忌是跛脚，跛脚通常必须进行全面的医学检查。

虽然大多数孩子的腿脚弯曲会自然纠正，不过父母可以做很多事情来帮助成长中的腿脚变直。

别让孩子趴着睡觉。在最初9个月里，仰躺睡觉是预防婴儿猝死综合征（SIDS）最安全的姿势（原因见P517）。宝宝趴着睡觉，小脚缩在身体下方——这样的睡觉姿势是腿部内弯和持续性内八字最常见的原因。在实践中，我们见过一些坚持趴着睡觉的幼儿，想尽办法都没法让他们伸直腿睡觉。我们最后的杀手锏是：把睡衣的两条腿缝到一起，这样幼儿就无法翻身，让孩子穿这样的睡衣睡觉直到他养成仰躺或侧躺的睡觉习惯，伸直双腿或微弯。如果你的孩子就是喜欢趴着睡觉，你上床之前记得把他的双腿从身体下面拉出来。

坐姿端正！有的孩子喜欢坐在自己腿上，小脚弯着压在屁股下面，这会导致小腿骨内弯。教育孩子盘腿坐。如果孩子坐下的时候双腿呈“W”形，大腿内弯，小腿大大咧咧地朝向外面，那可能导致持续性的大腿弯曲，而且对膝关节也有损害，因为这个姿势会拉伸膝部韧带，加剧膝盖外翻。再次强调，坐下时应保持脚部向外伸直、印度式趺坐或盘腿坐，有利于矫正膝盖外翻、内八字和其他腿骨弯曲的小毛病。坐下、睡觉时伸直双腿，符合大自然教给我们的发育规则：如果嫩枝被掰弯，那么树也会长弯。发育主要是在睡眠中进行的，如果孩子睡觉时双腿内弯，那他的“嫩枝”很可能就会长弯。

提升扁平足。扁平足、内八字的孩子很快就会学到，如果让脚部向内弯曲就会形成一个弧度，有时候走起路来更轻松（什么样的扁平足需要治疗及其原因详见P330）。

知道这一点也许能让人感到宽慰：许多成功的运动员都有内八字，他们跑起来相当不错。事实上，有的教练相信，对于某些需要剧烈跑动和转身的运动而言，内八字可能有优势，例如橄榄球、篮球和网球。

健康小贴士：
没摔跤就别担心

一条通用规则：如果孩子正常走路和跑动时不怎么摔跤，那内八字对他没什么影响，不必担心。

外八字

症如其名，外八字和内八字正好相反，指的是脚趾和双脚向外岔开。父母常常会在孩子开始站立或走路时注意到外八字。

原因。虽然没有内八字那么普遍，但我们在实践中常常见到外八字。外八字通常是腿部过度外旋造成的，一般在子宫里就开始了，与孩子在狭窄的子宫里待了9个月有关。

治疗。大多数孩子的外八字会随时间缓慢地自然纠正。通常情况下，随着孩子开始走路，小脚会向内扭转，变得更直一些。不过，这可能要花很长时间——完全纠正需要的时间可能多达6～8年，只有在非常罕见的情况下才需要进一步治疗。如果孩子出现下列症状之一，请和医生谈谈：

- 外八字影响走路或奔跑。
- 只有一只脚外八字。
- 孩子抱怨说走路或奔跑时疼痛。
- 外八字有恶化倾向。
- 6岁时孩子仍有外八字。

在非常罕见的情况下，外八字需要手术来矫正潜藏的结构问题。

51. 割伤、擦伤和缝合

让我们从父母最关心的问题开始：需要缝合吗？

- 任何长度超过1厘米的割裂伤（无论宽度）很可能都需要缝合（或者至少需要以某种方式闭合伤口，例如医用皮肤黏合剂或伤口愈合胶布）。
- 脸部超过0.5厘米的割伤可能需要缝合。

伤口闭合得越快，感染的几率就越小。尽量在受伤4小时内去看医生，虽然很多伤口超过这个时间也可以缝合（撕裂伤的完整讨论见下文）。

割伤和擦伤的家庭治疗

小割伤和小擦伤通常不需要去急诊室，不过要避免感染，合适的治疗十分重要。下面这些建议可以帮助你处理简单的伤口：

止血

- 小割伤和小擦伤通常会自然止血。如果一直流血，只要用干净的布料或绷带轻轻按压就好。
- 务必持续按压5～10分钟，有的伤口可能需要20分钟。如果你老是移开绷带检查血有没有止住，那可能会破坏或损伤正在形成的凝血层，导致伤口再次出血。
- 如果血液脉动式地向外喷，或是按

压片刻之后仍无法止血，请立即寻求医疗救助。

清理创面

- 彻底清理伤口十分重要，可降低感染风险。
- 用清水冲洗伤口，如果手边有大的注射器，用注射器冲洗。不含酒精的“无痛”消毒洗剂效果也很好，冲洗一分钟后将创面的消毒剂冲洗干净，避免刺激组织。尽量冲掉肉眼可见的尘土。
- 不要用过氧化氢（双氧水）冲洗开放伤口，因为它会干扰凝血，刺激开放的割伤或擦伤，可能延缓愈合。
- 如果伤口中有尘土或碎屑，用酒精消毒过的镊子清理。如果清理之后仍有碎屑嵌在伤口里，请去看医生。
- 用肥皂和毛巾清洁伤口周围的区域（不过别把肥皂弄进伤口——会有刺激）。

使用抗生素

清理干净以后，在伤口上涂一层薄薄的抗生素软膏，例如 Neosporin（一种包含新霉素、多黏霉素 B 的软膏）、Polysporin（一种含枯草杆菌抗生素和多黏霉素 B 的软膏）或其他三联抗生素软膏，以保持伤口表面湿润。这些软膏能够抑制感染，促进伤口愈合。

保持伤口干燥——适度湿润

我们推荐你用软膏和绷带让血痂保持湿润，不过你肯定不希望周围的皮肤过度湿润，变得“皱巴巴的”，而使用透气型绷带可以让伤口“透透气”。对于大面积皮肤创伤，例如自行车“事故”造成的擦伤，预防伤口形成干燥的血痂十分重要，方法是连续 1 ～ 2 周使用抗生素软膏或烫伤膏（磺胺嘧啶银软膏）让整片伤口保持湿润，直至新的皮肤长出来。如果形成的大片血痂过于干燥，那它会收缩破裂，导致感染，延缓伤口愈合，留下疤痕。

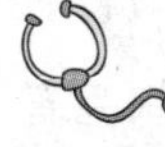

健康小贴士：邦迪 Activ-Flex 创可贴

我们推荐邦迪的 Activ-Flex 型创可贴，多年来我们家一直用它来对付小型的烧烫伤、割伤和擦伤。它可以防水，内含促进伤口愈合的润滑剂。

覆盖伤口

- 一条好绷带会帮助保持伤口清洁，阻止有害细菌。
- 每天至少更换一次绷带，如果绷带浸湿或弄脏，请随时更换。
- 伤口基本愈合（约 3 ～ 5 天）后，感染的风险降低，此时让伤口暴露在空气中会加速愈合。

小心感染的信号

如果发现下列信号，请去看医生 ：

- 伤口流脓
- 48 小时后疼痛、红肿加剧
- 一周后仍未基本愈合

缝合

多长时间内缝合伤口？

大多数割伤在 24 小时内基本都能够缝合，有的割伤应该更快缝合，不过基本而言，至少 8 小时内缝合都是安全的。因此，如果是在晚上受的伤，只要能够止血，一般等到第二天早上再去看医生也没问题。

重要提示 ：如果你决定稍后再去看医生，请务必用清水或药店来买的无菌盐水冲干净伤口里的尘土。用浸湿的纱布包裹伤口，每隔两小时更换一次以保持湿润。如果做不到，请用抗生素软膏涂抹伤口并用纱布或邦迪覆盖，每隔几小时更换一次，直至清晨去看医生。

闭合伤口的四种选择

要使伤口闭合，有四种方法，医生会与你讨论选择哪种。

(1) **伤口愈合胶布**。也叫蝶形胶布，这种狭窄的胶布贴在伤口上，略带压力可将伤口合拢。这种胶布一般贴 2 ~ 5 天，用于不太深、没有严重开裂、非关节或皮肤紧绷处的小割伤。如果用它固定伤口至少 3 天，那么效果和缝针差不多甚至更好,因为没有缝合线留下的“铁路轨道”。虽然缝合胶布使用方便且无痛，但它没法像缝线一样保持那么长时间，可以用安息香胶帮助它保持更长时间。

(2) **缝合**。缝合几乎没有过早脱落的风险，不过明显的劣势在于需要的时间较长和缝合时疼痛。

(3) **皮肤强力胶**。这是一项伟大的发明！如果由技术娴熟的医生来操作，可以迅速无痛地闭合伤口，无需缝合。对于干净整齐、裂缝不大、无内在压力的伤口而言，它是一项很好的选择。如果你正在犹豫是否要让孩子承受缝针的痛苦，而胶布的效果又不够，那强力胶就是最好的选择。如果操作得当，伤口最后的愈合效果和缝针一样。

(4) **缝合钉**。这种特制的医用钉通常用于缝合头皮（头发里面），操作起来很快,闭合伤口的效果和缝合差不多。

应该由谁来缝合？

该去整形外科、急诊室还是找熟悉的儿科医生？无论是谁动手缝合，最后都会留下一些轻微疤痕，就算是世界上最棒的整形外科医生来操作也会留疤。不过，尽量减轻疤痕很重要，父母自然会担心这件事。下面我们将提供建议帮助你决定去哪儿缝针：

整形外科。对于脸部割伤，我们推荐你去看整形外科，尤其是伤口较大的情况下。急诊室的医生或儿科医生可以轻松地处理很小的脸部割伤（尤其是伤口适合使用愈合胶布或强力胶的情况下），不过整形外科医生最有可能尽量减轻疤痕。

急诊室。急诊室医生的缝合经验比儿科医生丰富，因为他们每天要操作好几次。

儿科医生。对于脸部以外的简单割伤，儿科医生的诊所也许是最适合做缝合术的地方，除非那天诊所很忙。

健康小贴士：破伤风疫苗

如果孩子上一次注射破伤风疫苗超过5年，而且伤口很深或很脏，那应该在受伤48小时内注射一剂增强疫苗。对于较深的肮脏伤口，未接种过破伤风疫苗的孩子应该注射疫苗。无须去急诊室的简单擦伤或小割伤一般没有破伤风的风险。

伤口闭合后的照料

关于如何照料伤口的专门指导，请咨询医生。下面是一些通用的指导意见：

- 在最初48小时内，洗澡或淋浴时不要弄湿伤口，除非贴了伤口愈合胶布。让伤口保持干燥至少5天，然后可以弄湿伤口促进掉痂。在结的痂可以轻易弄掉之前，不要故意揭开它。
- 覆盖伤口至少48小时。两天后，覆盖伤口没那么重要了，不过它仍能够保护缝合处免遭尘土污染和碰撞。
- 避免血痂变厚。伤口上厚厚的痂会加剧疤痕，阻碍皮肤良好愈合，缝合处也可能出现硬痂，使得拆线更为困难。用稀释后的双氧水（一半水一半过氧化氢）轻触，然后轻轻移除松动的硬痂。不要硬揭牢固的血痂，可先用双氧水浸松。每天操作两次。
- 每天使用两次抗生素软膏。

什么时候拆线？

何时拆线请务必咨询动手缝合的医生。一般性指导如下：

脸部。3～5天。为什么这么快？因为到了第5天，缝线会开始与皮肤反应，每一道缝线都可能留下疤痕。如果缝合处没有变红，那最好等满5天；如果没到5天伤口就出现了缝线反应，请去看医生，讨论是否要提前拆线。拆线时间不要超过5天。拆线后，医生也许会在伤口上贴愈合胶布，为伤口多提供几天支撑。

身体和头皮。7～10天。

手足。10～14天。如果缝线位于经常弯曲拉伸的关节处，那你应该等满14天；如果是其他部位，10天就够了。

如何尽量减轻长期疤痕

防晒。受伤后最长6个月内，受损的皮肤都很容易因日晒造成永久性的变色。尽量别让愈合的伤口晒太阳，这非常重要。尽量用帽子或衣服遮住伤痕，有必要的话（尤其是长时间在公园、海滨或游泳池玩耍时），请用强效防晒霜甚至氧化锌隔离霜（不会渗进皮肤的白色霜剂）。受伤两周内不要用防晒霜。

鱼油补充剂。健康食品店里可以买到，内含皮肤生长、自愈所需的所有基本脂肪。虽然没有证据显示鱼油能够减轻疤痕，但从理论上说应该有所帮助。幼儿每天吃一茶匙，儿童两茶匙。不要用鱼油涂抹伤口。

维生素E油。拆线后可以把维生素E搽在伤口上按摩。没有确切证据显示它有好处，不过也许能促进伤口愈合。

去疤霜。非处方去疤霜也许能够帮助减轻疤痕。

52. 囊性纤维化

囊性纤维化是由于某个基因有缺陷而导致的。今天，美国大约有3万儿童和成人患有囊性纤维化，每年新增约1000个确诊病例。大多数囊性纤维化患儿在两岁时确诊，另外少数人直至青春期或更晚才确诊。

症状

囊性纤维化的普遍症状如下所列，不过症状的类型和严重程度有很大的个体差异：

- 新生儿最初一两天内没有大便
- 幼儿大便呈浅黏土色或十分苍白，常伴有异常恶臭
- 频繁发生呼吸道感染，例如鼻窦炎、支气管炎和肺炎
- 咳嗽或气喘持续不断，有恶化倾向
- 婴儿期及儿童期增重不足
- 发育矮小
- 疲劳
- 持续腹泻
- 皮肤上有咸味

原因

囊性纤维化是CF基因有缺陷导致的，该基因会告诉身体如何产生体内的黏液。一旦CF基因发生缺陷，会让身体产生比正常情况更加黏稠厚重的黏

液，导致呼吸道和消化道内厚重黏液异常堆积，引起严重的肺部感染和消化道问题，常常危及生命。囊性纤维化在北欧和中欧后裔中更为常见。

诊断

如果婴幼儿出现上述症状，那可能会怀疑患有囊性纤维化。如果孩子出现多项上述症状，让你感到担心，请和儿科医生谈谈。有几种测试可以查出囊性纤维化，最普遍也最准确的一种叫作汗液氯化物检测。在某些州，新生儿血液筛查时会检查 CF 基因是否有缺陷，如果确认患有囊性纤维化，那还需要做进一步测试，例如消化道检查、粪便检测、胰腺检查和肺功能检查（这是最容易受到囊性纤维化影响的两个器官）。如果患者确诊了囊性纤维化，那么所有家庭成员都应接受测试，探查是否带有缺陷基因。两个 CF 基因都带有缺陷才会发生囊性纤维化，若携带者只有一个 CF 基因有缺陷，另一个正常，则不会发病，但是如果伴侣也携带了一条有缺陷的 CF 基因，那囊性纤维化可能会遗传给后代。

治疗

早期诊断可延长患者寿命，提高生活质量。数十年前，囊性纤维化患者很少活到 20 岁以后，今天，哪怕给予最好的治疗，囊性纤维化患者的平均寿命也只有 37 岁。不过，有的人可以活到 40 多岁。

治疗囊性纤维化需要几位专科医生综合参与。治疗方法多种多样，具体取决于患者的个人情况和病情严重程度。下面我们列出可能的治疗方法：

- 使用抗生素治疗呼吸道感染。有的患者长期使用抗生素以减少反复出现的呼吸道感染及其并发症。
- 补充维生素。囊性纤维化患者通常会缺乏一些维生素，尤其是维生素 A、D、E 和 K。
- 胰腺负责分泌帮助消化的酶，它会受到囊性纤维化的影响。患者需要每天口服处方消化酶补充剂。
- 使用改善肺功能的吸入式药物。
- 每天服用处方药，让患者呼吸道和消化道里的黏液变薄。
- 使用专门的排液技术来排出呼吸道内厚重的黏液。
- 如果有肺源且患者预后良好，那可能会进行换肺手术。

再次强调，囊性纤维化的治疗因人而异。如果孩子受到这种疾病的影响，请与这方面的专家聊聊。

长期并发症

不幸的是，如上所述，现在囊性

纤维化患者的平均寿命只有37岁，但如果早早进行积极的治疗，那生活质量可以得到极大提升。囊性纤维化最常见的并发症是反复出现的肺部感染和肺损伤、慢性呼吸道衰竭、肝脏疾病、心脏衰竭和糖尿病。

53. 关于托儿所的问题

一旦孩子开始上托儿所，请做好准备——他会更加频繁地生病。孩子们拿出来分享的东西为数不多，微生物正是其中之一。研究表明，孩子开始上托儿所以后，呼吸道和消化道感染的情况会增加。父母们常常面对两个问题：

- 我该做些什么来避免孩子在托儿所里生病?
- 孩子病到什么程度（或传染性强到什么程度）就不应该去托儿所了?

少就是好。宝宝接触的幼儿越少，受到感染的几率就越小。太多幼儿挤在太小的房间里，很容易滋生微生物。确保托儿所的房间空气流通、通风良好且老师鼓励幼儿大量时间在户外玩耍，这样可以减少微生物传播的机会。

检查托儿所的卫生条款。有执照的托儿中心应该有预防感染的卫生条款，问他们要来看看。确保他们的条款规定了更换尿布前后应彻底洗手、弄脏的尿布应妥善处置；确保条款强制规定儿童和服务提供者上厕所后彻底洗手；问问他们条款中规定如何管理可能带有传染性的儿童；确保卫生条款要求父母提供医生证明，证明生病的儿童是否具有传染性。

给孩子吃增强免疫力的食物。增强孩子免疫系统的最佳食物有：

- 含ω-3脂肪的食物：鱼（尤其是野生三文鱼）、ω-3鱼油补充剂和亚麻油
- 含维生素C的食物：柑橘类水果、番石榴、猕猴桃、木瓜、草莓和番茄酱
- 含维生素E的食物：全谷物、花生酱、绿叶蔬菜、甘薯和坚果油
- 增强免疫力的香料：生姜、肉桂和姜黄

建议托儿所给孩子多吃增强免疫力的食物，少吃降低免疫力的食物（添加了糖或高果糖的玉米糖浆）。托儿服务提供者要了解增强免疫力的知识，可以阅读我们的书籍《社区里最健康的孩子》。见P035，"'喂养'孩子的免疫系统"。

教孩子咳嗽或打喷嚏时遮住口鼻。言传身教，告诉孩子打喷嚏或咳嗽时遮住口鼻有多么重要："你打喷嚏或者咳嗽的时候，鼻子和喉咙里会有很小的液滴喷到空气中，就像小气球一样，上面

携带着微生物，其他孩子吸进去这些液滴就可能生病。”向孩子示范打喷嚏或咳嗽时如何用手肘或手臂遮挡口鼻，比用手好（因为手会触摸周围的东西，传播微生物）。

及时接种疫苗，定期体检。确保孩子及时接种疫苗，如果有疑问，电话向医疗服务提供者予以确认。常规检查时问问医生，最近是否有季节性流行病，可以建议托儿所采取哪些措施来预防。

孩子应该留在家里吗？

如何决定生病的孩子是留在家里还是送去托儿所？最容易引发这个疑问的疾病如下：

发烧。只要发烧超过38摄氏度，通常表明孩子患有某种传染性感染。此外，发烧的孩子很可能需要更加温柔的照顾，但在托儿所里可得不到。关于发烧的通用规则：至少退烧24小时后（在不吃退烧药的情况下）孩子才能返回托儿所。

感冒。感冒在最开始几天流清鼻涕时最容易传染，不过不流鼻涕之后，还是会有轻微的传染性。孩子一感冒就在家待两周不太实际，事实上，轻度感冒的孩子总会和其他孩子一起到处乱跑。该让孩子留在家里还是去托儿所，取决于孩子感觉病况如何。通用指导如下：如果孩子高高兴兴、喜欢玩耍，流鼻涕和咳嗽并不严重，那就可以去托儿所；从另一个方面来说，如果孩子正在发烧，觉得自己生了病，那他应该留在家里，这样你可以提供他所需要的额外照料。鼻涕是清澈还是绿色其实无关紧要，反正二者都有传染性。不过，有的托儿所不允许“流黄绿鼻涕”的孩子去上学。在根据孩子的鼻涕颜色调整一天的计划之前，你可以试试这个小窍门：早上醒来的时候鼻涕总会比较黏稠，因为整晚的分泌物都堆积在一起。先给孩子“冲鼻子”“蒸汽浴”（见P021），然后再看看鼻涕的情况。如果剩下的鼻涕变清澈，孩子情况良好，那就不需要留在家里。

健康小贴士：
并非所有咳嗽和打喷嚏都是因为感冒

咳嗽和打喷嚏也可能是因为过敏，而不是传染性疾病。分辨过敏和传染性感冒的方法如下：过敏的孩子会气喘、流清鼻涕、眼睛瘙痒，不过不会发烧，看起来病得也不是很厉害；而感冒的孩子会流厚重黏稠的鼻涕，可能会轻微发烧，还会露出病容。

咳嗽。大部分咳嗽都不需要请假回家，孩子的咳嗽通常在夜间更为严重。咳嗽有传染性，不过范围有限。有的病毒会带来缠绵数周的讨厌干咳，不过一旦鼻子变干净，传染性就变得微乎其微，孩子可以回到托儿所。如果咳嗽伴有发烧和绿色或黏稠的鼻涕，而且孩子看起来不舒服，那就不该去托儿所，需要进行医治。孩子一旦退烧、情况好转，那就可以去托儿所了。

耳部感染。除非伴有发烧、咳嗽和鼻涕，否则耳部感染一般没有传染性，一旦孩子接受了适当治疗，感觉好转，就可以回到托儿所。耳部感染通常发生在感冒之后，等到微生物进入中耳的时候，感冒的传染性已经不强了。

眼部渗液。有时候托儿所会拒绝接受眼部渗液的孩子。判断眼部渗液是否有传染性的方法如下：在最初6个月里，眼部渗液很可能是泪管堵塞(见P310）造成的，没有传染性；过敏引起的流眼泪也没有传染性；伴随感冒发生的眼部流黏液（但没有红眼）通常意味着潜藏的鼻窦感染。在这种情况下，如果孩子觉得自己的身体情况可以去托儿所，那就应该去，可以让医生开具证明。如果孩子眼白中有红血丝、眼部疼痛同时渗液，那很可能是结膜炎（见P315，“眼睛：红眼病”），有传染性，医治之前不应再去托儿所。美国儿科学会（AAP）推荐，一旦开始治疗结膜炎，患儿就可以去托儿所，不过你很可能需要医生开具的证明。

健康小贴士：答案写在小脸上

妈妈们常说孩子病得“脸都尖了”。翻遍医学书籍你也找不到这个术语，不过妈妈们用丰富的经验总结出了这个词，用来形容需要温柔照料、不应去上学或上托儿所的孩子。如果孩子的小脸总是尖尖的，那通常意味着感冒发展成了潜藏的鼻窦感染，需要进行医治。

喉咙痛。喉咙痛最具传染性的两个病因是喉部病毒感染和链球菌性喉炎（见P512）。对待这两种传染性疾病的通用规则是：等到退烧至少一天以后再去托儿所，在此之前请认为孩子有传染性。

腹泻性疾病。造成腹泻的疾病最容易在托儿所里传染。如果宝宝频繁拉出水汪汪的黏液状大便或是腹泻带血，那很可能会传染，尤其是在腹泻伴有发烧和呕吐的情况下。此时应让孩子留在家里，直至：

- 退烧
- 孩子得到足够水分、病容不明显
- 大便不再呈液状、不是喷射式也不带血

在消化道恢复期间，你要做好心理准备，几周内孩子大便次数仍会较为频繁，大便也较为松散。这个阶段叫作肠道疾病的恢复期，在此期间，宝宝没有传染性，可以去托儿所。

头虱。大部分学校护士和托儿服务提供者都很“吹毛求疵”，如果孩子惹上了虱子，他们可能会不许孩子去学校或托儿所。美国儿科学会（AAP）传染病委员会不鼓励学校和托儿所制定“头虱不得进入学校”的政策，因为虱子虽然很讨厌，而且很容易在孩子之间传染，但虱子本身却不携带疾病。

脓包病。脓包病是学龄前儿童常见的一种皮肤感染。当皮肤失去阻挡微生物的正常功效时（例如受到刺激、割伤、擦伤或咬伤），葡萄球菌或链球菌之类的细菌就会感染受到刺激的皮肤，导致皮肤上出现硬币大小的水疱，可能还会流出蜜色脓液。如果脓包比较轻微，搽上合适的抗生素软膏并用绷带覆盖，孩子就可以去托儿所了。务必剪短孩子的指甲，指给孩子看脓包并告诉他不要去碰也不要抓挠感染的地方。如果脓包很大，感染区域无法覆盖，那在抗生素治疗开始之后，最好让孩子留在家里至少 48 小时。（详见 P388。）

54. 脱水

孩子病了三天，不肯吃饭，可能还有呕吐和腹泻，只肯喝几口果汁，看起来不太愿意动，小便也比平常少，你开始担心孩子脱水。下面的建议将帮助你判断孩子的脱水程度，告诉你可以采取哪些措施来改善和纠正。

症状

水分充足的信号。如果孩子表现出下列大部分或全部信号，那你有足够的理由相信他没有明显脱水：

- 嘴巴因唾液的滋润而潮湿富有光泽，舌头下方或嘴唇处有唾液聚集
- 眼睛湿润，哭泣时有泪滴
- 至少 4 小时小便一次
- 乐于活动和玩耍，时常四处跑动

轻微脱水。大部分孩子一生病就会轻微脱水，这只是因为喝的水没有平常多。轻微脱水并不危险，常见信号包括：

- 活动性减弱，不过仍然保持警觉性，乐于玩耍
- 嘴唇微干
- 小便次数略少于平常

中度脱水。许多孩子生病时会发生中度脱水，大体来说，这个阶段并不危险，不过需要适当补水。信号如下：

- 活动性减弱，不爱玩耍，不过仍保持警觉性
- 嘴唇干燥开裂，嘴里微干

- 哭泣时没有眼泪，不过眼睛看起来还是湿润的
- 小便次数只有平常的一半左右
- 尿液较浓，呈黄色

重度脱水。儿童重度脱水较为罕见，但如果真的发生，应立即医治。信号包括：

- 走路蹒跚，不愿意动弹，很少眼神交流，对你的声音或触摸没有反应——懒洋洋的
- 嘴唇开裂，嘴里干燥发黏，没有唾液
- 没有眼泪，眼睛干枯内凹
- 12 ~ 18 小时没有小便，伴有其他症状
- 极度异常烦躁，伴有其他症状

健康小贴士：湿尿布不够多？

大多数父母对脱水有着不必要的担忧。我们的办公室经常接到父母忧心忡忡的电话："生病的宝宝一整天都没有尿尿。"如果孩子整体情况良好，行为符合轻微脱水的描述，那就没问题，许多普通的疾病都可能导致轻微脱水，这是无害的。要发展为中度或重度脱水，除非孩子出现呕吐或腹泻。大多数发烧、感冒和喉咙痛造成的脱水不需要担心。

如何处理轻微至中度脱水

首先，请阅读本书中与脱水原因有关的章节，了解对应的治疗措施（呕吐、腹泻、发烧、咳嗽、喉部感染、口腔溃疡）。

大多数孩子只要小口频繁地喝一些干净的液体就能获得充足的水分，例如：

- 母乳
- 白葡萄汁，兑一半水稀释
- 儿童型电解质补充液或其他口服电解质补充液
- 冰冻果泥

如何处理重度脱水

请去急诊室。如果孩子重度脱水，请去最近的急诊室进行评估、静脉补充水分。这种情况过于严重，不适合在家补水。

55. 牙科问题

孩子可能出现各种各样的牙科疾病和症状。不过，如果出现紧急情况，可能要到好几个小时之后才能看上牙医。下面我们将介绍几种常见的牙科相关问题，告诉你相应的解决方案。

牙外伤——折断、崩裂或磕松

无论父母多么小心，孩子还是会绊倒，有时候最先与地面（或其他硬质表

面）亲密接触的便是牙齿。下班时间发生牙科紧急状况，父母常常不知所措，应打电话向牙医寻求建议。有的儿科牙医提供急救服务，你或许可以从电话簿上找到一个，或者由朋友或邻居推荐一个。不要本能地跑去急诊室，最好提前打电话询问他们是否有应急牙医可以提供牙科急救，大部分较小的急诊室很可能没有此类服务。

牙齿磕松或后缩。牙齿轻微松动通常不需任何干预就会自愈，主要担心的是牙齿是否过度移位或过深地陷入牙龈，牙根可能受到损伤最终导致牙齿坏死。如果是乳牙则不必太担心，不过从另一个方面来说，恒牙换起来很贵，但到底应该怎么处理还要看具体情况。如果恒牙松动得很厉害，大幅移位或深深陷入牙龈，那可能得请牙医将牙齿复位，增进牙根存活的概率。复位操作应越快越好，哪怕是下班时间。如果牙齿几乎没有松动，或者只是轻微移位但几乎没有陷入牙龈，那可以等到第二天早晨再去看牙医。

磕掉牙。如果乳牙完全磕掉了，那通常不值得伤筋动骨地把它再种回去。不过，复植乳牙也有好处，可以为将来的恒牙保留足够的空间。4 岁以上的儿童再过两年就会长恒牙，所以基本没必要复植乳牙。对于小一些的孩子，复植乳牙的性价比可能更高一些。因此，看牙医之前你可以用一杯牛奶泡着掉落的牙齿，这很保险。

牙齿折断或崩裂。如果发生牙齿崩裂或损坏，第一件事是找到崩掉的碎片！这将极大简化牙医工作，明显改善最后的复原效果。如果孩子几乎半颗牙都被崩掉了，那可能会影响到牙齿的生理中心（牙髓），复原工作应进行得越快越好，你可以用牛奶保存牙齿碎片。如果牙齿只崩掉了一个小角或牙齿尖端，那可以等到第二天再处理。

牙外伤造成的口腔撕裂

发生脸部损伤或牙科损伤时，常常会在口腔内部留下深长的划伤。如果牙齿完整无缺，唯一的问题是口腔内的伤口，不要担心，这不需要缝针或看急诊。不过如果伤口穿透脸颊，那就是另一回事了，脸上出现豁口可能需要外部缝合，这种“贯穿伤”可能还需要抗生素来预防感染。

牙齿脓肿

儿童牙根周围牙龈深处可能出现感染，表现为轻微牙痛，然后在一两天内迅速恶化为相当严重的牙痛。你会注意到孩子牙龈上出现红色的肿块，一碰就很痛，附近的牙齿如果用力按压也会痛。如果你是在下班时间注意到这一症状，那情况不算紧急，不需要立即就诊（除非发烧），可以用布洛芬缓解疼痛，早晨再电话给牙医做紧急预约。最好让牙医检查一下脓肿，如果你熟悉的牙医没空，可以去看熟悉的全科医生，医生可能会开抗生素先进行消炎治疗，稍后再让你去看牙医。

别把简单的口腔溃疡当成牙齿脓肿，这很重要。口腔溃疡也很痛，这一点和脓肿很像，不过检查到脸颊和牙龈之间时会发现明显的溃疡，那就不用去医生那白跑一趟了。

蛀牙

无论你多么仔细地刷洗孩子的牙齿，蛀牙仍会悄然出现。我们不打算花时间去解释如何发现和修复蛀牙的条条框框。怎样对待蛀牙，采用哪种镇静方法和填充材料，从不同的牙医那里我们目睹过五花八门的各种选择。我们相信，儿童牙科的各种方法并无对错之分，不过我们强烈推荐，如果你觉得某位牙医提供的建议侵略性过强，务必寻求多方面的意见。在此我们提供一些想法：

蛀牙该补吗? 有人相信一旦牙齿出现蛀洞就应该立刻修补，而有人喜欢等等看，观察一段时间小蛀洞，然后只修补情况恶化的那些。我们从自己的孩子身上得到的经验没那么激进，如果孩子的牙齿出现小蛀洞，但是不太深，而且蛀掉的是乳牙（无论如何它几年后就会脱落），若牙医同意，我们觉得你可以等等看。从另一方面来说，某些蛀牙，尤其是臼齿上的蛀洞，可能要到相当严重的时候才会被发现，这样的情况也许就不该等了。

选择静脉镇静、全身麻醉还是不麻醉? 这取决于蛀牙的位置、数量和孩子自身的情况。我们家有个孩子很小的时候门牙被蛀了，不是很深。一位牙医建议我们做全身麻醉，尽量让手术轻松一些，但我们却觉得有些不妥。于是我们征求了另一位牙医的意见，选择趁着蛀洞还小的时候修补，不用镇静剂。孩子哭闹挣扎一番后，我们同意医生使用一氧化二氮（笑气）来让孩子安静下来，效果不错。手术十分顺利，整个过程中孩子都可以坐在妈妈的腿上。我们家另一个小孩补牙时用过一种名为 Versed 的口服镇静剂，效果也很好。

我们倾向于补牙时尽量不麻醉。不过，我们也知道，如果蛀牙较多，尤其是蛀牙靠近口腔后部，可能的确需要一些额外的镇静剂让孩子安静下来，有时候甚至需要全身麻醉。在对牙医有所疑虑的情况下，你不应该贸然行事，最好征求多方意见。

56. 发育迟缓

每个宝宝都有自己独特的成长节奏。有的宝宝 6 个月就会走路，而有的宝宝要等到15个月左右才迈出第一步；有的宝宝15个月时就能对答如流，而有的宝宝这时候才刚刚开口说话。在这个部分中，我们将给你一些通用的指导，帮助你判断宝宝的发育迟缓是否到了应该担心的程度。在这个部分中，我们只讨论运动和社交能力(活动能力)。言语迟缓请见P500，自闭症请见P171。

信号

宝宝发育的个体差异很大，所以要判断宝宝的发育迟缓是否必须治疗并不容易。在本书的第二篇中，我们列出了每个年龄对应的发育里程碑，你应在医生检查时确认。如果幼儿在某个重要的方面出现2～3个月以上的发育迟缓，应该由医生做出评估。下文描述的发育里程碑对应的年龄是指发育迟缓的年龄，而非正常年龄。

大动作迟缓。身体大动作和力量方面的迟缓。如果宝宝出现下列情况之一，请告诉医生：

- 4个月时仍无法在趴着的时候抬起头来
- 7个月时仍无法向两边翻身
- 9个月时仍无法坐起来，哪怕几秒钟
- 12个月时仍无法爬行或坐着挪动
- 14个月时仍无法抓住沙发站起来
- 17个月时仍无法独立走上几步

精细动作迟缓。协调性、手眼动作方面的迟缓。如果宝宝出现下列情况之一，请告诉医生：

- 4个月时视线仍不会随着你的动作从一边看向另一边、不会稳稳抓住你的手指
- 6个月时仍无法正确地伸手、有意识地去抓某件物品（例如拨浪鼓）
- 9个月时仍无法准确、活泼地迅速抓住玩具
- 12个月时仍无法用拇指和食指抓握东西、无法握住杯子
- 15个月时仍无法用食指指东西、不会在玩耍时堆积木
- 18个月时仍不会用勺子自己吃东西、不会做出模仿动作（例如梳头或打电话）

社交迟缓。互动技巧发育迟缓。如果宝宝出现下列情况之一，请告诉医生：

- 4个月时仍不会露出回应性的微笑
- 6个月时仍不会大笑、不会用不同的哭声或挥手、踢腿来表明自己想要什么东西
- 9个月时仍不会模仿面部表情和声音、不会与镜子里的自己互动
- 12个月时仍不会对自己的名字做出反应、不会挥手再见、不会伸手要抱

- 15 个月时仍无法理解“不”和其他简单的词语、在你问“XX 在哪里”的时候不会环顾周围找东西
- 18 个月时仍无法认出脸部器官、不会指着东西索要、不会对有趣的东西发笑

如果孩子只出现了上述情况中的一种，那并不意味着问题严重到需要担心。不过医生应该有所提防，以便全面评估孩子的整体发育情况。

健康小贴士：
亲密育儿——发育问题的最佳处方

在这一点上，科学结论十分明确：亲密育儿（持续亲手照料孩子、与孩子面对面交流互动的养育方式）能激励宝宝全方位快速成长。如果你的宝宝开始出现任何发育迟缓的迹象，请参考“育儿 7B 法则”，见 P164。

导致发育迟缓的风险因素

所有宝宝都可能出现某些发育迟缓，不过某些宝宝发育迟缓的风险更高，需要额外关注：

- 早产儿
- 难产儿
- 先天缺陷婴儿
- 确认患有神经系统障碍(例如癫痫)的婴儿
- 最开始几个月里就因生病需要住院的婴儿
- 胎儿期接触过违禁药物或酒精的婴儿
- 兄姐出现过重大发育迟缓或自闭的婴儿

治疗

如果确认宝宝有重大发育迟缓，肯定不能再用等等看的法子。你需要采取下列重要措施：

做宝宝的私人治疗师。没有人能够像父亲和母亲一样提供婴儿需要的日常激励。一直以来你可能已经尽心尽力，但也许你还需要做得更好一些。你与宝宝的社交互动（扮鬼脸、说话、唱歌、微笑、大笑）越多，宝宝各方面的成长发育就越快。你还应注意培养宝宝的动作能力，不过不要占用社交互动的时间。

政府出资的评估。大部分地区有政府出资的相关项目，以全面评估婴儿发育情况，每周提供适当的刺激发育服务。请利用这项免费的服务，这就是你纳税的意义所在。

私人治疗。许多保险开始为发育问题的治疗付费。如果你的保险中包含此类项目，你可以请一位私人的职业治疗师或语言治疗师为宝宝提供补充治疗。

也可以与其他婴儿及其父母一起参加多人的社交技巧训练班。

57. 儿童糖尿病

糖尿病会导致身体无法产生足够的胰岛素（Ⅰ型糖尿病）或无法有效利用胰岛素（Ⅱ型糖尿病）。关于如何防治儿童糖尿病，我们将介绍最重要的几点：

Ⅰ型糖尿病

Ⅰ型糖尿病（旧称青少年糖尿病或胰岛素依赖型糖尿病）可能出现在幼儿期或儿童期的任何时间段。与Ⅱ型糖尿病来得十分缓慢不同，Ⅰ型糖尿病患儿的胰腺会突然停止制造胰岛素，导致病程发展得非常快（只需几天）。

信号和症状

Ⅰ型糖尿病的信号和症状如下：

儿童尿频。为了排出的血液中积聚的高血糖，孩子肾脏会制造更多尿液。这通常是糖尿病最早的信号。

孩子经常抱怨口渴。因为排尿失水过多，孩子常常抱怨渴得厉害。

脱水及减重。极短时间内失去大量液体会让孩子感觉疲惫、没精打采、脱水，同时伴有口腔、眼睛和皮肤干燥，减重过快。

呼吸急促。高血糖会导致血液中名为酮的化学物积聚，进而导致孩子呼吸急促。也许你甚至能从孩子“水果味”的呼吸中闻到酮的气味。

治疗

一旦儿科医生对孩子进行了检查，把所有线索串联到一起，那么孩子就要立即住院，静脉注射液体补水并补充胰岛素降低高血糖。这种生化状态叫作糖尿病酮症酸中毒，它是一种医学上的紧急状况，医生们接受过迅速判断这种状况的训练。如果经过检查发现孩子除了些微症状之外完全健康或者只是生了小病，那你就不必担心他得了糖尿病，因为Ⅰ型糖尿病的症状来得十分迅速，只需要几天时间，你根本不可能错过它。

Ⅱ型糖尿病

Ⅰ型糖尿病是一种遗传疾病，从免疫学上无法预防；而Ⅱ型糖尿病基本是由不健康的生活方式和营养习惯引起的，完全可以预防。Ⅱ型糖尿病患儿的胰腺仍在制造胰岛素，不过由于新陈代谢出了问题，细胞对胰岛素的影响产生抵抗，所以这种糖尿病被称作胰岛素抵抗型糖尿病。我们每个身体细胞上都有数百万个微小的“门”，胰岛素的作用就像“门卫”，引导分量刚好的糖进入细胞提供能量。而在Ⅱ型糖尿病患者身上，这些“门”无法有效打开，胰岛素就没法干活，这种情况又叫胰岛素无效。

信号和症状

Ⅰ型糖尿病来势汹汹，与之相反，Ⅱ型糖尿病患儿不会出现明显的病状。有的患儿可能会略微尿频、口渴。（如果孩子其他方面完全健康，只是水喝很多，那几乎不太可能是糖尿病，虽然儿科医生经常听到这样的问题：“他喝水很厉害，会不会是糖尿病？”）

孩子早期糖尿病最常见的线索是腰围粗壮。过多的腹部脂肪又叫“早期糖尿病脂肪”，它会增加Ⅱ型糖尿病风险，因为过多的脂肪会大量制造干扰胰岛素功能的生化物质。

如果医生怀疑孩子患有早期糖尿病，他可能会给孩子验血，例如检查血糖、血液中的胆固醇和总血脂水平。Ⅱ型糖尿病患儿，尤其是青春期患儿常常会出现各种“高”——高血压、高血糖、高血液胆固醇——这些生化问题叫作代谢综合征。

原因

Ⅱ型糖尿病最常见的两种病因是吃垃圾食品和久坐。事实上，根据垃圾食品和久坐的目前趋势，甚至让美国疾病控制中心（CDC，预测健康趋势的政府智库）做出了一项惊人的预测：除非美国家庭改变目前的饮食习惯和生活方式，否则 1/3 的儿童注定会得糖尿病。这个恐怖的预测指的就是Ⅱ型糖尿病。

风险因素

遗传风险。有的文明出现Ⅱ型糖尿病的风险较高，包括非裔美国人、美国土著、拉美裔美国人和太平洋岛民。

肥胖。好消息是，肥胖可以预防。肥胖儿童发生Ⅱ型糖尿病的风险一路飙升，所以现在大部分儿科医生直接把肥胖儿童视作早期糖尿病。

请检查你的孩子是否有下列风险因素：

- 吃很多快餐食品和包装食品
- 喝很多加糖饮料
- 腰围不断增加，腹部脂肪过多
- 块头又大又壮
- 有糖尿病家族病史，或父母之一块头很大
- 痴迷甜食和其他精制碳水化合物

预防

- 请再次阅读健康饮食的章节和P428，“肥胖：西尔斯医生的儿童瘦身计划”。
- 不喝加糖饮料。
- 不吃含有高果糖玉米糖浆的食物。
- 遵循“2 原则”：2 倍餐数，1/2 分量，

咀嚼2倍时间。少食多餐者拥有更稳定的血糖水平。

- 多做运动。大量运动的孩子不容易长出多余的腹部脂肪。苗条的腰围是预防Ⅱ型糖尿病的最好药方之一。

要进一步了解饮食和运动对糖尿病的影响，请参阅两本西尔斯医生的相关图书：《社区里最健康的孩子》和《西尔斯医生的儿童瘦身计划》(*Dr Sears' L.E.A.N.Kids: A Total Health Program for children Ages 6 to 12*)。

58. 尿布疹

所有父母和宝宝早晚得面对尿布疹，尤其是在最开始的一年里。下面的章节将告诉你如何尽可能减轻这个问题。

原因

幼儿包尿布的区域皮肤格外敏感。潮湿的环境、尿液和粪便的刺激与尿布的摩擦相结合，为尿布疹的出现提供了温床，宝宝的皮肤可能发红、破裂甚至出血。雪上加霜的是，细菌或酵母菌可能乘虚而入，加剧尿布疹。

预防

有的宝宝不会得尿布疹，不过大多数宝宝总会一次又一次地经历尿布疹爆发的折磨。帮助预防尿布疹的方法如下：

勤换尿布。粪便对幼嫩皮肤的刺激性很强。新生儿的尿布应该至少2小时更换一次，在最开始的几周后，更换周期可以略微延长。不过，一旦尿布湿了或有大便时，请立即更换。

换个牌子。宝宝可能对特定的化学物或纤维特别敏感。换个尿布牌子，试试有机尿布甚至布尿布，直到找到对宝宝的屁股刺激最小的那种。

好好清洁包尿布的区域。这能帮助预防尿布疹。

使用无香型的婴儿湿巾。香味湿巾中的化学物可能刺激皮肤。

使用清爽型护臀膏。凡士林或羊毛脂产品能够有效防治轻微尿布疹。

使用白色氧化锌护臀霜。宝宝可能需要这种更厚的乳霜。含有氧化锌的护臀有好几种，它是防治尿布疹的最佳屏障。

怎么办

就算是最用心的父母也没法保证宝宝永远不长尿布疹。控制尿布疹的方法如下：

用水冲洗宝宝的臀部。用湿巾擦拭长了尿布疹的地方可能会进一步刺激皮肤，加剧尿布疹。把球形注射器装上水，轻轻冲掉宝宝屁股上的排泄物。如果还有残余，用婴儿湿巾轻轻点掉。

健康小贴士：透透气

尽量少给宝宝包尿布——不包尿布的时间每次应至少半小时，每天至少几次。要做到这一点，有个好办法：不搽护臀膏，让宝宝躺在一条大毛巾上。空气能够很好地抚慰受到刺激的尿布区域。

尿布疹爆发期间多搽护臀膏。氧化锌护臀膏对控制轻微至中度的尿布疹效果很好，每次换尿布都给宝宝搽上。对于更为严重的尿布疹，可以咨询医生。

不同类型的尿布疹

有几种不同的原因可能引发尿布疹：

接触性尿布疹。这是上文讨论的典型尿布疹，原因是宝宝敏感的臀部与尿布和粪便接触，受到刺激。

酵母尿布疹。指的是宝宝肛门或外阴附近硬质发红微凸的区域，外缘有凸起的小红点。此类尿布疹适用于非处方抗真菌霜剂，详见 P556。

脂溢性尿布疹。这种皮肤问题可能影响脸部、颈部、头皮甚至尿布区域，表现为干燥易脱皮的红色皮疹，可能很痒、很痛。儿科医生会诊断孩子是否得了脂溢性尿布疹。治疗这种尿布疹通常会用到类固醇霜剂（例如 1% 浓度的非处方氢化可的松），每天 2 ~ 3 次。类固醇霜剂的使用请勿超过一周，除非有医嘱。

脓包病。这种皮肤细菌感染可能发生在身体任何部位，包括尿布区域，表现为红色水疱式皮疹，有蜜色硬皮。医生会给孩子开处方抗生素软膏，详见 P389。

细菌性丘疹。有的宝宝（尤其是幼儿）会长很多带细小白头的红色丘疹，不同于渗液、带硬壳的脓包，是粪便中的细菌引起的。家长可以用温肥皂水勤洗臀部，如果丘疹顽固不退，可使用处方或非处方的抗生素软膏。

间擦疹。这种皮疹可能发生在身体上任何有皱褶的区域。腹股沟部位的皮肤皱褶尤其容易发生间擦疹，它是由于皮肤之间不断摩擦产生的，褶皱内的皮肤会变成红色、灼伤似的样子。清爽型护臀软膏通常可有效治疗间擦疹。

过敏性皮疹。皮疹也可能是宝宝对某种类型食物过敏的信号。过敏性皮疹通常表现为宝宝肛门周围出现一圈红色，可能是婴儿通过母乳接触到了某种食物而引起的。常见的肇事者包括酸性食物（例如柑橘类水果、以番茄为基础的食物）、小麦制品和乳制品。还有其他许多潜在的过敏源也可能引起尿布疹。母乳喂养的妈妈如果注意到自己吃下某些食物时宝宝会爆发尿布疹，那么可能需要从食谱中剔除这些食物。详见P336，“食物过敏”。

摩擦疹。较大幼儿在奔跑、攀爬、弯腰时会与尿布产生更多摩擦，尿布在腰间和大腿边缘接触处形成的大片干燥红色区域就是典型的摩擦疹。清爽型软膏（或排便训练）能够尽量减少刺激。

如果宝宝的皮疹治疗一周后仍无好转甚至恶化，请去看医生，常规检查也是和医生讨论尿布疹的好机会。如果宝宝看医生时正在长疹子，请让医生看看，儿科医生有着分辨尿布疹种类的丰富经验。好消息是，随着孩子长大，特别是一岁以后，尿布疹带来的问题会越来越小。

59. 腹泻

腹泻对谁来说都是不愉快的经验，无论是肠道不适的儿童还是收拾残局的父母。幸运的是，大多数腹泻病例并不严重，无须治疗就会好转。下面我们将帮助你和孩子尽量轻松地度过这个糟糕的阶段。

症状

腹泻的定义包括：

频率增加。如果孩子大便次数超过平常的两倍，那可能意味着肠道问题。

大便性状变化。如果大便比平常松散、富含水分和黏液、呈绿色或流动性更强，这都是明显的变化。

放心，所有孩子的大便都会出现短期的性状变化，这是生命正常的组成部分。如果你突然发现孩子的大便有一两次异于平常，别急着担心，等到孩子拉上几次再去寻找原因也不晚。

原因

乳蛋白过敏。这是婴幼儿非传染性腹泻最常见的原因。母乳喂养的宝宝可能对通过母乳吸收到的妈妈膳食中的牛奶蛋白过敏；配方奶喂养的宝宝也许是对以牛奶为基础的配方奶过敏。如果幼儿正在开始食用更多乳制品，那么出现不适的情况也会增加。

过敏性腹泻通常不会导致突发的症状，例如发烧和呕吐，而传染性腹泻（见下文）则相反。过敏性腹泻较为慢性，除了轻微的腹部不适外没有其他症状。小麦和大豆也是最容易引起过敏的食物，仅次于牛奶。

感染性腹泻。许多细菌和病毒都可能引发腹泻，通常伴有发烧和呕吐。这些症状的出现清晰表明孩子的腹泻是感染性的而非过敏性的。

- 病毒——轮状病毒和感冒是病毒性腹泻最常见的两种原因。还有其他几种病毒也会引发腹泻，不过目前都无法有效治疗，所以通常不必确认到底是哪种病毒引发的腹泻。

- 细菌——大肠杆菌和沙门氏菌是最常引起腹泻的细菌，通常是由食物中毒引起的。还有其他几种细菌也可能引发腹泻。细菌性腹泻区别于其他腹泻最明显的特征是大便带血。大便带血意味着严重的传染性细菌腹泻，应该由医生进行评估。
- 寄生虫——寄生虫腹泻的标志是拉稀持续超过两周。

抗生素引起的腹泻。许多儿童每年会使用 1 ～ 2 个疗程的抗生素，由此引起的腹泻相当常见。大多数情况下，这样的腹泻并不严重，持续使用抗生素期间可通过服用益生菌（见下文“治疗”）尽量控制。如果腹泻严重或带血，请停止使用抗生素并联系医生。

什么时候别担心

无论是细菌性还是病毒性，大多数传染性腹泻无须任何治疗就能自愈。只要孩子体内水分充足、大体感觉尚可、大便不带血，你就可以放下心来，过上一两周就会好的。

在腹泻初期，发烧、腹痛和呕吐都很正常，并不意味着问题更加严重。请参见介绍这些症状的章节，以决定什么时候该寻求医疗救助。

什么时候该担心

下列信号意味着你应该在一天内寻求医疗救助：

- 腹泻带血
- 中度脱水——如何评估孩子脱水的程度见 P273
- 伴有超过 3 天的发烧
- 黄疸——眼睛或皮肤发黄，这可能意味着病毒性肝炎，应由医生进行评估
- 减重或没精打采

治疗

过敏性腹泻。如果你怀疑孩子是过敏性腹泻，第一步是排除最常见的过敏源——牛奶产品。哺乳的母亲应该从食谱中剔除乳制品约 3 周；如果宝宝是配方奶喂养，请换成基于大豆的配方奶并在下次检查时告诉医生。对于幼儿及更大的孩子，请将牛奶、酸奶和奶酪剔除出食谱，持续 3 周（详见 P336）。

传染性腹泻。病毒性腹泻并无有效的医学治疗方法，甚至大多数细菌性腹泻也无法通过抗生素治疗，抗生素反而会加剧腹泻。不过，有的腹泻可以用抗生素治疗，如果腹泻带血，儿科医生可以判断是否需要治疗。

家庭治疗

除了抗生素以外，腹泻并无其他处方药疗法。下面的治疗措施都很安全，无论孩子的腹泻是什么原因，你都可以试试看：

- 多吃益生菌——通常称为嗜酸菌。益生菌是有益的细菌，它们正常生活在我们的肠道中，帮助消化系统保持健康。感染、过敏和抗生素都会消耗这些有用的微生物。
- 给孩子吃减轻腹泻的膳食——给孩子吃几天大米或大米麦片、苹果酱和面包等食物可尽量减轻腹泻。
- 不要吃某些食物——在腹泻好转之前，尽量少喝牛奶，不吃苹果、梨和樱桃汁（这些水果中的天然糖分可能加剧腹泻），限制会让大便软化的食物摄入，例如李子和桃。
- 保持孩子体内水分充足——稀释过的白葡萄汁（加一半水）是最佳的补水饮品之一。口服电解质溶液也可以，不过通常没有必要，除非有医嘱。
- 喝大豆配方奶——持续腹泻可能过度刺激肠道，让肠道无法再消化以牛奶为基础的配方奶。解决腹泻前先换成大豆配方奶试试。
- 多搽护臀膏——不要等到皮疹出现才搽。每次换尿布时多搽点儿白色的氧化锌护臀膏，抢在皮疹的前面。如果皮疹恶化，详见P281，“尿布疹”。

12岁以下的儿童不应使用非处方止泻药，除非有医生的指导。如果孩子大便排出的速度放缓，传染性微生物分泌的毒素可能会让肠道发炎更为严重，甚至加剧病情。而大一些的孩子能够更好地耐受这些毒素，止泻药的效果也立竿见影。

儿科医生能做什么

传染性细菌或寄生虫。如果怀疑细菌感染，医生可以把大便样本送到实验室进行检测，通常要两三天后才能出结果。如果孩子腹泻严重，你和儿科医生希望确认这只不过是轮状病毒感染，也可以去做病毒检测。医生还能评估孩子脱水的程度，判断是否有必要送急诊室静脉（IV）补水。

过敏性腹泻。如果你怀疑腹泻的原因是过敏，但不含乳制品的膳食无法缓解病情，那医生可以给孩子验血以寻找其他引起过敏的食物。

抗生素反应。在罕见的情况下，孩子使用抗生素后会出现长达数月甚至更久的慢性大便松散，这可能意味着肠道中的酵母菌过度繁殖。益生菌也许足以击败这些酵母菌，不过医生可能会给孩子开几周抗酵母的药。医生可以通过大便检测判断罪魁祸首是不是酵母菌。

60. 骶骨窝

如果你注意到宝宝的脊柱末端有一个小“洞”，那就是骶骨窝。在子宫中，宝宝的脊椎骨长到一起的时候，脊椎骨外的皮肤接缝处会留下皱褶，有时皱褶里面会留下一个开口，叫作“窝”。宝宝常规检查的时候，医生可能会指给你看。

怎么办

一般而言，这样的窝只是胎儿期发育的残留痕迹，没什么害处，无需任何治疗。不过，有的开口可能深深陷入皮肤中，与脊髓相连，从医学上说，这叫作脊髓栓系，意思是说脊髓与这个胎记下方的皮肤相连，需要手术松解以免影响脊髓发育。无害、无需治疗的骶骨窝特征如下：

- 比较浅。医生用笔型手电通常可以看到“小洞”的底。
- 位置较低——出现在臀部折痕的下方。
- 比较小，洞里没有毛发也没有多余的组织生长。

可能需要治疗或手术切除的骶骨窝特征如下：

- 出现的位置比较靠上。
- 洞里有毛发生长。
- 洞里长出胎记或痣。
- 比较深。

如果你不确定骶骨窝到底有多深，儿科医生可能会用超声波或 MRI 检查孩子的腰骶部位，探查骶骨窝是否与脊髓相连，是否需要治疗。位置较为靠上、有明显发育迹象的骶骨窝就像是冰山的一角，它可能意味着孩子的脊髓有不同程度的缺陷，例如脊柱裂。MRI 会揭示真相。

61. 流口水

一旦牙齿开始从牙龈里冒出来，孩子唾液的龙头就打开了。事实上，口腔内的任何刺激（例如牙痛、口腔溃疡或出牙）都会增加唾液的分泌，分泌和吞咽之间有着正常的平衡。不过，有的宝宝分泌唾液的速度比吞咽快，所以就会流很多口水。

口水声。当孩子进入我们戏称为“口水滴答的日子”（通常就在新牙即将蓬勃冒出来的时候），准备好聆听喉咙里的交响乐吧。口水在喉咙后部积聚，流过的空气会产生各种声音，我们给这些声音都起了名字：

- “汩汩声”，喉咙后部的声音
- “噜噜声”，鼻音和汩汩声的混合音，听起来像是从鼻子后面发出来的
- “啵啵声”或“含糊音”，打嗝时通过唾液的“小池塘”发出的声音

多余的唾液会带来奇怪的声音和皮疹，与此同时也会促进消化，让肠道准备好迎接固体食物。原理如下：

- 唾液中含有一种名为表皮生长因子的物质，它会帮助肠道内壁发育成熟。
- 唾液会中和胃酸，当宝宝频繁吐奶，胃酸反流，食道内壁可能受到刺激，唾液可润滑食道内壁、促进愈合。
- 唾液中的酶可在固体食物到达肠道之前帮助进行预消化。

怎么办

唾液对身体很重要，不过老是流口水也很讨厌，这里我们提供一些解决的方法：

预防口水疹。 口水疹就像是长在脸颊和下巴上的尿布疹。当胖乎乎的脸蛋和被口水浸透的床单相摩擦，疹子就冒出来了。你可以用微温的水点掉多余的口水并拍干，小睡和晚上睡觉前给孩子搽隔离软膏。羊毛脂软膏也有用。

准备迎接腹泻。 这个滴滴答答的阶段还有一件麻烦事，小脸蛋对多余的口水做出反应的同时，身体另一头也会有反应。唾液是天然的泻药，所以在孩子长牙的时候，准备好迎接更为松散的大便和更多的尿布疹吧。给宝宝肛门周围搽隔离霜，就像你给他搽脸一样。

一旦牙齿长出来，宝宝发育成熟的吞咽机制会来得及吞下分泌的所有唾液，滴滴答答的阶段就会过去。

健康小贴士：
唾液带来的“感冒”

过多的口水聚集在喉咙后部，可能引起咳嗽，有点像后鼻滴涕。事实上，要是你把手放在宝宝背上，就会感觉到颤抖和咳嗽不是从胸口发出来的，而是空气通过喉咙里积聚的唾液时产生的。这并不是真正的感冒（唾液几乎不会进入鼻子），只是口水滴答的日子里正常的声音。感冒的孩子晚上咳得更厉害，但唾液带来的声音却正好相反，因为睡眠期间唾液分泌会自然减少。

---

62. 诵读困难

诵读困难指的是童年期常见的一种学习障碍。美国大约每五个人中就有一个患有某种类型的学习或阅读障碍。

这些阅读和学习障碍大部分可归因于诵读困难。

症状

说到诵读困难，大部分人想到的是搞不清字母或者倒着拼单词的人（比如说，"saw" 这个词在他们眼里是 "was"）。事实上，这只是诵读困难的部分症状，而且年纪小的孩子搞混字母和单词很常见。其实，诵读困难有许多类型和表现形式。

有时候，诵读困难的症状很难与童年期正常的阅读和发育区分开来。在孩子长到上学的年龄之前，诵读困难的早期信号可能包括：

- 说话开始得晚
- 难以说出短句
- 难以说出押韵的词
- 学习新词汇的速度很慢

学龄儿童（6 岁以上）诵读困难的可能信号包括：

- 读出词语的速度比同龄人慢得多
- 难以分辨同一页上不同的词语和字母
- 会把相似的字母颠倒过来（例如用 "b" 代替 "d"）
- 会把含有相同字母的词语颠倒过来（例如上文所述的 "was" 和 "saw"）
- 试图从右到左阅读词语
- 难以分辨一系列词语的间隔样式
- 难以听出或拼出许多类型的词语
- 阅读水平低于当前年龄

知道这一点很重要：6 岁之前，没有诵读困难的孩子也可能出现多种上述症状。不过，诵读困难患儿的症状会持续不退。有的父母可能担心诵读困难是智力较低的信号，但事实上，大部分诵读困难患者的智力正常或高于平均水平。

原因

研究者仍在试图找出诵读困难的确切原因。人们相信，诵读困难是大脑和语言、处理词语有关的部分出现问题而导致的。不过，我们确切掌握的是，诵读困难显示出家族流行倾向，因此它很可能有遗传基础。

诊断和治疗

诵读困难大部分病例直至孩子上学后才得到诊断，老师和家长担心孩子的阅读水平不如别的孩子。诵读困难的治疗取决于障碍的严重程度，大多数病例能够得到成功治疗，这需要一些专家的协助，包括语言治疗师、教育治疗师，偶尔还有儿童心理学家。谢天谢地，大多数诵读困难患儿能够正常跟班学习，无需长期的矫正教育。

健康小贴士：
早评估，别拖延

诵读困难诊断得越早，长期治疗结果就越好。各位父母，如果你怀疑孩子可能“跟不上”课程，请立即与老师和儿科医生讨论你的顾虑。

长期并发症

在这种学习障碍的恶名之下，有的诵读困难患儿会出现某些情感和心理方面的困难。悲哀的是，最受折磨的是那些没有得到应有帮助的孩子，尤其是在没有得到早期帮助的情况下。与诵读困难做斗争的孩子可能会放弃阅读，因为觉得难为情或“自己很笨”，从而形成恶性循环，情况不断恶化。除非孩子得到一些帮助，否则孩子的智力和情感发育可能会进一步受阻。不幸的是，某些诵读困难患者从未得到过所需的帮助，问题一直拖到青春期、成年期早期甚至更为久远。

好消息是，和过去相比，现在我们能够更好地辨认出诵读困难。今时今日，诵读困难患儿能够得到合适的诊断和治疗，如果放到从前，他可能只会被贴上“反应慢”或“智力低”的标签，也许永远都没有机会接受帮助。

63. 耳朵痛

几乎所有孩子都会经历耳朵痛，尤其是在婴儿期和学龄前。不幸的是，耳朵痛常常在最不方便的时候不期而至，例如半夜或旅途中。下面我们介绍一些耳痛的原因和止痛的方法：

原因

儿童耳部有两个区域容易发生疼痛：

中耳痛。无论是感染还是过敏引起的中耳腔积液，都会对鼓膜造成压力，而且鼻涕还会堵塞咽鼓管——这根小小的管子连接着中耳和咽喉，保持着鼓膜两边的气压平衡。若是咽鼓管被液体或气压变化（例如坐飞机时）堵住，就会导致中耳疼痛。

耳道痛。若是耳道发炎或是发生游泳性耳炎，也会导致疼痛（如何分辨中耳痛和耳道痛，请见 P520）。

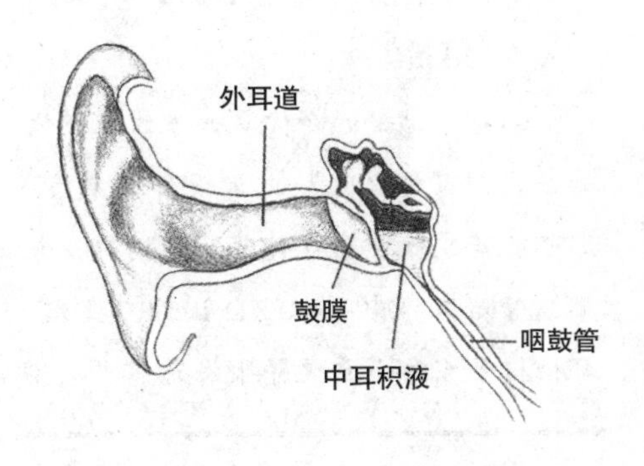

治疗一般的耳痛

如果你不确定耳痛的原因，却需要在看医生之前先止痛，试试这些方法：

利用重力。鼓励孩子休息或睡觉时让疼痛的耳朵朝上，这样中耳里的积液就会从鼓膜处流走，减小压力。

清理鼻子。咽鼓管连接着鼻咽部和耳朵，所以如果鼻子不通气，咽鼓管也很可能堵住。要让耳朵不积液、不痛，清理堵塞的鼻腔很重要（冲鼻子和蒸汽浴的方法见 P021）。

扭一扭赶走疼痛。清通堵塞的咽鼓管通常能够缓解耳痛。用拇指和食指捏住耳垂，向下、向外拉四次。这个动作会把咽鼓管旁的耳道结构拉开，也许能够帮助清通咽鼓管。如果这样做耳朵反而更痛，那么孩子可能得了“游泳性耳炎”，见 P519。

健康小贴士：
听不清可能是咽鼓管堵塞的信号

和孩子说话的时候，如果你发现他老是在问“什么？”或者没什么反应，那可能是过敏或感冒引发了鼓膜积液或咽鼓管堵塞。中耳积液会让听力变差，哪怕孩子可能还没觉得耳朵痛。

吹走疼痛。如果你怀疑孩子的耳朵痛是因为咽鼓管堵塞（例如孩子正在过敏、感冒或在坐飞机），让他轻轻吹个气球。吹气球常常能够打开咽鼓管，缓解疼痛，就像打呵欠、捏鼻子和吹气能打开成人的咽鼓管一样。

试试滴耳液。多年来我们听说过五花八门的天然止痛法，妈妈们总有自己的一套，比如毛蕊花大蒜滴耳油、橄榄油、芦荟滴耳油。使用滴耳液之前最好让医生检查一下宝宝的耳朵，不过如果孩子半夜耳朵痛，还是可以试试这些温的滴耳油，哪怕你并不知道小耳朵到底是哪里痛。使用方法如下：

- 让孩子躺下，耳朵痛的那边朝上。
- 把四滴温的（不是热的！）滴耳油滴入孩子的耳道。让滴耳油从你的指尖轻松滑落，然后轻轻拉一拉耳垂，帮助滴耳油顺着耳道向下滑，抚慰疼痛的鼓膜。

儿科医生可能会给孩子开麻醉性滴耳液，也可能推荐你使用非处方止痛药，例如对乙酰氨基酚或布洛芬。

64. 耳内异物

可能有异物（例如玩具的零件或昆虫）卡在孩子外耳道里的线索如下：

- 孩子承认把玩具零件放进了耳朵里。
- 孩子抱怨自己外耳道里有嗡嗡声。
- 一只耳朵里流出有臭味的厚重液体，却不是游泳性耳炎（见P519，“游泳性耳炎”）。

怎么办

听老人的话：“别把个头小于手指的东西放进耳朵里！”如果你怀疑孩子的耳道里有东西卡住了，不要自己掏，最好让医生来，医生那有专用的光源和钳子（或套圈）可以取出异物。有时候，医生还会用类似水牙线的设备冲出耳朵里堆积的耳垢、异物以及异物引起的渗液。

取出异物后，医生会建议你注意观察孩子有无外耳道感染的迹象（见P519，“游泳性耳炎”）。有时候，耳道内壁会被异物或是取出异物的动作擦破，容易发生感染。

65. 耳部感染（中耳炎）

宝宝感冒了一周，他突然有一天晚上哭闹着醒来，第二天早上你带着他去看医生，不出所料，果然是耳部感染。这一幕几乎在每个孩子身上都发生过。耳部感染的医学术语叫中耳炎，意思是“中耳发炎”。孩子的听力取决于鼓膜和中耳内的结构是否正常工作，反复的感染可能会让鼓膜留下疤痕，影响鼓膜正常振动，从而影响听力。所以，小心、正确地治疗孩子的耳部感染十分重要，尤其是在最开始几年，因为这时候孩子的语言能力正处于发育阶段。

信号和症状

对于大一些的孩子，耳部感染很容易看出来，因为他们会抱怨耳朵痛，你也会注意到受感染的那只耳朵听力不太好。不过对于婴儿和比较小的孩子，耳部感染的诊断就没这么容易了。你可以注意观察下列信号，借此判断什么时候该带孩子看医生：

- 孩子持续几天出现感冒的信号和症状，例如流鼻涕。
- 孩子看起来比普通感冒“病得重”。
- 眼部渗液：如果孩子“泪眼汪汪”伴有流鼻涕，那可能意味着耳部感染。
- 感冒之后，孩子的脾气越来越坏，烦躁不安。
- 感冒期间幼儿行为恶化。
- 孩子晚上痛醒。
- 孩子不喜欢仰躺（因为被感染的液体会压迫鼓膜）。
- 耳部感染可能出现发烧症状，也可能不出现。

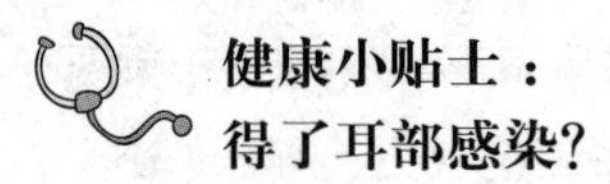

健康小贴士：得了耳部感染？

如果孩子渗液（眼睛和鼻子）增多，越来越烦躁不安，我们可能怀疑他是耳部感染。

原因

孩子感冒的时候，多余的黏液会成为细菌生长的温床，让细菌在鼻子、喉咙和鼻窦中大肆增长。然后，细菌和分泌物会顺着咽鼓管（连接鼻腔后部与耳朵的细管）向上进入鼓膜后的中耳腔，引发感染，感染又会导致黏液和脓液积聚，让鼓膜发红、发炎、外凸，这就是医生检查耳朵时发现的症状。如果被感染的积液造成的压力太大，可能会使鼓膜破裂，这时候你可能发现孩子的耳道里流出液体，就像鼻涕一样。

由于儿童的咽鼓管短、宽、直，所以感冒期间微生物很容易跑到耳朵里。随着孩子的成长，咽鼓管会变长、变窄、变得更为曲折，于是微生物和液体就没那么容易在中耳内积聚了，所以大多数儿童最终会度过容易发生耳部感染的阶段。

中耳的黏液或液体并不是总会引起感染，慢性过敏或轻微感染也可能造成无害的积液，这种情况叫作浆液性中耳炎。

你能做什么

等着去看医生的时候，或是在儿科医生推荐的治疗方案之外，你还可以试试这些家庭疗法：

给孩子吃对乙酰氨基酚或布洛芬。试试这些非处方止痛药吧。

给耳朵滴点儿油。（滴油的手法见P290）温的毛蕊花大蒜滴耳油是行之有效的天然止痛剂和抗生素，温的橄榄油也可止痛。

让孩子躺下的时候痛的那边耳朵朝上。鼓励孩子小憩和睡觉的时候让被感染的耳朵朝上，利用重力缓解被感染液体对鼓膜的压力。

健康小贴士：半夜耳痛

虽然医生和父母这两个身份都需要放弃整夜安睡的权利，不过孩子半夜因耳痛惊醒，通常不需要立即咨询医生，除非孩子看起来病得很重。在医生会给你提供的建议中，你唯一没法自己搞到的可能只有抗生素，而抗生素也没法立即止痛，它至少要等到12小时后才会起效，而上述疗法应该已经足够让孩子安稳度过这一夜了。

医生可能会做什么

治疗耳部感染需要医生和父母的合作：你负责安抚孩子的痛苦，增强他的免疫力，在家采取预防措施；而医生负责对付感染。

“是不是孩子得了耳部感染就要用抗生素？”不一定，现在有了治疗中耳炎的新观点：许多轻微的耳部感染无需抗生素也能解决。对于轻微耳部感染，美国儿科学会（AAP）推荐采用“等等看”的方案。基于最新的研究，我们在儿科实践中通常采用下列方法：

等等看。如果孩子得了感冒，伴有中耳积液，但是没有发烧也没有讨厌的耳朵痛，我们一般不会采用抗生素治疗。中耳里的积液通常会自行排干（自行赶走耳痛的方法见 P292），这个阶段使用抗生素并无必要。“看”并不意味着什么都不干，而是说应该小心观察孩子的病情有无加重的迹象，而“等”只是说医生可能不会立即开抗生素，你可以先试试天然疗法。

开抗生素。记住，身体任何部位（尤其是中耳后面）的积液都是微生物的温床，如果感染恶化，医生可能启动 B 计划：开抗生素。如果出现下列情况，请打电话给医生：

- 耳痛加剧。
- 感冒恶化，伴有发烧加剧、全身不适。

儿科医生会根据孩子耳部感染的严重程度开出抗生素。如果是轻微的耳部感染，大多数医生会从标准抗生素阿莫西林开始（就是那种粉红药片）。如果感染较为严重或孩子以前用阿莫西林的效果不好，那医生可能会开阿莫西林克拉维酸钾（安灭菌），这是一种阿莫西林和克拉维酸的混合制剂，能够有效消灭多种耐阿莫西林的微生物。如果孩子对青霉素类抗生素过敏或是对这些“一线”抗生素不敏感，那医生可能会用所谓的“二线”抗生素——头孢菌素。医生开的抗生素疗程时间可能为 5 ～ 10 天，具体取决于抗生素的类型、感染的严重程度、孩子是否伴有胸腔或鼻窦感染（这种情况通常需要更长疗程的抗生素）。记住，抗生素可能要等 24 小时才会开始起效，所以请继续使用止痛和安抚的家庭疗法。

复查耳朵。请务必吃完医生开的抗生素疗程，哪怕“24 小时后孩子感觉好些了”，因为太快停用抗生素可能引起感染复发。务必请儿科医生复查孩子的耳朵，时间通常为治疗结束约一周后。复查时，医生会检查鼓膜以确认感染已彻底清除，他还会检查中耳以确认所有积液完全排干。有时候，医生还会用专门的鼓气耳镜检查鼓膜的振动。感染后，中耳积液通常要过几周才会完全排干，这种情况十分常见，一般也无害，但如果中耳内有过多积液停留过长时间，那可能会限制鼓膜的振动，影响听力。而且，如果积液停留时间超过几个月，它可能会凝结成黏性凝胶状，这种情况叫作胶耳，可能需要耳鼻喉（ENT）专科医生进行门诊手术移除。综上，复查耳朵很有必要。

健康小贴士：记录日志

作为父母与儿科医生合作关系的一方，你应记录的孩子耳部感染的准确日志十分重要：发生频率、严重程度、最有效的治疗方法。这些信息对医生来说至关重要，他可以借此判断孩子是否需要抗生素、何时需要抗生素、该用哪种、用多长时间。比如说，如果你的日志中某些条目表明孩子前两次感冒都发展成了耳部感染，那医生可能会跳过"等等看"的阶段，直接开始抗生素治疗。日志中也许还有条目记录"那种抗生素不管用"或者"这种抗生素会引起严重腹泻"，这些信息可以帮助医生开出合适的处方。

预防

婴儿和学龄前儿童更容易得耳部感染，原因有二：第一，他们的免疫系统仍在发育；第二，短、宽、直的咽鼓管使得被感染的分泌物能够轻易地从鼻子和喉咙里进入孩子的中耳。随着孩子的成长，免疫系统逐渐增强，咽鼓管变得更长、更窄、更曲折，分泌物要在中耳内积聚就没那么容易了。试试这些预防措施：

尽可能长时间母乳喂养。母乳喂养的婴儿更少得耳部感染，人们认为这主要是因为母乳能提供更强的天然免疫力。

奶瓶喂养时采取直立姿势。如果宝宝容易耳部感染，喂奶的时候让他直立起来，至少向上仰起 30 度，喂完奶以后让宝宝保持直立姿势至少 30 分钟。直立喂养不光能够避免牛奶和配方奶进入中耳，还能允许宝宝胃里的东西排空。容易发生反流（见 P347，"胃食管反流病"）的宝宝更容易耳部感染，因为部分反流的胃部内容物可能进入咽鼓管，引发中耳感染（躺着喝母乳很少引发耳部感染，因为吞咽机制不同，而且母乳对组织的刺激较小。但是，如果母乳喂养的宝宝反复出现耳部感染，直立喂奶也许有所帮助）。

尽可能清除孩子周围的过敏源。屋子里的灰尘、霉、香烟烟雾、动物皮屑之类的过敏源会导致孩子鼻腔和中耳积液。你应该清除宝宝睡眠环境中的绒毛飞末，在宝宝睡觉时拿开周围的填充玩具和其他毛茸茸的东西，也不要让宠物靠近。动物皮屑是很常见的过敏源，所以别让宠物进入宝宝的卧室，HEPA或是离子空气净化器也可能有所帮助（预防过敏详见P138）。食物过敏，尤其是对乳制品和小麦过敏，也可能引起中耳积液。（食物过敏详见P336）。

别在婴儿周围吸烟！如果宝宝暴露在香烟烟雾中，几乎所有疾病的发生率都会增加，尤其是过敏、哮喘和耳部感染（见P494，“吸烟：二手烟的伤害”）。烟雾会刺激宝宝鼻腔，促进耳部液体在咽鼓管中积聚，俗称“烟民耳”。

健康小贴士：
综合医学专家能帮忙

整骨按摩也许能够改善慢性耳部感染。事实上，整骨医生也是医生，不过他们更偏向于天然疗法。他们专门训练过推拿和按摩的手法，能够通过按摩帮助排出咽鼓管中的液体。

少用安抚奶嘴。《儿科学》期刊上发表的一项研究表明，使用安抚奶嘴的频率与耳部感染的发生率有相关性。但严格地说，这只是一种统计学上的相关性，具体的因果联系我们仍不清楚，可能是长期使用安抚奶嘴会干扰正常的咽鼓管功能。

慎重选择托儿所。虽然做起来也许很难，不过要是你能尽量避免把孩子送去一个班有很多人的托儿所，那么孩子暴露在微生物中的机会就会减少，从而降低孩子得感冒和耳部感染的几率。

增强孩子的免疫系统。关于如何增强孩子的免疫系统请见P033。

“冲鼻子”和“蒸汽浴”。孩子鼻腔里的分泌物越少，它变厚堵塞咽鼓管的可能性就越小（见P021。）

更早、更积极地治疗感冒。如果孩子有感冒引起耳部感染的病史，请在感冒信号刚冒出头的时候开始“冲鼻子”和“蒸汽浴”疗法，并采取P021介绍的其他方式保持鼻腔干净。如果孩子有感冒影响中耳的病史，儿科医生可能会早一些开抗生素。在孩子开始抱怨耳朵痛之前，你还可以每天给孩子用一次大蒜滴耳油作为预防措施。

并发症

经过上述医生和家长的共同努力，大部分耳部感染能够彻底痊愈，不过父母仍要小心下列并发症：

鼓膜破裂。中耳积液造成的压力偶尔会使液体透过鼓膜流入耳道。你会看见——还能闻到——孩子耳朵里流出黏鼻涕似的白色液体，有时候液体里还会有少许血迹。别被“鼓膜破裂”

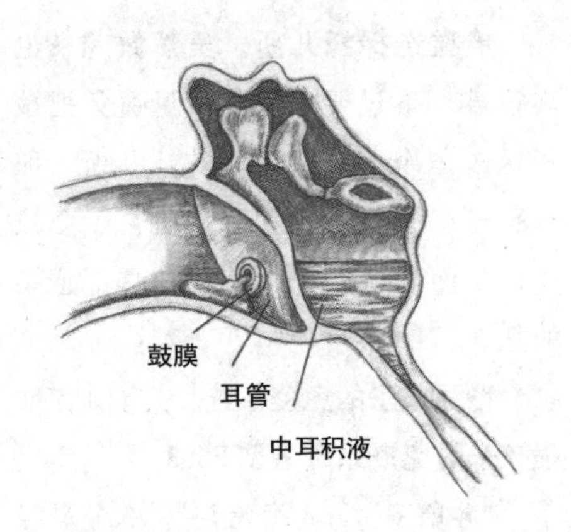

这个词吓到，一旦液体突破鼓膜，压力和疼痛都会立即缓解。事实上，在没有抗生素的年代，医生们曾主动“刺破”鼓膜以止痛、排液。如果出现耳部渗液，儿科医生可能会开一些抗生素滴耳液配合口服抗生素使用，下一次看病的时候，医生会检查鼓膜破裂留下的“洞”是否愈合。

听力损失和言语迟缓。反复发作的耳部感染可能削弱孩子的听力，导致言语迟缓，尤其是婴幼儿期的耳部感染，因为这是言语发育的关键阶段。所以，耳部感染需要小心治疗：不要激进地使用过多抗生素，但行动要足够积极以避免孩子听力损失。

乳突炎。耳部感染可能扩散到耳朵后面的乳突骨里。这种罕见并发症的信号如下：

- 耳后突出的那块骨头附近发红、肿胀、摸起来发软。
- 耳垂可能比平常外凸。

如果出现这些乳突炎信号，请立即就医。

坏脾气。慢性耳部积液会带来慢性的不适，再加上听力减弱，孩子可能会出现“耳部感染引起的坏脾气”。复发性耳部感染患儿会出现行为变化，这只是因为他们感觉不舒服或是听不清，所以没法好好表现。一旦顽固的耳部感染得到恰当治疗，父母就会发现“宝宝的表现好多了”。

耳管的事儿你懂吗?

如果孩子的耳部感染越来越频繁、越来越严重，儿科医生或耳鼻喉专科医生可能会推荐装“耳管”。关于这种小手术，你需要知道：

什么样的人需要耳管? 虽然具体情况因人而异，但是如果孩子有下列情况，你和儿科医生可能就要考虑耳管了：

- 半年内耳部感染超过四次，或一年内耳部感染五六次
- 耳部持续积液超过四个月
- 出现言语迟缓或听力损失
- 对常用疗法出现抗性

鼓膜置管术如何进行? 耳鼻喉专科医生会给孩子进行浅麻醉，在鼓膜上

戳一个小洞排干液体，然后把单片眼镜大小的塑料管分别植入两边鼓膜的洞口。这种门诊外科手术大概需要 20 分钟，管子通常会在耳朵里待上 6 ~ 12 个月后自然脱落。耳管脱落后，鼓膜上残留的洞基本会自然愈合。

什么时候需要耳管？有时中耳积液停留的时间过长，液体就变成了厚厚的胶状（胶耳），所有处方药和家庭疗法都无法去除这些液体。而且，积液停留时间过长还会导致两个问题：中耳结构损伤、听力损伤和由此引发的言语迟缓。在手术过程中，医生会移除所有中耳积液，如果液体再次积聚，就会通过耳管排出。耳管能让你在孩子咽鼓管发育、开始正常工作期间保护他的听力。父母常常发现，手术后约一天内，孩子的听力和言语能力就有了改善。

66. 坐飞机时耳朵痛

机舱内快速的气压变化可能导致中耳压力升高，引起疼痛。如果宝宝的咽鼓管因过敏或感冒而堵塞，情况会更为明显，因为咽鼓管是连接鼻咽部与中耳的天然压力平衡器。如果孩子正在耳部感染恢复期，坐飞机一般没问题，除非孩子的医生有特别叮嘱。耳痛通常发生在飞机着陆期间，起飞时的耳痛相对罕见。飞机起飞和下降时，请试试这些安抚耳朵的窍门：

- 给宝宝哺乳或喂奶瓶，大一些的孩子则鼓励他喝点儿东西。吞咽机制能够打开咽鼓管。
- 滋润干燥的机舱空气。用温水打湿毛巾放在宝宝面前，滋润小鼻子。每小时往宝宝鼻子里滴一滴盐水或母乳。
- 弄醒宝宝。这可能是你愿意主动弄醒宝宝的唯一时机，因为宝宝睡觉的时候咽鼓管常常不能很好地工作，平衡内外气压。
- 鼓励大一些的孩子说话、用鼻子吹气、吹气球、用吸管朝水杯里吹泡泡、打呵欠或是动动下巴张大嘴。虽然我们一般不推荐口香糖，不过起降时咀嚼口香糖对大一些的儿童也有所帮助。
- 让孩子捏住鼻子，闭上嘴巴，在嘴里鼓气让脸颊变得圆滚滚的。
- 不要试图让哭泣的孩子安静下来，因为哭泣可能会打开咽鼓管。

提前清理鼻子。坚持几天，每天用几次 P021 描述的“冲鼻子”和“蒸汽浴”疗法，起飞前几小时再来一次。

不用吃解充血药。研究表明，解充血药和抗组胺药坐飞机时吃了没用。

健康小贴士：
飞行途中不要吃陌生的药

永远不要在飞机上给孩子吃陌生的药物（例如镇静剂、解充血药或抗组胺药）。你最不希望看到孩子发生药物过敏性反应的地方就是在10千米以上的高空中。

67. 穿耳洞

一般而言，我们不鼓励年纪小的孩子穿耳洞，原因很多：

- 用金属耳环穿透皮肤会为微生物打开一扇大门，可能导致耳垂感染。
- 受到慢性刺激或慢性发炎的皮肤容易在耳环背面发生过度愈合和增生，尤其是在儿童身上。在实践中，我们曾不得不费劲儿地把一枚耳钉拔出来，因为它已经嵌进了孩子柔软的耳垂皮肤中。
- 孩子摔倒或运动时，耳环后面的钉可能会扎进头皮里。
- 如果耳垂发生感染需要取下耳环，那会很痛，还可能产生疤痕组织，在耳垂上留下一个小小的凸起。
- 很难有适合孩子耳朵尺寸的耳环。如果后面的钉太短，那耳环背面很容易嵌进耳垂引发感染；如果太长，那可能会戳进头侧的皮肤里，或是挂住衣服和头发。

最好等到孩子大一些能够负责地照料好自己的耳洞时再穿。

健康小贴士：
耳垂感染的信号

耳垂变软、发烫、发红、耳洞周围肿胀，可能还会流脓。

如果一定要穿：

- 每周至少一次取下耳环泡在酒精里。
- 用浸透消毒剂（如过氧化氢）的棉签清理耳洞区域，然后把消毒剂冲洗干净。
- 如果正戴着耳环，先把钉向前推，清理耳环背面和耳垂正面之间的区域；然后向后退，清理耳垂背面和耳堵。
- 让孩子不要挤压或用力拉扯耳环。

作为穿耳洞的替代方案，试试给你家小姑娘的脚趾甲涂上可爱的粉红色吧，这种装饰安全多了。

68. 副耳

副耳又叫耳前赘，它是无害的先天物理小缺陷，看起来像是小小的皮瓣或凸起，大小通常和铅笔尖差不多，或者略大一些。副耳的治疗取决于他的尺寸。如果副耳和耳垂之间有细线似的皮肤或细杆相连，医生可能会在这条狭窄的皮肤上绑一圈缝线切断血液供应，副耳最终会脱落，或者医生会选择将它无痛地切除。如果副耳很小，却没有狭窄的连接处，而且深入耳道，那最好别管它。如果副耳很大（比铅笔带橡皮的那头大），却没有细杆相连，那就需要手术移除（如果想做的话）。这个手术任何年龄都可以做。

几乎所有的副耳都是无害的， 不过从统计学上说， 副耳与肾脏异常之间有微小的相关性。 所以， 如果副耳十分明显的话， 有时医生可能会建议给孩子的肾脏做个超声波以排除病变可能。

69. 扯耳朵

孩子大部分扯耳朵的动作只是一种无害的习惯，就像拉头发、吃拇指和咬指甲一样。对于那些探索自己身体时特别喜欢抓扯一切附属物的幼儿来说，这种小毛病尤其普遍。如果除此以外孩子一切正常，没有潜藏疾病的其他迹象，那就随他去。不过如果有其他毛病，那可能是：

耳垢。耳垢可能堵住耳朵，于是孩子就会抓扯耳朵试图缓解被堵住的感觉。

耳部感染。如果只是耳朵发生堵塞，那不太可能是耳部感染的信号。耳部感染通常发生在感冒之后或伴有感冒，如果你担心孩子是耳部感染，请见 P291。

中耳积液。有时候，感冒或感染可能堵塞喉咙与中耳之间的压力平衡器——咽鼓管，导致鼓膜疼痛。如果成人的咽鼓管发生堵塞，例如在飞机上，那么他会通过吞咽、打呵欠或是活动下巴来打开咽鼓管；而如果发生在孩子身上，他就可能抓扯耳朵来打开咽鼓管。如果孩子出现感冒或过敏的其他信号，例如流鼻涕，那可能是中耳积液。儿科医生会检查孩子的耳朵，确定耳后是否有积液或是咽鼓管是否堵塞（预防中耳感染见 P294）。

出牙痛。这是婴儿扯耳朵最常见的原因。牙龈的疼痛可能从下巴辐射到耳朵，宝宝会拉扯耳朵试图对抗这种疼痛。出牙请见 P521。

70. 耳垢

耳垢是耳道内壁的油脂腺形成的，

它在耳道里形成一层保护膜，隔离微生物和刺激，是耳道自我清洁机制的一部分。一般来说，耳垢会裹带着微生物、尘土和其他碎屑自行脱落，不过有的孩子分泌的耳垢过多，可能堵塞耳道从而阻碍听力。有的孩子耳垢特别多，你甚至可以看见它们从耳道里冒出头来。

怎么办

如果耳垢没让孩子不舒服，也没影响听力，那就别管它。如果耳垢有刺激性或是妨碍了听力，可以通过下列方法将其安全移除：

- 用含有过氧化氢成分的清洁溶液溶解耳垢。让孩子躺下来，需要清理的耳朵朝上，然后往耳道里滴 4 滴溶液。让孩子静躺 10 分钟，这段时间应该足够软化耳垢，然后你就可以用球形注射器或是淋浴的水流将温水送入耳朵，把耳垢冲出来。
- 如果孩子还是不舒服，儿科医生可以用专门的工具清除耳垢。去看医生之前，给孩子滴几滴软化耳垢的药水，医生操作起来更轻松，孩子也更舒服。

永远不要试图自己用工具给孩子掏耳垢，因为这可能损伤耳道或鼓膜，还是让医生来吧。

71. 吃饭问题

在实践中，父母和我们分享的营养顾虑主要有三方面：

“孩子太挑食。”

“孩子吃得不够多。”

“孩子吃得太多。”

在这里，我们打算同时讨论前两个问题，因为它们背后的顾虑都是孩子可能得不到足够的营养。如何用最不麻烦的方法尽可能地把营养丰富的食物送进那些挑剔的小嘴巴里？在此我们提供一些西尔斯家的独门诀窍。

喂养挑食宝宝的 16 条诀窍

“医生，我家孩子特别挑食。”我们在诊所里总是听见这样的抱怨。不过一旦你理解了幼儿行为、营养和成长模式的基本原理，你就会明白为什么大多数两岁儿童既挑食又吃得少。

- 第一年里宝宝吃得很多，因为他们发育得很快。平均来说，幼儿 1 岁时的体重是出生时的 3 倍。可是从 1 岁到 2 岁，正常幼儿的体重只会增长 1/3 甚至更少。
- 许多幼儿会消耗多余的体脂来获取能量，所以他们的成长更侧重于身高而非体重，会经历一个正常的“甩掉婴儿肥”的阶段。
- 孩子小，胃口也小，他们的胃大

小和拳头差不多。下次当你把满满一盘意面放到挑食的孩子面前时，请比较一下意面和孩子拳头的尺寸，然后你就会知道他为什么老剩饭了。

- 情感发育和运动发育的变化也会带来饮食模式的变化。幼儿就是总会东张西望、安静不下来，不会静静坐着干任何事，尤其是吃饭。所以，对于幼儿的小胃口和忙碌的时间表来说，少食多餐更适合。
- 幼儿的饮食习惯和他们的情绪一样变幻莫测。孩子可能某一天吃饭时表现很好，第二天又几乎什么都不吃了，她今天喜欢吃新鲜蔬菜，明天可能就完全不吃。幼儿喜欢在某段时间痴迷于某种食物，他们的饮食习惯中唯一确定不变的东西就是变幻莫测。

这种不规律的饮食可能会让你担心，但是完全正常。如果你把一周里孩子吃下的所有东西的营养价值加起来，会惊讶于他的饮食实际上是那么平衡。从 1 岁到 2 岁，幼儿平均每天需要 1000 ～ 1500 大卡热量，不过他们可能不会每天都吃下这么多。与其操心让孩子每一顿都吃下平衡的膳食，不如试试把平衡的周期换成一周。下面我们介绍喂养挑食宝宝的 16 个窍门，这些都来自我们在家和在医疗实践中的经验：

（1）**分成小份**。这是西尔斯一家最喜欢的做法。用冰格、饼干模或分格的托盘，每格里都装上色彩鲜艳且营养丰富的食物，这叫作“彩虹午餐”（记住，喂养小朋友需要将丰富的营养和有创意的推销策略相结合），记得留两个格子装营养丰富的蘸料。对于年纪小的幼儿，找找带吸管杯的托盘；要是你的孩子年纪够大且不会把一切搞得一团糟，把托盘直接放在他的桌子上就好。孩子在屋里跑来跑去时，路过桌子的时候会停下来吃一点儿，然后继续玩，而家长教育孩子咀嚼吞咽的时候要站在桌边，不要抓着满手吃的或是端着托盘到处跑。你还可以把托盘放在冰箱里靠下的架子上，让孩子自助进餐。准备一个带滑盖的分格式托盘以便在外出时使用，例如坐在汽车里的时候。

如果孩子不能马上习惯分格式托盘，那就把盘子摆在你们俩之间，和他一起吃。让宝宝看看，从面前五颜六色的食物里挑几样出来吃是多么有趣，同时你可以夸张地表现出快乐，向宝宝传达“吃饭真有趣”的信号。我们的孩子非常喜欢从分格托盘里吃东西，甚至连我们都开始这么吃了。请访问 www.AskDrSears.com，看看我们的分格托盘。

（2）**给食物起名字**。给托盘里的食物起个形象的名字：

- 牛油果“船”（把小牛油果纵向切成四份）
- 小圈（圈状麦片）
- “砖头”（豆腐或奶酪）
- 香蕉“轮子”
- 西兰花“树”（蒸熟的小块西兰花可以浸在奶酪酱里，叫作“树上的奶酪”）
- “棍子”（做熟的胡萝卜条）
- “月亮”（去皮的苹果片，可配一层薄薄的花生酱）
- 鸡蛋“独木舟”（全熟的鸡蛋纵向切成四份）

（3）**蘸点料**。幼儿喜欢把食物蘸着料吃。事实上，把不那么受欢迎的食物（例如蔬菜）蘸上美味的料汁，孩子肯定会喜欢。可以试试这些蘸料：

- 鳄梨酱（含香料、不含香料的都行）
- 酸奶（纯酸奶或添加浓缩果汁的调味酸奶）
- 果酱或做熟的蔬菜酱
- 营养丰富的沙拉调味汁
- 奶酪酱
- 鹰嘴豆泥（鹰嘴豆沙）

（4）**抹点料**。幼儿和较小的儿童喜欢涂涂抹抹，所以给他们一些有营养的“涂料”（例如鳄梨、奶酪、肉糜、坚果酱、蔬菜酱和浓缩果汁），让他们涂到全麦薄脆饼干、口袋面包、吐司或米糕上吃。如果你有洁癖，请监督孩子，免得他涂得满盘子都是。

(5)**顶上加点料**。用美味的食材(融化的奶酪、酸奶、奶油、牛油果酱、蜜饯、鹰嘴豆泥、番茄酱、肉酱、苹果酱或坚果酱）盖住孩子不认识、不喜欢的食物。

(6)**喝着吃**。如果孩子喜欢喝着吃，把酸奶和新鲜水果混在一起打成可以喝的奶昔。

(7) **吃高热量食物**。吃一口算一口,鼓励孩子少食多餐营养丰富的食物，吃一点点就能获得很多营养。含有健康脂肪的食物营养密度最高。下面我们列出幼儿最可能爱上的 12 种高营养密度食物：

- 牛油果
- 油：橄榄油、亚麻油
- 芸豆和小扁豆
- 全麦意面
- 奶酪
- 花生酱或坚果酱
- 蛋
- 豆腐
- 鱼，尤其是野生三文鱼
- 火鸡
- 燕麦片
- 酸奶

（8）**加点油**。健康油类富含健康脂肪带来的热量，例如亚麻籽油和橄榄油。对于那些看起来确实吃得不够多的孩子，我们建议父母每天给孩子的膳食中加一茶匙亚麻籽油，比如加到奶昔或燕麦片里，或在全麦意面和意式番茄酱上洒点儿橄榄油，鱼油补充剂也有用。

（9）**撒点末**。用研磨机将坚果和种子研磨 10 ~ 20 秒——这些食物营养丰富但容易造成窒息，处理之后学龄前儿童吃起来更安全。往燕麦片或奶昔中加满满一茶匙自制“粉末”：

- 亚麻籽粗粉（亚麻籽粉）
- 杏仁碎（“嘎吱嘎吱”）
- 葵花籽碎、南瓜籽碎或芝麻碎

（10）**来点艺术**。西尔斯家的厨房里有一种西葫芦煎饼最受欢迎：全麦的西葫芦煎饼有着豆子做的眼睛，胡萝卜鼻子，奶酪碎头发，还有四季豆做的微笑嘴巴。孩子更喜欢吃自己动手创造出来的东西，你可以让孩子用饼干模印生面团，或是把面包片印成喜欢的形状。

（11）**动手种**。一起在花园里种菜吧。孩子更喜欢吃自己帮忙种出来的东西。

（12）**坐在膝盖上**。给孩子坐在膝盖上的奢华待遇。如果孩子正处于不肯乖乖坐在儿童座椅里的阶段，那就让他坐在你的膝盖上，从你的盘子里吃东西。作为西尔斯家“混乱控制俱乐部的荣誉总裁”，玛莎发现这样做很有帮助：把自己的盘子推到宝宝刚好够不着的地方，从盘子里挑几块食物放在宝宝面前的桌子上，也就是宝宝和盘子之间，这样宝宝的手就够不到你的盘子。我们注意到，婴幼儿坐在父母膝盖上时常常会吃得更多。

健康小贴士：为了营养，不要妥协

为了让挑食的宝宝吃下东西，家长常常会变成快餐厨子，或者干脆告别“成长食品”，向垃圾食品举手投降。你去别人家拜访的时候，有多少次听见当妈的投降说：“对不起，甜心，你不喜欢今晚的饭？我能为你做什么呢？”虽然你真的很想让吃饭成为有趣的事情，不要亮出父母的权威身份，但总会有这么一个阶段（在宝宝两岁左右），你很想用那种我们称之为“少废话”的手段：“我们晚饭就吃这个！”你越早采取这种手段，孩子吃饭的习惯就越好（见 P431，“交通灯饮食指南”；P037，增强免疫力的食物；P016，聪明食品和垃圾食品）。

（13）**化个妆**。如果孩子正处于不肯吃蔬菜的阶段，来玩玩化妆吧。用美味的酱汁给蔬菜化个妆，例如意式番茄酱。把蔬菜拼成鲜艳的脸孔，比如说，用切开的橄榄做眼睛，番茄做耳朵，胡萝卜做鼻子。

（14）**颠倒一下**。孩子早餐想吃比萨？没问题！如果孩子坚持要在早上吃比萨，晚上吃水果和麦片，顺其自然吧。只要用蔬菜艺术性地装饰一下，做一份健康的“比萨”就好。

（15）**分享食物**。开个派对，邀请大一点的孩子，利用上述小花招，用营养丰富的食物招待大家。让孩子看看自己的朋友多么喜欢吃饭，要走出挑食的阶段，也许他需要的正是来自小伙伴的压力。

（16）**来点心理学**。试试利用孩子的逆反心理。准备一顿饭，自己坐下来吃，假装你根本不在乎孩子到底吃不吃，他很可能会跑过来和你一起吃。

对于那些吃得太多、超重或肥胖的孩子，请见 P428，“肥胖：西尔斯医生的儿童瘦身计划”。

72. 湿疹

每位父母都无比珍视宝宝柔软光滑的皮肤，所以当宝宝的肌肤受到刺激开始发炎，父母愿意竭尽所能换回宝宝的完美皮肤。湿疹是童年期最常见的皮肤缺陷，影响大约 10% 的儿童。有的湿疹只是短期问题，但有的湿疹可能持续数年直至孩子成年。下面我们将介绍诊断、治疗和预防儿童湿疹你需要知道的一切。

症状

湿疹有几种不同的表现：

全身性皮肤干燥。你能看到、摸到这种干燥，手足处尤其明显。

干燥粗糙的斑块，带有细小白色凸起。你会注意到孩子身上出现这样的斑斑点点。

红色受刺激的斑块。湿疹在身体某些部位特别严重。在较小的儿童身上，肘后和膝后的皮肤皱褶处容易出现最严重的湿疹，然后是手足；大一些的孩子和成人湿疹最严重的地方可能是手肘外侧和髌骨处。

红肿渗液的皮疹爆发。疹子一次比一次严重，出现瘙痒甚至疼痛的斑疹区域。

不同类型

湿疹的大小形状各异：

临时性湿疹。

有些原本健康的孩子可能突然出现 1 ～ 2 周的湿疹型皮疹。这样的孩子皮肤并不干燥，也没有慢性过敏，只是偶然接触了某些引起皮疹的陌生事物（见 P305，“治疗首次爆发”）。只要避开刺激源、治疗已经出现的皮疹，几天后这种湿疹通常就会消退，很少复发。

典型慢性湿疹。如果临时性湿疹盘桓数周以上，那孩子可能有慢性湿疹的遗传倾向，容易过敏。一般而言，这样的孩子在还是婴儿的时候皮肤就比较干，容易受刺激，进入童年期后，湿疹变得更为明显，有的孩子甚至在婴儿期就会出现令人头疼的湿疹爆发。

环形湿疹。又叫钱币状湿疹，这是一种十分轻微的湿疹形式，可能在身体任何区域出现几个干燥的圆形斑块，但其他部分的皮肤并不干燥，也未受到刺激。这样的斑块很容易治疗（见下文）。

丘疹性湿疹。这种丘疹的特征是：红色或白色的细小凸起，发痒，可能出现在身体任何地方，而且皮肤不像典型湿疹那样干燥、受到刺激。丘疹性湿疹很难与其他丘状皮疹区分开来，因为其他大多数丘状皮疹都是暂时性的，所以丘疹性湿疹通常要等到皮疹持续不退几个月之后才得到诊断。

原因

湿疹是皮肤干燥敏感的遗传倾向和易于过敏的体质结合形成的。

干燥、瘙痒、极度敏感的皮肤。我们每天会接触到肥皂、灰尘、汗水、衣物等许多东西，大多数孩子都不会出问题，但湿疹患儿的皮肤对日常生活中接触到的东西极度敏感。

过敏。湿疹患儿过敏的东西可能比别的孩子多，一旦接触到食物和环境中的过敏源，皮肤上就会爆发红色受刺激的斑块。

恶性循环。上述两种因素会造成湿疹瘙痒不止。孩子抓挠的时候，皮肤发红受刺激的现象会更为严重，这又会进一步加剧瘙痒和红肿，形成恶性循环。

治疗首次爆发

湿疹可能变成长期慢性的麻烦，所以我们应该在问题刚刚出现的时候尽量确认刺激的来源，以免拖延问题混淆病因，这十分关键。问问自己下面几个问题，看看是否有明显、易于解决的病因：

- 如果是母乳喂养，最近你有没有开始吃某些以前没吃过的食物品种？
- 是否刚刚换过配方奶？是否第一次给孩子喝配方奶？是否刚刚从配方奶或母乳换成了普通牛奶？
- 最近是否给孩子吃了新的食物？
- 是否用了新的洗涤剂、衣物柔顺剂或干燥片？
- 是否给孩子换了新的肥皂或洗发水？
- 给孩子穿的新衣服是不是没洗过？
- 最近是否外出度假，度假地的气候是否比你们习惯的气候干燥寒冷得多，或是炎热潮湿得多？
- 宝宝是否在新地毯或新洗过的地毯上爬行玩耍？地毯上可能有刺激

性化学品或洗涤剂。

- 宝宝最近是否第一次去了草地上玩？

努力寻找原因（如果原因真的很简单）之外，你还可以提供一些安抚治疗来镇静皮疹，以免其变成慢性湿疹：

- 用婴儿滋润乳液按摩皮肤。
- 每天两次用非处方氢化可的松软膏涂抹患处。
- 两岁以上的孩子可以吃非处方口服抗组胺药来止痒。

如果皮疹持续超过数周，那真正引起湿疹的原因很可能仍未被发现，孩子有慢性湿疹的遗传倾向。现在，你不得不进行更加详尽的调查和治疗了。

你能做什么

如果孩子皮肤干燥敏感是遗传性的，你对此无能为力，但也是可以采取许多措施来促进孩子的皮肤健康，减少与刺激源的接触，追踪过敏源，尽量减轻湿疹对宝宝日常生活的影响：

追踪食物过敏源。要改善孩子的远期前景，这是最重要的一步。如果你认为可能是哪些食物引起了孩子的湿疹，请从食谱中排除它们或至少尽量少吃，这样孩子的情况能够得到长期改善，某些孩子甚至可以直接治愈。不过专家认为，湿疹病例中只有1/3左右是因为食物过敏，所以一些父母可能会觉得这种办法效果不好，但至少值得一试。下面我们列出9种食物，几乎90%的食物过敏都是它们引起的：

- 牛奶或乳制品
- 小麦
- 大豆
- 玉米
- 坚果
- 蛋
- 甲壳类和部分鱼类

请将这些食物从孩子的饮食中剔除约1个月，母乳喂养的妈妈同理。喝牛奶配方奶的宝宝应该换成大豆配方奶，反之亦然，如果依旧没有效果，试试低过敏性配方奶。家长还可以让医生给宝宝做过敏测试。关于如何寻找食物过敏源详见P336。

保持皮肤湿润。对湿疹患儿来说，干燥的皮肤是他们的敌人，而水分是他们最好的朋友。要尽可能抑制湿疹，打破刺激与爆发的恶性循环，保持皮肤湿润很可能是最重要的一步。你应该每天坚持下列方法，保持孩子皮肤健康：

- 用微温的水给孩子洗澡——热水会让皮肤干燥。
- 别用普通肥皂——无论是婴儿液

体皂还是条状香皂，大多数普通肥皂会让皮肤干燥。添加保湿剂、不带香味的天然肥皂（无论液态还是固态）能让皮肤更加湿润，药店或超市有售。

“先浸透，再锁水”。孩子洗完澡后，给他稍稍拍干，然后涂一层薄薄的乳液锁住水分。

- 每天给孩子搽几次滋润乳液，洗澡之后也搽。市面上这种乳液的牌子有很多种，可能的话，挑一种标签上写着用于皮肤干燥或湿疹，低过敏性、有机或天然的乳液。
- 对某些孩子来说，润肤油（如霍霍巴油或椰子油）的效果比乳液好。多试几种乳液和润肤油，看看哪种对你的孩子最有效。
- 买个湿度计，让家里的湿度保持在50%左右。湿疹在冬季会恶化，中央暖气会加剧病情。别在孩子的卧室里开暖气，用暖雾加湿器滋润空气、给房间供暖。

避开刺激源。下面我们列出最常见的影响湿疹患者的刺激源，看看可能是什么给孩子带来了麻烦并尽量避免：

- 标准的衣物洗涤剂可能会给某些孩子带来麻烦。试试婴儿专用洗涤剂，或是天然、有机、低过敏性的洗涤剂。别用干燥片或衣物柔顺剂，因为它们可能残留在衣物上。
- 衣服多清洗几遍，尽可能减少洗涤剂残留。
- 使用纯棉（可能的话用有机的）衣物和床品，合成材料可能刺激皮肤。
- 孩子在外面的草地上、灌木丛里或是炎热的天气里玩得一身大汗之后，给他洗澡。
- 在浴室的花洒上装一个过滤器，它能过滤掉水里的多种化学品（例如铅、氯等），对于少部分儿童来说，这些化学品可能刺激皮肤，引起湿疹。
- 使用不含对氨基苯甲酸（PABA）的防晒霜。
- 别用带香味的乳液。

预防抓挠。说起来容易做起来难，但是要打破“瘙痒 - 抓挠 - 爆发”的循环，预防抓挠很关键：

- 尽量剪短孩子的手脚指甲，这样就算他挠了，对皮肤的刺激也没那么大。
- 尽量给孩子穿长袖衣服和长裤。天气炎热的时候，宽松轻便的长衣长裤通常还能忍受。
- 如果湿疹严重，晚上给孩子戴上连指手套或给手套上袜子，以免抓挠。

改善湿疹的营养补充剂。要从内而

外地改善孩子的皮肤，请给他的膳食中增加这些营养：

- 水果和蔬菜或蔬果补充剂——能够帮助改善湿疹之类的过敏性、炎症性疾病。
- ω-3 油脂补充剂能够提供有益脂肪，帮助皮肤保持健康。
- 液态、粉末或药片状的益生菌能够帮助减少过敏，详见 P028。

儿科医生能做什么

非处方药。使用药物控制湿疹十分有效，不过最好别让孩子长期依赖药物。致力于上述预防措施应该能够让你尽量少用药，从另一方面来说，有需要的时候也别怕用药。大多数孩子总会得几次湿疹，尽快进行适当治疗能够缩短病程，减轻病情。

- 氢化可的松霜剂——虽然这种霜剂属于类固醇，但它很温和，任何年龄都可安全使用，甚至比有些处方霜剂的效果强。
- 口服抗组胺药——控制爆发期间的瘙痒十分有效。效果最好的那种（苯海拉明）的确会让人嗜睡，所以最好在晚上用，白天最好用不致困的那些。

如果你发现自己每天都得依赖这些药，持续超过两周，请拜访医生，看看是否还能采取其他措施。

处方药。儿科医生有许多措施可以治疗孩子的湿疹，如果孩子的病情偶尔会猛烈爆发，非处方药的疗效不够强，那么你和儿科医生应该制定计划，准备好处方药。最常见的选择如下（请谨遵医嘱用药）：

- 类固醇霜剂——有低效、中效和强效多种选择，最好在手边准备一些低效至中效的霜剂。遵照说明或医嘱每天使用，直至爆发消退，然后再多搽几天作为巩固。
- 口服抗组胺药——有几种强效的可供选择。按需使用，就像类固醇霜剂一样。
- 非类固醇抗炎霜剂——有一种名为爱妥丽（Atopiclair）的处方乳膏，能够在不使用类固醇的前提下治疗湿疹。虽然它的效果可能没有类固醇那么好，但是可以安全地使用更长时间。
- 免疫抑制类霜剂——有两种新的霜剂（吡美莫司和他克莫司）对抑制皮肤内的过敏反应十分有效，不过有报告称，它们可能也会抑制身体自身的免疫系统。请遵医嘱小心使用。
- 口服白三烯抑制剂——这种药抑制体内过敏，能够很好地配合以上某一种或两种药物使用。

严重湿疹可能需要每天使用一两种处方药，但是如果积极治疗几个月后仍无改善，请务必去看过敏专科医生或皮肤科医生，进行恰当的过敏测试。

细菌性感染。有时候，严重湿疹会被正常生活在皮肤上的细菌感染，引发红肿渗液，可能形成蜜色硬皮。在这种情况下，局部使用抗生素可能有所帮助，不过通常需要口服抗生素治疗感染（见P388，“脓包病”）。

孩子会自然走过容易长湿疹的阶段吗？

幸运的是，答案是肯定的。随着孩子的免疫系统发育成熟，或数年时间内避开过敏源，湿疹可能会改善或痊愈。不过，有的孩子还会继续和湿疹斗争直至成年。我们没法预测每位孩子将来到底会怎样，童年期湿疹控制得越好，有朝一日痊愈的概率就越大。

73. 多形红斑（EM）

这种不常见的皮疹看起来和荨麻疹（凸出皮肤的红白条痕或斑块，见P380）很像，但是有两个显著的区别：EM条痕不痒，抗组胺药通常无效。医生并不确定EM发生的原因，不过我们怀疑可能是孩子对各种疾病或药物的非过敏性免疫反应。要区分EM和荨麻疹，最好的办法是用一剂苯海拉明，如果1小时内条痕消失，那很可能是荨麻疹（6小时后药效褪尽，条痕很可能复发）；如果条痕没有变化，那可能是EM。无论如何，皮疹可能会在一天内迅速消失，也可能停留几天以上，如果孩子正在生病，那可能就是原因所在；如果孩子最近吃了什么新药，那可能是药物的原因，下次看病的时候请和医生谈谈。EM是一种无害的皮疹，无需治疗最终也会消退，所以无需追寻确切原因。

74. 眼睛：眼圈乌青

眼圈乌青是眼周（通常是该区域受到直接冲撞）皮下出血引起的。其典型症状可能要过几天才会完全显现，刚开始是轻微淤伤，然后逐步恶化为严重的眼圈乌青。有时候，眼圈乌青意味着进一步的其他损伤，甚至可能是颅骨骨折，尤其是两只眼睛都出现青肿或是头部受伤的情况下。

怎么办

用布料裹上冰块或冰袋轻轻加压冷敷眼周区域，装着冷冻豌豆的袋子效果也很好，小心不要压到眼睛。受伤后尽快冷敷消肿，然后继续冷敷24～48

小时。

危险信号。大多数眼圈乌黑的伤情都不严重，不过要小心几个危险信号：

- 眼球内出血，叫作眼前房积血。这种情况十分严重，可能影响视力，损害眼角膜。如果是前房积血，你会看见孩子虹膜与眼白的交界处出现血红色的小圈。
- 眼白带血意味着眼球本身也遭受了冲击，必须去看医生以检查眼睛内部有无损伤。

如果孩子视力出现问题（重影或视觉模糊）、剧痛、眼内出血或是流鼻血，请立即寻求医疗救助。

75. 眼睛：泪管堵塞

到两周时，宝宝的眼睛开始流泪，他眼睑内的腺体会分泌泪水中水汪汪的物质，也会分泌减缓泪水蒸发的油性成分，泪水会流进内眼角附近的小囊里，然后进入泪管（又叫鼻泪管），最后进入鼻子。大约 30% 的婴儿会发生泪管堵塞。泪管子在鼻子这头的开口覆盖着一层薄薄的隔膜，宝宝出生后不久，薄膜会逐渐打开让泪水能够正确地流进鼻子。但是在某些情况下，这些薄膜会保持封闭状态，还有一些孩子的泪管因过窄难以排液。

虽然眼泪中含有天然的抗生素，但人体健康的普遍原则是：任何地方的积液都会助长微生物，引发感染。泪管堵塞可能导致眼部感染反复发作。

信号和症状

- 眼睛里总是泪汪汪的
- 孩子哭泣或是吹过风后，顺着脸颊流下的泪水增加
- 眼神呆滞，尤其是睡过觉以后
- 内眼角常有黄色黏稠的眼屎

怎么办

婴儿泪管堵塞无害，而且 90% 的病例到一岁时会自然痊愈，无需治疗。虽然泪管堵塞既不疼也很少干扰宝宝，但总归是件麻烦事。要避免小眼睛的眼屎过多：

清洗眼睛。用温毛巾擦掉眼屎，每天两次。

按摩泪管。用小指指尖（请修剪指甲）或棉签蘸上干净的温水，轻轻按摩泪管，也就是内眼角的那个小凸起（肿胀的泪囊）。向上、向鼻子的方向按摩，每天至少六次，或每次换尿布前按摩一次。按摩会给肿胀的泪囊施加压力，将泪水泵入管道，最终冲开泪管。

母乳疗法。儿科实践中，我们一直在成功应用这种疗法：挤一两滴母乳，滴入受影响的内眼角，每天四次，或每

次按摩之前都滴一次。母乳富含防治泪水感染的天然抗体。

手术治疗。大约90%的泪管堵塞到婴儿一岁时都会自行清通，没有清通的大部分到两岁时也会清通。如果两岁以后泪管仍然堵塞，那可能就会一直堵塞。儿童眼科医生可手术打开泪管，不同的年龄可采取两种不同的手段：

- 泪管探通。适用于12个月及以下婴儿，在医生办公室里进行，无需麻醉。将婴儿固定在襁褓式支架内，用金属探针插入堵塞泪管将其探通。这种方法相当痛苦，主要的优点是避免了全身麻醉的风险。
- 泪管穿线。如果婴儿年龄较大（通常是12个月以后）无法使用探针，那就会采用这种方式，在手术室里进行，需要全身麻醉。医生会用一根细线穿过泪管，直至探通。与探针相比，这种方法对眼睛和泪管都要温和得多。

何时采用何种方式清通泪管，需要你和医生来决定。由于探针十分痛苦，而且宝宝很有可能长大以后自然痊愈，所以我们建议至少等到两岁再说。如果到时候问题还没解决，再考虑穿线手术。

76. 眼睛：化学物溅入眼睛

如果化学物溅入孩子的眼睛，请立即采取以下措施：

别让孩子揉眼睛。这可能进一步损伤眼睛。

立即用水冲洗眼睛。冷静地鼓励孩子在水中睁开眼睛，并用微温的流动清水冲洗20分钟，下列冲洗方式哪个快就用哪个：

- 淋浴。带着孩子进入浴室，用轻柔的温水冲洗受影响的眼睛上方的额头。如果两只眼睛都溅入了化学物，请把水流对准鼻梁。
- 水槽。让孩子侧过头（受影响的那只眼睛朝下）埋到水槽中，这样用轻柔的流水冲洗时孩子可以保持眼睛睁开。
- 浴缸。如果孩子吓坏了，让他躺到浴缸里，你轻轻地向他额头上泼水，让水流进被溅入化学物的眼睛，这样可能对他最好。

记住：至少冲洗20分钟，别让孩子揉眼睛。如果孩子戴着隐形眼镜，冲洗几秒后暂停下来摘除眼镜，然后继续冲洗。冲洗之后，用肥皂和水给孩子洗手。

下一步！寻求急救。去急诊室的时

候记得带上装化学品的容器或是记住化学品的名字。

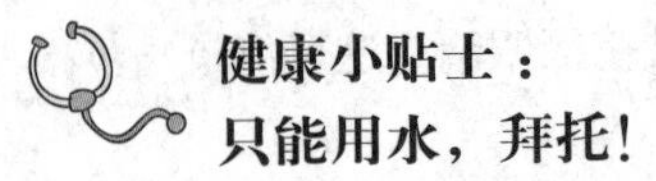

健康小贴士：
只能用水，拜托！

除了水以外，不要往眼睛里滴其他任何东西，包括隐形眼镜液，也别用眼药水，除非急救人员叫你这么做。

77. 眼睛：对眼（斜视）

当你注视那双可爱的小眼睛时，可能发现某只眼睛有一点点斜——斜向上下左右都有可能。你很想知道，孩子是不是有点儿对眼，你是不是应该担心。从医学上说，对眼叫作斜视。每只眼睛周围有 6 条眼肌，每只眼睛中的每一条肌肉都平衡工作，所以眼睛是直的。如果某只眼睛里一条以上的眼肌无法协调工作，这只眼睛就会出现问题，要么“对眼”要么“弱视”。眼睛向内斜视叫作内斜视，向外则叫外斜视；如果向上斜视，那叫上斜视。

弱视或较弱的眼睛如果在童年期早期未能得到及时的发现和恰当的治疗，受影响的眼睛可能出现永久性的视力损失或削弱。如果两只眼睛都无法平衡聚焦，孩子眼里的世界很可能模糊不清。对于生理上的小毛病，孩子的补偿能力十分惊人，所以他们会干脆“屏蔽”较弱的那只眼睛，专心靠比较正常的眼睛看世界。根据“用进废退”的原则，大脑中较弱的眼睛的视觉通道会不再发育，导致该眼永久性的视力减弱或损失，叫作弱视，弱视通常是对眼未加治疗的结果。所以，对于你和医生来说，早早发现斜视并正确治疗对孩子十分重要，治疗得越早，结果就越好。大约 5% 的儿童会出现斜视，斜视有遗传倾向（如果你家有遗传的对眼，请务必告诉医生并注意经常检查眼睛）。

健康小贴士：
怀疑就查清楚！

有时候，孩子常规检查时眼睛看起来很正常，可是在家你却经常注意到他出现对眼。如果你注意到孩子对眼（见后文家庭测试），请务必告诉医生，或者请儿童眼科医生进行全面的视力检查。

婴儿期暂时性对眼。在最开始几个月里，宝宝的眼肌还在发育，偶尔可能会出现对眼，尤其是宝宝累了的时候（比如一天快要结束时）。虽然大多数宝宝最开始几个月都会有点儿对眼，但是随着反复使用眼睛，到 6 ~ 8 个月时，大多数小眼睛会完全变直，度过间歇性斜视的阶段。一项针对 170 位 1 ～ 4 个月对眼婴儿的研究表明，到 7 个月时，27% 的婴儿对眼消退，无需任何治疗。轻微对眼的宝宝一般会自我矫正，而严重对眼自我矫正的概率较小，通常需要治疗。

看起来像对眼，但实际不是。你看着宝宝的时候，有时候会觉得他有点儿对眼，但实际上眼睛是正常的。这叫作假性斜视，看似斜视，实则不是。由于某些婴儿鼻梁较宽，鼻梁附近内眼角凸出的皮肤皱褶挡住了一部分眼白，所以看起来像是对眼，但实际上是正常的。随着孩子的成长，眼白逐渐显露出来，看起来就不像是对眼了。

健康小贴士：如果眼睛总是内斜视，请去看医生

比起偶发性的对眼（比如孩子似乎累了才对眼），总是向内斜视的情况更值得担心，需要更早地进行矫正。

如何判断

在家检查眼睛。这种方法我们称之为“棒球场测试”。把瞳孔想象成棒球场上的“投手丘”，用手电筒或笔形手电照射孩子的眼睛，鼓励他直视灯光。如果孩子眼睛正常，你会注意到反射灯光的白点出现在两只眼睛的相同位置，也就是“投手丘”。但是，如果一只眼睛的白点出现在投手丘上——这只眼睛是正常的——而另一只眼睛中的白点出现在一垒、二垒、三垒甚至本垒板的位置，那可能就是斜视，孩子应该进行全面的眼科检查。照几张宝宝直视镜头的照片，闪光灯的白点应该出现在两只眼睛里的相同位置。你应该在育儿日志中记录你注意到宝宝斜视的频率、随着宝宝的成长你是否觉得斜视加剧或好转。

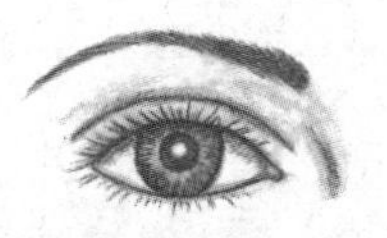
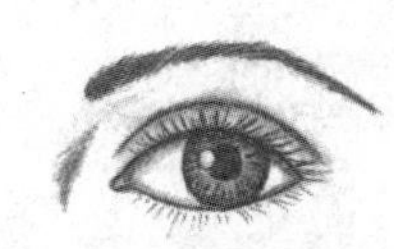

注意：左眼外斜，与正常的那只眼睛相比，左眼里的白点偏离了中心

健康小贴士：小心歪头

如果你注意到孩子的头总是歪向一边，就像是在试图看清某样东西一样，可能就是视力出现了问题，请给孩子做全面的视力测试。

请医生检查孩子。宝宝的健康服务提供者会做一些初步的筛查。医生会用笔型手电照孩子的眼睛，看看是否朝向所有方向都是直的。但笔形手电测试不一定足以诊断斜视，下一步医生可能会做“遮住放开”测试。他可能会用一块小板子遮住孩子的一只眼睛，观察眼睛是否偏离，然后迅速移开板子。如果两只眼睛都还是直的，那说明一切正常；从另一方面来说，如果有一只眼睛出现上下左右偏离，那就证实了这只眼睛出现的确有斜视，然后医生可能会让孩子去儿童眼科医生处做全面的眼科测试。现在，许多儿科医生的诊所里有一种检查眼睛的机器可以探查斜视，这个测试叫作 VEP 测试。

治疗

如果医生确认了孩子是斜视而非暂时性的发育小毛病，那么他会推荐一些增强问题眼肌的治疗方案，通常是戴眼罩或眼镜，包括用眼罩遮住正常的眼睛“迫使”另一只眼的肌肉强化，孩子多使用较弱的这只眼睛，大脑内的视力通道也会发育。除了眼罩，有时候眼镜或眼药水也能有效模糊正常眼睛的视线，“迫使”孩子使用较弱的眼睛。对于眼肌无力比较严重或是眼罩、眼镜无效的病例，可能需要手术矫正肌肉失衡。

对父母来说，提高警觉很重要，不要把对眼完全当成“他会自己好起来的”小毛病，需要医生进行诊断。真正的对眼需要尽早、尽量彻底地治疗，以确保受影响的眼睛视力正常发育。

78. 眼睛：眼睑感染

那些感染眼球的小微生物同样会聚集在眼睑的腺体中，引起感染。睑缘炎是指睫毛根部沿线的油脂腺受到感染，你注意到的第一个信号通常是睫毛边缘堆着一层黄色的东西，就像眼睛结了壳一样。发炎的眼睑肿胀、微痛，孩子可能会抱怨眼睛痒或者觉得“眼睛里有东西”，眨眼时可能会感觉不适，受影响的眼睛可能还会有更多泪水。孩子早上醒来的时候，壳一样的东西也许会把睫毛粘到一起，但眼球本身通常不会像结膜炎一样发炎。结膜炎和眼睑感染也可能同时发生。

如何治疗

- 用棉签蘸温水，然后蘸点儿婴儿洗发水，擦拭睫毛根部结壳的区域。
- 如果医生给孩子开了抗生素软膏，清除硬壳后搽一些。

如果眼睑感染反复发作，把用婴儿洗发水清理孩子的眼睑作为预防，每周 1 ～ 2 次。相关信息请见 P319，“睑腺炎”。

79. 眼睛：红眼病（结膜炎）

红眼病的医学名称是结膜炎，也就是结膜（衬于眼白表面和眼睑内壁的一层柔韧薄膜）发炎。红眼描述的是眼睛的状态，不是诊断，由于炎症导致眼睑内壁的细小血管肿胀，所以眼睛变成了红色。结膜炎十分常见，诊治也很困难，因为引发结膜炎的原因很多。

注意观察下列四条线索，它会帮助医生找出正确的病因：

- 若有眼部渗液，渗液看起来什么样
- 眼睛感觉如何
- 红眼是何时开始的
- 对治疗的反应如何

利用这四条线索，我们将介绍结膜炎的相关知识，告诉你如何弄清孩子到底是哪种类型的感染，什么时候该求医：

细菌性结膜炎（BC）

当细菌（通常是嗜血杆菌、链球菌、莫拉氏菌或葡萄球菌）感染结膜，就会导致细菌性结膜炎，使眼部血管肿胀（眼睛发红）、产生脓液（黄色滑腻的眼屎）。这种结膜炎产生的眼部渗液呈黄色或绿色，看起来挺恶心的。一般而言，渗液的颜色越绿，细菌就越恶劣。通常早上醒来的时候眼睛状况最糟糕，眼皮常常会被硬壳粘到一块。如果早上眼睛被粘得没法睁开，那多半是细菌性结膜炎。BC 患者的眼球一般比病毒性结膜炎（VC）更红，眼睑边缘也有红肿。细菌性结膜炎可能只影响一只眼睛，也可两只都影响，通常对抗生素治疗的反应很快，几天内就有效果。和其他病因不同，细菌性结膜炎引起的症状看起来严重，但却没那么痒。然而 BC 最令人担心，传染性也最强。当到处探索的小手摸过受感染的毛巾、玩具、面巾或化妆品后，又用被感染的手指去揉眼睛，就会传染 BC。儿童结膜炎中大约有 70% 是细菌性结膜炎。

如何治疗。一旦医生确诊了细菌性结膜炎，就会给孩子开抗生素眼药水或软膏，每天至少用四次。如果“杀虫剂”和“虫子”对得上号，那几天内你就会看到症状明显改善（眼睛没那么红，眼屎也没那么黏稠了），一周之内，可爱的小眼睛又恢复了原来的明媚。除了坚持使用处方药之外，你还应每天数次用温水冲洗孩子眼部黏液，尤其是早上醒来的时候，务必用温水清理眼睛上的硬壳。为了避免微生物传染给朋友，你要告诉孩子“在红眼消失之前”不要揉眼睛。

孩子的传染期有多长？细菌性结膜炎的传染性很强，不过它对治疗的响应也很强。我们建议你在抗生素治疗开始后让孩子留在家里24个小时，不要去学校或托儿所。

健康小贴士：眼药水 Vs 软膏

年纪小的孩子通常很不愿意用眼药水，他们的眼睛本来就很敏感，眼药水的小瓶子一凑过来，他们马上紧紧闭起眼睛，还用手挡住。为了避免无谓的争执，你可以让孩子仰躺下来，闭上眼放松，滴两滴眼药水在孩子的眼角，等他睁开眼，药水就会渗进去。如果他不肯睁眼，你可以轻轻向下拉下眼睑，让药水进去，也可以请医生开软膏，把软膏搽在内眼角眼睑交会处，它会慢慢渗进去。如果孩子愿意配合，轻轻拉开下眼睑，朝里面挤一条软膏（窍门：把软膏放在孩子或者你的衣服兜里暖和一下，这样比较容易搽），让眼睑保持下拉位置至少10秒，让软膏融入眼睛表面而不是流到脸颊上。到底是用眼药水还是软膏，实在让人为难：有的孩子更喜欢软膏，因为眼药水可能有点儿刺激；而有的孩子喜欢眼药水，因为软膏可能暂时模糊视线。

什么时候该担心。如果你注意到红肿或渗液在两三天内没有改善，请打电话给儿科医生，因为诊断或治疗可能需要重新评估。根据所用的抗生素不同，有时候渗液可能有所改善，但发红和炎症看起来反而加剧了，这是因为孩子可能对药物过敏。更为紧急的就医信号包括孩子眼球上方或下方红肿、变软，伴有发烧，孩子有病容。这意味着细菌感染扩散到了孩子眼睛周围的组织，如果不加治疗，眼周的骨骼和结构可能会严重感染。虽然结膜炎很少发生这样的并发症，但你还是要小心观察。细菌性结膜炎如果得到了恰当的诊治，很容易痊愈，而且不会损害视力。

健康小贴士：怀疑就查清楚！

症状与通常的描述不大相同且红眼治疗了7天仍无明显改善（尤其是只有一只眼睛发红的情况下），那应该带孩子去看看儿童眼科医生。你的目的主要是排除眼部疱疹感染的可能性，这种情况如果不加治疗可能损害视力。如果孩子的瞳孔变得有点儿雾蒙蒙的，那可能是疱疹感染，进一步的线索是眼睑上出现疱疹疮，也就是水疱。再强调一次，如果有怀疑，请务必让眼科医生查清楚。

病毒性结膜炎（VC）

这种结膜炎的原因没那么复杂，不过通常更加难以诊断。有时候，病毒性结膜炎最初看起来和上文描述的BC很相似，不过通常有一些线索可以区别：VC患者的眼睛非常红，通常没有渗液，就算有渗液，也没有BC那么发黄、发绿、黏稠。VC患者的眼球很红，但眼睑一般肿得没那么厉害，早上醒来的时候一般也不会粘到一块。如果你拉开孩子的下眼睑，常常可以看见眼睑内壁有许多微小结节。VC更痒一些，而且对光线很敏感，眼睛附近的淋巴结（例如耳朵前面的淋巴结）很可能会肿胀。VC患儿常常会出现病毒感染的其他症状，例如发烧、喉咙痛。在眼睛里的红色消退（通常需要5～7天）之前，我们通常认为VC具有传染性。VC通常无需治疗就能痊愈，不过有时候医生会开抗病毒眼药。用温水冲洗受刺激的眼睛或是热敷通常能够缓解病情。要缓解眼睛对光的敏感性（畏光），可以给孩子戴帽子或太阳镜。

过敏性结膜炎（AC）

造成结膜炎的另一个原因是过敏。孩子可能是过敏性结膜炎的线索如下：

- 发生在过敏季节。
- 两只眼睛都因血管肿胀而发红，如果有渗液，其流动性较强，像是泪水而不是黄色的黏液。
- 眼睛很痒，伴有其他过敏信号，例如流鼻涕、打喷嚏。
- 下眼睑可能发青、肿胀，俗称“过敏性黑眼圈”。

健康小贴士：
请勿使用非处方眼药水

除非医生推荐，否则我们不鼓励使用任何非处方解充血眼药水治疗任何眼部刺激，原因有二：第一，它们可能进一步刺激眼睛，因为发炎的眼睛对刺激性化学物更敏感；第二，它们可能拖延恰当的治疗，甚至加剧感染。我们的底线是：用在眼睛上的东西必须合适，否则宁可不用。

医生可能会开抗组胺眼药水，阻断结膜表面的过敏反应，这些眼药水能略微缓解发红、发痒、流泪的症状。你也可购买非处方抗组胺眼药水，效果不错，口服抗组胺药也有帮助。有时候，医生会推荐你用解充血眼药水缓解眼部不适和血管肿胀。用非处方人造泪水冲洗眼睛能够稀释影响眼睛的过敏源，部分缓解病情。和VC一样，AC患儿可能也会畏光，所以，请再说一次鼓励孩子戴

上有趣的帽子和保护性的太阳镜。AC不会传染，不过因为其他结膜炎的传染性很强，所以最好让孩子在家里待几天别去托儿所，直至你确定红眼的确是过敏引发的。关于结膜炎的传染性和是否应返回托儿所，儿童眼科医生总结说："有怀疑就别去！"

刺激性结膜炎

某些刺激可能导致眼部血管发炎、扩张、发痒：废气和化学烟雾、香烟烟雾、氯（"游泳性结膜炎"）、隐形眼镜甚至明亮的阳光。事实上，许多对太阳敏感的孩子整个夏季都会红眼，不过这通常不会给他们带来困扰。

异物性结膜炎

沙子、灰尘或其他细小碎屑可能会嵌在眼睑和敏感的结膜之间。刺激会导致孩子更加频繁地眨眼，于是异物进一步摩擦结膜，造成更严重的刺激和发炎。一般而言，异物性结膜炎的诊断依据如下：

- 孩子表示"我的眼睛里有东西"，哪怕医生看不见。
- 孩子的眼角膜（眼睛里覆盖瞳孔的结构）有刮痕。医生可以慢慢向孩子的眼睛里滴一滴染料，再用特殊的光线检查角膜有无刮痕。一旦染料流进刮痕变成荧光绿色，就可以确诊了。医生可能会给孩子开几天抗生素眼药水或软膏，预防刮擦区域发生感染。详见P468,"眼睛擦伤"。

异物对眼睛的刺激常常引起疼痛发红。好消息是，虽然眼睛很容易受刺激出现炎症，但它通常会在一周内愈合，异物刮擦通常几天就能好。

要冲出眼睛里的异物，可以让孩子向水槽弯腰，受影响的眼睛向上睁大，用流动的温水冲洗眼睛并用食指将下眼睑向下拉开。这样通常几秒钟就能冲出异物，不过刮擦带来的刺激可能还会持续几天。如果你不确定异物有没有冲出来，刮擦是否正在愈合，请让医生利用上述染料测试法检查孩子的眼睛。

眼部渗液的其他原因：P483，鼻窦感染；P310，泪管堵塞。

如果是这两种情况，眼睛可能会黏糊糊的，但不会整个眼睛发红，而且孩子一般不会觉得眼睛不舒服。

健康小贴士："面对面"地和医生交流

在实践中我们有一条原则：不在电话里解决眼部问题。正如你能看到的，结膜炎有多种不同的原因（需要不同的有针对性的治疗），所以医生需要面对面地检查孩子的眼睛。

什么时候咨询专科医生

大多数红眼在 5 ～ 7 天内会轻松恢复，没有并发症，但是如果出现下列情况，你应该告诉医生或去看儿童眼科医生：

- 治疗 5 天后红眼仍无改善。
- 眼部疼痛、渗液恶化。
- 在你擦掉眼屎后，孩子仍抱怨“看不清东西”。
- 水痘期间发生的结膜炎或是眼周出现疱疹。眼部的这种细菌性并发症可能相当严重。

这些信号可能意味着孩子的病情需要不同的治疗方案。

80. 眼睛：睑腺炎

睑腺炎是睫毛根部的腺体发生细菌性感染，在眼睑边缘长成丘疹。睑腺炎碰上去会疼，但一般不会影响视力，也不会导致眼球本身发炎。它可能与 P314 介绍的睑缘炎同时发生，也可能在睑缘炎之后发生。

怎么办

治疗睑腺炎的方法和治疗其他发炎丘疹相同：

- 温敷（例如用毛巾浸透热水敷在眼睛上，温度以孩子能忍受的程度为宜）10 分钟，每天至少 6 次。热敷通常会让睑腺炎长出黄头、“成熟”，然后自然破裂流干。为了促进排液，请继续热敷几天。永远不要试图去挤眼睑上的丘疹，因为很可能加剧病情。如果丘疹的头看起来熟了，可是热敷后却仍未爆开，请让儿科医生操作。
- 医生可能会开抗生素软膏，让你涂抹在发生睑腺炎的位置和眼睑周围的区域。
- 睑腺炎愈合之前，不应让孩子化妆、戴隐形眼镜。

有时候，睑腺炎可能发生在眼睑内壁，长出丘疹，叫作麦粒肿；或者在眼睑上长出很大的肿块，叫作睑板腺囊肿。这两种情况的治疗方法和睑腺炎相同，不过愈合的时间更长。

睑板腺囊肿最初看似是睑腺炎，不过会慢慢变成疼痛的肿块，要花几个月时间才能自愈。如果肿块不消，可能需要眼科医生进行排液。热敷能够帮助睑板腺囊肿愈合，局部外用抗生素通常没什么效果。

81. 眼睛：瞳孔不等大

瞳孔是有色虹膜中央的黑色圆孔，负责调节进入眼睛的光线。黑暗中瞳孔会自然放大，而在明亮的光线下会自然缩小。两只眼睛的瞳孔一般等大，不过大约 20% 的儿童有时会出现瞳孔不等大的现象。这叫作生理性瞳孔不等，意思是说瞳孔正常，但是不等大。对于大多数孩子来说，这是一种无害的小毛病，就像胳膊或腿不等长一样。

怎么办

- 下次常规检查时，把你观察到的现象告诉医生。
- 拍一些能明显观察到瞳孔不等大的照片，带给医生看。
- 医生会给孩子做全面的检查，尤其是眼睛。
- 如果没有让人担心的信号，例如眼睑下垂、眼动异常或神经学方面的顾虑，医生会再次向你确认这只是正常的小毛病，有时候孩子的瞳孔不等大看起来会更厉害，有时候会看起来等大。

如果医生怀疑孩子的眼睛有潜藏问题，下一步就是请儿童眼科医生来检查。幸运的是，瞳孔不等大通常只是无害的小毛病。

82. 发育不良（FTT）

我们实在没有准确的术语来描述这种现象，因为妈妈们对宝宝的发育问题十分敏感，而我们不希望让你们心中产生孩子有什么“不良”的印象。宝宝“没有达到”成长表格中应有的发育标准可能有各种非医学、非营养方面的原因。这通常只是遗传因素作祟，或是快速的新陈代谢消耗掉了孩子吸收的所有额外热量。下面我们将介绍发育不良，告诉你如何鉴别、应该怎么做。

信号

FTT 指宝宝在几个月时间内增重率未达到期望值，身高和头围通常不受影响（除非孩子严重营养不良）。医生可能会这样诊断：

成长曲线下滑。每次检查时医生会测量宝宝的发育数据并记录在成长曲线上。在最初 6 个月里，出生时较重的宝宝一般会停留在体重曲线的上半部分，而生下来就比较瘦的宝宝可能会停留在较低的位置。如果宝宝几个月内在成长曲线中的位置明显下滑，那可能是 FTT，若两个月内下滑 25 个百分点，那么 FTT 可能需要重视（比如说，两个月时宝宝的体重位于 50% 的位置，可是到 4 个月时下降到了 25% 的位置）；如果下滑得更多，那就更令人担忧了（大体重的宝宝在 2 ～ 4 个月内从 75% 的位置下滑到 25%，或是原本位于 40% 处的宝宝几个月后下滑到低于 5%）。

活力不高、肌肉松弛。得不到足够热量的宝宝会不太活泼，可能还会出现动作发育较慢的现象。FTT 宝宝不会在妈妈的膝盖上坐起来，不会东张西望、挥舞手臂，也不会热情地与周围的一切事物互动。他可能更加闷闷不乐，不愿意抬头也不愿意转头张望，看起来没什么精神。

肤色苍白。FTT 宝宝可能出现贫血，导致皮肤发白或苍白。比较一下宝宝和家里其他人的肤色，这很有用。

皮肤发皱。宝宝的皮肤可能松弛、有延展性、皱巴巴的，尤其是腹部。

低体脂。FTT 宝宝的胳膊、腿、脖子和肚子很可能不是圆滚滚的，没那么多脂肪。

要判断宝宝只是遗传的体型偏瘦还是 FTT 并不那么容易，有些完全健康的孩子也可能出现某个上述信号，不过，如果宝宝出现两个以上上述的症状且增重较少，应怀疑是 FTT。

原因

造成 FTT 有几种原因，有医学方面的也有营养方面的。不过，有时候宝宝会被误诊或者不公平地贴上 FTT 的标签，虽然他的增重不足完全有合理的解释。

误诊

健康、发育良好（只是有点儿瘦）的宝宝可能被不公平地贴上 FTT 的标签，常见原因如下：

测量错误。有时候测量读数并不准确，如果测量结果偏低，请务必复查。

标记错误。有时护士在成长曲线上标记宝宝体重（或身高、头围）时会出错。请让医生检查宝宝的数据的确标记在正确的年龄和正确的位置上，前两次的标记也要检查。评估 FTT 时，准确的成长表格十分重要。

母乳喂养的宝宝。一般而言，在最初几个月里，母乳喂养的宝宝增重率和配方奶喂养的宝宝相同，但是到三四个月时，宝宝活动性增强（踢腿、翻身、挥手），某些母乳喂养的宝宝就会瘦下来一点儿，而更为普遍的苗条阶段是 6 ～ 15 个月，这时候宝宝开始爬行、走路了，母乳喂养的宝宝燃烧婴儿肥的速度比配方奶宝宝快（这很可能是件好事儿）。比较老旧的美国成长表格（数据基础是配方奶宝宝）没有为母乳宝宝留下这样的余地，所以许多母乳宝宝会出现“曲线下滑”。在考虑 FTT 的诊断之前，请医生给宝宝用世界卫生组织新编的成长表格（见 P110 ～ P117）。

遗传。苗条的父母会生出苗条的孩子。一开始的时候，宝宝不一定很苗条，但是如果是母乳喂养，宝宝常常会在婴儿期就出现苗条的阶段。如果发生这样的情况，宝宝却没有出现前文描述的任何物理信号，那就不是FTT。不过，虽然父母和医生还不需要进入“警戒模式”,寻找苗条的可能原因(见下文)依然很重要。

诊断正确

排除了测量和标记错误，并考虑了家庭遗传和母乳喂养新陈代谢的作用之后，现在我们来考虑FTT的真正原因。造成FTT的原因有两种：营养摄入不足和营养不当损失：

营养摄入不足。最普遍的原因就是宝宝吃得不够多。

- 配方奶。宝宝每千克体重每天应摄入125～150毫升配方奶。所以，5千克重的宝宝每24小时应该喝625～750毫升奶。如果问题是喂的奶太少，解决起来就简单了，增加喂奶的频率和数量即可。
- 母乳。由于我们看不到宝宝喝下了多少母乳，所以要分清这两点不太容易：是妈妈的奶水不足，还是奶水充足只是宝宝喝下去的不够多。妈妈可能觉得自己的奶够吃，而且宝宝吃奶一切正常，每次吃完以后也很满足，可是有时候，妈妈和医生可能会被误导。要解决这个问题，咨询哺乳顾问能起到很大作用。通过西尔斯著作《母乳喂养全书》，你还可以多了解一些评估、增加母乳供应的方法，看看宝宝吃奶的技术有没有问题。
- 吮吸力较弱或吮吸动作不协调。有的宝宝颈部控制吮吸和吞咽的神经在生产过程中受到拉伸，这可能干扰他吃奶的效率，甚至出生一两个月后这种情况可能仍然存在。如果医生怀疑是这种情况，请让职业治疗师（如果是配方奶喂养）或哺乳顾问来评估，这很有用。按摩师（轻柔地按摩调整颈部）也能帮助复健神经功能。

营养损失。宝宝吃了奶，并不代表他能够完全吸收这些奶。消化道问题或慢性腹泻可能夺走部分热量。

- 配方奶过敏。如果宝宝慢性拉稀或大便带黏液，请见P341关于如何为宝宝另选配方奶的建议。
- 通过母乳引起的食物过敏。如果宝宝的大便长期呈绿色、稀松或带黏液（而不是母乳喂养的宝宝应有的黄色、芥子似的正常大便），请参考P336，剔除妈妈食谱中的过敏源。
- 慢性健康问题。囊性纤维化是常被忽视的一种FTT（见P320）病因，还有一种是先天性心脏缺陷。医生会考虑这些原因，有必要的话会进行测试。

治疗

治疗 FTT 的目标主要是寻找原因并矫正，如果没有找到原因，那么关键在于确保营养摄入充足。如果是母乳喂养，对家长和 FTT 患儿双方来说，开始补充喂养配方奶可能是个艰难的决定。在哺乳顾问的帮助下，你也许可以把母乳挤出来补充喂养试试，如果宝宝仍未明显增重，那也许需要补充配方奶（需要医生、哺乳顾问和你慎重考虑之后）。

较大婴儿和幼儿的发育不良

婴儿期之后也可能出现 FTT。这个年纪的孩子增重的个体差异很大，某些孩子可能会苗条下来，但却完全健康。你可以利用前文所述的指导原则帮助自己和医生判断孩子到底有没有问题。不过，幼儿的治疗方式和婴儿不同，因为现在你可以给他吃固体食物了。总而言之，如果幼儿饮食习惯良好，每顿饭都高高兴兴地吃下很多，每餐之间还会补充小吃，那么你就会知道他体型苗条不是因为摄入不足。务必确保孩子身上没有可能引起营养损失的慢性健康问题。如果这两个方面都没有问题，那么你可以放下心来，孩子苗条可能是遗传原因或新陈代谢很快。如果孩子非常挑食，而且你觉得可能有点儿摄入不足，那么多给他吃下列食物，让珍贵的每一口饭都吃进最多的脂肪、蛋白质和健康热量。我们称之为“成长食物”：

- 牛油果
- 豆子
- 蓝莓
- 西兰花
- 农家干酪
- 蛋
- 鱼
- 番茄
- 坚果酱
- 燕麦
- 全麦面包
- 亚麻籽粉或亚麻籽油
- 橙子
- 木瓜
- 粉红葡萄柚
- 家禽
- 菠菜
- 甘薯
- 豆腐
- 小扁豆
- 酸奶
- 橄榄油
- 大米

你还可以和营养师谈谈，帮助计算孩子的热量摄入，制定各种菜谱和喂养策略。

健康小贴士：成长食物奶昔

用成长食物做奶昔，幼儿十分喜爱，你还可以把上述许多食物加入水果奶昔或酸奶奶昔中。比如说，一茶匙亚麻油或坚果酱的热量是 120 大卡，也许刚好足够补充孩子茁壮成长所需的额外热量（西尔斯医生的奶昔食谱见 P016）。

83. 晕倒

对父母来说，目睹孩子晕倒也许是件十分可怕的事情！而好消息是，儿童和青少年大多极少昏晕，没什么可担心的，昏晕有严重病因的情况十分罕见。

原因

大多数晕倒（医学上叫昏厥）是人体的自然反射。这种反射会导致心率或血压骤降，于是流向大脑的血液短期减少。由于血液携带氧气，这意味着非常短的时间内大脑轻微缺氧，导致晕倒。大多数情况下，一旦孩子躺下来，流向大脑的血液恢复供应，孩子很快就会恢复意识。不过，什么原因可能导致心率或血压骤降呢？最常见的原因如下：

- 躺着或坐着时非常快地站起来
- 极度焦虑
- 经历轻微的创伤性事件（比如看到血）
- 酷热或脱水
- 疼痛或情感压力
- 婴幼儿屏息（如果孩子十分沮丧或是受了伤，大哭不止，那可能导致大脑短暂缺氧，偶尔会造成孩子晕倒）
- 低血糖，孩子长时间不吃饭就可能低血糖
- 站立时间过长

这些晕倒的原因十分普遍，不用担心，孩子很快会恢复意识，而且一般不会再次晕倒。如果孩子只是简单的晕倒，而且你觉得原因很可能是上述某一种，那么不要急着送孩子去急诊室或看医生，先观察孩子，如果没有很快恢复正常再给医生打电话。

什么时候该担心

在较为罕见的情况下，晕倒可能是严重健康问题的信号。如果孩子出现下文描述的晕倒，应该去看医生以排除严重问题的可能性。应当提起警觉的晕倒包括：

运动时晕倒。这种情况应该立即由医生来评估，因为可能是罕见但威胁生命的心脏异常信号。如果孩子锻炼身体时晕倒或失去意识，儿科医生会检查以确认他的心脏功能是否正常。如果怀疑是心脏问题，下一步应该去看儿科心脏病医生。如果在运动中晕倒，孩子重返运动场之前应由医生检查，排除隐患。

反复晕倒。在极罕见的情况下，晕倒可能是潜藏的癫痫信号。如果你注意到孩子每次反复晕倒之前都会出现视力空白、异常抽搐（晕倒发生之前、期间或之后）或晕倒之后老是昏昏欲睡，那就应该检查孩子是否患有癫痫。

健康小贴士：营养检查

各位父母，如果青少年常常抱怨脑袋发飘或是头昏眼花，并且出现晕倒现象，请检查他的日常饮食习惯，他也许正在节食或者水分摄入不足。这种症状可能是饮食习惯不良的信号，在青少年中十分普遍。当然，如果孩子出现这些症状，应当去看儿科医生。

治疗

找出晕倒的确切原因是最佳的治疗方案。大多数晕倒只会发生一次，而且也找不到确切原因。如果你怀疑孩子有心脏或癫痫方面的问题，请儿科医生全面回顾孩子的健康史并进行详细的身体检查。

84. 脚臭

脚臭是多汗症（又称出汗过多）的副产品，通常伴有汗脚，孩子的手掌常常也汗津津的。想一想出汗后会发生什么，你就会理解为什么孩子的鞋臭得你不愿意闻了。我们出汗的时候，产生的过量水分能够轻松擦掉或蒸发到空气中，汗脚会臭的原因是脚一天到晚都捂在鞋子里。如果你出汗的手一整天都戴着手套，手也会变得一样臭。汗水本身没太大味道（见P201，“幼年儿童狐臭”），不过汗津津的脚底板被袜子和鞋裹了起来，皮肤无法呼吸，汗水积聚，正常生活在皮肤上的细菌就会大吃汗水，释放出臭味。臭味是细菌大吃汗水中脂肪化学物的副产品。另一方面，脚臭也可能是脚气导致的（见P162）。

怎么办

别担心，开心点儿。别担心，也别让孩子看见你担心，不妨表现出“它是一种无害的小毛病，只是可能有点难为情”的态度。

洗洗小脚。汗水和细菌的结合会产生臭味，所以洗（用普通的肥皂和水）得越勤，出现臭味的概率就越小。

给小脚透透气。潮湿的组织如果一直裹起来，就会为细菌的成长提供温床，由此产生臭味。再强调一次，这就是为什么多汗的脚会发臭，而手不会。尽量让孩子赤脚，可能的话，给他穿凉鞋、露趾鞋和透气的鞋子。

买棉袜。棉质比较透气，宽松合脚的白棉袜最适合小脚。

85. 发烧

如果孩子发烧，你要做的第一件事

就是放松，别慌。发烧通常是孩子正在对抗感染的信号，不过大多数感染并不严重，会自行消失。发烧和退烧本身并不是问题，它只是身体免疫系统正在制造化学物对抗微生物的信号。这些天然的化学物会让体温升高，高热本身也许也能帮助击退微生物。发烧不一定意味着孩子病情严重、需要去看医生或需要急诊。请允许我们先向你介绍你能做些什么来对付发烧，我们会告诉你什么情况下才必须立即去看医生。

如何测量孩子的体温

首先确保你给孩子测体温的方法正确。

用哪种温度计。测量体温最方便、性价比最高的方式是简单的腋下电子体温计，快速、准确、便宜、易于读数。如果孩子不介意静静待几分钟的话，普通的玻璃或塑料体温计更便宜一些，不过主要的缺点在于读数比较困难。我们不推荐在家使用耳温计，因为它们很贵、更难用、温度较高时可能损失部分准确性。

测哪里的温度。无论孩子多大，腋下都是最方便测温的地方，所以大多数情况下我们推荐测量腋下温度。知道不能咬温度计的大孩子也可以测量口腔温度。唯一需要测量直肠温度的是3个月内的新生儿，这么小的宝宝发烧应该更加严肃地看待，所以必须测量直肠温度，因为比较准确。若要测量直肠温度，请将温度计插入肛门约1厘米。如果是普通玻璃或塑料温度计，请在读数之前等待约3分钟；如果是电子温度计，等听到“哔”声就好。

要不要加1度。口腔温度相对能够最准确地反映发烧情况，腋下的读数会低1度左右（因为在体外），而直肠温度会比口腔温度高1度。不过事实上，没必要加减1度，因为长期来看这点差别实在无关紧要。你和医生交流发烧情况的时候直接告诉他读数就好，要是他愿意麻烦的话就让他自己去算好了。

衡量发烧的严重程度

- 正常体温 36 ～ 37摄氏度
- 低烧 37 ～ 38.3摄氏度
- 中等发烧 38.3 ～ 39.5摄氏度
- 高烧 39.5摄氏度以上

一般来说，低烧不用太担心。低烧通常表示孩子在生病，不过很可能不太严重；中等发烧表明孩子的确有感染，医生应该在2 ～ 3天内给孩子检查一下；如果是高烧的话，父母就担心多了，医生也会更加严肃地看待孩子的病情。高烧并不一定意味着病情严重，众所周知，一些无害的病毒也会引起高烧。评估孩子病情的时候，体温并非唯一指标，正如后文即将讨论的，我们更喜欢评估孩子的整体情况。

常见原因

大多数发烧是病毒引起的，无法靠抗生素治疗。有的发烧是细菌感染，可能需要也可能不需要抗生素。你可以通过以下方法判断孩子发烧的原因：

病毒性感染

一旦发生病毒感染孩子就很容易发高烧，然后在1～4天后突然消退。与此同时，皮疹、疼痛和其他类流感症状也很常见。下面我们列出一些最常见的病毒：

玫瑰疹。这是6个月以上婴儿发烧最常见的病毒原因，它会导致孩子发烧3天（除烦躁外无其他症状），然后退烧，而孩子颈部和躯干上半部出现蕾丝似的皮疹。如果你觉得孩子的病像是这个，请参考P456。

手足口病。这种病毒会引起发烧、口腔溃疡，有时候手脚和包尿布的区域还会出现水疱。除了发烧以外，手足口病的其他信号还有过度流口水和拒绝进食。详见P415。

病毒性喉咙痛。在婴儿期和童年期早期，大部分引起喉咙痛的原因是病毒而非链球菌。详见P528。

病毒性消化道感染。婴儿期和童年期几乎所有的呕吐和腹泻类疾病都是病毒引起的。见P283。

一般病毒。许多病毒都会导致发烧、疼痛、皮疹和一系列其他症状，例如普通感冒病毒、流感病毒、传染性红斑病毒等等。如果医生检查了孩子但没发现任何必须用抗生素的信号，那通常意味着孩子感染的是这些无害病毒之一。

总的来说，这些病毒都不需要在下班后打电话给医生或是送孩子去急诊室，完全可以等到诊所开门再说（除非出现P329“什么时候该担心并应立即求医”里的症状）。

细菌性感染

细菌性感染通常伴有其他症状（咳嗽、喉咙痛等等），或者是病毒性疾病出现一两周之后的继发性感染。几天内，孩子发烧会越来越严重，温度越来越高，发烧恶化时，大部分父母会求医。下面介绍常见的细菌性感染：

鼻窦感染、耳部感染、支气管炎和肺炎。这些是最常见的伴有发烧的细菌性感染。详见相关章节。

膀胱感染。对较大的儿童和成人来说，膀胱感染的症状十分明显（详见P196），不过对无法抱怨排尿不适的婴儿来说，就没那么容易判断了。如果孩子发烧持续几天，又没有病毒或其他细菌性感染发展的明显信号，医生通常会怀疑膀胱感染。

链球菌性喉炎及扁桃体炎。对于

4 岁以上的儿童，发烧伴有喉咙痛的症状更可能是可治疗的细菌引起的。详见 P512、P536。

这些细菌感染通常可以等到诊所开门再去看病，除非出现下文或相关章节“什么时候该担心并应立即求医”里描述的情况。

治疗

应对发烧最重要的原则是：治疗孩子，不要光顾着退烧。因为发烧并不危险（甚至可能有益），所以你不需要专门退烧。发烧会让孩子没精打采，这样他就能休息并尽快恢复。当然，大多数父母不喜欢看到孩子受苦，所以如果孩子中度发烧或发高烧，治疗方法如下：

用微温的水洗澡或用凉毛巾擦身。这能帮助退烧，也是药物之外很棒的初步措施。

药物。退烧药有两种：对乙酰氨基酚（泰诺）和布洛芬（雅维、美林），它们还能治疗疾病带来的疼痛。这类药物有婴儿滴剂、儿童口服液和咀嚼片，也有药片。有需要的话，对乙酰氨基酚还有栓剂（叫作安乃近）。

- 对乙酰氨基酚可以每 4 小时吃一次。高烧的话第一次可以吃双倍剂量，全年龄适用。
- 布洛芬可以每 6 小时吃一次（不要吃双倍剂量）。它能够抗炎，所以对付伴有身体疼痛的发烧也许效果更好。适用于 3 个月以上的儿童。
- 如果孩子呕吐或者吃不下药，对乙酰氨基酚也有栓剂（安乃近）。

组合退烧药。如果单用一种药效果不好或药效消退得太快，你可以安全地配合另一种药使用。比如说，你给孩子吃了对乙酰氨基酚，但是 1 小时内并无明显好转，孩子很难受，可以给他吃布洛芬（反之亦然）。如果某种药一开始效果很好，但是药效消退太快，没等到第二次吃药的时间就复发了，有需要的情况下你也可以给孩子吃另一种，你甚至可以同时给孩子吃两种药。不过一般而言，最好挑一种药坚持吃，不要让组合用药变成习惯。

健康小贴士：
3 个月及以下婴儿

求医之前不要给 3 个月及以下的婴儿吃退烧药，必须先让医生在不用药的情况下评估宝宝的病情。

什么时候别担心

发烧的第一天或是前两天通常不必看医生（除非伴有下文描述的其他重

病信号)，哪怕体温出现峰值。如果孩子出现下面的情况，那发烧的病因很可能不太紧急，你可以安全地观察一段时间，在家治疗孩子：

- 中等发烧或高烧时孩子觉得不舒服、没精神，但是温度降下来以后又活跃起来。
- 总体来说发烧不严重，孩子也没有抱怨剧痛，没有必须去看医生的明显病容。
- 发烧伴有其他明显症状，你可以由此准确判断孩子发烧是因为某种不严重、无需治疗的疾病。
- 总的来说，孩子吃得好、睡得好、正常玩耍、能与你正常互动。

什么时候去看医生

如果孩子出现下列信号，应该在24小时内去看医生：

- 反复发烧3天（72小时），无论发烧的严重程度。
- 严重高烧48小时以上。
- 出现其他症状，表明可能有较为严重或可以治疗的疾病（比如喉咙痛、耳朵痛或排尿痛）。
- 整体情况逐渐恶化。

健康小贴士：
跟着直觉走

如果孩子发烧的情况符合以上描述，但直觉告诉你可能有什么严重的问题，一定听从你的直觉，小题大做总好过事后后悔。带孩子去看医生然后听医生告诉你发烧只是因为无害的病毒，这也没啥坏处。

什么时候该担心并应立即求医

如果出现下列信号，那么孩子的发烧必须立即求医：

3个月及以下的婴儿。3个月及以下的婴儿发烧超过38度（无论哪种测量方式），应立即视作紧急情况，因为最轻微的感染在小婴儿身上也可能迅速恶化。6周及以下的婴儿通常必须住院评估，6周～3个月的婴儿需要检查感染情况，不过不一定需要住院。

脑膜炎。如果发烧伴有脑膜炎信号，如严重头痛、颈部僵硬、低头和抬头时疼痛、呕吐或光敏感，那么就属于紧急情况。

肾脏感染。发烧伴有肾脏严重感染的信号——包括轻度至中度背痛、呕吐、尿痛或尿频——必须立即求医。

红点。发烧时皮肤上出现小红点或紫斑，用力拉伸周围的皮肤也不会变白

（消失）。如果孩子发烧并伴有皮疹，鉴定名为瘀点的严重皮疹的方法请见 P454。

用药无效。如果采用上文所述治疗措施后，高烧在 2 小时后仍无显著下降，那么值得去看医生。

热性痉挛。这种情况请打 120 或去急诊室。热性痉挛（发烧惊厥）请见 P472。

亢奋。这不是简单的烦躁。亢奋的宝宝一哭就是几个小时，对照顾他的人没什么兴趣也不愿意互动，而且几乎无法安抚。这可能是严重感染的信号。

没有精神。在这里，我们说的情况比宝宝表现不对头、只想静静躺在你怀里更为严重。真正的没精打采意味着宝宝软弱无力，对你的声音没有反应，也不做眼神交流。这显然意味着有什么严重的问题。

86. 扁平足

扁平足在儿童中很常见，是足弓欠发达引起的。对大多数年幼的儿童来说，这是一种暂时性、无痛、无害的发育阶段。所有婴儿来到这个世界上的时候，脚底都像薄煎饼一样平。大多数孩子 3 岁时足弓会开始成形，但某些孩子足弓发育不足，会形成扁平足。扁平足的程度个体差异很大，有轻微的也有严重的。

测试扁平足

儿科医生和你可以通过三个简单的步骤评估孩子扁平足的程度：

踮脚测试。让孩子踮脚，依靠脚趾站立。如果在这个测试中孩子脚底形成了足弓，那很可能意味着扁平足不会导致进一步的问题。

内翻测试。让孩子光脚站在硬地面上，你站在他背后，想象有一条直线沿着孩子的跟腱延伸到地板上（或者沿着跟腱放一根尺子）。如果直线或尺子垂直于地板并在脚踝正后方与地板交会，那么扁平足基本不会干扰孩子，也不需要治疗。不过，如果直线或尺子倾斜，与地板交会处偏向脚踝外侧，那叫内翻，意思是说足弓处发生了向内的翻转，接触到了地板。

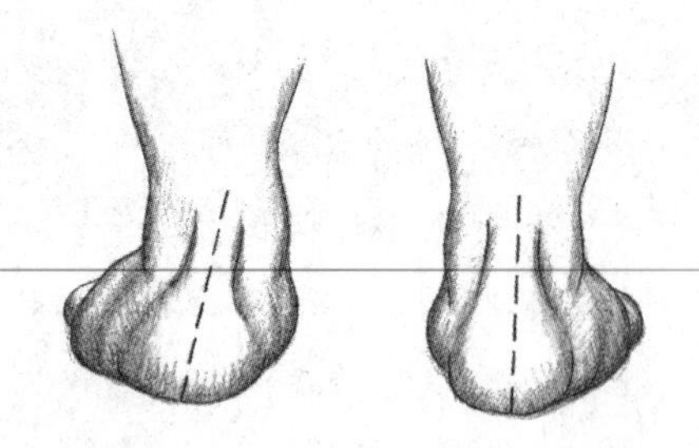

湿脚踩水泥测试。让孩子湿脚在水泥地上走，小心观察。如果足弓高度足

够，地板上足弓所在处应该是干的；如果孩子的脚是扁平足或内翻，足弓区域也会留下湿的印子。

有时候，扁平足是因为足部或踝部某些骨骼畸形造成的。在这种情况下，医生可能会给孩子的足部做 X 光、CT 扫描或 MRI 来检查骨骼和足部韧带。

健康小贴士：
孩子越苗条，小脚越舒服

肥胖会加剧内翻和扁平足对骨骼发育的影响。如果孩子已经因为“足弓塌陷”出现了膝盖外翻，那么额外的体重会让他的踝关节和膝关节越发不堪重负。超重儿童参加体重管理项目期间，或是度过青春期正常变瘦的阶段之前，我们推荐他们一边进行矫正治疗，一边缓冲后跟。

什么时候该担心

孩子 3 岁以下时基本什么都不需要做。扁平足在 3 ～ 4 岁之间是否需要治疗有两种观点：大多数儿童矫形医生会采取保守的方法，很少加以治疗；而从另一方面来说，大多数足科医生倾向于推荐孩子在 3 ～ 5 岁时进行矫形，具体取决于内翻的严重程度。这些年里，我们检查过成千上万的扁平足儿童，经验让我们投入了足科医生的阵营，变得倾向于采取更加激进的治疗。根据经验，我们的建议如下：

- 在孩子 3 岁之前，快乐地接受他没有足弓的小脚吧。不要担心，也不要采取任何措施。
- 3 ～ 5 岁时，如果足弓没有发育，孩子的内翻更为严重（脚踝内侧向内翻转），那就该治疗了。
- 如果孩子走路笨拙，或是抱怨脚、脚踝或腿痛，尤其是在晚上，那就应寻求治疗。根据我们的经验，很多所谓的“成长痛”实际上是严重内翻的扁平足引起的。
- 如果孩子开始“内八字”（很明显），那就该治疗了。由于天然的补偿机制，有的孩子走路时会以内八字来“形成足弓”。你应该把内八字当作扁平足干扰正常走路平衡的线索。

在治疗扁平足的问题上，我们之所以变得更为激进，原因在于：如果孩子发育中的脚踝过度内翻，会让正常的承重轴失衡，使走路、奔跑时踝关节和膝关节内侧受到的压力不平衡。

治疗

大多数轻微扁平足完全不需治疗，但如果孩子出现任何上述信号，可以咨询儿科矫形医生或足科医生关于矫正器的事宜。这种设备可以插入孩子最喜欢的鞋子里，然后随着孩子足部发育每两年左右更换一次。通用矫正器一般适用于 3 ～ 5 岁儿童，价钱相当便宜。6 岁及以上儿童需要定制矫正器，可能会花费 200 美元以上。根据我们的经验，真正需要矫正器的儿童很喜欢佩戴它，因为很快他们就会注意到脚的感觉好多了，尤其是在久站、走路或是奔跑的时候。矫正器可以装在任何鞋子里，扁平足儿童一般不需要专门的“矫正鞋”，其意义也不大。如果医生觉得孩子不需要矫正器，那么选择跑鞋的时候应注意两点：足弓合适、脚跟有缓冲。

87. 扁头（体位性斜头畸形）

宝宝颅骨发育形状异常，最常见的原因是体位性斜头畸形 (PP)，也叫“扁头综合征”。为了允许大脑发育，婴儿的颅骨并不是完全闭合的，这意味着施加于颅骨上的外压可能导致圆滚滚的漂亮小脑袋部分区域被压扁。研究表明，在压扁的区域下方，流向大脑的血流和大脑的发育都是正常的，所以你不需要担心平头可能让大脑出现发育问题。

和颅缝早闭（见 P253）不同，扁头综合征不是颅骨提前闭合的结果，实际上，它是因为宝宝老是以同样的位置睡觉或朝着同一边睡觉造成的。有的宝宝睡觉的时候喜欢把头朝向左边或右边。小婴儿的颅骨可塑性很强，所以长期朝着同一边睡可能导致一边变平，造成颅骨形状异常。拯救生命的“仰躺睡觉”运动（预防婴儿猝死综合征）兴起之后，儿科医生目睹了扁头（后脑勺扁平）“风行一时”。好消息是，对大多数宝宝来说，扁头无害，也只是暂时性的外观问题。斜颈（解释见 P538）宝宝可能更容易出现 PP。

怎么办

PP 的原因通常是宝宝睡觉的位置固定，向颅骨同一位置施加压力，所以最简单的治疗方案是鼓励孩子平均分配朝向两边的睡觉时间。

- 如果宝宝的婴儿床在你的床边，他会愿意头朝着你这边睡。每晚把婴儿床转 180 度，这样他朝向你的时候头的方向就会相反。更简单的办法是每晚让宝宝换一头睡。
- 如果你注意到宝宝睡觉的时候头喜欢侧向某一边，那么你路过婴儿床的时候请轻轻帮他转到另一边。
- 为了鼓励宝宝转头，请在婴儿床一边放几个安全的玩具，下一次换到另一边。
- 如果宝宝还有斜颈，请按照 P539 介绍的理疗方法锻炼，鼓励他颈部肌肉平衡转动。

- 每周拍一次照，记录颅骨的变化，然后给医生看。
- 在有人监督的情况下，鼓励宝宝趴着睡一会儿。宝宝仰躺的时间越少，后脑勺承受的压力就越少。

扁头在最初几个月里更常见，因为这比较小的宝宝睡觉时没那么强的活动性。等他大一点能够独立翻身以后，发育中的颅骨两边承受的压力会平衡下来，于是宝宝的脑袋会慢慢变圆。

医生可能会做什么

把你的顾虑告诉医生，带上你拍的照片。如果你觉得宝宝几个月内被压扁的区域没有改善，尤其是你已经试过换姿势的方法以后，请告诉医生，医生会全面检查宝宝的颅骨，诊断扁头到底只是姿势问题还是其他问题的继发症状：颅缝早闭（颅骨之间的一处或多处接缝提前闭合，见P253）或斜颈（见P538）。

健康小贴士：
寻找“秃点”

如果头被压扁的地方头发脱落，那可能意味着宝宝的扁头是体位性的。

除了上述“秃点”信号之外，医生还会检查宝宝头部的整体形状。体位性变形与颅缝早闭的区别性研究表明：如果宝宝头部呈平行四边形，那很可能是暂时性的；但是如果头部呈梯形，那形状异常很可能是因为颅缝提前闭合（颅缝早闭）。你应该从头顶观察宝宝的颅骨，看看它到底是什么形状。

一般来说，通过看诊和触诊，医生能够分辨PP和颅缝早闭。如果诊断尚不确定，医生可能会给宝宝的颅骨做X光或CT扫描以确诊。如果他还注意到了斜颈，那么也许你需要找理疗师，寻求正确颈部拉伸的专业指导。

宝宝需要戴头盔吗？

一般来说，要矫正PP，改变一下睡觉的姿势就够了。但是如果孩子大一些以后还没采取换姿势的方法，头部畸形较为严重，儿科医生可能会推荐你给宝宝戴头盔或头带，帮助小脑袋重新变圆。与大众的想法不同，这样的头盔不会挤压头部让它长圆，而是提供一个圆形的空间，让脑袋发育去“填充”它，还能在睡觉期间承担压扁区域受到的压力。这样的矫正带大多数宝宝只需要戴几个月。有一家叫作Cranial Technology的全国性公司，我们用过他们的产品，效果很好。

88. 流感（流行性感冒）

过去两小时里，平常活蹦乱跳的 4 岁孩子看起来不太正常。他有点流鼻涕，还有点咳嗽，然后开始抱怨头痛、喉咙痛。接下来，他全身都开始痛，非得躺下来不可。你量了量他的体温，39.7 度！他咳嗽得越来越厉害，开始呕吐，而会引起这一系列症状的坏家伙只有一个——流感。

症状

孩子生病了，父母最担心的问题就是：到底是真的流感，还是普通的感冒咳嗽而已？流感与普通感冒的区别在于流感会造成疼痛、发烧和非常严重的不适感，出现多种流感特有症状，身体各部位受到影响。流感通常会出现三种以上（或全部）下列症状：

- 高烧、打寒战
- 喉咙痛
- 头痛
- 恶心
- 呕吐
- 腹泻
- 腹痛
- 身体和肌肉疼痛
- 鼻塞
- 流鼻涕——清鼻涕或黄绿鼻涕
- 咳嗽——干咳或有痰
- 眼部受刺激，红眼

健康小贴士：H1N1

2009 年，一种新的流感席卷了世界，它叫作 H1N1。H1N1 爆发初期引起了许多无端的恐慌，很快我们发现它只比普通流感略微严重一点儿。比起普通流感来，H1N1 更容易侵袭特定人群（孕妇、儿童和年轻成人），而老年人反而不容易患上。这种新型流感不在秋冬季节发作，而是在平常的“非流行时间段”爆发。随着美国和整个世界逐渐获得了对该流感的免疫力（通过感染或疫苗），H1N1 流感很可能会融入普通的季节性流感。

你能做什么

如果你觉得孩子得了流感，第一步是放轻松。流感是一种病毒，所以不用着急冲到医生那去开抗生素。对于咳嗽、感冒、呕吐、腹泻、发烧、红眼之类的症状，治疗方法请见该症状的对应章节。下面我们介绍一些通用方法帮助你和孩子对抗疾病：

大量饮水。水分充足可以帮助鼻涕和痰液流动起来，避免鼻窦感染和耳部感染。喝水还能帮助减轻疼痛、发烧和整体的不适感。

治疗多种症状的感冒药。6 岁及以上的孩子可以吃减轻多种主要症状（例如头痛、鼻塞、咳嗽和发烧）的感冒药。不过，一般来说，这种复合式的药物对 6 岁以下的孩子过于强效，最好不要给他们吃。

治疗特殊症状。你可以不用给孩子吃复合式的感冒药，而是针对最恼人的症状给他吃专门的药，例如止痛药或退烧药（对付流感引起的疼痛，布洛芬的效果通常比对乙酰氨基酚好，也可利用解充血药和化痰药来对付鼻塞、胸闷。目前，非处方感冒药、咳嗽药对于 4 岁以下儿童是否安全仍有争议，所以我们不推荐使用。治疗儿童或成人感冒、流感期间的鼻窦症状和呼吸道症状，有一种名为欧龙马的草药制剂十分有效。

多休息。要帮助身体痊愈，最好的办法是晚上好好睡觉，白天多休息。有时候，白天给孩子吃药会起反作用（因为药物会让他感觉好些，于是他就想和平常一样跑来跑去、玩个不停）。因此，白天最好少给孩子吃药（除非他真的很难受），让他好好休息，晚上再对症下药。

什么时候看医生

大多数流感患儿甚至不需要看医生，不过有些孩子的症状需要医生进行评估。下面我们将帮助你决定是否必须去看医生：

- 孩子发烧超过 4 天。出现这样的症状，孩子也可能只是流感，但最好让儿科医生再检查确认一下。
- 孩子因呕吐或腹泻出现中度到重度脱水，详见 P273。
- 你觉得孩子的病有些不同寻常。
- 孩子剧烈咳嗽，造成胸痛及气短，这可能意味着肺炎正在发酵。

健康小贴士：是流感还是脑膜炎？

有时候脑膜炎会被误认为流感，反之亦然。这两种疾病都会导致高烧、头痛和呕吐。二者之间主要的区别是：脑膜炎会出现后颈僵硬疼痛的症状。如果孩子有这样的抱怨，而且一低头看自己的肚子，脖子就疼得厉害，请立即带他去急诊室。

处方抗病毒药。医生可能会给孩子开抗病毒药，帮助击退流感。这些药就像是“对付流感病毒的抗生素”，有两种作用：减短病程、减少症状。要达到好的效果，这些药必须在流感刚出现的时候就开始吃。你和医生可以决定是否必须进行这种治疗。

89. 食物过敏

在各种健康问题、行为问题和复发性疾病中，食物过敏是最常见的一种，却常常被忽视。下面，我们将帮助你判断孩子是否可能发生食物过敏、如何测试、如何改变孩子的膳食以提升他的整体健康。

症状

有的症状很明显，例如鼻塞、皮疹或腹泻，不过食物过敏也常常引发一些更为隐蔽的症状或问题：

复发性感染。如果孩子常常出现耳部感染、鼻窦感染或肺部感染，那很可能是因为食物过敏引起的免疫系统受损、黏液过度分泌。

皮肤和消化道问题。慢性皮疹、湿疹、荨麻疹、哮喘和鼻子过敏都可能是食物过敏引发的。

慢性便秘、腹泻或腹痛。食物过敏常常导致慢性腹泻、胀气和腹痛，有时候它也会导致便秘。这并不算是真正的过敏反应，而是身体对食物中的某些成分化学敏感。便秘的罪魁祸首常常是牛奶制品。

婴幼儿肠绞痛和胀气。母亲膳食中的蛋白质会进入母乳，如果宝宝对此过敏，就可能出现症状。对牛奶或大豆过敏的婴幼儿也可能对含有相应成分的配方奶过敏。

多动及其他行为问题。食物过敏和各种食物的化学敏感能够实打实地影响孩子的行为和专注力。如果孩子很难带，请考虑一下他的膳食。

七大过敏食物

找出孩子到底对哪些食物过敏，这个问题对谁来说都很困难，虽说可以进行测试，可是比较贵，孩子也很难受。你应该了解一下最容易引起过敏的是哪些食物，这很有用，然后尝试从食谱中剔除某组或某几组食物，持续几周，然后看看孩子的症状有无改善。90% 的食物过敏都是下列七种食物引起的，过敏可能性从高到低依次为：

- 牛奶制品——牛奶、配方奶、冰淇淋、酸奶、奶酪、黄油、奶油以及含有酪蛋白或乳清蛋白的任何食物
- 小麦——面包、薄脆饼干、早餐麦片、小松饼、比萨、薄煎饼、派、小饼干
- 蛋——蛋黄酱、蛋白酥、蛋奶羹、烘焙食品、法国吐司、薄煎饼
- 大豆——豆奶、大豆配方奶、酱油、大豆牛肉煎饼、大豆粉、豆腐、蛋白质饮品
- 坚果——最可能引起过敏的是花生（但其他坚果也可能引起过敏）、坚

果酱、小饼干或含有坚果的糖果棒、什锦豆、用花生油煎炸过的食物

- 玉米——玉米糖浆甜味剂、玉米粉、玉米淀粉、爆米花
- 甲壳类——虾、蟹、龙虾、蚌

测试

如果你从食谱中剔除了最容易引起过敏的食物，孩子的情况却没有改善，或者你不想再玩“猜猜看”的游戏，那就该进行食物过敏测试了。可供选择的测试有下列几种：

皮肤测试。对于 4 岁及以上儿童，这是最准确的方法，由过敏专科医生进行（大多数儿科医生不提供此项服务）。医生将各种食物蛋白刺入孩子手臂或背上的皮肤，测试发生的反应。如果孩子对这种食物过敏，过敏抗体（叫作 IgE 抗体）会检测到这种蛋白质，导致该区域的皮肤像被虫子咬了一样鼓起来。一旦出现反应，即可确定孩子对该食物过敏。不过，皮肤测试（尤其是对 3 岁及以下儿童）的劣势在于，孩子对某些食物过敏，却可能不会出现皮肤反应。

血液测试。对 3 岁及以下儿童来说，这种方式更好，因为比较容易忍受（只需要将一根针扎入血管抽血，不需要多次穿刺皮肤），而且对这个年龄段的孩子来说更为准确。不过，在血液测试中，某些一周岁以下的婴儿对某些过敏的食物可能不出现反应。血液过敏测试分为两种：

- IgE 测试（叫作 RAST 测试）。这种方法测量专门对过敏食物产生反应的免疫细胞分泌的 IgE 抗体水平。比如说，如果孩子正在吃某种过敏食物，那么身体会对该食物做出反应，血液里就会出现某种水平的 IgE 抗体。血液测试会测量所有过敏食物对应的 IgE 水平，以 1（几乎不过敏）到 7（严重过敏）的数字标识过敏程度。
- IgG 测试。这是 RAST 测试的变种，也是评估食物过敏的一种替代方案（美国食品药品监督管理局并未批准使用这种方法来测试食物过敏）。IgG 抗体并不真正算是一种免疫反应，它更像是免疫系统的过度反应。人们相信，如果某种食物导致 IgG 水平过高，就会给免疫系统造成负担，进而影响到身体（包括神经系统）的整体健康。IgG 测试的结果以 0（无反应）到 3 的数字标志。剔除导致 2 ～ 3 级 IgG 水平的食物，免疫系统就能更好地工作，身体的整体机能也更好。人们认为 IgG 食物敏感性会导致更多的行为问题、神经问题和免疫抑制问题，IgG 食物过敏同样也会引发更多的典型过敏症状。

目前，IgG测试的准确性从理论上说还不错，在我们自己的诊所里，这种测试方法迄今为止还算有用。

没有哪种测试绝对准确。要确定孩子对什么过敏，最好的方法是添加或撤除怀疑的食物，观察孩子的反应。

剔除和重新引入过敏食物

一旦你确定了孩子对哪些食物过敏，就应从他的食谱中剔除所有过敏食物，持续约两个月，观察一下各种过敏、健康或行为方面的症状有无改善。一旦你发现孩子情况好转（但愿如此），下一步就是慢慢把这些食物加回孩子的食谱里，每次一种，看看到底是哪种食物的不良影响强大到能够拖累孩子的健康。当然，如果孩子只对几种食物过敏，而你看到了明显的改善，我们鼓励你继续无限期地隔绝过敏食物，享受一两年的好身体、好行为。但是，如果孩子过敏的食物很多，那很可能只有某几种能够对孩子造成实际影响，通过重新引入各种食物，你可以确定到底哪些食物是主要的过敏源。要做到这一点，有两种不同的方法：

循环式食谱。每次重新引入一种食物，允许孩子每四天吃一次该食物。孩子吃过两三次后，开始添加下一种，但是食用相同过敏食物的间隔期不要短于四天。很快，好几种过敏食物就会重新回到孩子的食谱中，但又不会造成太重的负担。注意观察孩子有无负面的行为、过敏或健康问题，如果有，请考虑最近添加进去的某种食物，它可能就是肇事者。继续采用这种方法，你就能找到你需要长期隔绝的到底是哪些食物。

每次重新引入一种。更有用的办法（根据我们的意见）是：每次只重新引入一种食物，持续数周，在此期间观察孩子的健康。这样你能够更轻松地缩小怀疑范围，准确找到过敏食物。

乳蛋白和谷蛋白过敏

目前为止，我们一直讨论的是一般性食物过敏，现在，我们很乐意重点讨论两类特殊的食物，因为如果对这两类食物过敏或敏感，孩子的健康受到的影响更为重大。这两类特殊食物的成分是酪蛋白（这种蛋白质存在于牛、羊、人类和其他所有哺乳动物的奶里面，从另一方面来说，乳糖不耐受是因为对奶里面的糖敏感）和谷蛋白（存在于小麦和各种谷物中的蛋白质）。酪蛋白和谷蛋白为什么这么容易让某些人过敏，原因仍属未知，不过从食谱中剔除这些食物能够消除某些不良反应。

乳蛋白的来源。你需要剔除的常见乳制品如下：

- 牛奶和羊奶
- 黄油、奶油
- 奶酪、农家干酪
- 酸奶、冰淇淋
- 乳清蛋白
- 酪蛋白酸盐（热狗里就有）

许多预加工、冷冻、脱水或罐装的食物、汤羹里都含有奶粉、奶酪或乳清，烘焙食物和零食里通常有酪蛋白成分。购买食物时请仔细阅读标签，看看你需要从孩子的食谱中剔除哪些日常食物。

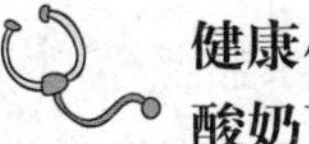

健康小贴士：酸奶可以喝

许多——但不是全部——把牛奶当成饮料喝会过敏的孩子能够耐受少量酸奶，原因有二：首先，发酵过程会使酸奶中的乳糖变得更容易消化，蛋白质的过敏性也会减弱；其次，许多食物的耐受程度与你吃下的分量有关。比起一次喝一整杯酸奶，隔一会儿喝两勺的方式也许对消化道更有利。

不含乳成分的替代食品。替代食品如下：

- 米浆（最好不加糖）
- 杏仁露（最好不加糖）
- 豆浆（因为大豆也常常引起过敏，所以应尽量少喝，或者不要用豆浆来替代牛奶）
- 蛋和蛋黄酱（虽然这两种食品常常被看作“乳制品”，但它们实际不是牛奶产品）
- 不含乳成分的酸奶、奶酪、人造黄油和冰淇淋(请检查是否含有酪蛋白)
- 其他不含乳成分的钙来源：加钙橙汁、加钙麦片、豆腐、黑糖蜜、绿色蔬菜、芝麻籽、罐装三文鱼和无花果

谷蛋白来源。含有谷蛋白的谷物如下：

- 小麦
- 燕麦
- 大麦
- 黑麦
- 粗面粉
- 斯佩尔特小麦
- 黑小麦
- 卡姆小麦

大多数预加工过的麦片、面包、面粉、烘焙食品和混合方便食材（如蛋糕粉）中含有上述谷物，因此阅读标签十分重要。某些天然或人造的调料、香料、肉糜和酱汁中也可能含有谷蛋白。如果孩子喜欢吃某样东西，而你却不清楚它的原料，请打电话给生产商。

不含谷蛋白的替代食品。这些食物不含谷蛋白：

- 糯米
- 糙米
- 白米
- 西米
- 野生稻米
- 小米
- 苋属植物
- 藜麦
- 豆粉（鹰嘴豆粉）
- 小扁豆
- 玉米粉
- 土豆淀粉
- 荞麦
- 大豆
- 脱水或罐装豆子

使用替代食物调整食谱

最好的办法是一次添加一种替代食物。要达成不吃乳蛋白比较容易，所以我们建议你从这里开始，坚持 3 ～ 4 周以便起效。等到你总结出这个步骤有无效果以后，再开始剔除谷蛋白，看看孩子是否有更大的改善。限制谷蛋白之后，你最晚可能要等到两个月后才能观察到积极的效果。如果不吃乳蛋白以后，孩子疑似食物过敏的症状已经消退，你或许就不必限制谷蛋白摄入了。

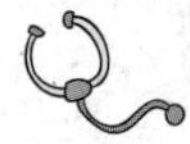

健康小贴士：
去本地的健康食品店看看

为了满足人们对不含谷蛋白和不含乳蛋白的食物的需求，大多数天然食品店都设立了专区。在这里，你几乎可以找到任何一种食品的替代品。

---

90. 配方奶过敏

在找到最适合宝宝的配方奶之前，大部分父母会尝试多种奶粉。配方奶的种类多得让人困惑，很多宝宝会对其中的某一出现过敏反应。下面我们将帮助你找出最适合宝宝的配方奶：

症状

每个宝宝多多少少都会出现胀气、偶尔拉肚子、有点烦躁的情况，这很正常。如果宝宝和小肚子大部分时间都开开心心的，那你大概没什么可担心的。但是如果宝宝出现下列症状，那他可能是配方奶过敏：

- 每天都会因肠绞痛哭上好几个小时（见 P234）
- 每次喂奶之后都会吐掉很多（见 P347，“胃食管反流病”）
- 大便绿色、带黏液、稀松

- 大便粗、硬，排便疼痛（见P245，“便秘”）
- 大便带血
- 身体大部分区域出现慢性皮疹
- 慢性鼻塞、胸闷或气喘

治疗

改变喂奶技术

别着急换奶粉牌子，有的宝宝只需要你改变一下喂奶的技术。先试试这些法子：

避免过度喂养。在最初几个月里，大多数宝宝每次需要吃2盎司～4盎司奶。如果你的宝宝还想吃更多，那可能只是因为他喜欢吮吸，给他个安抚奶嘴试试。你也许还会发现，每次少吃一些、喂奶频繁一些，宝宝的情况就会改善。

换个奶瓶。也许宝宝只是吃奶时咽下了太多空气。如果奶嘴流速过快，或者这种奶瓶容易让宝宝咽下空气，就可能发生这种情况。换个流速慢的奶嘴或多试几种奶瓶，看看情况有无改善。

把奶粉换成液态奶。出于某些未知原因，比起奶粉来，某些宝宝更容易消化已经调制好的液态配方奶。在换奶粉牌子之前，试试同品牌或同款的液态奶。

更换配方奶

如果宝宝的问题没有解决，你可以采取下列措施为他找到合适的配方奶。每一次更换之后，请花一周时间观察，然后再进入下一步（除非更换之后情况全面恶化）：

更换品牌。如果宝宝吃的是以牛奶为基础的配方奶，换个牌子试试。不同品牌的配方奶之间有细微的差别，可能有所帮助。如果宝宝吃的是大豆配方奶，也换个牌子试试。

吃有机奶。如果宝宝吃的是非有机的配方奶，试试同种类型的有机奶（牛奶或大豆配方奶）。

换成以牛奶为基础的“温和型”配方奶。所有的大型配方奶公司都有以牛奶为基础的“温和型”“防过敏型”或“舒适型”配方奶，这些配方奶中的乳蛋白轻微分解成了更小的蛋白质。大豆配方奶和标准的牛奶配方奶都有对应的温和型产品。

把牛奶配方奶换成大豆配方奶，反之亦然。如果你已经试过了所有可能的牛奶配方奶（或大豆配方奶），干脆换一下试试（牛奶换成豆奶或豆奶换成牛奶）。

试试无乳糖配方奶。有的公司出品以牛奶为基础的无乳糖配方奶。乳糖不耐受在婴儿中很罕见，不过值得一试。

健康小贴士：
短期解决方案：大豆配方奶和无乳糖配方奶

对于人类婴儿来说，大豆蛋白没有乳蛋白那么理想，乳糖是人类大脑最容易利用的能量源。如果你的宝宝只能吃大豆配方奶，一两个月后请尝试换回以牛奶为基础的配方奶。随着宝宝消化系统的发育，他也许能够自己学会消化牛奶。

换成专门的低过敏性配方奶。这种配方奶的成分是经过预消化的乳蛋白、不同的糖类和脂肪来源，适合特别敏感的小肚子。目前生产这种配方奶的牌子有雅培、纽康特、美赞臣和婴添妙，不需处方，大部分商店、药店和网上有售。

自制配方奶。 这是最后的保留手段。如果宝宝连低过敏性配方奶都不能吃，你可以试试自制配方奶。以羊奶或其他替代奶为基础，加入各种油类、维生素和其他营养成分。由于用这种方法提供的营养并未经过 FDA 认证， 所以我们不推荐在无医嘱的情况下这么做。

91. 频繁生病

儿童每年生 1 ～ 3 种病很正常，一会儿耳部感染，一会儿喉咙痛，一会儿又有点儿腹泻，偶尔还会发烧。在充满微生物的世界里，生病是人类成长的一部分。不过，有的孩子似乎特别爱生病，父母很想知道，这到底是因为运气不好，还是孩子的免疫系统有什么不对头。下面我们将帮助你解决孩子频繁生病的问题。

定义频繁生病

生病多少才算多？这取决于整个家庭和孩子本人的生活方式。平均而言，人们觉得儿童每年大约生 8 次病，包括感冒、流感、发烧和其他常见疾病。这个说法可能没错，但是作为父母，这并不意味着你必须接受这样的命运，尤其是在你觉得孩子生病过于频繁的情况下。如果出现下面的情况，你可能就得考虑孩子生病不光是因为坏运气了：

- 母乳喂养的头胎，父母从不生病，也从不把宝宝送去托儿所，可宝宝看起来似乎每个月都在生病
- 孩子在家里接受教育，没有年长的兄姐，却每个月都会感冒或者生其他病
- 孩子在托儿所或学前班里已经待了好几年，却还是反复生病
- 大家庭里的孩子，生病明显比其他孩子多

如果出现这些情况，父母也许就应该找找是什么原因增加了孩子生病的风险。不过，在较为罕见的情况下，孩子生病也许是因为免疫缺陷，这种情况更为严重。免疫缺陷孩子不光会频繁得小病，还会反复出现一些严重疾病，例如：

- 肺炎
- 严重的皮肤感染
- 血液感染

如果孩子出现一种以上的迹象，请和医生谈谈是否给孩子做免疫缺陷测试。

原因

孩子频繁生病通常有可解释、可预防的原因。你应该考虑的可能性有：

环境性过敏。有的孩子对空气中的尘埃、真菌或花粉过敏。这样的孩子常常会有慢性鼻塞，这会降低鼻子和呼吸道的免疫力，导致孩子更容易罹患感冒、咳嗽、鼻窦感染和耳部感染。详见P134。

食物过敏。大多数食物过敏会引起皮疹和消化道症状，有两类食物可能会让孩子更频繁地生病：

- 牛奶制品。牛奶过敏引起的慢性鼻塞会提升孩子鼻窦感染和耳部感染的风险，1～2岁时尤其应该注意考虑这种情况，因为孩子通常在这个年纪开始喝牛奶。在我们的实践中，仅仅剔除膳食中的牛奶，许多孩子频繁生病的问题就得到了解决。
- 小麦产品（及其他含有谷蛋白的谷物）。谷蛋白过敏不但能导致各种过敏症状，还会增加免疫系统的负担。

食物过敏详见P336。

扁桃体和增殖腺增大。在生命最初的6年里，这些位于鼻后和咽喉处的抗感染免疫组织会逐渐长大，然后又重新变小。大部分孩子根本注意不到这一现象，不过有的孩子会觉得喉咙充血、呼吸受到阻碍。这些增大的组织很容易吸引微生物，切除扁桃体增殖腺能够大大减少反复感染的发生。详见P535。

暴露在危险环境中、不恰当的卫生习惯。有的孩子流行什么病就得什么病，这只是因为他们没有好好洗手，随便什么玩具和东西都往嘴里放，随便哪儿的玩乐活动和托儿所都去。这种生活方式非常有利于社交发育，但如果孩子很容易感染疾病，那么冬天最好别这么干，最好时不时让他远离一下社交生活。

垃圾食品。不要小看过量的糖和垃圾食品给免疫系统带来的负面影响，也不要小看水果、蔬菜、健康脂肪和全面的健康膳食带来的好处。如果疾病在你家久久不去，请好好审视一下孩子（和全家）的饮食。健康食品详见 P037。

预防

请回顾上述可能原因，尽量纠正孩子生活中各方面的不利因素。如果因经济原因无法做到，让孩子在家里待一段时间，不要送他去托儿所，尤其是在冬天。请回顾 P039 列出的增强免疫力的补充剂，每天给孩子吃，坚持几个月，看看是否能够打破老生病的怪圈。

92. 真菌感染

从某种程度上说，几乎每个孩子和青少年都会在身体某处出现一次真菌感染。出现这种情况，父母通常比孩子自己还烦心，不过这样的感染很容易治愈。

真菌感染（医学上叫“癣”）可能很容易与其他皮疹区分开来，也可能很难，具体要看感染发生在什么部位、外观如何。有时候，儿科医生可能会做皮屑测试，轻轻从患处取一些皮屑，放到显微镜下检查。这种方法通常可以找出到底是哪种真菌引起的感染。好消息是，大多数真菌感染可以通过非处方抗真菌霜剂治疗，只有严重的感染才需要处方治疗。下面我们将列出儿童和青少年常见的真菌感染，并给出治疗、预防扩散的建议。真菌性尿布疹请见 P556。

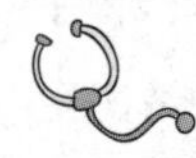

健康小贴士：
皮肤真菌感染会传染吗?

是的，会传染。不过不是随便接触就会传染，反复接触或长期接触真菌皮疹才会传染微生物,所以孩子可以上学、参加活动，不用过于担心传染。

金钱癣

金钱癣又叫体癣，是儿童常见的真菌感染。孩子的皮肤染上金钱癣通常是因为接触了宠物，症状是独特的环状红色皮疹，可能出现在身体的任何部位。这种皮疹常常会自然消失，不过如果不加治疗，它可能扩散到身体其他部位。这样的皮疹通常不痛,也没有其他烦恼,但它讨厌的外观却常常让父母带孩子来看病问诊。

有时候金钱癣很难与其他皮肤病区分开来，例如玫瑰糠疹、银屑病或接触性皮炎，医生可能需要刮一些皮屑在显微镜下检查。大多数金钱癣只需要非处方抗真菌霜剂或软膏就能治好，只有严重的感染才需要处方强度的抗真菌药。如果孩子养了宠物，老是长金钱癣，你应该请兽医给狗狗或猫猫看看是否需要治疗。常常有人把金钱癣和湿疹弄混，因为湿疹也常常是环状的。分辨方法如下：

金钱癣	湿疹
不太痒	发痒
长在除手肘、膝盖外的任何地方	主要长在手肘、膝后
呈环状，边缘鼓起，中间平坦	边缘更平坦，不一定是环状

花斑癣

这种真菌感染不那么常见，可能发生在身体任何部位，不过通常是在脸部、手臂和躯干部，呈白色斑块。斑块的颜色会在夏季变浅，冬季变深，因此得名花斑癣。这种真菌感染通常是因为长期暴露在潮湿的环境中，例如长时间待在游泳池里、反复使用潮湿的毛巾或是和别人共用毛巾、浴巾。花斑癣通常可以用非处方抗真菌药治疗，不过有时候也需要处方强度的药物。它和白癜风（见 P547）的区别是摸起来比较粗糙，白癜风(一种奇怪的非真菌性色素减退)是平的，摸起来很光滑。

脚气

又叫足癣，在好动的孩子和青少年中十分常见。真菌喜欢潮湿黑暗的地方，脚趾和脚底容易染上脚气，因为它们常常整天裹在潮湿的鞋袜里。脚气常常很痒，严重的话可能偶尔还会痛。脚气的难治臭名昭彰，可能需要搽好几周非处方或处方抗真菌药。我们常常建议父母在孩子的脚痊愈后再搽几天药，因为过早停药常常使其复发。我们还建议家长结合使用两种方法治疗：每天搽几次抗真菌霜剂，同时间歇性使用药粉，帮助脚部保持干燥。

如果孩子总在和反复发作的脚气斗争，最好的办法也许是从源头上掐断病根。鼓励孩子在公共活动场合穿自己的拖鞋，例如更衣室、公用浴室和游泳池，也不要和其他孩子共用一双鞋子。用漂白剂彻底清洁家里的淋浴室和浴缸也很重要，以杀灭所有真菌。可能的话，在安全的情况下，鼓励孩子打赤脚、穿凉鞋或人字拖，减少穿鞋袜的时间。治疗脚气的进一步讨论见 P162。

健康小贴士：
扔掉被感染的袜子！

治疗脚气还有一个办法：扔掉臭烘烘的运动鞋和袜子，买几双新的。你不需要扔掉所有袜子，扔掉那些太旧的就可以了！

裆部瘙痒

医学术语叫股癣。这种真菌感染之

所以得名，是因为它常常发生在腹股沟部位，而且常常是因为年轻的男性运动员穿戴裆部护具引发的，这里阴暗潮湿的环境是真菌的温床。裆部瘙痒正如其名，刺激性很强，痒得厉害。它恶名昭彰，很难痊愈，因为在特定的赛季孩子很难完全不穿护具。为了预防股癣，你要鼓励孩子比赛结束后立刻脱下护具和运动裤，全面清洁腹股沟部位。有时候非处方抗真菌治疗要花两周才能起效，偶尔需要处方强度的药膏，干燥粉和止痒霜剂也可辅助治疗。请坚持清洗孩子的裆部护具，避免真菌积聚，每个赛季至少给孩子买一副新护具。

头皮真菌感染

头皮上的真菌叫作头癣，它会侵入毛干，导致头发断裂。头癣滋生的区域常常出现圆形秃斑。

症状。头癣的症状多种多样，区别很大，不过可能包括这些共同之处：

- 秃斑区域干燥，呈鳞片状或脱皮
- 秃斑上出现黑点。这些黑点实际上是头皮表面脱落的毛干的残留部分
- 患处发痒
- 头皮患处出现红色的小圆瘤，叫作脓癣

诊断。如果孩子出现上述症状，儿科医生可能会怀疑是头皮真菌感染。他可能会取一份患处头皮和头发的样品，在显微镜下检查有无真菌，还可能进行真菌培养，取患处样品培养，看看是否有真菌生长。

治疗。要成功治疗头皮真菌感染，通常需要口服抗真菌药至少6周。抗真菌霜剂、洗发水或软膏通常无法有效治疗头癣，虽然抗真菌洗发水可能对极轻微的头癣有效。通常情况下，头癣成功治愈后，秃斑处的头发也会慢慢长出来。

头癣会传染吗？会。孩子可能会把头癣传染给其他儿童。告诉孩子痊愈前不要和别人共用发梳、发刷、帽子等物品，这很重要。

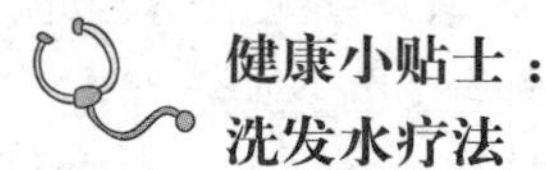

健康小贴士：洗发水疗法

服药期间，每周用含硫化硒成分的洗发水给孩子洗两次头，这样可以减轻传染性。

93. 宝宝胀气

宝宝胀气的情况有两种：吃奶时吞下了太多空气或是消化时产生的气体过多。要让宝宝不胀气，就得控制这两个源头。方法如下：

母乳喂养时减少宝宝吞下的空气。

喂奶的时候把宝宝的嘴巴拉开一些，尽量让他的小嘴贴住较宽范围的乳晕，保证吃奶的密封性。宝宝含住的范围越大，吞下的空气就越少。

别吃危险食物。妈妈吃了某些东西宝宝就容易胀气，虽然从科学上说这没什么依据，但当过妈的都觉得确实有这么回事儿。她们指出的食物包括乳制品、西兰花、卷心菜、小麦、玉米和高咖啡因含量的食物。

奶瓶喂养时减少宝宝吞下的空气。确保宝宝的嘴唇吸住的是奶嘴靠下比较宽的部位，而不是光叼住头部。喂奶时将奶瓶倾斜 45 度，让空气升到奶瓶底部。你也可以使用柔性的“哺乳袋”，减少进入其中的空气。

宝宝哭泣时及时反应。宝宝大哭的时候会吞下很多空气，如果他很容易胀气，请对他的哭闹迅速反应，不要听信那些“让他哭”的说法。

试试各种拍嗝的姿势。通过实验和试错，你会找到哪种手法最适合宝宝。

帮助气体排出。试试我们说的“气泵”姿势：让宝宝仰面躺在你大腿上，双腿朝向你这边，头枕着你的膝盖。推拉他的小腿，就像蹬自行车的动作一样，同时做鬼脸吸引他的注意力。你还可以试试“叠肚子”。让宝宝趴在垫子上，双腿下垂；将布尿布卷起来，或是用布尿布裹住一瓶温水塞到宝宝肚子下面，然后揉搓他的背部。见 P234，“婴幼儿肠绞痛”。

试试“我爱你”腹部按摩。让宝宝仰面躺在地板上，你跪在他脚边。在宝宝左腹轻轻向下划一个“I”，将气体向下排出结肠；然后划一个倒写的“L”，代表“爱”，让气体顺着中间部位向左下排出；最后划一个倒写的“U”，代表“你”，让宝宝肚子右边的气体沿着中间部位流向左下。记得按摩前先暖暖手。

给宝宝洗个“泡泡浴”。和宝宝一起坐在浴缸里，让紧张的小肚子浸在温水里，然后按摩他的腹部。你可能会注意到水面上出现泡泡哦。

健康小贴士：
通用的消化道疗法

对于任何消化道不适，包括胀气，请记住我们的“2 原则”：每次喂 1/2 分量，2 倍喂奶频率。少食多餐会让消化进行得更完全，减少未消化的食物发酵，从而减少胀气。

---

94. 胃食管反流病（GERD）

如果宝宝看起来有点肠绞痛，吐出来的口水很多，睡觉也不老实，那么他可能是胃酸反流。让我们看看食物从嘴巴到胃部的历程，告诉你宝宝胃酸反流是怎么回事。食物被咀嚼吞咽后会顺着食道进入胃，食物一进入胃里，连接食道与胃的环形肌肉（叫作食道下括约肌）就会收缩，像阀门一样关闭起来，避免食物和含酸的胃部内容物反流回食道里。有时候，这道阀门还不成熟，无法彻底关闭，当胃部收缩时，半消化的食物和胃酸就会向上反流到食道里，刺激（或者说“灼烧”——所以才有“烧心”这个词）敏感的食道内壁。如果胃部内容物只在食道里反流了一小段距离，宝宝可能会痛，但不会吐口水，但是如果反流足够严重，胃部内容物反流到嘴里，那宝宝可能会吐很多口水，尤其是仰躺的时候。反流的胃部内容物也可能停留在喉咙后面，导致宝宝喉咙痛、作呕、咳嗽、牙釉质受到侵蚀、呼吸有酸臭味儿。如果严重反流，宝宝的胃部内容物甚至可能呛进肺部，导致气喘或类似哮喘的症状。

GERD 与正常的吐口水。大约有30% 的宝宝会吐很多口水，但这对他们没什么影响。这样的宝宝吐口水不是因为痛苦，他们发育也很正常——顶多会弄脏衣服，却不是健康问题。但是，如果宝宝没有随着成长自然度过吐口水的阶段（正常的吐口水一般到 7 个月就会停止），且吐的时候很痛苦，影响到吃奶、睡觉和成长发育，儿科医生可能会诊断为 GERD——胃食管反流病。

婴儿的信号和症状

宝宝可能患有 GERD 的信号如下：

- 宝宝“肠绞痛”
- 频繁惊醒，看起来是因为痛苦
- 睡觉不老实：弓腰驼背，不停扭动，好像是在痛
- 吃奶后立即表现出“痛苦”
- 吃奶困难——拒绝吃奶或是吃奶时间太短，因为吃奶意味着疼痛；可能会弓起背来拒绝吃奶，或者老想吃奶，因为某些时候母乳可以抗酸，宝宝觉得吃奶意味着舒服
- 频繁打湿嗝，闻起来有酸臭味儿
- 喉咙被堵塞——作呕、呼吸粗嘎
- 呼吸困难——频繁发生呼吸道感染、气喘、闭气
- 可能有“婴儿哮喘”的症状

幼儿及更大儿童的信号和症状

观察孩子有无下列迹象：

- 呼吸酸臭
- 声音嘶哑，因为胃酸刺激声带
- 频繁发生耳部和鼻窦感染
- 幼儿的牙釉质被侵蚀
- 可能出现增重不足
- 口水过多——唾液可以起到抗酸剂和

润滑剂的作用，保护受刺激的食道

- 弓腰和习惯性歪头，就像后颈肌肉抽搐一样

健康小贴士：
请考虑 GERD 而非肠绞痛

在儿科医疗实践中，我们不用“婴幼儿肠绞痛”这个词，因为它太过模糊，无所不包。我们的说法是“宝宝在痛”，这个术语更准确，更能激励父母和医生不断寻找原因并给予治疗，简单地给宝宝贴上“肠绞痛”的标签常常会让你错过正确的诊断。在早期的儿科实践中，我（比尔医生）对“肠绞痛”这个词总感觉不舒服，我的胃肠科教授告诉我，这个词的实际意思是“医生也不知道什么原因”。所以，在我们的实践和早期作品中，我用“宝宝在痛”的说法代替“肠绞痛”，激励父母和儿科医生寻找宝宝疼痛的真正原因并制定治疗计划。通过这种方法，我意识到八十年代晚期，大部分所谓的“婴幼儿肠绞痛”，其真正原因是胃食管反流病。1992 年，在《西尔斯育儿百科》中，我们建议父母和儿科医生考虑肠绞痛的根源可能是 GERD，而过去 20 年来的研究证明了 GERD 和肠绞痛之间的联系，我们是正确的。

怎么办

我们遇到过一位母亲，她的宝宝最终被诊断为严重的胃酸反流。她曾对我们说：“除非你们找出宝宝哭闹的原因，不然我就一直在你们诊所里搭帐篷。”下面我们将指引你如何诊断、抚慰宝宝。

得出正确诊断

目标是确定宝宝是否患有 GERD，如果是，问题是否严重。儿科医生需要你提供线索，不光是为了诊断 GERD，同时也是为了判断病情的严重程度：改变喂奶方式、调整宝宝姿势就可以解决，还是严重到需要吃抗酸药。通过记录 GERD 日志，你可以为医生提供帮助。请在日志中记录：

- 你注意到的信号和症状（见上文）
- 你觉得问题有多严重
- 症状有无好转或恶化
- 你试过的家庭疗法及其效果

儿科医生可能做的测试

如果单靠症状就能确定是 GERD，那么你和医生无需任何测试就能制定治疗计划。如果仍不能确诊，或者医生担心宝宝的肠道可能还存在其他问题，那可能需要测试来辅助诊断，例如：

X 光或上消化道造影。这种测试

主要是为了确定上消化道有无异常，例如胃肠连接处部分堵塞或其他消化道缺陷。单靠上消化道造影可能无法具体评估反流的严重程度。

PH 探针测试。这种测试在门诊部和住院部都可以做，有时在家都能做。医生会把一两根细面条似的管子伸进宝宝的鼻子，探入食道，管子的另一头连接在宝宝身旁的传感器上，大一点儿的孩子可以把传感器背在身上。传感器会记录食道反流物的 PH 值，或者说酸度。

健康小贴士：
积极参与测试

为了帮助医生判断宝宝胃酸反流的严重程度，请尝试记录一天中什么时候宝宝的症状最严重，例如什么时候宝宝会难以控制地一阵大哭，然后看看 PH 探针记录的读数与你观察到的症状是否吻合。

内窥镜检查。在诊所的门诊或医院里，儿科胃肠医生会让宝宝镇静下来，然后把一根柔性管插进宝宝的鼻子。内窥镜与摄像头相连，医生能够看到食道和胃部内壁被侵蚀的严重程度。虽然这是侵略性最强的测试，但它常被看作评估反流严重程度的“黄金标准”。如果消化道内壁只是轻微受到刺激，就可以采用不那么激进的治疗方法；但如果发现食道内壁被严重侵蚀，那就需要采取严格、积极的治疗方案，预防长期损伤，避免食道最终变窄。

胃排空检测。又叫闪烁显像，给宝宝喂一瓶含有极微量放射性物质的母乳或配方奶，利用计算机扫描宝宝腹部，探测胃部内容物排空需要多长时间。这种测试也能看出反流物是否进入肺部。

治疗

治疗 GERD 有三种方案：

- 改变喂奶方法
- 改变宝宝姿势
- 使用抗酸药

亲密育儿。对胃酸反流最有帮助的四条法则是母乳喂养、把宝宝“穿”在身上、睡觉时靠近宝宝、相信宝宝哭泣的信号价值（见 P164，“亲密育儿 7B 法则”）。亲密育儿能从三个方面帮助 GERD 患儿：

- 使宝宝哭得更少。
- 宝宝消化更快。
- 亲密育儿的母亲能够读懂宝宝哭之前的信号或是快要发生反流的身体语言，然后改变抱宝宝的手势来加以干预。

不要听信“让他哭”。记住，GERD

宝宝哭泣是因为疼痛，而不是想要“摆布”你，因为难受而大哭会增加宝宝肚子里的压力，加剧反流，还会增加、吞下去的空气，导致胃里的泡泡也排不出来，使反流恶化。在儿科实践中，我们见过宝宝因胃酸反流出现严重的食道损伤，父母本是好心，却听信了“让他哭个够”的建议。宝宝的哭泣是一种语言，请记住，他哭泣并不是你的错，也不是因为你当妈的技术不过关。尽可能对哭泣做出敏锐的反应吧，宝宝指望的就是这个。

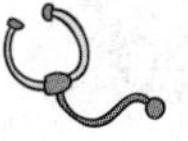

健康小贴士：久坐可能加剧反流

虽然坐着的时候身体是直的，但某些宝宝久坐可能加剧反流，比如坐在汽车座椅或是婴儿椅上。竖着抱宝宝能够减轻肚子的压力，可能减轻反流。

频繁喂奶。频繁喂奶会刺激宝宝唾液分泌，而唾液能够润滑受刺激的食道内壁，中和胃酸。唾液中还含有一种名为表皮生长因子（EGF）的物质，能够帮助修复受损的食道内壁。此外，单次进入胃部的食物越少，反流的程度就越轻，胃部排空食物的速度也越快，所以最好让宝宝少食多餐。

健康小贴士：治疗反流“2 原则”

- 2 倍频率喂养宝宝
- 每次喂 1/2
- 鼓励幼儿“多嚼嚼”(咀嚼 2 倍时间)

对于配方奶喂养的宝宝和已经开始吃固体食物的较大婴幼儿来说，“2 原则”尤其重要。在我们的实践中，少食多餐、放慢吃饭速度能够有效缓解反流。

给宝宝喝容易消化的奶。尽可能长时间、频繁地母乳喂养。母乳喂养能从以下方面帮助亲子双方：

- 胃部排空母乳的速度是配方奶的 2 倍。
- 母乳是天然的抗酸剂，母乳喂养的宝宝吃奶也更频繁。
- 哺乳期间母亲会分泌一种放松激素，帮助她们对付疼痛哭闹的宝宝。
- 母乳中还含有辅助消化的酶。

母乳和哺乳是妈妈对付反流的最好药物。

从妈妈的食谱中剔除一些食物。GERD 患儿更容易对母乳中的某些食物成分过敏。常常带来麻烦的食物包括牛奶、小麦、坚果、大豆和玉米。

使用低过敏性配方奶。GERD患儿的消化道可能受到双重打击——反流加上食物和牛奶过敏。配方奶过敏在GERD患儿中发生得更频繁，所以如果是配方奶喂养宝宝，医生可能建议你采用“低过敏性”配方奶，它更容易被敏感的消化道接受，某些低过敏性配方奶消化起来也更快。

喂奶后让宝宝安静下来。爸爸总爱把宝宝抛上抛下，抱在膝盖上揉来揉去，不过刚吃完奶可不是玩这些游戏的时候。揉捏宝宝可能导致胃部内容物四处晃荡，反流进食道里。

喂奶后让宝宝保持直立。喂奶后让宝宝安静地保持直立姿势约30分钟，重力是GERD患儿最好的朋友。大部分时间尽可能用婴儿背带把宝宝“穿”在身上，这样他能够以至少30度的角度保持直立。

好好拍嗝。胃部未能排出的气泡会加剧反流。为了尽量减少宝宝吞下去的空气，让宝宝换到另一边乳房吃奶时给他拍拍嗝。如果是配方奶喂养，请使用柔性哺乳袋以减少吞咽的空气，每喂3～4盎司奶就给宝宝拍拍嗝。

调整宝宝的姿势，让宝宝睡得舒适。GERD患儿晚上常常痛苦地惊醒，因为仰躺时重力无法帮助食物向下移动。如果宝宝睡觉总不老实，请用书本或其他物品把婴儿床的枕头抬高到30度左右。仰躺是最安全的姿势，但GERD患儿常常喜欢侧躺，因为这个姿势胃部的入口处比出口处高，重力能够帮助食物下移。特制的防反流楔能够把睡觉的宝宝垫高，婴儿用品店有售。

健康小贴士：
别用奶瓶支撑垫

因为GERD患儿的胃部内容物可能反流到喉咙里，发生作呕、窒息，甚至把东西呛进肺里，所以请勿使用奶瓶支撑垫，宝宝吃奶的时候必须有人看守。

安抚奶嘴。一般而言，我们不鼓励频繁、过度使用安抚奶嘴，不过它也许能够帮助病情严重的GERD患儿。频繁的吮吸会刺激唾液分泌，唾液是天然的抗酸剂，也能抚慰受到刺激的食道内壁。

给宝宝穿宽松的衣服。过紧的尿布和腰带会增加小肚子的压力，加剧反流。换尿布的时候宝宝仰躺容易胃酸反流，为了避免这种情况，换尿布的时候请用防反流楔把宝宝垫高。

请勿吸烟！烟雾中的尼古丁会促进胃酸分泌，打开食道下括约肌——这二者都会加剧反流。吸烟不但对宝宝不好，对妈妈也不好。香烟会降低母亲体内的催乳激素——帮助母亲放松下来、对付宝宝疼痛的激素。在家里贴上禁烟标志，也尽量避开二手烟。

推迟吃固体食物的时间。如果宝宝单吃母乳或配方奶也很开心，那就不需要过早引入固体食物，增加小肚子的麻烦。有的 GERD 患儿吃固体食物会有所改善，例如婴儿麦片；但对有的宝宝来说，固体食物在肚子里停留过长时间会加剧反流。刚开始给宝宝吃固体食物时，请务必少食多餐，并将食物充分混合。如果你家宝宝有 GERD，搅拌机和食物处理机会成为你在厨房里的好朋友。如果宝宝吃了固体食物后情况恶化，那就推迟几个月再吃。

寻求帮助。儿童及青少年胃食管反流协会——PAGER——是个有益的组织，他们会帮助 GERD 患儿克服疾病，茁壮成长。

幼儿及更大儿童的治疗建议：

- 少食多餐。请遵循上文所述比尔医生的“2 原则”，让孩子一整天都随意吃少量食物。
- 喝着吃。水果、酸奶奶昔与蔬菜混合，这样更容易消化，也不会在胃里停留太长时间。
- 多嚼嚼。教孩子小口吃饭，“至少嚼十次。”
- 九点以后请勿进食。早点吃晚饭，上床前吃点容易消化的零食。反流在睡眠中常常会恶化，你肯定不希望孩子睡觉的时候肚子空空的或是满满的。
- 养个苗条宝宝。肚子里的脂肪过多也会加剧反流。

刺激反流的食物

这些食物可能在孩子的胃里停留更长时间，加剧 GERD。它们可能还会通过母乳刺激宝宝的小肚子：

- 油炸食物
- 肥腻食物
- 酸性食物：西红柿、胡椒、柑橘类水果和洋葱
- 难以咀嚼的肉
- 咖啡因（咖啡因会促进胃酸分泌）
- 过量巧克力
- 碳酸饮料
- 过多香料（过多辣椒）
- 富含山梨糖醇的果汁（如果孩子喝得太多太快，西梅汁、苹果汁和梨汁可能在肠道里产生气体，加剧反流。如果孩子喜欢这些果汁，让他喝得慢一点、每次少喝点，可以多喝几次）

容易消化的食物——例如奶昔、汤和低脂肪食物——更容易快速通过胃部。

什么时候该吃药

如上所述，改变养育方式、调整喂养方式和姿势可以解决大部分轻微的反流问题。但有的孩子反流十分严重，必须抑制胃酸以避免食道受到长期损伤。在讨论药物之前，父母应该思考几件事：

多保健，少吃药。在治疗 GERD 的过程中，多保健的方法效果显著。大多数 GERD 患儿只需要吃一点点药就能靠自我保健痊愈。记住，药物是保健的补充，它无法替代保健（请见 P012）。

药物有副作用。给孩子开抗酸药时，儿科医生会慎重考虑，因为胃酸对于消化和肠胃健康很有意义。除了帮助分解食物以外，胃酸还能帮助下消化道里的细菌保持适当平衡，杀灭某些食物中可能存在的细菌。抑制胃酸可能会使有害细菌的数量超过健康细菌，增加下消化道不适的风险，导致炎症和腹泻。

药物的类型

抗酸药。用于治疗轻微反流。其主要成分可能是钙、铝或镁，这三者都能中和胃酸。抗酸药应在饭前吃，每天 3 ~ 4 次。

促动力药。这种处方药既能收紧食道下括约肌，又能推动食物在消化道里移动，加快胃部排空的速度。

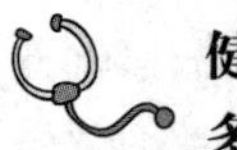

健康小贴士：多吃益生菌

我们会常规性地给吃抗酸剂的孩子开益生菌，酸奶之类的发酵乳制品中有这种健康细菌。抗酸剂可能会破坏下消化道中健康菌和有害菌的平衡，而益生菌能够帮助修复这一问题（见 P028，“益生菌”）。

H2 受体阻断药和质子泵抑制剂（PPI）。这两种药可抑制胃酸分泌，胃酸受抑制的程度取决于药物的类型和剂量，医生会根据孩子的年龄和病情开具处方。因此，你在日志中详细记录宝宝反流的严重程度非常重要。

手术

对于因胃酸反流成长发育受阻的孩子，尽管医生和父母做出了许多努力，但有时候可能还是要考虑手术。最常见的手术叫作胃底折叠术，这种手术会让胃部上半部分的肌肉全部或部分包裹食道下半部分，压紧该区域，减轻反流。如果做的是半包裹手术，孩子还是可以呕吐，所以人们常常更偏好这种选择。神经受损的孩子需要考虑手术治疗反流的情况更多，因为他们的 GERD 问题通常更为严重。

健康小贴士：
嗜酸性粒细胞性食道炎（EE）

吃了药也没好转的孩子可能得的是 EE，这是重度食物过敏引发的一种严重 GERD，可通过内窥镜检查确诊，详情请咨询胃肠专科医生。

95. 地图舌

儿童和成人都可能罹患地图舌。地图舌表现为舌头表面出现红色斑块，周围有不规则的白色边线，就像地图一样。斑块可能变大或缩小，有时候出现在舌头上某个部位，消失后不久又出现在另外的地方。目前地图舌的病因未知，它可能会与其他儿童疾病混淆，例如鹅口疮或舌头上的烧烫伤。

症状

大多数地图舌患儿除了舌头异常以外没有其他症状，所以地图舌被看作一种无痛、无害的小毛病。较偶然的情况下，孩子可能出现下列症状：

- 嘴里有灼烧感
- 进食困难
- 睡眠困难
- 对热的食物或辣的食物更加敏感

治疗

目前对地图舌尚无有效疗法，其症状一般会随时间而改善。如果热的食物或辣的食物会刺激舌头，请不要给孩子吃。

96. 成长痛

上床之前，6 岁的孩子揉着大腿和小腿呻吟：“噢！”他的腿老是动来动去停不下来，还让你想想办法。

典型的成长痛在活跃的孩子身上很常见，孩子会感觉疼痛，但却无害。成长痛常常出现在黄昏时分，孩子抱怨腿痛、抽搐。虽然成长痛的确切原因我们仍不太了解，但它却真实存在，孩子的腿真的在痛。这些疼痛不是他想象出来的，也不是他在博取你的同情。我们怀疑，成长痛是由于过度使用腿部肌肉而引发的，而且常常是因为腿脚运动的方式不当。幼小的肌肉和骨骼，其结构适合在沙子、草地和土地上奔跑，而不是在水泥地面、柏油路面和健身房的硬地板上活动。

信号和症状

典型成长痛的线索如下：

- 疼痛常常在剧烈运动之后的傍晚或睡前出现。
- 孩子指着大腿上方和腿肚子的肌肉

画圈，却常常没法确切地说出到底是哪儿痛。

- 有时候是这条腿痛，有时候是另一条。
- 孩子指着的地方不是关节，如髋关节、膝关节或踝关节。
- 你没有发现肿胀或局部触痛（压痛点）。
- 走路之类的活动不会加剧疼痛。
- 孩子走路没有变跛或“摇摇摆摆”。
- 孩子其他方面一切正常。

什么时候该担心

如果出现下面的迹象，那可能就不光是成长痛了，你应该迅速求医：

- 孩子瘸拐。
- 疼痛固定出现在某一位置，持续几天或几晚。
- 有局部触痛或肿胀。
- 疼痛牵扯到背上，或者弯腰的时候会痛。
- 孩子指着关节部位说痛，例如髋关节、膝关节或踝关节。
- 疼痛伴有发烧、脸色苍白或其他病状。

怎么办

就像对付所有慢性疼痛一样，做一张成长痛表格，尤其注意记录疼痛的严重程度、出现频率和具体描述。典型的成长痛没那么频繁和严重，描述较为模糊。成长痛给了你一个机会，让你再次与孩子紧密联系起来，扮演家庭治疗师的闪光角色：

- 用热毛巾热敷疼痛区域。
- 播放舒缓的音乐，和孩子简单聊几句，同时按摩患处。安抚性的触摸加上一点充满爱意的照料，孩子需要的常常就是这个。
- 让孩子伸出腿来，上下活动脚，拉伸肌肉。
- 给他洗个热水澡。
- 给孩子补水。激烈运动后，脱水的肌肉可能会痛。运动过程中和运动结束后，请确保孩子大量饮水。
- 检查脚部。内翻足和扁平足在硬质地面上运动可能导致孩子的重心轴失衡，压迫肌肉，引起疼痛。请儿科医生检查一下孩子的脚——矫形师可能也有帮助。
- 使用后跟缓冲垫。发育中的跟骨不适于在硬质地面上活动。请购买非处方海绵橡胶后跟垫，塞到孩子的运动鞋里，最好买后跟有缓冲的运动鞋。

一旦孩子的骨骼发育完全，就会自然度过成长痛的阶段，你也就不用担心了。

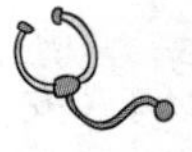

健康小贴士：
画圈和指点

记住画圈和指点的区别。如果孩子说得很模糊，没法指出疼痛的确切位置，那就没那么严重。如果孩子反复指着同一个位置说痛，那便是危险信号。

97. 脱发

儿童脱发有几种不同的原因，谢天谢地，基本都可以治疗。

拉扯脱落

孩子自己动手拉扯头发可能导致脱发，这种情况又叫拔毛癖，常常导致头上出现不规则的斑秃，可能出现在头皮任何区域。秃斑不像其他原因引起的脱发一样呈圆形或椭圆形。如果孩子有拉扯头发或绞头发的习惯，拔毛癖常常会随着时间慢慢发展。如果孩子焦虑或压力较大，拔毛癖可能恶化。

对于这种情况，唯一成功的治疗方案是让孩子改掉扯头发或绞头发的习惯，帮助孩子度过焦虑期或压力期可能也有帮助。随着时间推移，秃斑基本能够重新长出头发。

头发受到物理损伤

儿童牵引性脱发是因为头发的毛干受到直接物理损伤。孩子的头发比成人的脆弱得多，这种情况在发辫扎得过紧或是正在接受大剂量化疗的女孩身上最为常见。目前流行的许多发型也会让孩子脆弱的毛干承受过多压力。

治疗这种脱发第一点也是最重要的一点：请医生检查确认孩子的确是牵引性脱发而非其他原因。治疗这种情况很简单，只要扎头发的时候轻柔一点儿，换个更自然的发型就好。只要做到这一点，头发通常会重新长出来，不过这个过程可能要花好几个月。

健康小贴士：
做个头发侦探

如果你怀疑孩子脱发是他自己扯掉的，请全天候注意观察孩子。孩子入睡前、观看电视、电影的时候最容易扯头发或绞头发。

斑秃

如果是斑秃，头皮上会出现一个以上圆形秃斑。和干燥脱皮的真菌感染不同，秃斑处的皮肤看起来完全正常，也并不比头部其他区域敏感。医生尚不清楚斑秃发生的原因，可能有家族遗传倾向。斑秃不会传染，也不是饮食习惯不好或压力引发的。

请医生诊断孩子是否患有斑秃。对于这种情况，唯一的“医学疗法”就是观察并等待。几乎所有斑秃儿童的头发都会在一年内重新长出来，如果一年后斑秃仍未消失甚至恶化，请咨询医生。

休止期脱发（正常新生儿脱发）

这个听起来很高端的术语是指“正常的”婴儿脱发。在生命最初的几个月里，有的婴儿脱落的头发似乎比新长出来的还多。有时候，新生儿 3 个月时的头发还不如刚出生时多！这个过程非常正常，因为更加成熟的头发正在取代脆弱稀少的胎发。这种情况偶尔也会出现在疾病初愈的较大儿童身上，因为生病期间和病刚刚好的时候，毛囊可能进入休止状态。

疤痕性脱发

这是头皮受到外伤（例如割伤或烧伤）之后出现的秃斑。外伤可能破坏该区域毛囊，使头发不再长出来，出现秃斑。如果外伤较小，那通常注意不到，除非把头发剪得非常短。这种秃斑通常会伴随终身。

98. 头痛

许多疾病都会引起头痛，例如发烧、流感和鼻窦感染，但是无疾病状态下的头痛在较小儿童中十分罕见。年龄大一些的孩子会开始迎接一次又一次的头痛，这是生活中正常的压力引起的。下面我们将指导你了解和处理全年龄段儿童的头痛。

原因

有的头痛就是单纯的头痛，而有的是其他疾病的一部分。下面我们介绍头痛的各种原因以供你选择最佳处理方式。

导致头痛的感染

感冒和流感。这两种常见疾病经常引发头痛。详见 P227、P334。

鼻窦感染。眼睛和前额周围的头痛可能是鼻窦感染的症状。见 P483。

发烧。发烧一般都会引起头痛。事实上，孩子最开始抱怨发烧的疾病几乎都会引起头痛。见 P325。

链球菌性喉炎。如果孩子喉咙痛、发烧、头痛，请考虑链球菌性喉炎。见 P512。

脑膜炎。严重头痛伴有颈部僵硬、发烧、呕吐、光敏感，那可能是脑膜炎。见 P404。

非感染性原因

常规性头痛。随着孩子进入青春期，几乎每几个月就会偶然出现一次头痛，这是生活中的压力引起的。这种情况不代表孩子有什么值得忧虑的疾病。

视力问题。视力问题逐渐出现，头痛也会随之出现。如果孩子反复头痛，你和医生应该首先检查视力，孩子自己可能注意不到眼疲劳或其他轻微的视力问题。

高血压。这种原因较为罕见，不过在诊所里很容易检查出来。

低血糖。如果孩子的头痛似乎与饥饿有关或是在餐前发作，那可能是因为低血糖。这种情况基本不需要进行测试，多给他吃健康的零食就行。

偏头痛。这种麻烦的疾病会带来严重的抽搐性头痛，持续数小时甚至整天，通常伴有作呕、眼前出现黑点等症状。详见 P407。

压力。和成人一样，大一点儿的孩子和青少年也会出现紧张引起的头痛。如果这样的头痛反复出现、令人困扰，请尝试给孩子减减压。

什么时候该担心

常规性头痛基本没什么可担心的，在安静的房间里休息一会儿，有必要的话吃点止痛药就好。但是，如果出现下列情况，请务必致电医生。

- 脑膜炎症状（见上文）
- “有史以来最剧烈的头痛”
- 头痛伴有其他神经性症状，例如视觉模糊或重影、眩晕或肌肉无力
- 头部受伤后出现剧烈头痛

解决慢性头痛

如果孩子常常出现无法解释的头痛，我们建议你采取下列措施：

- 记录头痛日志。记下头痛发生在一天中的什么时间、饭前还是饭后、剧烈程度、采取什么措施有所好转、头痛当时孩子正在做什么。
- 去看儿科医生。请医生给孩子做视力测试、血压检查、尿试纸检查和物理检查，看看有无明显病因。
- 去看眼科医生。眼科医生可以检查更加不易察觉的视觉问题，这些问题儿科医生可能注意不到。
- 去看脊椎指压治疗师。这也许能够帮助改善颈部和脊椎的健康，也许能还解决头痛的问题。
- 食物过敏测试。有的孩子会因食物过敏引起头痛。见 P336。

99. 撞头

撞头是一种常见的幼儿行为，通常

无害。2 ～ 3 岁的幼儿语言能力尚不完善，如果他很容易觉得挫折，那么就可能用撞头来表达挫折感。在幼儿学习如何处理挫折感的过程中，有的孩子可能选择与它“迎头相撞”。

怎么办

虽然对父母来说，孩子撞头让人沮丧，但实际上孩子很少弄伤自己。在儿科医疗实践中，我们实在想不起来有哪个孩子自己撞伤过头。不过，就像对待其他许多让亲子双方都感觉沮丧的行为一样，你可以发挥自己的作用，帮助孩子度过这一阶段。

追踪诱因。列出撞头前的情景。孩子烦了、累了还是活动空间太小（比如婴儿床上）？一旦你确定了引发撞头的原因，请尝试加以避免。

试试“拥抱时间”。如果孩子这段时间很爱撞头，请每天给他创造一个舒适的基调。孩子早上起床后，搂抱他至少 10 分钟。如果你发现孩子一整天里越来越紧张，那么几分钟的拥抱能够释放压力，常常可以避免撞头的出现。对某些孩子来说，撞头可能意味着他们正在经历抑制挫折感的混乱阶段，他们需要温柔平和的照料，以整理好自己的整个神经系统。你可以让孩子坐在摇椅里摇摇他，和他一起小睡，带着他随轻柔的音乐跳舞。

展示和讲述。教育孩子如何在不伤害自己的前提下自我冷静，给他提供发泄压力的另一种选择，例如捏一捏、揉一揉泰迪熊玩具或是跑圈子，向他演示如何这样做。现在孩子有更安全的方式来表达挫折感了。

转移注意力的技巧。当你观察到孩子就要开始撞头，请立即用“停止行为”的词语打断他，例如“走”“车”“玩”——这些词会让孩子想到他喜欢的有趣事情，从而转移他的注意力，让他去想好玩的活动。

玩玩“头碰头”。如果孩子看起来喜欢撞头的感觉，让他站在你面前，你的头和他的头位于同一高度，然后轻轻撞他的前额。你还可以让他撞你身上柔软的地方，例如肚子。

孩子会慢慢成长，度过撞头的阶段。随着他逐渐学会用语言表达挫折感，找到不那么让人担心的替代方式来发泄压力，撞头就会成为回忆。

100. 头部损伤

关于头部损伤，你应该明白最重要的一点：头部损伤基本都不严重，颅骨的设计用途就是承受童年期的沉重撞击和淤伤。从家具上摔到瓷砖铺的硬地板上或是不小心绊倒、头撞到硬东西上面肯定会留下大包和淤伤，但颅骨里的大脑几乎不会受到损伤。

注意：如果孩子是在运动中受伤出现脑震荡，请见 P243，“脑震荡”。

紧急处理

先不要惊慌。如果孩子感到你很放松，他更可能也会平静下来。请采取下列措施：

冰敷。在密封好的塑料袋里放几块冰、一些水，压在肿块上冰敷 20 分钟。对于疼痛的肿块部位来说，这样的冰敷袋很软，也不是太凉，比硬冰袋更容易忍受。冰敷 20 分钟后拿开冰袋，让孩子休息几分钟，然后再冰敷 20 分钟，这不仅能止痛，还能大幅度缩小肿块最终的尺寸并促进其愈合。我们相信，如果有必要的话，哪怕孩子不配合你也应该强行给他冰敷。

止痛剂。孩子肯定会头痛。等他平静下来以后，暂停一下冰敷，给他吃点布洛芬或对乙酰氨基酚。

止血。如果有开放性伤口，血会流得很厉害，因为头皮里有很多血管。你可以用装满碎冰的毛巾冷敷伤口，不要用袋子，毛巾可以压迫止血，等到大家都平静下来以后再检查伤口，看看是否需要缝合（见 P264）。

约 1 小时内不要让孩子入睡。受伤之后大部分孩子想好好打个瞌睡，但一开始最好别让孩子睡觉，这样你才能更好地观察他的状态。1 小时后就可以让他睡觉了。

检查瞳孔。一旦孩子平静下来，请观察他的瞳孔。如果一对瞳孔的大小正常，没有异常的放大或缩小，那你就可以放下心来，没什么大事儿。

什么时候该担心

大多数一般的头部损伤不需要看医生，不过，你应该明白要警惕哪些危险信号。你应在接下来 12 小时内观察孩子，如果出现下列症状之一，那么很可能必须去最近的急诊室，路上你可以给医生打个电话。

失去意识。如果孩子昏迷（哪怕只有几秒），可能意味着外力强大到引发了颅内淤伤或出血。要确切知道孩子有没有昏迷，你可以注意一下，看他摔倒后有没有立即哭出来。

难以醒来。孩子就是想睡觉，这没问题，如果是小睡的话，请在 1 小时内尝试叫醒他。如果是深夜受的伤，你要睡在孩子身旁，定好闹钟每 2 小时响一次，你醒来时轻推孩子，直到你至少看见他睁开眼睛，对你的打扰表示不耐烦。如果孩子很难摇醒，请去最近的急诊室。

精神状态改变。这意味着孩子的注意力不在你身上、不再跟你眼神交流、对问题或要求没有反应。在你试图给他冰敷的时候，抱怨疼痛不肯让你冰敷实际上是好现象，这代表孩子没事儿。

呕吐。头上鼓起来一个大包之后，很多孩子会吐上一两次，这可能是哭泣、咳嗽、恶心引起的，也可能仅仅是因为颅骨受到震荡，这很正常。但是，如果孩子呕吐三次以上，那可能是颅内损伤的信号。

失去平衡。许多孩子可能抱怨头昏眼花，这很正常，但如果他真的失去了平衡，走路时反复摔倒，请去急诊室。

持续哭泣或剧烈头痛。如果孩子约 1 个小时后还没平静下来，或者吃药后 1 个小时还在抱怨头非常痛，最好请儿科医生看看，如果是下班时间请去急诊室。

101. 听力问题

常规检查时儿科医生可能会询问宝宝的听力，但婴儿或儿童的听力有无

家庭听力检查表			
年龄	观察项目	是	否
2 ~ 6 个月	• 眼睛望向说话的人 • 听到你的声音会安静下来 • 听到周围正常的声音会朝那边转头 • 听见突然的噪音会吓一跳 • 喜欢你的声音，听到你的声音会平静下来		
6 ~ 12 个月	• 你进入房间时，会朝你发出的声音转头 • 从背后叫他的名字，他会回头 • 会牙牙学语，就像在试图模仿你的声音 • 别人说话的时候他很着迷，似乎很喜欢听 • 以正常说话的音量提到他熟悉的名字时，他会转过头来 • 牙牙学语，看起来很喜欢听到自己的声音 • 听见舒缓的音乐会平静下来		

（续表）

家庭听力检查表			
年龄	观察项目	是	否
1～2岁	• 喜欢模仿你的声音 • 对简单的要求有反应，如“挥手拜拜”“拿那个球” • 对简单的问题有反应：“博比在哪儿呀？”“狗狗在哪儿呀？” • 能对更为复杂的要求做出反应：“拿那个球……扔给爸爸……” • 会回答关于进食的问题：“还想不想吃呀？” • 你说“走”的时候会朝门口跑 • 你说“再见”但没有做出动作的时候，他会挥手 • 指指点点和比划的情况减少 • 你从背后柔声跟他说话，先在一边，然后换到另一边，他会随着你的声音转头		
2～4岁	• 词汇增加——每周至少学会2～3个新词 • 会问“为什么”“是什么”之类的问题 • 听到熟悉东西的名字，会指书上对应的图片 • 会注意到周围的声音，例如电话铃声和敲门声		

异常主要是靠父母的观察。最开始几年里，家长要格外注意孩子的听力，因为最佳的言语发育需要敏锐的听力，尤其是在孩子有复发性耳部感染病史或儿科医生频繁提到孩子“鼓膜后有积液”的情况下。比如说，如果孩子过敏，那

因过敏而分泌的液体可能会在中耳内积聚，限制鼓膜振动，导致孩子言语和听力发育迟缓。要知道孩子的听力是否正常，最好的方法是记录言语日志（见P500，“言语迟缓和说话晚”）。有听力问题的孩子常常会出现言语迟缓。

请格外注意观察孩子对日常生活中的正常声音做何反应，具体请遵照如下表格指导。

如果有几项你选了“否”，那最好检查一下孩子的鼓膜后有无积液、耳道里有无耳垢堵塞。根据孩子一贯的情况，医生会告诉你是否需要、何时需要请耳科医生（听力专家）进行彻底的听力检查。

健康小贴士：听力测试

预约听力测试的时候，请选择结果最有意义的时间段：

- 早晨孩子最愿意合作的时候
- 不要在感冒或过敏发作期间测试听力（因为中耳里可能有积液）

解释学校常规听力检查的结果时，请遵循同样的原则。

对父母来说，要评估婴儿或儿童的听力是否正常，最简单的办法是看他是否愿意交流、是否专心，这个原则适用于任何年龄。

除了上述特别信号以外，如果你注意到孩子出现下列迹象，请务必给孩子做听力测试：

- 似乎不愿意交流、不专心（警告：我们发现过一些听力较弱的孩子看起来非常专心，父母说话的时候他们会靠得很近看父母的脸。这样的孩子是靠唇语和面部表情来“听”，他们的听力实际上有问题）
- 看起来笨笨的，对周围的东西不感兴趣
- 交流时使用很多手势和动作

保护孩子的听力

除了中耳积液以外（预防耳部感染见P291，治疗过敏见P134），过多暴露在强噪音中也会损害听力。持续暴露在强噪音中会造成孩子永久性的听力损伤。对成人来说这很好解释：如果声音大得让你耳朵疼，声音停止以后你的耳朵还嗡嗡响，那就是太吵了。有的孩子可能会捂住耳朵，但大多数孩子只能承受噪音，忍受损伤。反复暴露在高于85分贝（db）的噪音中会损伤听力。正常交谈的声音大约是50～65分贝，真空吸尘器和电吹风的声音是70分贝，搅拌机100分贝，割草机110分贝，电锯110分贝。声音越大，损伤耳朵需要的时间就越短。噪音损伤是永久性的，因为它会损害孩子耳朵里随声音而振动的细小纤维（纤毛），当纤毛无法正常振动，就会削弱听力。下列措施可以帮助你保护孩子的耳朵：

- 监控头戴式耳机的音量。我们的普遍原则是，如果你在几步之外还能听见孩子戴的耳机发出的声音，那就是太大声了。
- 如果周围交通嘈杂（重卡车能产生85分贝的噪音），请绕行以避开最吵的声音。
- 树立护耳榜样。使用割草机、噪音大的电动工具甚至比较吵的真空吸尘器时，戴上耳塞或隔音式耳机，以身作则，教育孩子保护好自己的耳朵。在使用这些工具时，如果孩子待在附近，也给他准备一副尺寸较小的耳塞或耳机。
- 听摇滚音乐会时不要坐得离歌手太近。事实上，许多摇滚乐手都有某种程度的永久性听力损伤。如果音乐会伤害你的耳朵，那它同样会伤害孩子的耳朵。
- 用电吹风时调到最低档，哪怕得花更多时间才能吹干头发。
- 教育孩子在周围很吵的时候用手捂住耳朵。
- 长时间坐飞机时，不要坐在机尾附近，这里的噪音通常最大。如果你喜欢坐在机尾（因为这里常常离厕所比较近），你和孩子都应该戴上降噪耳机。

102. 心脏杂音与心脏缺陷

幸运的是，心脏问题在儿童中并不常见。许多新生儿的心脏缺陷会在一两年内自然消失，真正严重的心脏问题十分罕见。不过从另一方面来说，心脏杂音相当常见。杂音表明孩子可能有心脏缺陷，但大部分杂音只是婴儿期的正常现象。下面我们介绍一些心脏杂音和心脏缺陷的基础知识，告诉你如何配合医生处理这些问题。

心脏杂音

心脏杂音指医生听诊病人心跳时发现的不应存在的嗡嗡声。一般而言，用听诊器检查时，心脏会发出两种明显不同的声音：心脏正常工作，收缩和舒张时发出大家熟悉的“扑通”声，将血液泵入身体。除了正常的“扑通”声之外，任何其他声音都被视作心脏杂音。心脏杂音有多种不同的原因，在新生儿中十分常见，在大一些的孩子身上没那么普遍。大部分心脏杂音都没什么值得忧虑的原因，会随时间自然消失。

心脏杂音的分类取决于多种因素，

其中包括：

- 杂音的音量大小（通常分为 1 ～ 6 级，1 级的声音最小）
- 声音的具体类型
- 杂音在哪个位置听得最清楚
- 杂音出现在正常心跳循环中的哪个时间点

声音较轻（1 ～ 2 级）、听起来是音乐似的嗡嗡声、在胸骨左面听得最清楚、出现在“扑”声和“通”声之间的心脏杂音通常被视作正常杂音，又叫无害杂音、功能性杂音或斯蒂尔氏杂音（以最开始描述这种杂音的医生命名）。儿童期大约 95% 的心脏杂音都是无害杂音，它的出现是因为婴儿小心脏中的血流有时十分湍急（成人的心脏比较大，有更多空间可供血液更为舒缓地流动）。用听诊器检查时，湍急的血流会发出杂音。如果医生发现孩子的心脏有无害杂音，他可能会决定只在周期性常规检查时注意一下杂音的情况。随着孩子长大，心脏体积增大，这种杂音常常会自行消失。

什么时候该担心。如果听起来无害的杂音开始发生变化，那可能需要利用超声波进一步检查（叫作超声心动图），确保孩子没有实质性的心脏问题。如果新发现心脏杂音不像是典型的无害杂音，儿科医生可能会给孩子预约超声波检查，排除心脏缺陷的可能性。

如果有心脏杂音的宝宝出现下列信号，应该立即做超声波检查：

- 整天或整夜持续出现呼吸急促、吃力（所有宝宝都可能出现几分钟呼吸急促，这是正常的）
- 手、脚或嘴唇周围泛青
- 进食时越来越疲劳、气短

大一些的孩子和青少年如果出现下列症状，可能是心脏缺陷：

- 变得很容易累
- 休息或活动时胸痛
- 进行锻炼或其他物理性活动变得越来越困难
- 锻炼时突然失去意识或晕倒

这些信号意味着孩子的心脏可能有缺陷，于是心脏必须越来越努力地工作，才能将血液和氧气送到身体各部位。如果孩子出现上述症状，请立即去看儿科医生。

心脏缺陷

胎儿发育期间可能出现的心脏缺陷有很多种，幸运的是，大多数心脏缺陷十分罕见，所以我们没必要在本书中详细描述每一种心脏缺陷。但是，我们很愿意分享两种最常见的心脏问题，万一你突然发现孩子有心脏缺陷，这也许能帮上忙。根据孩子心脏杂音的特质以及可能出现的上述症状，儿科医生也许会怀疑孩子有心脏缺陷。

房间隔缺损和室间隔缺损，或者说心脏上有个“洞”。这是最常见的先天性心脏缺陷，幸运的是，它也是最轻微的心脏缺陷，常常会随着心脏长大自行矫正。胎儿心脏发育期间，分开心脏左右两边的肌肉壁（或者说隔膜）上有一个洞，于是血液可以在左右两边之间流动（在胎儿期这是有必要的）。出生时，随着肺部开始给血液充氧，新生儿的循环发生变化，血液不再需要在左右两边之间直接流动，这些洞会自行闭合。如果有一个以上的洞口未能完全闭合，就会留下隔膜缺损。如果这种缺损出现在心脏上半部分，那就叫心脏房间隔缺损（ASD），出现在下半部分的叫心脏室间隔缺损（VSD）。

宝宝出生后，血液将继续通过洞口流动，产生儿科医生听到的心脏杂音，超声波检查可帮助确诊。这种情况的严重程度取决于缺损的位置和尺寸。大多数缺损都很小，会随着孩子长大自行闭合；较大的缺损可能不会闭合，杂音一直存在，可能需要在头几年里通过手术修复。儿科心脏病专家会追踪宝宝的病情，决定何时需要做手术。

心脏瓣膜狭窄或失调。心脏里有四片不同的瓣膜，它们的开闭控制着血液在心脏中的流动和流出，正常心跳的“扑通”青就是瓣膜开闭发出的。如果某片瓣膜过于狭窄或是功能失调，就会产生独特的心脏杂音。瓣膜问题可能在出生时就有，也可能等到孩子大一些以后才出现。我们通常利用超声波来诊断瓣膜缺陷，然后儿科心脏病专家会追踪孩子的病情，决定是否需要、何时需要手术修复瓣膜。

健康小贴士：看牙医时采用抗生素预防措施

心脏缺陷患者（儿童或成人）容易罹患风湿热（见P514）。做牙科手术、膀胱导尿管之类的侵略性检查或肠镜手术时，细菌很容易侵入血液，这些细菌尤其喜欢异常的心脏瓣膜或心脏缺损，它们会在这里定居下来，形成感染，导致患者发烧、心脏功能失调。因此，在进行此类操作时使用抗生素可预防风湿热的出现。如果孩子有心脏问题、需要采取抗生素预防措施，儿科医生会告诉你。

风险因素。某些新生儿可能更容易出现先天性心脏缺陷，例如：

- 先天性染色体变异的婴儿（如唐氏

综合征）

- 有其他先天性缺陷的婴儿
- 母亲在孕期饮酒的婴儿
- 母亲有糖尿病或是母亲在孕期出现糖尿病的婴儿
- 母亲在孕期罹患风疹的婴儿
- 早产儿

103. 痱子

痱子（又叫热痱或红色粟粒疹）常在天热容易出汗的季节发生，婴儿和儿童比成人更容易长痱子。长痱子的原因是皮肤上的汗腺堵塞，我们常常看到孩子去炎热或潮湿的地方度假回来就长了痱子。炎热、出汗、细菌和死皮细胞都会堵塞汗腺，导致局部皮肤发红、发炎、受到刺激。

如何判断

判断痱子的线索如下：

- 红色的小点，就像微型水疱，可能出现在身体任何部位。高热带来的水疱似的疹子更容易出现在被衣服遮盖的地方，例如肩部、背部、躯干、臀部和大腿。
- 孩子抱怨瘙痒或刺痛。
- 某片皮肤可能会发红，真正长痱子的地方则出现微小的水疱状红点。

怎么办

- 如果你注意到孩子开始出现类似痱子的症状，请避开高热、潮湿的环境以避免他过度出汗，这也许能够避免痱子恶化。
- 给孩子穿宽松合身的棉质衣物。和尿布疹一样，多汗、潮湿和紧身的泳衣会成为痱子的温床。
- 安抚性的药物可以缓解症状，例如炉甘石洗液。
- 如果某片区域长痱子很严重，请搽几天非处方氢化可的松霜剂以止痒。

健康小贴士：让空气风干疹子

尽可能让患处保持干燥。在痱子上拍一些玉米淀粉会有帮助，它能够吸收多余的湿气，避免痱子恶化。

好消息是，几乎所有痱子都会在一周左右消失，偶然情况下，如果孩子继续长时间待在炎热潮湿的环境中，痱子可能持续更长时间。如果痱子似乎在恶化而非好转，请咨询儿科医生。

104. 与炎热有关的疾病（中暑）

天气炎热时，儿童和青少年可能出现三种严重的中暑问题：热痉挛、热衰竭和热射病。下面我们简要介绍这三种情况，并提供预防和治疗措施。

热痉挛

儿童和青少年在炎热天气下运动时常常发生热痉挛，它实际上是肌肉群强迫性收缩，伴有疼痛。任何肌肉群都可能发生热痉挛，不过到目前为止，最常见的是小腿肌肉群和腘绳肌肉群热痉挛。热痉挛发生的原因通常是天气炎热、脱水、剧烈运动或身体状况较差。

治疗。分辨热痉挛的运动员很容易，他常常会躺在地上，抓住腿后方，没法站起来也没法动。好消息是，热痉挛很容易治疗，一般休息一下就能好转。不过有一点很重要：如果运动员不加适当休息就重新开始运动，那可能导致进一步的肌肉损伤，例如肌肉拉伤或撕裂。肌肉痉挛后孩子应该充分休息，等痉挛消失一会儿后再回到运动场上。其他重要的治疗措施还有：

- 喝足量的水
- 按摩痉挛的肌肉
- 待在凉爽的地方

健康小贴士：
给运动的肌肉提供充足水分

年轻运动员应养成正确的补水习惯，除了喝很多水以外，还应该摄入富含钾的膳食，确保正常的肌肉功能，这非常重要。低钾膳食会让孩子更容易发生热痉挛，有一些食物富含钾，例如香蕉和绿叶蔬菜。

热衰竭

和热痉挛一样，热衰竭也是过度炎热引发的。热衰竭常常发生在剧烈运动中，也可能是单纯因脱水而引发的。年纪很小的儿童和老人最容易出现热衰竭，因为这两个年龄段的人最难以调节身体核心的温度。

症状。儿童或青少年可能发生热衰竭的信号包括：

- 过度出汗
- 眩晕
- 恶心呕吐
- 脸色苍白
- 晕倒
- 38.3 度～38.9 度的低烧

治疗。治疗热衰竭请采取下列措施：

- 让孩子躺下来休息，最好找个凉快

的地方

- 给他喝足够的凉水
- 用冰袋敷在前额、腋窝和腹股沟处以辅助降低身体温度

在特殊情况下，热衰竭患者可能需要静脉（IV）注射补充水分。

健康小贴士：准确测量体温

如果你怀疑孩子因为过于炎热出了问题，准确测量体温非常重要。这种情况下只能用口腔或直肠温度计，不要用耳温计或额温计，因为它们测出的体温可能偏低，不够准确。

什么时候该担心。如果孩子出现下列症状，请立即求医：

- 发烧超过 38.9 度，一小时内无法退烧
- 不怎么出汗
- 剧烈呕吐
- 神智不清醒、没精打采或失去意识
- 痉挛

若能恰当治疗，儿童及青少年热衰竭会彻底痊愈，不会留下长期影响。

热射病

在与炎热有关的疾病中，热射病最为严重，需要立即急救。绝大多数热射病发生于个人在极端炎热或潮湿的环境中剧烈运动时，不过，如果周围环境足够炎热或潮湿，不运动也可能出现热射病。不运动却发生热射病的患者通常年纪很小或很大，身体虚弱，因为这两个年龄组的人调节自身体温最为困难。儿童或青少年热射病通常发生在一年中最为炎热潮湿的季节，一般在孩子剧烈运动时发作。

症状。热射病患者通常会出现下列症状：

- 体温极高（经常高于 41 度）
- 谵妄或神志不清
- 可能突然倒下，失去意识
- 出现痉挛症状
- 几乎不怎么出汗（热射病患者可能根本不出汗，但如果是运动员剧烈运动后发生热射病，那可能仍会出很多汗）
- 皮肤发红发烫

如果孩子出现上述症状之一，请立即拨打 120。

治疗。拨打 120 后，请降低孩子身体核心温度并补充流失的体液，尽可能把他挪到凉快的地方。等待急救

人员时，尽量用冰袋给身体降温，把冰袋放在腋下、腹股沟处和前额能够最有效地降低体温。如果有凉水，尽量把孩子的身体完全浸入水中。当孩子体温下降、开始恢复以后，通常还需要在医院里观察一段时间，监控有无进一步的问题。

预防与炎热有关的疾病

好消息是，上述所有疾病都可通过恰当的措施预防，这里有一些简单的办法：

- 补水、补水、补水！要补充体液，喝水是最好的办法，在非常炎热潮湿的天气下剧烈运动时，电解质运动饮料也有帮助。
- 我们不推荐盐片，因为它可能导致体内钠水平过高，这很危险。
- 在炎热的天气下运动时，尽量少穿衣服（在所有运动员中，足球运动员最容易中暑，因为他们穿的装备很多，而且训练通常在夏末开始，这时候天气最为炎热潮湿）。
- 孩子练习时注意观察。在炎热的夏天，请确保教练允许孩子喝足够的水。
- 歇会儿。练习期间确保孩子有适当的休息时间。

健康小贴士：
运动饮料——好还是坏？

市面上有许多针对年轻运动员的运动饮料。常常有人问我们：“喝运动饮料好还是喝水好？”喝水还是喝运动饮料，具体取决于练习或比赛的强度、气温、湿度以及运动多长时间。对于轻度到中度的练习，喝水通常就够了；某些运动员，例如足球运动员或在炎热潮湿环境中进行剧烈、严格练习的其他运动员，喝电解质运动饮料可能有好处。低强度运动通常不需要喝运动饮料，孩子不运动的时候也不应该多喝加糖的运动饮料，更不应该用它来代替水。

105. 甲型肝炎

甲肝是一种相当罕见的病毒，会侵袭我们的肝脏和肠道。它通过被污染的食物传染，所以托儿所、餐馆或食堂爆发食物中毒时也会出现甲肝。对年幼的儿童来说，这种疾病无害，但对于青少年和成人来说可能相当麻烦。如果孩子接触或染上了甲肝，你应该对它有所了解。

肝炎还有截然不同的其他类型。乙肝（见P478）和丙肝（见P373）通过血液接触和（或）性接触传播，它们要严重得多。

症状

根据年龄的不同，甲肝的症状区别很大。大部分婴儿和6岁以下儿童可能不会出现任何值得注意的症状，而大一些的孩子会出现类似肠流感的不适症状。青少年和成人的症状最严重，他们会出现下列信号：

- 黄疸（眼睛和皮肤发黄）
- 发烧
- 恶心呕吐
- 腹泻
- 疲劳
- 胃痛
- 食欲不佳
- 身体疼痛

这些症状和常见的胃肠型流感十分相似，所以人们常常没发现自己得了甲肝，直到黄疸出现。另一条线索是，患者会觉得自己的病情比通常的胃肠型流感重，症状可能持续数周。甲肝不会带来长期的肝脏问题，也不致命。

甲肝的潜伏期非常长——15～50天。在症状出现之前的1～2周到症状出现后的2周，被感染者具有传染性，粪便中带有病毒，如果被感染者便后不洗手，病毒就会传播到他接触过的东西上面，例如食物。餐馆或食堂的职员就是通过这种途径将病毒传播给顾客的。如果托儿所的工作人员给被感染的患儿换尿布后不洗手，也会传播病毒。

诊断

这种疾病需要通过血检诊断。

怎么办

幸运的是，大部分较小儿童和部分较大儿童根本不会出现症状，所以总的来说，孩子得了甲肝不用太担心。如果孩子接触了病毒或是你觉得孩子可能得了甲肝，不用急着冲到急诊室去。你应该知道这些事：

治疗。除了用药物退烧、止痛、止吐、保持水分充足以外，没有其他措施可以对抗甲肝病毒。

控制爆发规模。一旦确认甲肝爆发，公共卫生部门通常会加以干预，询问接触了病毒的人群。他们通常会为你提供这些信息：

- 如果你或孩子此前曾罹患甲肝，那你们就有了免疫力。
- 如果孩子打过疫苗(从2006年开始，美国所有1～2岁的幼儿都接种了甲肝疫苗)，那他就有免疫力。
- 如果未曾罹患甲肝也没打过疫苗的

人接触了病毒，他可以选择顺其自然熬过去（对年纪较小的儿童来说很合理），也可以注射抗体（叫作免疫球蛋白）进行治疗——如果在接触病毒两周内注射，这种抗体能够有效预防甲肝。新研究还表明，接触病毒后两周内接种甲肝疫苗同样能预防疾病。

106. 丙型肝炎

丙肝是另一种影响肝细胞的病毒。世界范围内有 1.7 亿人感染丙肝，目前美国大约有 400 万人患有丙肝。

在 1990 年之前，传染丙肝病毒最常见的途径是输血污染，此后，人们开始对捐献的血液进行常规性筛查，内容包括丙肝、乙肝和其他可能的污染。从那以后，通过输血传染的丙肝几乎消失了。今天，丙肝传染最普遍的途径是被污染的针头，通常是因静脉吸毒者共用针头而传播，被污染的文身针头也会传染丙肝。丙肝能够通过性传播，不过比起上述途径来，性传播罕见得多。

丙肝母亲。感染丙肝的孕妇在孕期将病毒传给胎儿的概率低于 10%。如果确知母亲为丙肝阳性，新生儿刚出生的几个月里，医生会密切监控他的情况并频繁检测，这是因为刚出生时测试为丙肝阴性的新生儿可能会在最初几年里变为阳性。

信号和症状

丙肝患者可能完全没有症状，也可能出现短期的肝病症状，例如：

- 黄疸（眼睛和皮肤发黄）
- 发烧
- 恶心呕吐
- 腹泻
- 疲劳
- 腹痛
- 食欲不佳
- 身体疼痛

治疗

对抗丙肝并无有效疗法，不过可以采取一些措施降低长期并发症的风险。这些措施包括干扰素治疗方案和化学疗法，通常持续至少 6 个月，治疗期间和结束之后，医生会密切监控患者的反应。这种治疗方案对个体的效果差异很大，成功的话，患者体内的病毒水平会下降到几乎探测不到的地步。所有确知患有丙肝的病人应由专科医生进行评估以确定治疗方案。

长期并发症

感染丙肝的人群中，约 85% 的人会发展为慢性丙肝。和乙肝类似，慢性丙肝最终会导致肝硬化或一种特别的肝癌——肝细胞癌。

约 20% 的慢性丙肝患者最终会发展为以上一种或两种高致命性肝病。事实上，目前美国的肝移植手术最普遍的原因就是丙肝。

健康小贴士：小心文身和穿孔

有一天，10 多岁的孩子走进厨房，告诉你他很想搞个文身。最初的震惊之后，你惊讶地发现他这么快就长大了，但是，你必须让他理解文身的风险，这很重要。必须确保文身师经过政府注册，拥有灭菌执照。你的底线是：确保文身师有执照！

预防

目前没有预防丙肝感染的疫苗，预防丙肝主要是避免可能接触病毒的高风险活动，例如静脉吸毒者不要共享针头。政府方面有许多项目帮助吸毒者戒毒。

107. Ⅰ型单纯疱疹病毒（HSV-Ⅰ）

这种病毒又名口腔疱疹，它会在儿童和成人身上引发“感冒疮”。成人期之前，50% ~ 80% 的人接触过Ⅰ型单纯疱疹病毒（HSV-Ⅰ）。HSV-Ⅰ能够影响几乎全年龄段人群，一般通过接触被感染的唾液传播。如果你想了解通过性行为传播的单纯疱疹病毒（HSV-Ⅱ），请见 P478。如果孩子首次出现多个口腔溃疡并发烧，请见 P414“口疮”以判断孩子可能是哪种感染；如果是嘴唇上单纯的感冒疮，请见 P233；单纯的口腔溃疡见 P215。

症状

首次感染 HSV-Ⅰ的症状多种多样。有的孩子只会出现轻微的症状，例如低烧、疲劳、头痛和轻微的喉咙痛，他们的嘴唇、牙龈、舌头、扁桃体和喉咙后面也常常出现红色疼痛的小疮，几天后红疮中间会长出白点。有的孩子症状严重一些，可能出现高烧、进食困难、喉咙和扁桃体极度疼痛、牙龈肿胀出血，伴有上面提到的十分疼痛的口疮。初次感染 HSV-Ⅰ常常最为严重，成人在年纪较大时才发生初次感染的话，症状相对没那么严重。这种疾病通常持续约 1 周，但孩子痊愈所需的时间最长可达 2 周。

老话说“疱疹伴终身”，一点没错。疱疹病毒会躲藏在人身体组织里伴随终身，受到引诱就会“活过来”。在我们的一生中疱疹常常反复发作，有的孩子和青少年每年可能发作好几次，有的人则少得多。口腔疱疹复发已知的诱因包括发烧、压力或焦虑，晒伤甚至也会引发疱疹，而免疫系统受损的患者疱疹爆发通常更频繁也更严重。但好消息是，随着年龄的增长，疱疹的复发会越来越少、越来越轻。

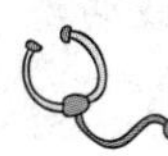

健康小贴士：别让感冒疮爆开

习惯了嘴巴周围感冒疮反复发作的人常常会感觉到，红疮爆开前一天左右会有刺痛感。刺痛感一旦出现，应立即在患处涂抹阿昔洛韦之类的处方抗病毒软膏，通常可避免红疮爆开。

治疗

不幸的是，任何类型的疱疹都没有有效的治疗方案。口腔疱疹的治疗主要专注于缓解症状，可采用抗炎药、咽喉麻醉喷雾、非处方感冒疮药，很痛的地方可以搽液体麻醉剂来辅助止痛、缓解症状。如果病情严重，可以用阿昔洛韦之类的处方药。

新生儿疱疹

在较为罕见的情况下，成人的口腔疱疹病毒可能通过唾液传染给新生儿，导致婴儿大脑发生严重感染。

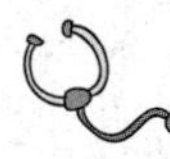

健康小贴士：冷却患处！

口腔疱疹患儿的父母最普遍的抱怨是孩子拒绝进食，因为吞咽食物实在太痛。除了上述治疗方案以外，我们建议父母坚持给孩子吃液态食物，例如冷的奶昔，冰凉的液体是天然的麻醉剂。别给孩子吃酸辣食物,比起普通食物来，凉凉的奶昔更容易吞咽。

108. 打嗝

打嗝在什么年龄都会发生，它是一件无害的麻烦事，甚至连子宫中的胎儿也会打嗝。一般而言，婴儿或儿童进食后短时间内开始打嗝才会带来真正的困扰。打嗝的原因是横膈膜无意识痉挛。横膈膜是一片大面积肌肉，位于胃和肝脏之间。打嗝的时候,横膈膜痉挛收缩，迫使人深深吸进一口气，与此同时，声带“啪”地关上，发出嗝声。

怎么办

打嗝很少困扰孩子，但是打嗝过于频繁或持续时间过长也很烦人。下面我们将指导你控制打嗝：

慢一点喂食。因为横膈膜离胃很近，所以胃的活动常常影响到横膈膜。

如果胃过快膨胀，就会导致横膈膜痉挛，让孩子打嗝。试试比尔医生的“2 原则”：1/2 分量，2 倍餐数，咀嚼 2 倍时间。

减少奶瓶喂养时吞下的空气。对婴儿来说，太快吞下太多空气会导致打嗝。试试这些方法，尽量减少吞咽空气：

- 为了改善奶瓶的密封性，请确保宝宝的嘴唇位于奶嘴底部较宽的地方，不要只叼着头。
- 试试“哺乳袋”——带有柔性袋的奶瓶可以尽量减少吞咽空气。
- 将奶瓶倾斜 45 度，让空气上升到奶瓶底部。
- 喂奶之后，让宝宝保持直立姿势至少半小时，好让吞下的空气冒出来。
- 喂奶期间和喂奶结束后，请好好给宝宝拍嗝。

追踪诱因。记录打嗝日志，看看能否找出打嗝的固定模式或诱因，并尽量避免。

鼓励孩子喝水。让孩子慢慢呷一杯加了柠檬酊的温水。打嗝时喝水的理论依据是，喝水会刺激喉咙后的神经，打断诱发打嗝的神经连接。

告诉孩子深呼吸。孩子觉得快要打嗝的时候，立即转移他的注意力，别让他老想着自己的肚子和胸口。告诉孩子伸开双臂，深深吸一口气，憋气默数到 7，然后慢慢吐出气来。打嗝研究者相信，憋气会保留部分二氧化碳，干扰横膈膜痉挛。

让孩子朝牛皮纸袋子里呼吸。用袋子罩住孩子的嘴巴和鼻子，让他用鼻子深而慢地呼吸 10 次。反复吸入二氧化碳也许能缓解打嗝。

转移注意力。为了让孩子不要老想着打嗝，请尝试用他喜欢的游戏或活动转移注意力。不过请记住，有时候过多欢笑也会让孩子吞下空气，加剧打嗝。

109. 婴儿髋关节脱臼

你也许很想知道，在医院里做新生儿检查和每次常规检查时，儿科医生为什么要那么仔细地检查宝宝的髋关节。医生是在确认宝宝的腿骨正常插在髋关节的关节窝里。在正常情况下，腿骨会安然无恙地待在髋骨的关节窝里，和球窝关节一样。宝宝出生几个月后，有时候球会从关节窝里滑脱，或是出生时髋骨的关节窝不够紧，没法固定住腿骨的“球”，导致髋关节脱臼。医生会特别关注臀位宝宝，因为宝宝在子宫中处于臀位可能会让腿骨无法恰当地插入髋关节窝，从而在分娩时引发脱臼。

随着髋关节的成长发育，球和关节窝会逐渐长到一起，成为稳定的关节。如果球不在关节窝里，却好几个月都没被发现，那关节窝会长平，不再凹陷。

腿骨不在关节窝中的时间越长，髋关节周围的肌肉就会越变越紧，进一步限制球窝关节发育。早期的髋关节脱臼只要短期上夹板就能治愈，但是如果长期不加治疗，变平的关节窝就需要大手术来矫正，结果也很难说。

婴儿髋关节脱臼用术语来描述叫作发育性髋关节脱位（DDH），包括各种程度的脱臼。这是因为宝宝刚出生时可能不会出现髋关节脱臼的典型症状，可是在第一年里，有的宝宝会“发育”出脱臼来。

DDH 并不常见，但若有家族病史，患病风险会上升：如果父母中有一方曾有 DDH，那宝宝患 DDH 的概率为 12%；如果父母双方和之前的孩子都有 DDH，那么宝宝患 DDH 的风险高达 36%。臀位宝宝患 DDH 的风险最高，约为 23%，女孩的风险略高于男孩。从理论上说，母体激素弛缓素可能会让髋关节韧带松弛，导致髋关节不稳定。脱臼发生在髋部左边的概率是右边的三倍，这很可能是因为宝宝在子宫中习惯的姿势所致。

你能做什么

你可以采取这些措施帮助儿科医生确认宝宝的髋关节发育是否正常：

- 如果有 DDH 家族病史，尤其是父母或之前的孩子有 DDH，请告诉医生。
- 如果宝宝在子宫中处于臀位，请告诉医生，哪怕胎儿只是早期处于臀位，后来又转了过来。
- 新生儿检查和常规检查之前，尽量安抚宝宝，让他放松下来。在髋部肌肉放松的情况下（宝宝以换尿布的姿势安静地仰躺），检查更轻松，得出的结果也更有意义。

医生会做什么

你会注意到，至少在第一年里，每次检查时医生都会活动宝宝的髋关节进行检查。宝宝以换尿布的姿势仰躺，医生会握住他的大腿骨轻轻屈伸。如果腿骨的球从关节窝中脱出，医生会感觉到“咔”一声轻响。你会注意到医生检查时动作十分轻柔，因为要探测真正的髋关节脱臼不需要强迫性弯曲。

如果医生感觉到宝宝髋关节脱臼，这意味着球很容易在关节窝里进进出出，那么他很可能会建议你去儿科矫形医生处做进一步治疗。矫形医生可能会推荐带衬垫的夹板（厚度相当于 2 ～ 3 片尿布），将宝宝的腿骨固定在髋关节中。现在老的“三片尿布”矫正法现在已经不推荐了，大多数情况下，医生会推荐帕夫利克矫正带，这种矫正带会让宝宝的髋关节大部分时间保持打开的状态，同时允许宝宝自由踢腿，让腿骨向外伸展（就像青蛙一样）以促进髋关节正常发育。对于较严重的DDH，儿科矫形医生可能需要给宝宝的髋关节和大腿打一圈石膏，将腿骨固定在髋关节中，持续几周。

在宝宝刚出生的头几周里，DDH的诊断完全掌握在做检查的医生手中。4个月之前给宝宝的髋部照X光常常不可靠，因为那时候髋关节主要是软骨，等他4～6个月时照X光就可靠多了。对于6周以下的婴儿，超声波检查髋部发育甚至都常常靠不住，所以超声波未列入新生儿检查的常规流程。有时候，宝宝出生后2周内，髋关节检查的结果可能"模棱两可"，这意味着腿骨看起来似乎好端端地待在髋关节里，但医生也许听到或感觉到了"咔嗒"声，需要仔细复查。用医生的行话来说，"咔嗒"声意味着"别担心，不过以后小心点儿"；而"咔"声代表"立即治疗或转矫形医生"。

健康小贴士：
髋关节噪音很正常

如果你换尿布时拉伸宝宝的腿听到了"咔嗒"声，别担心，这是正常的"关节噪音"，髋关节、肩关节、肘关节和膝关节处都可能出现噪音。这种良性"咔嗒"通常会在宝宝一个月时自然消失。

DDH的晚期信号

如果DDH在最初几个月里就被发现并加以适当治疗，一般不会影响髋关节发育。在较偶然的情况下，某些宝宝不会表现出常见的DDH症状，甚至最全面的髋关节检查都无法发现其病情，致使某些病例可能要等到晚期信号出现才会被发现。如果出现下列线索，你可能需要求医：

- 髋关节很紧。你注意到，换尿布的时候宝宝的双腿越来越难拉开，腹股沟的肌肉也感觉变紧了。
- 给宝宝换尿布的时候，你注意到有一条腿明显比另一条紧（有些髋关节正常的宝宝也可能出现暂时性的髋部肌肉紧张，随着宝宝开始爬行、走路，肌肉会逐渐松弛。髋部肌肉紧张不一定意味着DDH，不过如果发现这样的情况，你应该告诉医生）。
- 你注意到宝宝大腿内侧出现"不对称的皱褶"：这边大腿上有一条皱褶，另一边有两条（不过这只是线索而已，这样的差别也可能是正常的）。
- 你注意到幼儿走路"摇摇摆摆"或"腿脚僵硬"。

如果DDH发展到晚期，或是直到

宝宝一岁及一岁以后才发现，那么通常需要手术矫正。

健康小贴士：
注意裹襁褓的方式！

接受儿科训练时，我（比尔医生）发现加拿大印第安人的DDH发病率很高，因为他们总是把很小的婴儿用襁褓裹起来，每次裹很长时间。持续裹在僵硬的襁褓里，尤其是裹着襁褓过夜，会阻碍宝宝球窝髋关节正常成型。虽然襁褓久经考验，能让宝宝平静下来，但我们不鼓励单次裹襁褓超过几个小时，尤其是上文所述的DDH风险宝宝。我们在第一版《西尔斯亲密育儿百科》中提出用襁褓来安抚难带的宝宝，那本书出版后，曾经教过我的矫形外科教授罗伯特·索尔特博士（他写了那本关于婴儿髋关节发育的书）请求我从书中删去推荐襁褓的章节，因为他担心父母会过度使用这种方法。我们的底线是：打襁褓没问题，但不要裹得太紧，也不要裹太长时间。

---

110. 髋部疼痛

髋部疼痛在儿童中并不常见，所以这样的情况一般要去看医生。

怎么办

和医生预约之后，请开始记录日志，写下一切可见的信号和症状：

- 什么时候开始痛？如何开始的？
- 孩子怎么描述的？
- 孩子的步态有变化吗？
- 孩子跛吗？
- 疼痛是否与发烧或其他部位的疼痛有关？比如另一处关节？
- 触摸或移动时痛吗？
- 孩子最近是否刚开始参加一项新运动或剧烈活动？
- 孩子是否也抱怨膝盖痛？
- 受影响的那边承重是否会痛？
- 什么可以缓解疼痛？
- 什么会让疼痛加剧？

医生可能会做什么

根据孩子过往的情况，医生会进入最常见也最安全的思维模式："有的疾病如果没能发现、不加治疗就会损害孩子的髋部，要排除这样的疾病。"医生会检查孩子的髋部，主要是看有无肿胀、活动是否受限，还会做我们所说的"青蛙测试"：让孩子像青蛙一样仰躺，如果这种姿势下孩子某条腿的屈伸幅度不如另一条腿，或屈伸时会痛，那可能真的有问题，需要进一步评估。

儿科医生会观察孩子走路，看看髋

部疼痛是否影响步态，然后全面检查，看看其他区域是否有问题，例如有无腺体肿大、心率过快、发烧或身体其他部位发炎的任何信号。

医生很可能会给孩子做一系列血液测试，可能还会给髋部做超声波或X光检查。作为物理检查的补充，这些测试能够帮助探测和治疗下列最常见的儿童髋关节问题：

滑膜炎。髋部滑膜炎是髋关节内壁的一种炎症，通常伴有病毒性疾病的其他信号，例如上呼吸道感染。和其他病毒性疾病一样，大多数滑膜炎会随时间自愈。如果需要抽出发炎的髋关节内部的积液，儿科医生可能会请矫形医生来会诊。

关节炎。成人型的关节炎在儿童中很罕见，但青少年类风湿性关节炎（JRA）可能会从髋部开始。如果是JRA，受影响的通常不光是髋关节，孩子的膝关节、踝关节或肘关节常常也会疼痛肿胀，伴有发烧、红疹和整体性的疾病表现。

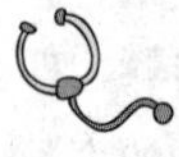

健康小贴士：
膝盖痛？可能是髋部问题

由于某些神经性的小毛病，在身体同一边，负责表达髋部问题的痛觉神经同样也负责表达膝盖问题。

髋关节损伤。儿童的髋关节球容易出现两种罕见而疼痛的状况。第一种是股骨头骨骺脱位，剧烈外伤或渐进性退化使得股骨头受损，从髋关节中部分滑脱，导致疼痛、运动受限和瘸拐。这种情况通常发生在青春期早期，可能影响双侧髋关节，一般通过X光诊断，治疗手段包括推拿复位和手术。另一种是罕见的雷卡佩氏病，影响小学年龄段的孩子。这种情况是股骨头发生退化，原因未知，症状类似股骨头骨骺脱位，一般通过X光诊断，需要佩戴几个月矫正器进行治疗。

111. 荨麻疹

荨麻疹是突出皮肤表面的白色或红色斑块、条痕，尺寸各异，小的类似铅笔头上的橡皮，大的如硬币。造成荨麻疹的原因通常是过敏反应，它的出现常常十分突然，主要出现在躯干部位（胸口、腹部或背部），然后迅速扩散到身体其他部位，包括手足。荨麻疹很少长在脸上。

大多数荨麻疹不需要看医生，下面我们将指导你诊断、治疗荨麻疹。对于更严重的过敏反应（如喉咙、脸、手足肿胀或呼吸困难），详见P134。

如何判断

要判断孩子的皮疹是否为荨麻疹，最简单的方法是观察一个小时（除非过敏反应让孩子很不舒服）。几小时内，荨麻疹常常会从某片区域消失，又从别的地方冒出来，不断转移和变化，还常常很痒。

明显的荨麻疹可以用非处方口服抗组胺药治疗。如果条痕完全消退或消失，那基本肯定是荨麻疹，如果条痕没有消退，那可能是另外一种名为多形红斑的皮疹（见 P309）。

原因和病程

一旦你确定孩子得的是荨麻疹，下一步就是找出原因。从本质上说，荨麻疹肯定是过敏引发的，但父母和医生常常无法确定到底是什么过敏。常见原因如下：

病毒性疾病。大多数荨麻疹的病因仅仅是身体对全身性的病毒性疾病过敏。这种情况下孩子可能会发烧，伴随荨麻疹出现其他病状。抗组胺药依然能够辅助治疗皮疹，但无法对抗病毒。

食物过敏。这是第二种常见的原因，常见的肇事者包括花生、其他坚果、甲壳类动物或浆果。不过从本质上说，任何食物都可能让孩子过敏。想想几小时内孩子吃过什么新的食物，如果没有，再想想他昨天是不是吃过什么。如果什么都想不起来，别担心，食物过敏源常常很隐蔽。如果荨麻疹反复出现，请记录食物日志，帮助你缩小怀疑范围。

药物。这是荨麻疹的另一种常见原因，不过在成人中更为普遍，罪魁祸首常常是抗生素，不过任何新药都可能引发过敏反应。如果出现这种情况，请停用新药并联系医生。如果孩子正在用的是抗生素，且感染不是十分严重，最好等上一两天，等到过敏反应消退之后再用药。

皮肤受到刺激。新的肥皂、洗发水、乳液、衣物洗涤剂、未经洗涤的新衣服、密切接触灌木或草丛都可能引发皮疹。

荨麻疹会持续多长时间？荨麻疹持续的时间从几小时到几周都有可能，排除过敏源之后，过敏反应可能还会持续一段时间。每次药效消退，疹子还可能卷土重来，但这并不意味着情况在恶化。荨麻疹不会传染。

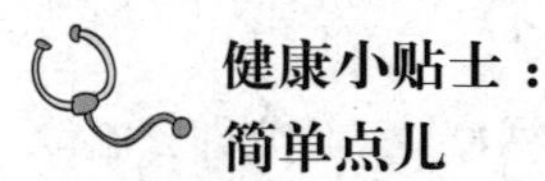

健康小贴士：
简单点儿

如果以上所有原因都不适用于你家孩子的情况，不必绞尽脑汁追踪过敏源。治疗荨麻疹很简单，哪怕你不知道确切病因，大多数病例也会在一两天内好转。如果荨麻疹持续很长时间或是反复发作，那才需要详尽调查。

治疗

轻微病例。如果孩子只长了一两个疹子，也不太烦人，那你什么都不用做，最多冷敷一会儿、搽点止痒膏，但要注意观察孩子有无恶化的迹象。

造成困扰的荨麻疹。如果你注意到有很多疹子正要冒出来，最好在情况恶化之前给孩子吃非处方口服苯海拉明以对抗过敏反应。药店里还有多种抗组胺霜剂可供选择，它们的效果没有口服药好，不过也可以辅助治疗，单独使用或联合使用均可。如果在身体多个部位搽了抗组胺霜剂，请勿同时口服抗组胺药，因为可能会过度用药。如果你只在几个地方搽了霜剂，那口服药和外用药一起用是安全的。

不要过度治疗。不需要一直给孩子用抗组胺药直至最后一粒荨麻疹消退。只要它没烦扰孩子，留下几个不管也无妨。

什么时候该担心

如果出现下列信号，请立即去急诊室或诊所：

严重过敏反应。气喘、喉咙发紧、呼吸或吞咽困难、无法控制的呕吐和腹泻、虚弱、头晕目眩、脸色苍白、手足和脸部明显肿胀，这都是严重过敏的信号。如果孩子出现其中一种症状，请立即去急诊室，医生很可能要给他打一针肾上腺素来缓解症状。详见 P134。

中度过敏反应。荨麻疹伴有手足、脸部的一些肿胀，但没有严重过敏的其他信号，这种情况一般在医生诊所里开点处方抗组胺药和类固醇就好。

持续性荨麻疹或发烧。如果孩子大体情况良好，但你不得不给他用两周以上的抗组胺药，那最好让儿科医生看看。如果孩子发了几天烧或出现其他病状，请去看医生。

112. 声音嘶哑

儿童声音嘶哑可能会让父母担心，特别是孩子说话声音很小的情况下。儿童声音嘶哑有几种原因，有的可能比较严重，但其他的没什么大碍，只是小麻烦而已。下面的内容将快速指导你弄清孩子声音嘶哑的原因，进一步信息请见对应章节。

原因

哮吼。这是声音嘶哑较常见的原因。哮吼是病毒引起的，常伴有发烧和海狮叫声似的吠叫咳。喘鸣音（孩子呼吸时发出粗嘎的喘息声）是严重哮吼的信号，见 P255。

喉炎。类似哮吼，但没有严重的

吠叫咳或喘鸣。喉炎常常是感冒病毒引起的。

扁桃体脓肿。这种情况主要会让孩子声音“低沉”而非嘶哑，常伴有发烧、喉咙痛，孩子的声音听起来像是吃了一口很烫的土豆之后发出的声音。这可能代表着严重感染，请打电话给医生。见P536，“扁桃体炎”。

气管软化。这种情况发生在年幼的婴儿身上，原因是气道松软：气管周围的软骨比正常程度要软，造成某些位置的气道狭窄。某些婴儿会出现这种正常的发育“小毛病”，这种情况并不是真正的声音嘶哑，而是宝宝仰躺或激动时出现的间歇性呼吸嘶哑，当宝宝翻身、坐起或平静下来以后，嘶哑声就会消失。宝宝大一点后会自然度过这一阶段，但下次检查时你应该告诉医生。

过敏。嘶哑可能伴有其他典型过敏症状，如眼睛、鼻子或喉咙发痒。见P134。

胃食管反流病（GERD）。反流的胃酸可能驻留在声带处，引起炎症和声带增厚，导致声音嘶哑。GERD 引起的嘶哑，其特征是早晨出现的嘶哑白天常常会消失，因为反流主要发生在夜间。见 P347。

声带拉伤。最常见于拉拉队员、观看比赛的运动迷和歌手身上，原因是过度使用声带。这种嘶哑通常持续1～2周。

声带结节。这是幼儿、儿童、成人持续性声音嘶哑最常见的原因，又叫“尖叫者结节”或“歌手结节”。这种情况是声带上长了良性息肉，造成声带振动过慢，声调低沉，原因基本是说话过多或发声不当，是典型学龄前儿童爱尖叫的那段时间出现的症状。随着孩子学会正确发声，这种结节一般会消失。声带结节很少困扰孩子，却常常困扰父母。

家庭疗法

翻到每种原因对应的章节，你会找到有针对性的治疗信息。如果孩子声音嘶哑的原因只是声带拉伤或喉炎，下列家庭疗法可以提供帮助：

- 用加了少许盐的温水漱喉（在8盎司水中加1～2茶匙盐）。如果孩子不喜欢盐水，你可以试试加一点蜂蜜来代替（记住，一岁以下的孩子不要用蜂蜜）。
- 使用止咳滴剂——安抚咽喉，让孩子别说话。
- 让声带休息——治疗嘶哑最重要的方法就是老套的休息。对喜欢尖叫（可能就是这个原因引起的嘶哑）的孩子来说，这可能比较困难。让孩子应该尽量少说话，写纸条也许能够成为有趣的替代方式。

- 不要低声说话——很多人认为低声说话可以让声带得到休息，但实际上它只会给声带造成更大压力。
- 保持空气湿润——打开卧室里的喷雾器或加湿机。

若有下列症状，请打电话给医生：

- 呼吸困难
- 喉咙里可能有东西
- 孩子最近曾经噎住
- 孩子不到2个月大
- 嘶哑持续超过2周

治疗声带结节

如果采取上述治疗措施后，嘶哑仍持续数周，那孩子可能是长了结节。我们的建议如下：

训练发声。可以请言语治疗师教孩子专业的发声训练技巧，帮助他在说话时保护声带。采用这种小心的说话方式，结节几个月后就可能消退。

ENT（耳鼻喉）评估。如果声音嘶哑持续数月，你应该请耳鼻喉科医生评估孩子的情况。医生会用一些专门的设备观察声带，检查结节的尺寸和严重程度。如果病情严重，可能会采取手术治疗。

113. 住院

对孩子来说，离开有安全感的自己的地盘，来到满是陌生人的陌生地点，在陌生的床上睡觉，这一切可能十分难以接受。当然，焦虑之外还有疾病带来的困扰。如果孩子觉得自己没有生病，那他可能不明白自己为什么要待在医院里（对于某些非急需的状况，例如扁桃体切除术）。孩子年龄越小，住院就越需要父母陪护。在这个小节中，我们将介绍一些窍门，让孩子住院变得更为轻松。

问问题。弄清医院的探望规则和父母陪护政策。孩子要做什么治疗？需要做哪种检查或手术？医生和护士都明白，未知的恐惧会影响家长和孩子，他们很乐意告诉你必要的信息。在医院里照顾孩子的时候，你会扮演多种角色：父母、护士、医生、维护者、翻译、按摩师等等。

让孩子做好准备。如果孩子住院是因为非急需性的原因，请在入院前一天带他去医院转转。给孩子读一本短小、简单的关于儿童住院的书，医院礼品店里通常有这样的书籍。孩子准备得越好，越明白自己要做的是什么手术或治疗，他的恐惧就越少。比如说，如果孩子要做扁桃体切除术，你就给他看看图片，指出扁桃体在什么位置，告诉他医生会给他脸上套个面罩，他吸进去一些药就会睡着，醒来的时候可能会喉咙痛，但是可以吃很多冰淇淋来让喉咙感觉好点。你可以告诉孩子："你的扁桃体会被切下来放在泡菜坛子里，然后你就不会经常喉咙痛、请假不能上学，呼吸和睡觉时感觉也会更好。"向他解释，麻醉剂药效消退的时候，他可能觉得站不稳。关于某些治疗或手术，年幼的孩子常常会扭曲自己接收到的信息，所以尽量描述得简单一些，让他自由想象。

探索孩子的感觉。孩子对住院有什么感觉？让他自己谈一谈。虽然孩子几乎都不愿意谈，但你可以请他画出他想象中的医院，从中你可以了解许多孩子的情感。

健康小贴士：继续哺乳

哺乳是最佳的安抚措施，这是"妈妈护士"的闪光时刻。如果孩子的病情和手术允许哺乳，妈妈在住院期间应尽量遵循在家时的哺乳时间表。现实地说，哺乳可能会给医护人员带来一些麻烦，但它能改善绝大多数疾病的病情。如果宝宝正要接受非急需性手术，需要进行全身麻醉，医生或护士可能会要求你"午夜后不要给孩子吃固体食物或哺乳"。固体食物的确不应该吃，但新研究表明母乳也许不在此列。安全起见，麻醉之前孩子的确应该空腹，因为胃部内容物可能反流、呛进肺部。但是，母乳在胃里吸收得很快(30～60分钟内)，所以现在大部分麻醉师推荐母亲继续哺乳，直至麻醉前2～4小时。

西尔斯医生的医疗实践中有这样一个值得铭记的故事：我（比尔医生）让一个9个月大的婴儿住院，因为他得了严重哮吼。我已经通知了一位耳鼻喉专科医生来手术室做好准备，因为宝宝的上呼吸道因哮吼严重肿胀，需要紧急切开气管。突然间，我想出了一个不那么方便的主意。我请宝宝的妈妈隔着氧气帐篷给宝宝哺乳，目的是松弛他发炎的气管，或许可以不用做紧急手术。宝宝饥渴地吃着奶，看起来不是因为饿，而是因为需要抚慰。一分钟内，他放松下来，气管也松弛了。他的呼吸有了改善，我们取消了手术，宝宝全家和整个医疗团队都松了口气，尤其是宝宝自己。

和孩子待在一起。孩子年纪越小，父母的陪伴和支持就越重要。住院护理的一大突破是，现在的儿科医院实际上鼓励父母陪护，这意味着你可以近距离照料孩子，睡在孩子病房里的小床上。你可以给孩子喂食、洗澡、进行简单的医疗护理（遵照医生或护士的指导），在孩子疼痛或紧张时给予抚慰。我们的经验是，父母深度参与护理时，孩子恢复得更快，也没那么害怕医院。

以人为本的住院护理最大限度地减少了孩子与父母分离的焦虑，避免给孩子造成心理创伤。比如说，医院可能允许你穿上一套无菌服，陪着孩子一起进入手术室，陪着他直到“诱导”（麻醉的开端）开始，孩子睡着，然后再请你离开。

孩子醒来时请让他看到你。孩子手术或治疗快结束时请护士提前通知你。孩子醒来时可能既迷惘又害怕，有了父母的陪护，从麻醉中清醒过来造成的精神创伤较小。

手术尽量安排在清早。如果宝宝要做非急需性手术（可以提前安排的非紧急手术），例如扁桃体切除术或疝气修复术，请尽量要求把手术安排在清早，这样孩子就不用禁食太长时间。儿童新陈代谢很快，所以他们小小的肚子和身体需要少食多餐。如果孩子晚上 9 点就睡着了，可是手术要等到第二天下午，那断绝饮食的时间就太长了。新观点认为，如果给孩子吃能够快速消化的软性固体食物，那禁食时间可以适当缩短，你可以和麻醉师商量一下。

带上让孩子放松的物品。如果孩子最喜欢抱着某个泰迪熊或娃娃睡觉，请带上它，其他安抚性的书籍和玩具也可以。可能的话，买点新玩具给孩子个惊喜，这样他也许就不会老想着住院真难受了。

展示和讲述。利用孩子病床周围所有的小玩意儿转移他的注意力。告诉孩子监控器是做什么的，有什么好东西流进了他的血管；对于大一点的孩子，还可以告诉他每种检查测的是什么，检查结果是什么意思。把住院变成学习的机会，你说不定能培养出一位医生或护士呢。

保持乐观，亲身参与！医院里怪异的制服（例如无菌服）、机器、监控器、输液管、打针可能会吓到某些孩子，但大一点的孩子可能觉得自己来到了科幻世界里。入院之前，你要告诉孩子所有积极的事情，比如他会变得健康、强壮；和他聊聊“医生和护士都是好人，他们喜欢孩子，十分幽默，会好好照顾你……妈妈和爸爸会陪着你”。向孩子介绍医院的工作人员时，就像介绍新朋友一样，或者说“特别的朋友”，这会让孩子感觉好一些。

为孩子争取权益时请保持礼貌。孩子生病，关心他的父母常常会表现出最好的一面，但过度的保护行为可能引起医院工作人员的反感。孩子生病，你很焦虑，希望他得到最好的照料，这可以理解，如果你能够积极主动地与工作人员交流、配合他们的工作，你和孩子的住院经历将会更加愉快。医生和护士有着专业人士的骄傲，如果他们觉得你打心底里信任他们照料孩子的能力，这对大家都好。

医生和护士是医学专家，他们懂得自己的专业知识，而你是孩子的父母，你了解自己的孩子，应为他提供最好的资源。如果你记得以前住院时什么东西有效，请告诉工作人员，如果某个相同的操作由两个不同的人来做，得到了不同的结果，请告诉工作人员哪一位做得比较好。比如说，你可以说："打针之前护士在孩子的屁股上放了一块冰，这样真的好多了。"家长应对每个操作都问问为什么，会产生什么效果，问问每种药是用来干吗的，剂量是多大。住院期间，请记录"什么最有效"的日志，如果孩子有慢性病需要多次住院，记录日志尤其有用。很快你和孩子就会总结出自己的"什么有效"名录。

操作时和孩子待在一起。操作时医生或护士可能会礼貌地请你"让开"，比如安放静脉留置针或进行脊椎穿刺。其实这值得商榷。一方面，父母的陪护通常能够帮助孩子，爸爸妈妈就是天然的"止痛剂"；但从另一方面说，父母可能会十分心疼，有时候也会让操作者紧张。如果你觉得孩子十分希望你留在身边，请告诉医生，美国儿科学会（AAP）推荐，进行疼痛的操作时父母能提供情感支持。不要硬邦邦地说你不在场就不许对孩子做什么，医护人员通常会与你达成愉快的妥协。如果"医院规定"进行某些操作时父母不能在场，你大概必须尊重医院的规定，但如果你可以待在现场，请表现出放松的样子，哪怕你必须伪装一下，你的出现应该让孩子更轻松，而不是更紧张。提前问问医生你能做什么来安抚孩子，比如轻抚他的前额，给他吮吸什么东西，或是握住他的手。

健康小贴士：
弄清规定

由于医学或法律方面的顾虑，手术时父母能参与到什么程度，各医院的规定并不相同。考虑到医患诉讼太多，医院不得不略微收紧政策，所以我们希望你能理解他们的处境。请弄清孩子住的医院对于做手术时父母陪护的规定。

监测孩子的症状。每次让孩子住院时，我们都会和父母聊聊："你家的孩子你最了解，请注意孩子病情恶化的信号，通知相应的医疗人员。你就是孩子最值得信任的床边监控器。"在这方面我们有过许多经验，孩子病情恶化时父母的反应往往早于监控器。比如说，我们有个小病人常常因为哮喘住院，哮喘发作之前几分钟，氧气监测传感器还没反应，他的父母常常就能发现情况，通知护士。你最了解自家孩子的身体语言，请好好利用你的经验。某些操作会让孩子不舒服，你知道什么时候才能做这些操作，

因为你知道孩子忍受的极限。对医院工作人员来说，等会儿再来可能不太方便，但你可以礼貌而坚决地请求："我觉得他现在已经到忍受极限了，现在不能做。请你过会儿再来可以吗？谢谢！"

过夜陪护。和其他许多事情一样，每个晚上是否需要陪伴要看具体情况。医院工作人员可能会建议："你也累了，不如回家休息一晚，明早再来。"你可以要求整夜陪护，在孩子的病床边摆一张家长用的便携式行军床。如果住院时间不长，而且你认为需要整夜陪着孩子，请医院给你安排过夜陪护。从另一方面来说，如果住院时间较长，白天的操作已经让你筋疲力尽，那偶尔回家好好休息一夜可能对大家都好。睡眠不足是医疗差错的常见原因，孩子需要你清醒的判断力。

给孩子吃真正的食物。住院的费用很贵，你以为孩子在医院里能吃到最健康美味的食物。但实际并非如此，更让人惊讶的是，医院里的许多菜单还是营养师精心制定的。有一天，我（比尔医生）去医院探访一位正在术后恢复期的孩子，我注意到他的膳食里有白面包、含明胶的甜品、添加了玉米糖浆的高果糖果汁、少纤维型的麦片。这令我大吃一惊，赶紧回家拿了搅拌机、很多水果、酸奶、亚麻籽粉和其他"真正的食物"送到医院（见P016，西尔斯医生的康复奶昔食谱）。护士听到了病房里的嗡嗡声，跑来问是怎么回事，孩子的家长回答："西尔斯医生在做真正的食物。"住院时孩子最需要康复食物，可实际上他吃到的却是有害的食物。我们这里说的康复食物是指能够增强免疫系统、加速组织发育和愈合，从而促进恢复的食物，而有害食物是指那些效果适得其反的食物（康复食物和有害食物的例子请见P035，"'喂养'孩子的免疫系统"）。

疾病或手术恢复期间，肠道运动常常会减缓，这是为了省出更多能量用于身体恢复，所以别指望孩子住院时能吃很多东西。你应该针对孩子的疾病选择恰当的食物，进行恰当的烹调。下面我们介绍两个诀窍，适合大多数孩子的住院恢复：

- 西尔斯医生的"2原则"：2倍餐数，1/2分量，咀嚼2倍时间。
- 小口喝：让孩子整天小口喝少量营养丰富的奶昔，这是住院儿童最佳的康复膳食之一，对肠道也很有好处。

注意：给住院儿童吃东西之前请和医护人员确认，某些疾病或某些药可能需要忌口。

114. 脓包病

脓包病常被误写作"脓疱病"，这

是一种皮肤细菌感染，通常出现在鼻子、嘴巴和下巴周围，因为这些地方很容易受到食物和鼻涕的刺激。不过脓包也可能出现在身体任何部位，表现形式为红色的小点、丘疹或疮，表面通常会形成蜜色硬壳。孩子生病期间或天气干燥时，请保持这些部位的清洁并搽软膏进行润滑，这样可以避免硬壳的形成。

你能做什么

如果及时治疗，大部分病例不用看医生就能痊愈。你能做的事情如下：

- 剪掉孩子的指甲，避免抓挠引起刺激。
- 用温水和肥皂清洗患处。
- 用稀释过的过氧化氢（加一半水）点一下脓包，然后冲掉。
- 搽非处方抗生素软膏。
- 按照上述步骤每天清理 3 ～ 4 次。
- 如果皮疹没有改善，清洁之前请用热毛巾敷一下患处，清洁之后，用稀释过的聚维酮碘溶液（消毒剂，药店有售，请用 5 倍清水稀释）代替过氧化氢点在患处，停留两分钟再彻底洗掉。最后搽抗生素软膏。

什么时候去看医生

如果 3 天后皮疹既没有好转也没有恶化，就该去看医生了。治疗选择有两种：

处方强度的抗生素软膏。最好亲自去医生那里开药，不过如果病情听起来不太严重，有的儿科医生可能会在电话里开药。

口服抗生素。有时软膏的效果不够强，孩子需要吃一个疗程的口服抗生素。

脓包病会传染吗？

会，但只有脓包结壳的阶段才会传染，而且只有直接接触被感染区域才会传染。如果孩子年纪较大，能够管好自己的小手，不和别人分享食物饮料，那么就可以去学校或托儿所。多洗手也有帮助。到处流口水、管不住小手的婴幼儿应该留在家里，直至皮疹不再发炎渗液。正在愈合的干燥皮疹不会传染。

115. 炎症性肠病（IBD）

炎症性肠病的病因是消化系统炎症，美国大约有 100 万人罹患 IBD，任何年龄段都有可能发病。虽然童年期早期就可能出现 IBD，但它主要发作的年龄段是 15 ～ 30 岁。IBD 有两种：克罗恩氏病和溃疡性结肠炎。

克罗恩氏病

克罗恩氏病和溃疡性结肠炎都是

IBD，二者十分相似，它们的区别在于炎症发生在消化道的哪个位置。克罗恩氏病主要影响小肠，不过也可能牵涉到消化系统其他任何位置——口腔、食管、胃、结肠或肛门。

从幼小的儿童到年长的成人，全年龄段人群都可能罹患克罗恩氏病，不过这种疾病通常在10多岁或20多岁时开始出现。克罗恩氏病可能有家族遗传倾向。

原因。克罗恩氏病似乎是一种自身免疫系统失衡（叫作自身免疫反应）。当消化系统可能接触了某种病毒或细菌，身体的免疫系统就开始进攻入侵者，导致消化道内出现炎症反应。我们认为，克罗恩氏病是细菌或病毒被消灭后免疫系统的炎症反应仍未停止，导致持续性炎症。

克罗恩氏病患者的免疫系统似乎还有其他问题，例如食物或环境性过敏，所以过敏反应可能也是原因之一。

症状。具体症状因人而异，包括：

- 腹泻
- 反复出现下腹疼痛
- 大便带血
- 肛门出血
- 体重减轻
- 反复发烧
- 疲劳
- 不愿意进食
- 营养不良

诊断。如果儿科医生怀疑孩子的症状可能意味着克罗恩氏病，他也许会取孩子的血样和便样进行检测。某些血检项目能够查出孩子体内炎症反应的证据，大便检测可以排除寄生虫或细菌引起感染的可能性。

如果怀疑是克罗恩氏病或溃疡性结肠炎，医生很可能会让孩子去胃肠科做进一步检查。专科医生可能会做两种检查：内窥镜检查和结肠镜检查，可能还会给孩子的腹部照X光，即上消化道造影。

进行内窥镜检查的工具是一根端部装有摄像头的细管，医生从嘴里把管子伸进孩子的食管和胃，观察炎症信号。医生还可以取一些组织样本做活体检查，查看有无克罗恩氏病的证据。

结肠镜从本质上说就是从身体另一端插入的内窥镜——将一根端部有摄像头的细管通过直肠插入结肠，让医生直接观察该区域、采集组织样本以供活体检查。

治疗。目前，克罗恩氏病无法彻底治愈，但能够加以缓解，保证孩子的正常生活。

对于所有的肠道不适，尤其是克罗恩氏病，“多保健，少吃药”的方法将大放异彩：

医生做什么（药物）	孩子和家长做什么（保健）
做出准确的诊断	细心记录日志
开处方抗炎药	阅读 P037 预防“红孩儿”的内容
进行正确的胃肠道检查	阅读 P029 保持肠道健康的内容

少部分 IBD 重度患者可能需要做手术。手术不会治愈克罗恩氏病，但能够改善其症状。一般上述所有治疗方案都无效才会考虑手术。

溃疡性结肠炎

溃疡性结肠炎是消化道内壁某区域发炎而引起的，它和克罗恩氏病的主要区别是炎症发生的位置。从口腔到肛门，克罗恩氏病可能影响消化道任何部位，但溃疡性结肠炎只会影响结肠或直肠。

原因。和克罗恩氏病一样，溃疡性结肠炎被看作身体免疫系统对入侵细菌或病毒的免疫反应引起的发炎，这种炎症无法自行停止，导致溃疡性结肠炎。

症状。溃疡性结肠炎的症状与克罗恩氏病相似，包括：

- 下腹痛
- 腹泻带血
- 肠道运动弛缓
- 直肠出血或大便带血
- 营养不良
- 食欲减退
- 疲劳
- 体重减轻
- 偶尔可能出现关节痛或皮疹

如果孩子出现上述症状，请去看医生。

诊断。从本质上说，溃疡性结肠炎的诊断方法和克罗恩氏病一样（详见上文诊断克罗恩氏病的章节）。

治疗。和克罗恩氏病一样，溃疡性结肠炎的治疗方案因人而异，每个孩子接受的治疗不一定相同。溃疡性结肠炎并无有效的治愈方案，治疗的主要目标是控制症状剧烈爆发。

药物治疗通常从抗炎药开始，它能帮助控制症状，用于治疗轻微的病例。对于中度到重度病例，医生可能会用类固醇药，因为它们的抗炎效果更强。这些药物通常是短期使用，控制剧烈的爆发，对于更为严重的病例，可能要用辅助替代自身免疫系统的强效药物。类固醇和免疫系统替代药可能有许多副作用，只能在医生的指导下使用（溃疡性结肠炎的其他疗法请见上文克罗恩氏病的相关内容。避免营养不良是治疗方案的重要组成部分）。

对于那些上述方案无效的严重病例，手术可能是最后的堡垒，患者通常需要切除结肠受影响的部分，缓解症状，改善生活质量。

爆发

这两种炎症性肠病的严重程度因人而异，有的十分轻微，有的十分严重，孩子可能有很长一段时间没有任何肠道不适的迹象，然后突然爆发。有些人一生都在不断经历好转和恶化的循环，而有些人的症状可能只会持续很短一段时间，然后终生不再发作。

116. 黄疸

出生 3 ~ 4 天时，几乎所有宝宝都会变得有点黄，这不一定是坏事，这是由于胎儿发育期间体内积聚的多余血红细胞急剧减少，造成血液里的黄色素（胆红素）水平升高。宝宝出生后不再需要这些多余的血细胞，于是血红细胞开始分解，而胆红素是一种抗氧化剂，能够帮助宝宝预防感染，所以某种程度的黄疸实际上是有益的。不过，要是血液里的黄色素过多，那对宝宝的大脑可不是好事。幸运的是，到第四天或第五天，宝宝的肾脏和肝脏会开始清除胆红素，到第十天左右，黄疸就会消失。但是对父母来说，判断宝宝多黄才算过分不太容易，下面我们将指导你了解黄疸，告诉你什么时候该看医生。

什么时候该担心

从医院回到家里（第三天或第四天）之前，大多数宝宝不会出现任何黄疸，而宝宝的第一次检查还要等好几天。如果宝宝出现下列迹象，那就说明黄疸过于严重：

出生 48 小时内出现黄疸。宝宝出生时身上主要是粉色、白色和浅棕色。如果最初两天内你发现孩子发黄，无论程度如何，那可能意味着胆红素积聚过快。

全身性黄疸。黄疸通常在第三天从脸部开始出现，第四天向下移动到胸口，第五天扩散到肚子，到这时候，宝宝的眼白也会变黄。随后黄色素会开始消退，黄疸开始消失。如果宝宝的黄疸扩散速度较快（比如说，第三天或第四天肚子和眼睛就开始发黄），或者大腿变黄（无论时间），请立即去看医生。

越来越嗜睡，不愿意进食。所有新生儿似乎只会两件事：吃和睡。但是随着时间流逝，他们应该越来越清醒，吃奶的兴趣也会上升。血液中胆红素过多会让新生儿昏昏欲睡，不爱进食。

早产儿。分娩时胎龄小于37周的宝宝更容易出现问题黄疸应密切注意。

头颅血肿。因分娩而出现头部大片肿胀的宝宝更容易黄疸积聚过快。头部肿胀是因为头皮下的血液积聚，这些滞留的血液会将更多胆红素释放到血流中。

治疗

治疗方案取决于胆红素水平、宝宝出生了几天、是否出现其他风险因素等。接下来几天内，医生可能会做这些事：

检测胆红素水平。如果你还在医院里（这时候大多数剖宫产宝宝可能还在医院里），护士可以用经皮胆红素检测器给宝宝测量，用一根小探针按在皮肤上就好。不过血检更为准确，如果你已经出院又因黄疸来看医生，护士更可能会给宝宝做血检。如果胆红素水平超过下面的描述，应该进行治疗：

- 出生24小时的宝宝胆红素值大于等于12
- 出生48小时的宝宝胆红素值大于等于15
- 出生72小时的宝宝胆红素值大于等于18

如果胆红素水平低于上述值，谨慎起见也可以治疗，具体取决于宝宝的健康程度和其他因素。

虽然上面描述的数值完全不会损害宝宝的健康，但短时间内胆红素水平达到这个程度可能意味着黄疸升高过快，如果不加治疗，可能会上升到有害的程度，导致宝宝脑部损伤。多高才算高？足月产的宝宝可以忍受的无害的胆红素值最高大约为25，不过我们不希望逼近这个数值，所以应尽量把胆红素值控制在20以下。

检测妈妈和宝宝的血型。如果宝宝和妈妈的血型不一样（比如说和爸爸一样），这种不匹配可能导致宝宝体内多余的血红细胞过快分解，更早引发黄疸，黄疸积聚水平也较高。医生会检查一下妈妈和宝宝的血型，如果有异常，那可能需要更积极的治疗措施。

蓝光疗法。这是治疗黄疸的主要方法，用特殊的蓝光昼夜不停地照射宝宝的皮肤，光线能够将色素分解成无害的物质。蓝光疗法有两种方式：

- 把宝宝放在有大灯泡的恒温箱里。这只能在医院里进行，保证光照的效率最高，集中度最好。治疗时宝宝要戴眼罩。
- 蓝光毯。在医院和家中都可使用。用特殊的毯子裹住宝宝，毯子里缝着灯带。

黄疸水平很高的宝宝应该留在医院里做恒温箱蓝光治疗，黄疸不那么严重的宝宝一般可以回家用蓝光毯治疗，家庭健康护士会每天追踪宝宝的情况。

健康小贴士：母乳会导致黄疸吗？

很多年长的医生认同这种观点，某些时候它确实有道理，但大多数时候情况并非如此。有两种情况会造成母乳喂养的宝宝更容易发生黄疸：第一种叫作母乳喂养黄疸，宝宝黄疸水平较高，因为母乳没能及时供应上。这种情况引发黄疸的实际上并不是母乳，而是因为宝宝吃的是母乳，所以有一段时间摄入的乳汁没有配方奶喂养的宝宝多，从而允许了黄疸的出现。第二种叫作母乳性黄疸，在这种情况下，母乳中的某种物质的确减缓了宝宝体内胆红素清除的速度。不过这种情况并不普遍，而且在宝宝一周之前不会引发黄疸。所以在现实中，母乳本身不会引发新生儿早期黄疸，哺乳的妈妈应该继续给宝宝吃最好的东西。如果到了第二周，宝宝黄疸持续不退或恶化，请和医生谈谈母乳性黄疸。

增加液体摄入。增加血流中的液体能够帮助稀释胆红素，从而降低胆红素水平。医生会给严重黄疸的婴儿静脉注射液体以快速降低胆红素值，中度黄疸宝宝通常能够通过母乳或配方奶得到足够的液体。在这里我们要提一点：妈妈的母乳通常要到第四天或第五天才开始足量分泌，这时候宝宝才能得到更多母乳，所以出生三天的黄疸宝宝通常会陷入窘境。有的医院或医生会坚持给所有黄疸宝宝喝配方奶作为补充，但具体情况应该具体分析，因人而异。如果医生要求添加配方奶，请和医生谈谈有无必要。我们发现，大部分母乳喂养的宝宝无须添加配方奶，在医院或在家用蓝光毯治疗也可以，等到第四天母乳充足，问题就迎刃而解了。

预防

大多数宝宝在第二天或第三天从医院回家时都会出现一些黄疸。回家之前，医生一般会通过经皮检测器或血检检查宝宝的胆红素水平，如果出现胆红素值临界的情况，应该过两天左右再来复查。接下来几天里，你可以采取这些措施控制黄疸：

日晒疗法。阳光能起到光照治疗的作用。直接晒太阳最好，不过要保证宝宝不晒伤，你显然没法让他晒太多太阳。试试这些“日光浴”窍门：

- 把摇篮放在窗边。尽可能少给宝宝穿衣服，让他隔着窗玻璃晒晒太阳。虽然玻璃会过滤掉大部分有效

- 光线，但晒太阳仍有帮助，哪怕在阴天，隔着玻璃晒太阳也有帮助。
- 在窗边给宝宝喂奶。在能晒到太阳的大窗户旁边放一张漂亮的椅子，坐在上面给宝宝喂奶。你的体温能够帮助吃奶的宝宝保暖，所以他可以完全赤裸（你也许希望留一块尿布在宝宝身上），最大限度地接受阳光照射。
- 出门去。每天外出散步 15 分钟，在不着凉的情况下尽量少给宝宝穿衣服，让他接受阳光直射。这种方法真的能够帮助控制黄疸。

频繁哺乳。可能你已经在这么做了，不过我们还是要提醒一句，尽可能再频繁一些。如果到第四天或第五天，你仍然觉得母乳的供应不够好（信号见 P053），请联系哺乳顾问寻求帮助。

117. 膝盖肿块，伴有疼痛

青春期或快到青春期的孩子开始抱怨说膝盖骨下面有肿块，会痛，这种讨厌的疼痛通常出现在年轻运动员锻炼的时候，休息后会好转，使得孩子深受其扰，你也担心不已。这种发育性阵发式小毛病名叫胫突牵引骨膜炎（OSD，以 100 多年前发现它的两位医生命名，也叫奥斯古德施二氏病），主要出现在 11~15 岁的男孩和运动的女孩身上。它实际上不是疾病，只是青少年发育过程中阵发式的麻烦事。OSD 出现在胫骨上端、肌腱经过髌骨与软骨或生长面相连的局部区域，如果某项运动需要反复拉伸此处肌腱，使之压迫成长面，就会导致该区域疼痛发炎、肿胀。比尔医生上天主教高中的时候得过这种膝盖肿块，在教堂里下跪会很痛，他还记得当时自己因为膝盖痛不想下跪，于是遭到了修女的训斥，因为她们不相信他的借口。

信号和症状

- 单侧或双侧髌骨下方出现硬币大小的肿块。
- 肿块受到压迫、下跪或运动时会痛。
- 剧烈运动一天之后常常痛得更厉害，有时候会跛脚。
- 休息可缓解疼痛。

怎么办

再次向孩子保证，这是青春期成长痛的一部分，他需要弄清哪些动作会更痛，并尽量在运动时避免这些动作。如果疼痛和肿胀恶化，他也许需要换个运动项目。此外：

- 孩子应该佩戴后跟垫，穿减震型运动鞋。

- 参加接触性运动时孩子应该佩戴护膝，例如足球、篮球和摔跤。
- 请咨询孩子的教练或训练员，确保孩子运动前进行了充分的拉伸和热身。
- 为了尽量减轻炎症，运动后立即为孩子冷敷肿胀区域。
- 可以吃几天布洛芬消肿止痛，每天三次。

和其他成长痛一样，等到身体发育完全，大部分孩子会自然度过膝盖疼痛的阶段，但是偶然情况下，孩子成年后这片区域可能仍会有些敏感脆弱。

118. 铅中毒

铅中毒通常是慢性的，原因是孩子长期吞食或吸入少量含铅产品，一般是因为孩子嚼了一些含铅的物质，例如老式的油漆色卡或使用了含铅涂料的玩具。比起成年人来，儿童更容易发生铅中毒，因为他们喜欢咬东西。铅对儿童尤为有害，因为它可能会让孩子正在发育中的大脑和神经系统出现问题。事实证明，孩子年纪越小，铅中毒的危害越大。

症状

铅中毒的症状会在长时间内缓慢发展。最常见的症状包括：

- 食欲减退，精神不佳
- 睡眠困难
- 侵略性行为
- 极度兴奋
- 头痛
- 贫血
- 腹痛
- 便秘
- 发育迟缓

接触极大剂量的铅可能出现下列症状：

- 严重腹痛、痉挛
- 呕吐
- 走路困难
- 痉挛或昏迷，可能致命

可能含铅的常见物品

- 老房子里含铅的涂料（建筑时间早于 1978 年的房子可能使用含铅涂料刷墙）
- 捕鱼用的坠子
- 铅弹
- 1976 年之前上漆的玩具和家具
- 如果家里的管道系统采用含铅的焊锡焊接，那管子和水龙头可能含铅
- 成套颜料和其他美术用品
- 锡餐具

- 焊锡材料，某些陶瓷釉料
- 铅质小雕像
- 非美国涂装的玩具
- 附近电厂的废料，尤其是烧煤炭的电厂
- 附近高速公路上的卡车废气

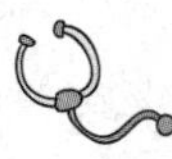

健康小贴士：
请购买美国制造的产品！

最近，对进口玩具的担忧让很多家长不敢购买非美国生产的玩具。

长期并发症

长期接触低剂量的铅可能导致下列并发症：

- 发育速度减缓
- 听力问题
- 低智商
- 注意力或行为问题
- 肾脏问题

治疗

对长期接触低剂量的铅的情况，治疗的第一步是测量孩子的血铅水平。许多州都有学龄前儿童血铅筛查项目。具体治疗取决于血铅水平。低水平血铅一般只需要隔绝含铅物品，让孩子接触不到就可以了。一段时间后医生会复查血铅，看看孩子的血铅水平是否恢复正常。如果血液中的铅含量较高，医生可能需要采取螯合疗法：用某种介质“捆住”血液中的铅，帮助身体尽快排出。

如果发现孩子的血铅水平较高，医生可能会做其他血检，包括筛查贫血、骨髓活检评估骨骼中的铅含量，或是给某些骨头照X光。

预防

- 如果你不确定有涂料的旧玩具或其他物品是否含铅，请直接丢弃。
- 确定家里的管道系统建造时是否使用了含铅焊锡。
- 如果你不确定家里用的涂料是否含铅，请对其进行评估。1978年之前建造的房屋尤其需要评估。
- 如果你担心家里的供水系统可能含铅，请测试水里的铅含量。

若想进一步了解关于铅中毒或铅暴露的问题和建议，请联系国家防中毒中心。

119. 虱子

虱子在学龄儿童中十分常见。头虱是一种生活在头皮和颈部上端的小昆虫，它们会在头发上产卵。在人类经常性密切接触的环境里，这些小生物总能蓬勃生长，所以你常常会听说学校里爆发头虱。它们很容易在人群中传播，密切接触被感染者、触碰被感染者的衣服或床品、共用梳子都会传播头虱。头虱能活一个多月，它们的卵（叫作“虮”）最多能存活两周。

健康小贴士：最干净的房子里也会长虱子

人们常常觉得不爱干净的穷人才会长虱子，这不太公平。过去，人们认为长虱子是因为经济不发达、不讲卫生，但是现在，我们知道这些问题与长不长虱子无关。哪怕最干净的孩子也很容易染上头虱。

症状

- 孩子觉得头皮很痒。
- 你发现孩子的头发根部有小白点，看起来像是头皮屑，却很难清除。这是虱子的卵。
- 孩子的头皮、颈部或耳后出现挠出来的红色条痕，可能结痂渗液。

寻找虱子

头虱和虮都很小，通常要在很近的距离上仔细检查才能看到。重要的是戴上一次性手套全面检查头皮，一小片一小片地检查，直至发根，尤其是颈部和耳后。放大镜能够帮助你更轻松地找出头虱和它们的卵。

治疗

头虱一旦发现就应该治疗，哪怕你只发现了一颗卵。

洗掉头发上的虱子。非处方洗发水和洗液能够清除头虱，通常用一次就行。最有效的非处方洗液叫做氯菊酯，药店有售。偶然情况下可能需要大约七天后再用一次，才能彻底清除头虱。不过，如果非处方药效果不好，你可能需要处方强度的洗发水。我们建议你咨询儿科医生，有一种新的处方除虱液，叫做苯甲醇洗液。它是一种温和的含酒精洗液，对付头虱非常有效，大部分除虱药中含有杀虫剂成分，但苯甲醇洗液里没有。女孩一般都留有长发，所以通常需要更强效的治疗方案。

清除虮。用完洗发水或洗液之后，请用篦子清除残余的虫卵。更有效的方法是先涂一层橄榄油再篦，这样更容易去除虫卵。

吹走虱子。很多药店里有专门的电吹风，它能吹走头发上残留的虱子和虫卵。普通的电吹风也有效。

闷死虱子。听起来会搞得脏兮兮的，但这种做法的确有效。在头发上涂橄榄油、花生酱或蛋黄酱，第二天早上再彻底洗掉。

家庭除虱。用洗涤剂和温水清洗孩子染上头虱后接触过的所有衣服、帽子和亚麻床品。虱子离开人体后短时间内仍能存活。在较为罕见的情况下，头虱非常严重，孩子抓挠头皮的伤痕可能出现继发性细菌感染，感染从皮肤进入身体，有时候这种情况需要抗生素治疗。

预防头虱传播。如果孩子有头虱，或是怀疑孩子的某位朋友或同学有头虱，不要和他共用下列物品：

- 帽子
- 梳子
- 发刷
- 床品
- 毛巾
- 衣物

健康小贴士：
只是烦人的虱子而已！

头虱很少成为健康问题，它们并不携带疾病，除了有点痒，不会造成其他问题。学校和托儿所常常反应过度，"吹毛求疵"。孩子和长虱子的小伙伴完全可以上学、上托儿所。"长虱子不能上学"的政策实在没有必要！

---

120. 瘸拐

幼儿瘸拐相当常见，有时候，孩子某天早上突然瘸了，却没有明显的原因，你可以通过下面的方法揭晓孩子瘸拐之谜。

原因

有一些无害的原因可能导致瘸拐。

近期摔过跤。也许孩子最近绊倒过，造成肌肉拉伤或脚踝扭伤，不过程度比较轻微，你根本没注意到，孩子也没提过。

剧烈运动。如果孩子在运动场上十分努力、刚刚开始上新的健身课或是在玩蹦床，那他可能会拉伤。

鞋子太新或太旧。新鞋可能磨出水泡或红肿，旧鞋可能太小不合脚。这种情况下哪怕脱掉了鞋子，孩子可能还是会瘸拐。

睡觉姿势不当。有的孩子起床后会瘸几个小时，因为他们睡觉的姿势很奇怪。在汽车座椅里坐太长时间也可能发生瘸拐。

最近得了感冒或其他疾病。生病可能造成髋关节或膝关节暂时性发炎。见P380，"滑膜炎"。

只要没发现下面我们即将介绍的严重信号或问题，你就可以放下心来，如果五天后还没好转再去看医生。这些无害的瘸拐几乎都会自行痊愈（也许孩子脚上扎进了什么东西，那就需要取出来）。当然，早点检查，你就可以放宽心也没啥坏处。

什么时候该担心

瘸拐有一些更严重的原因，这时就不应拖延。必须看医生的信号如下：

- 瘸拐伴有发烧，且发烧并没有明显的原因，例如感冒或腹泻。这可能意味着骨骼或关节感染。请在当天带孩子去看医生。
- 可见的肿胀。请全面、仔细检查孩子的腿。肿胀可能意味着更严重的损伤，例如骨折。
- 最近受过伤。如果最近孩子从高处摔落造成瘸拐，或是被什么东西撞过，你觉得可能会造成严重损伤，在当天或第二天去看医生。
- 某处明显疼痛。活动孩子的关节、按压腿骨时，如果按到某处他表现出明显疼痛，那你可能需要在两天内请医生来看看。
- 瘸拐超过 5 天。就算最后发现虚惊一场，那也应该检查一下。
- 持续暴躁。如果瘸拐让孩子一天中大部分时间都烦躁亢奋，那你应该在两天内请医生看看孩子的伤病。

医生会对孩子的腿进行详尽的物理检查，寻找有无受伤的迹象。如果发现明显的疼痛或肿胀，或是医生怀疑某处有伤，可以照个 X 光。如果医生怀疑是骨骼或关节感染，可以进行血检。

121. 肿块

孩子全身各部位都可能出现肿块，父母自然会担心不已。下面的肿块小百科速成班将带领你认识一下孩子的身体，了解肿块出现的原因。

淋巴结肿大。淋巴结是身体免疫系统的组成部分，它们会产生白细胞和其他对抗微生物的物质。淋巴结一般有豌豆大小，主要聚集在颈后、耳后、颌下、腋窝和腹股沟处。淋巴结附近的皮肤发生感染、受到抓挠或刺激时，它的体积会膨胀好几倍，摸起来可能有一点软。3 个月大的婴儿你就能摸到他后脑勺和颈后的小淋巴结。有时候，这些淋巴结对抗附近的感染时自己也会被感染，例如扁桃体感染可能引起颌下淋巴结感染。如果淋巴结发红，体积肿胀 2 ~ 3 倍，摸起来很软，轻轻按压孩子会畏缩，那可能需要医治。除了抗生素治疗之外，医生可能会推荐你每天轻轻加压热敷几次肿胀的腺体，每次 10 分钟，加速康复。

健康小贴士：周期性检查淋巴结

请熟悉宝宝的淋巴结“正常”时的触感。如果你摸到或看到这些腺体出现上述危险信号，请告诉儿科医生。

创伤造成的肿块。孩子撞了头，一两周后你注意到他前额有个肿块。皮肤紧紧包裹着下面的骨骼，孩子摔倒的时候，常常会有一点皮下出血，这些血液硬化成块，形成你摸到的肿块。脂肪受到过度挤压也会硬化，所以孩子摔伤、组织受到挤压的部位常有硬块。这些无害的肿块最长可能要一年才会消失，它可能出现在孩子身体的任何部位。

腹股沟肿块。你在孩子的腹股沟处摸到的肿块大部分是正常的淋巴结，如果孩子的腿脚受伤或被抓挠，这些腺体可能肿胀。较大的肿块，比如说拇指大小的，可能是腹股沟疝（见P523，“腹股沟疝”）。

乳房肿块。童年期有两个阶段乳晕（乳头周围的深色区域）处常常出现豌豆大小的肿块，这是一种无害的小毛病。出生后不久，由于受到胎盘传来的激素的影响，许多婴儿（无论男女）的乳头下面会出现肿块似的小囊肿，它们通常会在几个月内消退。下一次胸部肿块出现要等到女孩8～10岁青春期开始的时候。这个阶段女孩的乳头下方会出现豌豆大小、一碰就疼的肿块。事实上，在大部分孩子做8岁常规检查时，我们都会告诉父母和孩子自己，小姑娘的乳头附近很快会出现一碰就疼的小肿块。这样的正常腺体肿胀是乳腺组织的萌芽。我们会告诉孩子，“这些肿块很正常，它们的出现意味着你正在开始发育得像妈妈一样。”乳房肿块可能发生感染，如果它们变软、迅速增大、按压时孩子会畏缩，最好请儿科医生检查一下。

胸部肿块。如果你摸到宝宝的胸骨下方有豌豆大小的硬质肿块，请勿惊慌，胸骨端部就是这样的，就像肚脐一样，这里是正常的“进出口”。某些婴儿，尤其是特别瘦的婴儿，胸骨端部的突出更加明显。随着宝宝的成长，这里的肿块会自然成为胸骨的一部分，变得没那么明显。这种情况你不用担心，孩子也不用治疗。

什么时候该担心

你可以根据肿块的外观和触感判断是否应该带孩子去看医生。一般而言，皮下肿块如果柔软、呈圆形、质地均匀、有轻微触痛感、容易移动，那就不需要担心。不规则、坚硬、不痛、似乎与下方组织相连的肿块可能更值得担心，如果有这种情况出现，应该立即请医生检查。如果你拿不准肿块的性质，请仔细检查并感觉一下，然后观察它是否变化。没有变化的肿块危险性较小。

122. 手淫

成人手淫可能意味着刺激生殖器到达高潮，但儿童手淫仅仅意味着刺激生殖器获得快感，其实用玩弄生殖器和发现生殖器来形容更为准确，尤其是对于学龄前儿童。

孩子手淫的原因

在儿童探索身体各器官及其快感的阶段，玩弄生殖器很正常。这一行为可能在他在婴儿期就开始了。因为生殖器区域有很多敏感的神经，爱抚生殖器产生的感觉很容易让孩子神魂颠倒。

孩子无聊或是能抚慰他的东西（例如安抚奶嘴）被拿走时，常常会导致他手淫。如果老是被教育不能手淫，他们甚至会更加频繁地手淫。

应该作何反应

孩子正常玩弄生殖器时你作何反应，这将奠定以后事件升级时你们的沟通基调。记住，你希望他能够自然地和你讨论与自己身体有关的事情。你推开4岁孩子的卧室门，发现他正在“和自己玩”。别慌。这是孩子探索身体的正常阶段，并不意味着孩子有什么心理问题。综上所述，请勿做出会让孩子以为身体某些部位“坏”或是触碰某些部位“不对”的反应。不要让他觉得触碰生殖器“脏”或是“会生病”。手淫行为不会导致物理损害，也不意味着孩子长大后会滥交。但是，如果成年人反应过度，让孩子觉得自己的行为坏或是脏，那可能导致他情感损伤、严重负罪感或禁欲。

追踪诱因。孩子是在什么情况下开始玩弄生殖器？他无聊了、累了、孤单、紧张？请在日志中记录哪种情况可能促使孩子玩弄生殖器。

转移注意力，寻找替代品。这个把戏能改变许多让人担忧的行为进程。如果你看到两岁的女儿“骑在摇摆的木马上不肯下来”，请转移她的注意力，让她别想着外阴的感觉，给她提供替代方案：“我们去公园玩吧。”当然，你应该阻止她在外人面前玩弄生殖器：“南茜阿姨在的时候我们不‘骑马马’。”如果你觉得孩子靠按摩生殖器来舒缓紧张，为她提供其他放松方案，例如帮她挠挠背作为代替。

监管。如果孩子正处于玩弄生殖器的阶段，请不要让他玩弄别人的生殖器。孩子们一起在房间里玩的时候，规定他们必须打开门。

教育孩子隐私观念。你没法彻底阻止孩子手淫的行为，现实的目标是只控制孩子手淫的地点。请尝试将手淫地点限制在卫生间和卧室里。你可以这样告诉孩子，“摸自己的小鸡鸡没关系，但是为了保护你的隐私，请到卫生间里去。”大多数孩子不想正在进行中的行为被发现，他们会等到去卫生间的时候再做。

什么时候该担心

对大多数孩子而言，刺激生殖器是正常的行为。但是就像刺激身体其他部位一样，过度手淫可能会有危险。如果孩子出现下列情况，请和医生谈谈：

- 玩弄生殖器变得更加激烈、频繁。过度摩擦外阴，尤其是女孩，可能导致阴道组织溃疡或反复出现尿路感染。这种并发症十分罕见。
- 孩子为了自慰取消社交活动。
- 玩弄生殖器变得更加公众化。教育孩子“隐私部位”的概念。
- 5 岁后仍在公共场合手淫。

随着孩子长大，你会注意到他对隐私部位的沉迷有所改善，行为更加符合他的年龄。

123. 麻疹

这种病毒性疾病几乎已在美国绝迹，每年只会出现 50 ~ 100 个病例。睿智而有经验的祖父母可能还能认出麻疹的症状，不过大多数年轻父母（和年轻医生）已经不认识它了。下面我们将指导你辨认、处理麻疹。

症状

麻疹最初的症状和其他类流感疾病相似，发烧、流鼻涕、红眼、咳嗽，可能还有腹泻。这些症状开始 3 ~ 4 天后，孩子的脸部和身体上半部分会出现明显的红色丘状斑形皮疹。在接下来 2 到 3 天里，皮疹向身体其他部位蔓延。脸颊内壁也会出现异常的白点（叫做科泼力克斑），人们常常利用这一症状诊断疾病是否为麻疹。

麻疹的潜伏期为 8 ~ 12 天。传染期为症状出现前 2 天至皮疹开始出现后约 4 天。

怎么办

大多数麻疹患儿会安然痊愈，无需治疗。发现符合上文描述的皮疹后最重要的是立即隔离。血检可确诊，不过，你肯定不想不打招呼就跑到诊所或化验室去，把病毒传染给别人。请致电儿科医生，讨论如何以合理的方式为孩子诊断。如果血检确认是麻疹，公共卫生部门会参与进来，确保麻疹不会出现大规模爆发。不过，请警惕下列并发症：

肺炎。如果发烧和剧烈咳嗽持续超过五天,或者孩子很快出现肺炎症状(见P445),请联系医生。

哮吼。有时候麻疹病毒会引发哮吼症状,请通知儿科医生。

脑炎。这是一种罕见的并发症(1000例麻疹中可能有1例会发生脑炎)。症状类似脑膜炎(见下文)。如果孩子出现这样的症状,请带他去急诊室。

124. 脑膜炎

脑膜炎可能十分危险,它的病因是覆盖大脑和脊髓的内膜(脑膜)发炎。细菌感染或病毒感染都可能引发脑膜炎,且儿童、青少年和成年人都可能患病。脑膜炎风险最高的年龄组是6个月以下的婴儿、青少年和年轻成人。病毒性脑膜炎和细菌性脑膜炎的症状可能十分相似,二者都会传染,但治疗方法和后果却截然不同。

病毒性脑膜炎

病毒可能影响身体任何部位。如果病毒扩散到血流中,就可能进入脑膜,引发病毒性脑膜炎。大多数病毒性疾病不会发展到这一阶段,不过仍有这种可能。

病毒性脑膜炎比细菌性脑膜炎普遍得多,却远不及后者严重。它的症状可能十分轻微,类似流感。事实上,许多病毒性脑膜炎都没有被诊断出来,因为它和其他病毒性疾病太相似了。

症状。从轻微到严重,病毒性脑膜炎症状的严重程度区别很大。大多数病毒性脑膜炎类似普通流感,它有五大主要症状:

- 发烧
- 呕吐
- 头痛
- 光敏感
- 颈部僵硬

脑膜炎的其他症状还有:

- 感觉没精打采
- 痉挛或抽搐
- 暴躁
- 婴儿食欲不佳
- 婴儿黄疸
- 婴儿剧烈哭闹
- 宝宝头顶有凸出的软点
- 宝宝吸吮力衰弱

无论得的是哪种脑膜炎,患者通常会出现大部分主要症状和部分其他症状。请去看医生进行诊断。

治疗。如果医生怀疑脑膜炎,可能需要测试排除细菌性脑膜炎的可能性,因为它的治疗方法与病毒性脑膜炎大不相同。病毒性脑膜炎患儿可能需要住院,具体取决于孩子的病情和年龄。婴儿和年纪很小的孩子，如果被确诊是病毒性脑膜炎，则可能需要住院，因为他们很容易发生严重脱水。大多数病毒性脑膜炎会在 7 ～ 10 天内自愈，病人只需要补水、休息、吃退烧药控制症状。几乎所有的病毒性脑膜炎都不需要其他治疗。有一些儿童病毒性脑膜炎情况较为严重，例如疱疹性脑膜炎，如果母亲分娩时外阴疱疹爆发，新生儿可能会在经过产道时受到感染。事实上，如果知道母亲的外阴疱疹处于活跃期，就应该进行剖宫产手术，预防新生儿感染。新生儿疱疹性脑膜炎十分危险，可能威胁生命，不过可以通过测试来诊断。如果能够早发现并给予专门的抗病毒药，治疗结果通常较为良好。

其他极端罕见但可能十分严重的病毒性脑膜炎，包括备受瞩目的西尼罗河病毒和禽流感。几年前，西尼罗河病毒备受关注，当时美国许多州爆发了这种病毒。治疗几乎所有患者的年龄都超过了 50 岁，儿童感染的风险极低。这种疾病通过蚊子叮咬传播，当然，在可能的情况下防止蚊子叮咬肯定不会错。对儿科医生来说，重要的是安抚家长，告诉他们西尼罗河病毒感染儿童的概率非常非常低。

再强调一次，如果孩子出现类似流感的症状且病情正在恶化，请立即就诊。

细菌性脑膜炎

与病毒性脑膜炎相比，细菌性脑膜炎远没那么常见，但要严重得多。它可能影响任何年龄段的人群，但 6 个月以下的婴儿、青少年和年轻成人感染的风险最高。每年美国有约 8000 例细菌性脑膜炎，每年死亡人数约为 2000 人。

细菌性脑膜炎从一般的细菌感染开始，例如鼻窦感染、呼吸道感染、消化道感染、尿路感染或耳部感染。绝大部分此类疾病可通过恰当的治疗和身体免疫系统合作治愈。但是，较罕见的情况下，细菌可能侵入被感染者的血流，进入脑膜（覆盖大脑和脊髓的内膜）引发感染，导致细菌性脑膜炎。多种细菌可能导致细菌性脑膜炎，具体是哪种细菌，一般取决于患者的年龄。

细菌性脑膜炎开始时，症状可能类似感冒、鼻窦感染和咳嗽，归根结底，类似于任何细菌感染的症状。随着病情发展，孩子可能开始出现类似流感的症状。随着细菌侵入大脑和脊髓周围的血流和体液，就会出现更严重的脑膜炎症状（见 P404）。

细菌性脑膜炎患儿通常看起来病得很重，且症状迅速恶化。如果孩子出现任何脑膜炎症状，或者病情恶化很快，请立即联系医疗服务提供者。事实上，如果怀疑是细菌性脑膜炎，请送孩子去急诊室，因为这种疾病需要立即住院治疗。

健康小贴士：警惕红点

最严重的细菌性脑膜炎（叫做流行性脑膜炎）会引发标志性的皮疹——瘀点。宝宝皮肤上出现无数小红点，就像有人用红色水彩笔画出来的一样。如果孩子出现脑膜炎症状，请务必警惕红点，一旦出现，立即寻求救助。瘀点的详细描述请见 P454。

诊断。如果怀疑是细菌性脑膜炎，医生一般会对孩子进行化验，包括血检和名为腰椎穿刺（又叫脊椎抽液）的操作。腰椎穿刺能查出大脑和脊髓周围的体液内有无细菌，还能区分病毒性脑膜炎和细菌性脑膜炎。

治疗。静脉注射抗生素是治疗细菌性脑膜炎的第一步，也是最重要的一步，必须在医院里进行。医生甚至可能会在确诊之前开始治疗，因为这种疾病可能危及生命。通常需要静脉（IV）补水以预防或治疗脱水，可能还会用类固醇控制大脑和脊髓的炎症。进一步的治疗方案取决于病情的严重程度。

并发症。细菌性脑膜炎潜在的长期并发症完全取决于治疗有多及时、感染有多严重。好消息是，如果诊治及时，孩子一般会彻底痊愈，没有任何长期并发症。如果病情严重，可能引发下列长期问题：

- 痉挛
- 视力受损
- 听力损伤
- 学习障碍
- 器官机能失调，尤其是心脏、肾脏和肾上腺

如果没有及时诊治，细菌性脑膜炎可能导致多器官衰竭乃至死亡。

预防。全民接种疫苗大大降低了细菌性脑膜炎的发病率。第一年里，婴儿会常规性接种预防该年龄段细菌性脑膜炎主要病因（b 型流感嗜血杆菌和肺炎球菌）的疫苗。正如我们之前讨论过的，青少年和年轻成人感染细菌性脑膜炎的风险仅次于婴儿，尤其是流行性脑膜炎，拥挤的生活环境（学校宿舍、军营、更衣室和教室）进一步加大了感染的风险。现在，我们推荐 11 ～ 18 岁人群接种流行性脑膜炎疫苗，只需注射一次。如果你家的青少年上高中时没有接种疫苗，我们强烈推荐上大学之前或大学期间给他接种。疫苗详见 P044。

预防细菌性脑膜炎的其他重要措施包括基本的环境卫生和个人卫生。减少普通细菌感染（例如鼻窦感染或上呼

吸道感染）能够降低罹患细菌性脑膜炎的风险。请务必向孩子解释正确洗手、不共用器具、杯子等物品的重要性，如果觉得自己生了病，不要传播病菌。如果某人确诊患有细菌性脑膜炎，医生常常会推荐与他近距离接触过的所有人吃口服抗生素进行预防。

125. 偏头痛

大多数孩子会偶尔头痛，一般是生病的时候，例如感冒或流感。人们曾经认为只有成年人才会偏头痛，但现在它的发病年龄越来越小。事实上，多达5%的学龄前儿童和大约20%的青少年患有偏头痛。前青春期和青春期女孩的患病风险高于男孩。人们认为原因是这个阶段女孩的激素开始发生变化。其他头痛请见P358。

症状

偏头痛的症状多种多样，最常见的包括：

- 头部正面或侧面某个地方抽痛
- 恶心呕吐
- 视觉模糊
- 眩晕或走路困难
- 疲劳、肤色苍白
- 眼前出现闪光、隧道似的幻觉或波浪线（发作的先兆）
- 情绪变化

健康小贴士：家族病史

孩子因偏头痛去看医生时，若有家族病史，请务必告诉医生。多达70%～90%的偏头痛患儿有严重的家族病史。

原因和诱因

人们认为偏头痛的原因是大脑中的血管扩张或收缩。血管本身会正常缩张以调整流向身体各部位的血液。不过，偏头痛患者可能对这样的变化更为敏感。大脑中特定的化学物似乎对血管缩张有所影响。大多数偏头痛发作有某种诱因，已知的诱因很多，包括生理、环境和营养各方面。偏头痛最常见的生理和环境诱因如下：

- 光线过于明亮或闪光
- 强噪音
- 压力
- 抑郁
- 焦虑
- 正常的睡眠模式发生变化或睡眠不足
- 经期或青少年体内激素水平发生变化

- 天气或海拔的变化
- 强烈或异常的气味
- 饥饿
- 剧烈运动

此外，许多食品和食品添加剂也会诱发偏头痛，包括：

- 处理过、罐装或腌制过的肉（火腿、大红肠、热狗、小香肠、意大利辣肠）
- 某些豆类
- 陈化奶酪、脱脂奶、农家干酪、酸奶油
- 洋葱
- 咖啡因
- 阿斯巴甜
- 木瓜或百香果
- 坚果和坚果酱
- 谷氨酸钠（味精）
- 腌制食品或罐装食品
- 德国泡菜
- 非常咸的食物
- 巧克力或可可

诊断

如果你担心孩子可能是偏头痛，请去看医生。请详细记录日志以便确定偏头痛出现的模式、诱因和病程，这样能为医生省不少事儿。事实上，很多偏头痛光靠日志就能诊断出来。

如果医生担心孩子可能有其他更为严重的问题，例如脑瘤或血管畸形，他会给孩子的大脑做个 CT 或者 MRI。不过，这些问题在儿童中极为罕见，大多数头痛因为都是普通的小毛病，没有严重病因。

治疗

孩子觉得偏头痛快要发作的时候，你应该给他找个阴暗凉爽的地方。让他躺下来闭上眼睛，并在额头上敷一条冷毛巾。如果儿科医生开了药，在偏头痛的第一个信号刚出现时吃药最有效。如果偏头痛只是偶尔发作，上述措施一般够了，他可能需要吃一点非处方头痛药（儿童型）就可以了。如果孩子偏头痛频繁发作，或者头痛程度较为严重，医生可能会开药让孩子每天吃，以降低发作频率。对于中度到重度的偏头痛，医生可能还会推荐你去看神经科医生。治疗偏头痛的目标是：

- 确认潜在的原因
- 缩短偏头痛时间，减轻症状
- 降低发作频率

据报道，市面上有一些营养补充剂能够降低偏头痛发作的频率，包括维生素 B12、核黄素、烟酸和一种名为小白菊的草药补充剂。具体情况请咨询医生。

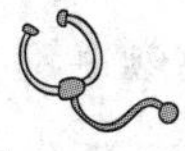

健康小贴士：
非处方止痛药不要吃过量

如果你发现不得不越来越频繁地给孩子吃非处方头痛药，请带他去看医生。因为过度依赖非处方头痛药，实际上可能导致头痛发作得更加频繁，这叫药物反弹性头痛。

偏头痛的替代疗法。有时候，主流药物没法治疗一些慢性疾病。对于偏头痛而言，有时候详尽的评估和治疗不一定能解决问题。我们鼓励你寻求一些替代疗法缓解孩子的痛苦。推拿、指压按摩、针灸或自然疗法或许能够对付一些标准疗法无法治愈的偏头痛。

预防

你可能无法完全治愈孩子的偏头痛，但你可以采取许多措施来控制头痛发作的频率和严重程度。例如：

- 鼓励孩子养成健康的饮食习惯。
- 别让孩子省掉某顿饭。
- 如果孩子饿了，给他吃健康的零食。
- 找出孩子生活中可能引发偏头痛的诱因，例如焦虑或压力。
- 找出可能诱发孩子偏头痛的食物（见P408的清单）。如果无法确定哪种食物诱发偏头痛，请禁食清单上的所有食物，看看偏头痛的发作频率是否会降低。
- 努力改善孩子的整体精神健康。
- 鼓励孩子每天锻炼（但不要太剧烈）。
- 确保孩子全天摄入充足的水分。

健康小贴士：
记录日志

孩子来诊所里看头痛的时候，如果我们怀疑是偏头痛，总会鼓励他们记录“头痛日志”，写下每天摄入的食物、参加的活动。偏头痛发作期间记录日志尤其重要，日志可以帮助就确定哪些食物或环境因素可能引发偏头痛。

努力找出孩子偏头痛的原因，这是治疗偏头痛最有效的途径之一。几乎所有的偏头痛都能找出至少几个诱因。虽然这无法根除孩子的偏头痛，但能够极大改善他整体的生活质量。再说一次，如果孩子的偏头痛恶化或出现任何新症状，请去看医生，因为可能需要进一步的检查来排除更为严重的病因。根据孩子的病情，你们可能需要去看偏头痛专科医生（例如神经科）。

126. 粟粒疹

粟粒疹是新生儿皮肤上的白色凸

起，最常见于鼻子、脸颊和下颌。这种情况十分普遍，大约40%的新生儿会长粟粒疹，多少不一。偶然情况下，粟粒疹可能只出现在宝宝的牙龈或上腭处。

原因

粟粒疹出现的原因是死皮细胞堵塞新生儿皮肤表层近处的小囊。你看到的小白点是死去的皮肤细胞。几周内这些凸起会缓慢脱落，最终消失。

怎么办

粟粒疹可能会让父母觉得不舒服，但实际上无需治疗。几周内它会自行消失，但偶尔也可能持续到2个月。粟粒疹不会让宝宝产生任何不适，也不会造成任何长期问题。

- 不要给粟粒疹搽任何乳霜或软膏。
- 不要挤它，因为这样可能留下长期的疤痕。
- 不要用力搓洗患处，因为这样可能进一步刺激新生儿敏感的皮肤。

耐心等待就好。

127. 痣

我们所有人早晚都会长痣。痣可能在任何年龄出现，有的宝宝甚至生下来就有痣，不过在成年人和青少年中更为普遍。痣是皮肤上的小点，通常颜色较深，呈椭圆形。不过，它的形状、大小和颜色有很多种。痣可能出现在身体的任何部位，有时候会凸出皮肤表面，不过也可能是平的。

原因

长痣的主要原因是日晒。我们的皮肤里有一些特殊的细胞，叫做黑素细胞，它会产生让皮肤变得暗沉的色素。持续接受日晒时，黑素细胞可能会在皮肤某些区域产生更多色素，形成深色的痣。

宝宝生下来就有痣的情况远没有这么常见。这种痣叫作先天性色素痣。大约每100个新生儿里只有1个长痣。

怎么办

第一步是别慌张。儿童皮肤痣几乎不可能引发皮肤癌（又叫黑素瘤）。不过，每年大约有500名儿童诊断出黑素瘤。大多数痣只需要在常规检查时观察一下就好。请儿科医生检查孩子的痣有没有变化的迹象。如果你注意到痣的大小、颜色或形状有任何变化，请带孩子去看医生。在较为罕见的情况下，如果有所顾虑，某些痣可能需要活体检查或请医生去除。

健康小贴士：
查痣 ABCDE

这样我们更容易记住什么样的痣更危险，必须去看医生：

A：不对称（asymmetry），意思是说痣的形状不是普通的圆形或椭圆形，或者这颗痣某个部分的形状和其他部分不同。

B：边缘（border）。大多数痣的边缘是圆形或椭圆形，如果痣的边缘不规则或有凹痕，可能意味着痣正在变化。

C：颜色（color）。大多数痣只有一种颜色，一般是黑色或浅棕色。如果孩子的痣开始混进了其他颜色，例如红色、蓝色或白色，请去看医生。

D：直径（diameter）。如果孩子痣的直径变大，请去看医生。小于 5 毫米的痣的通常不需要担心。如果大于这个尺寸，请让医生评估。

E：演变（evolving）。如果痣的大小、形状、颜色发生变化，或是变得凸起（或变平）、出血、发痒、结壳，这些都可能有问题。

什么时候该担心

出生时就有的痣（又叫先天性色素痣）更可能发展为皮肤癌。再说一次，这在儿童中十分罕见。如果孩子出生时就有痣，请务必告诉医生，因为比起后天长出来的痣，先天痣需要更密切的观察。到孩子 10 岁左右的时候，儿科医生可能会请皮肤科医生做活体检查。

预防长痣、降低皮肤癌风险

下列措施可以帮助降低孩子长痣的风险，也可能有助于预防皮肤癌：

- 不要让孩子长时间晒太阳，尤其是上午 10 点～下午 3 点的时间段。请让孩子在阴凉处玩耍。
- 如果孩子即将外出超过 30 分钟，请鼓励他穿长衣、长裤，戴宽檐帽。
- 不要在可能反射太阳光的地方长时间玩耍，例如沙地、雪地和水域。
- 如果孩子即将待在太阳下的时间超过 30 分钟，请使用高品质防晒霜（SPF 高于 30，可预防 UVA 和 UVB）。见 P033。

健康小贴士：
安全享受阳光

要想骨骼和身体健康成长，发育中的儿童需要维生素 D。作为家长，你应当在保证孩子在不被晒伤的前提下接受足够的日晒。详见 P033。

皮肤癌风险因素

皮肤白皙、具有强家族病史的孩子罹患皮肤癌的风险最高。另一个重要的风险因素是儿童期频繁晒伤和日晒过度。所以在孩子生命的早期保护皮肤才如此重要，这能大幅降低孩子成年后罹患皮肤癌的风险。

128. 传染性软疣（MC）

如果孩子的皮肤上出现小肿块，看起来像是疣和水疱的混合体，那可能是传染性软疣。这是一种常见的无害的皮肤损伤，由传染性软疣病毒（MCV）引发。症如其名，这种病毒具有传染性，很容易在儿童之间传播。据调查，大约20% 的儿童会感染 MC。大多数 MC 患儿不会受到任何困扰，但有的肿块可能发痒，反复抓挠可能造成继发性感染。总的来说，父母对 MC 的焦虑造成的困扰甚于疾病本身。

如何判断

MC 刚开始时是一两个小丘疹，然后长成直径 2 ~ 5 毫米的丘疹和水疱。有的软疣呈红色，中间有白头，不过大多数软疣呈肉色。在放大镜下，你有时候可以看到肿块中间有个小窝。MC 最常见于胸口、手臂和腋下。

孩子如何染上 MC

和许多病毒一样，孩子抓挠的时候 MCV 会藏到指甲下面，然后孩子再用带有病毒的指甲抓挠身体其他部位或其他孩子，病毒就会传播开来。共用毛巾、衣物也会传播 MC 病毒，还有一种常见的传播途径是接触性运动。

怎么办

MC 很快就会冒出很多个，不过与此同时，孩子也会逐渐产生对该病毒的抗体。对于 MC，我们通常采取“等等看”的策略，软疣一般会在 6 个月 ~ 3 年内自行消失。具体软疣多久才消失，取决于孩子的免疫系统动作有多迅速。

如果软疣给孩子造成困扰，请弄清困扰程度。如果它不痒、没发生感染，也不会刺激孩子，请顺其自然，等身体将它击退。从另一方面来说，如果孩子不胜其扰，比如说会发痒、孩子老去挤或是越来越在意，请考虑以下治疗方案：

- 为预防摩擦造成刺激，请在患处涂抹润肤霜。
- 为了止痒，请涂抹局部外用类固醇软膏，每天两次（见 P304，“湿疹”）。
- 如果软疣似乎发生了感染（发红、肿胀、渗液），请医生开处方抗生素软膏。
- 试试家庭疗法：早上用一段胶带贴

在疣上，胶带面积约为疣的2倍，它会刺激疣的顶端，让它变薄。睡觉前撕下胶带，用回形针轻轻戳疣的顶端，让里面的液体流出。第二天再重复这一过程，持续几天。虽然这个办法不如下面的法子有效，但可以先在家试试。

- 最后介绍“搜索摧毁”法。如果等待一年后软疣仍未消失，孩子感到困扰，可以请医生或皮肤科医生将它切除。常用的办法是用液氮点在疣上，将它冻下来。皮肤科医生也可以为每颗软疣穿刺排液（如果不太多的话，因为真的很痛）。一种名为艾达乐霜的新处方药能够有效治疗 MC，但是很贵。非处方疣酸也有效。

MC 感染消失后通常不会留疤。事实上，有人相信积极的治疗留下疤痕的可能性更大。肤色较深的孩子更可能留疤。MC 很少留下永久性疤痕。

129. 单核细胞增多症（单病毒，爱泼斯坦 - 巴尔病毒感染）

这种疾病是爱泼斯坦 - 巴尔病毒（EBV）引发的，俗称“接吻症”，因为它会在密友或家庭成员之间通过唾液传染。如果孩子或者孩子的恋人感染了 EBV，你需要知道这些事情。

症状

急性爆发阶段。婴儿和年幼儿童通常只会轻微发烧、出点普通皮疹，不会出现其他可疑症状。较大的儿童和青少年的病情通常较为严重，可能出现下列症状：

- 喉咙痛（一般十分严重）
- 颈部淋巴结肿胀
- 扁桃体发红、肿大、化脓
- 发烧（最长可持续 10 ~ 14 天）
- 一般的鲜红色斑状皮疹
- 疲劳，食欲不佳

此外，医生可能注意到孩子的脾脏（位于左腹部，胃部下方）和其他腺体肿大，例如腋窝和腹股沟处。

慢性疲劳。急性爆发阶段之后，大约不到 10% 的 EBV 患者会出现持续数周至数月的疲劳。我们还不确定这一现象是不是 EBV 的独有症状，因为其他疾病侵袭之后，人体也可能疲劳。如果最初的症状相当轻微，那么可能在疲劳来袭或是看医生之前，你都不会意识到这是 EBV。

传染阶段。EBV 初期的爆发阶段和孩子发烧期间传染性最强，这段时间里咳嗽、打喷嚏都可能传播病毒。孩子感觉好转之后的几个月里，病毒仍可能通过唾液传播。要传播疾病，很可能需要重复性的密切并接触，偶然的日常接触并没有危险。EBV的潜伏期为1～2个月。

诊断

如果医生觉得症状明显，那他可能无需检测就能确诊。不过，如果孩子病得厉害，可能需要做一些血检以便确诊和排除其他疾病。最经济快捷的办法是 EBV 专用试剂点测，更准确、昂贵、缓慢的方法是血检（可能要花几天时间）——EBV 抗体检测。全面的血细胞计数能够显示出异型淋巴细胞偏高，但它无法确诊 EBV。

怎么办

大多数孩子会安然痊愈，你应该知道这几件事：

治疗。没有专门针对 EBV 的药物。治疗的目标是减轻不适的症状，例如发烧和喉咙痛。

脾脏肿大和运动。如果医生摸到孩子的脾脏肿大，那么在脾脏恢复正常之前（一般需要大约一个月），孩子不应参加接触性运动。因为如果孩子的肚子被狠撞一下，脾脏可能破裂（可能危及生命，需要立即手术）。就算初期检查时医生没注意到脾脏（可能会忽略），小心起见，你也最好保证孩子在一个月内不要参加接触性运动。

扁桃体肿大和呼吸困难。扁桃体肿大可能会让某些孩子晚上严重打鼾、呼吸受阻。你可以给孩子口服约一周类固醇，以收缩肿胀的扁桃体。如果孩子出现呼吸困难，请去看医生。

黄疸。EBV 患者中大约有 10% 的病例，病毒会刺激肝脏，导致患者的肝脏损伤和黄疸（皮肤发黄）。这种情况无需治疗即可恢复，儿科医生可通过周期性血检跟踪肝脏的恢复。

抗生素引起的过敏性皮疹。疑似扁桃体炎的 EBV 患儿会接受阿莫西林和阿莫西林克拉维酸钾抗生素治疗，然后出现看似过敏的皮疹，因为 EBV、抗生素和免疫系统之间会出现独特的反应。这不是真正的抗生素过敏反应。EBV 常常是这样被诊断出来的：出于偶然。

健康小贴士：别传染

你应该教育 EBV 患儿不要与任何人分享饮料。EBV 患者的盘子、杯子和器具应该单独摆放，专供他自己使用。每次用完后请仔细清洗。这会帮助降低 EBV 传染的风险。

130. 口疮

孩子发高烧、非常烦躁、到处流口水、拒绝吃饭，甚至连最爱的果汁都不肯喝，这是喉咙痛、长牙、耳部感染的常见症状，不过有一个原因常常被忽略，那就是口疮病毒。口疮虽然不严重，却非常痛，很是烦人。下面我们将帮助你度过这一阶段。嘴唇上的感冒疮请见P233，单纯的口腔溃疡请见P215。

如何判断

口疮是病毒引发的，该病毒通过唾液传播，通常来自另一位儿童或成人。口疮很痛，常常伴有发烧、过度流涎、拒绝进食（可能还拒绝喝水）和极端烦躁。你可以通过下列方法确认孩子是不是得了口疮：

- 你可能看见孩子嘴唇外部长了疮。
- 轻轻拉开孩子的上唇或下唇，嘴唇内侧或牙龈外侧可能有白色或红色溃疡。
- 轻轻拉开孩子两边的嘴角，用手电筒检查脸颊内侧，这里可能会有溃疡。
- 让孩子说“啊——”（或者趁他哭的时候），然后用手电筒照照他口腔后部，你可能会在喉咙或舌根处发现红色或白色溃疡。
- 有的病毒还会导致孩子的手、脚或尿布区域出现小的白色或红色水疱（见下文，手足口病）。

两种类型的口疮感染

口疮有两种，你应该弄清孩子得的是哪一种，因为其中一种可通过处方抗病毒药治疗：

手足口病（柯萨奇病毒）。目前这是口疮最常见的原因，它通常会影响6个月～3岁的儿童。症状包括：

- 高烧，经常长达5天
- 非常烦躁
- 口腔或喉咙很痛
- 大量流涎
- 拒绝进食，甚至拒绝饮水
- 皮疹：手、脚或尿布区域出现白色或红色的小点或水疱，或者身体其他部位出现红色蕾丝状皮疹

疱疹病毒。I型单纯疱疹(HSV-I，与外阴疱疹无关）引起的口疮在儿童中没那么常见。症状大体与手足口病相同，不过有三点区别，你和医生可借此分辨：

- 疱疹通常不会在身体其他部位引发斑点或皮疹。
- 疱疹引起的口疮通常在口腔前方更为密集，而手足口病引起的溃疡一般在口腔内均匀分布。
- 如果是疱疹引起的口疮，牙龈一般会发红肿胀甚至出血，柯萨奇病毒通常不会引发这种症状。

一旦孩子出现这种严重的口腔疱疹感染，接下来每年他可能都会有一两

次轻微的口疮复发，不过只会在嘴唇上长感冒疮(见 P233。或单纯的口腔溃疡，见 P215)。

治疗

没有什么办法能加速清除柯萨奇病毒，治疗主要是尽量止痛、退烧、保持水分充足。而对于疱疹病毒，可以使用一种处方抗病毒药。

冷的液体。冰棒、雪泥或冰冻果汁（非柑橘类）既能安抚孩子，又能提供疾病期间孩子需要的水分。冷牛奶、冰淇淋或冰冻酸奶也能安抚孩子、提供能量。

药物。对乙酰氨基酚或布洛芬能够止痛退烧。有需要的话你可以换着用这两种药。其他药物包括：

- 甘露醇 / 苯海拉明 / 利多卡因联合使用。短期内它能有效安抚、麻醉口疮。前两种是非处方药，但第三种需要医生处方。有处方的话，药剂师可以帮你把三种药配到一起。这种药只能给年龄较大、能在用药后彻底漱口并吐掉的孩子用，因为利多卡因不能吞下去。
- 苯海拉明。这种抗组胺药无需处方。为避免镇静剂过量，一岁以下婴儿请勿使用苯海拉明。
- 阿昔洛韦。这种处方抗病毒药只对疱疹性口疮有效。如果在孩子发病48 小时内开始使用，它能缩短病程、减轻症状。所以你应该早早带孩子去看医生。

健康小贴士：
再给你一点保证

口疮最严重的那几天，大多数幼儿和儿童什么都不吃。父母自然会担心，但长期来看没问题。这段时间孩子可能会减重，但病好了以后会就长回来的！给孩子吃几天奶昔（婴儿吃母乳 / 配方奶）挺好的。

孩子会传染吗？

会！这两种口疮传染性都很强，主要通过唾液传染。退烧两天后，孩子恢复了好动、快乐的样子，这时候就不会传染了。

什么时候该担心

口疮很痛、很烦人，但并不危险。发烧、烦躁、流涎、不吃饭、几乎不喝水的阶段最长可达 5 天，这很正常。溃疡和流涎甚至还会持续更长时间，不过几天后一般就没那么痛了。你应该警惕下列信号，一旦出现必须去看医生：

脱水。父母很担心这个，因为孩子这几天似乎都不怎么愿意喝水。大多数孩子会有轻微脱水，但很少会严重到需要医治的程度。给孩子喝凉的或冰冻的液体就好，没事的。要判断孩子脱水是否该去看医生，请见 P273 的详细介绍。

发烧超过五天。如果发烧徘徊不去，或是孩子看起来病得非常厉害，请立即去看医生。

病毒性溃疡扩散。如果口疮只出现在口腔后部，有时候医生会觉得孩子是感染了柯萨奇病毒。但是有些时候，疱疹性口疮也可能从口腔后部开始出现，然后向前扩散，感染嘴唇和牙龈。如果出现这种情况，阿昔洛韦能够缩短病程。请再次去看医生，考虑这种治疗方案。

131.MRSA：耐甲氧西林金黄色葡萄球菌

最近新闻频繁提及的“超级细菌”名叫 MRSA（读作“梅沙”）。葡萄球菌是鼻子内壁和皮肤上生活的最常见的细菌，洗掉后还会回来。它生活在身体表面，一般无害。但是，如果割伤或抓挠破坏了皮肤的屏障，这些“葡萄状”的微生物就会侵入皮肤上的伤口。

一旦穿透了皮肤屏障，葡萄球菌就会侵入皮肤深层，形成类似叮咬的溃疡；它还会进一步深入，形成疔，甚至更深层的脓肿。如果未被发现，它可能一路进入血液，导致严重的感染，甚至威胁生命。

健康小贴士：不要挤，不要戳

如果孩子长了个小疔（巧克力豆大小），熟了以后他可能会去挤。别挤。挤压不但会让微生物跑到指头和指甲上，传染给家里其他人，还可能会把细菌挤进更深的组织。最好让医生用无菌针头来处理。如果不方便看医生，你也可以自己用无菌针头挑破。等到疔成熟后，长出一碰就疼的白头才能挑破，然后加压热敷，让脓液流出。然后搽抗生素软膏，并用下面描述的绷带完全覆盖。

身体里的药物和细菌一直在战斗，人体会产生抗生素，对抗细菌；细菌会更新基因，产生对抗生素的“耐性”。MRSA 就是细菌获胜的结果。它之所以叫 MRSA，是因为这种葡萄球菌对甲氧苯青霉素产生了耐性，这种抗生素曾用于对抗金黄色葡萄球菌。但人类总是比细菌聪明，我们总是抢先一步，制造出更新、更强的抗生素来消灭细菌。

如何判断

MRSA 开始时可能是皮肤上的小溃疡，类似叮咬，然后结壳、发红、扩散，看起来像是不会自愈的皮肤感染。家庭成员或朋友也可能出现相同的感染。开始时你可能以为只是昆虫或蜘蛛的叮咬，但它会慢慢变得有点“愤怒”。

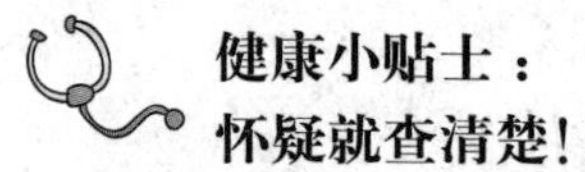

健康小贴士：怀疑就查清楚！

任何看起来不像会很快自愈的皮肤感染都应该请儿科医生检查治疗。

怎么办

如果怀疑是 MRSA 作怪，请预约儿科医生。有时候医生会用棉签擦一下患处或取出脓液拿去培养。如果多个家庭成员出现相似的皮肤溃疡，医生会取鼻部物质进行培养。样品送进实验室后，医生一般会在 48 小时内确诊。

臀部出现的疔很可能是 MRSA，尤其是婴儿。尿布区域温暖、潮湿、充满微生物，这样的环境很容易发生细菌感染，尤其是 MRSA。如果宝宝长了疔或脓肿（更大、更深的疔），那可能是 MRSA。

如果皮肤的伤口很小、很浅，医生很可能会用局部抗生素霜剂莫匹罗星治疗。如果感染深入皮肤，例如出现脓肿，或者有好几个疔，医生可能选择口服抗生素（复方新诺明、克林霉素），在本书写作的时候，它能有效应对大部分 MRSA。如果孩子出现病容，而且葡萄球菌感染深入皮肤，可能进入血液，医生可能会推荐住院使用抗生素。

预防

和大多数微生物一样，MRSA 通过皮肤接触传播，最常见于拥挤的地方，尤其是医院，不过托儿中心、教室、运动员更衣室——所有可能发生“接触”的地方都很容易传染。有皮肤接触的运动尤其容易传播这种超级细菌，例如摔跤。为了预防孩子发生任何细菌感染，尤其是 MRSA，请采取下列措施：

- 认真洗手。这仍是预防葡萄球菌传播的最佳方法。
- 不要共用与皮肤接触的物品和个人用品，例如浴巾、毛巾和制服。
- 受了伤要及时彻底地清理，用肥皂和水清洗伤口，搽上处方抗生素霜剂，譬如莫匹罗星。
- 适当使用抗生素。细菌产生耐性的根本原因就是过度使用抗生素。

如果孩子免疫系统较弱或是最近住过院，请尤其注意皮肤上的溃疡。

健康小贴士：
请完全覆盖！

为了避免 MRSA 传染他人，请用绷带完全封住患处，例如邦迪出品的 Activ-Flex 型创可贴。两边敞开的条状绷带不如闭合型的有效。如果患处被完全覆盖，孩子去托儿所或上学，都不用担心传染。治疗，覆盖，但没必要隔离。

132. 流行性腮腺炎

这种疾病最近在美国流行，2007 年大约有 5000 例。不过流行性腮腺炎在大多数年份相当罕见，每年大约只有 250 例，这是 MMR 疫苗的功劳。虽然孩子患上流行性腮腺炎的几率不大，但我们仍将告诉你如何分辨。

症状

和其他很多疾病一样，流行性腮腺炎最初的症状是发烧和喉咙痛。它的特有症状是腮腺（脸颊里的唾液腺，位于耳朵前面一点）肿胀。腮腺还会变软，咀嚼时可能不太舒服。

流行性腮腺炎的潜伏期是 16 ～ 18 天。传染期为腮腺肿胀开始之前 2 天至开始肿胀后约 5 天。

怎么办

没什么有效的治疗方案。最重要的是认出独特的腮腺肿胀症状，然后隔离。请致电儿科医生，讨论可能的症状。请小心下列并发症：

睾丸炎（睾丸肿胀疼痛）。后青春期的男性患者很容易并发睾丸炎，一般无害。极罕见的情况下，睾丸炎可能导致不育，目前没什么有效的治疗或介入方案。

脑膜炎。流行性腮腺炎可能引发脑膜炎症状。如果怀疑脑膜炎，请去急诊室（见 P404）。

133. 肌肉萎缩症

肌肉萎缩症是一种基因缺陷，会导致患者的身体肌肉逐渐萎缩衰弱。这种缺陷可影响多年龄段。有的孩子在婴儿期开始出现症状，而有的人直到成年期才出问题。肌肉萎缩症有几种不同的形式，严重程度不一。

症状

肌肉萎缩症的症状可能在婴儿期开始出现，不过，大多数孩子要到 5 岁后才表现出症状。某些类型的肌肉萎缩症可能要到 10 多岁或成年期早期才表现出来。对婴儿和儿童来说，最常见的肌肉萎缩症症状包括：

- 跌绊或摔倒的概率远高于同龄儿童
- 站立困难
- 难以推动物体
- 大部分时间踮脚走路，或者一直踮脚走路
- 爬楼梯有困难
- 小腿肌肉异常肥大（叫作腓肠肌假性肥大）
- 全身性肌肉衰弱

大多数类型的肌肉萎缩只在男孩中出现。虽然女孩也会携带这种基因缺陷，但通常不会表现出症状。记住，肌肉萎缩的症状和严重程度区别很大。有的病例十分轻微，患者一生都未得到诊断。不过，大多数病例会出现一些上述症状。

原因

我们的身体会制造出帮助构建、保持肌肉的特殊蛋白质。肌肉萎缩症患者体内负责制造这些蛋白质的基因出现了异常。身体无法产生足够的蛋白质来维持健康的肌肉，所以肌肉逐渐衰弱、萎缩。

诊断

如果你觉得孩子的肌肉强度有问题，或者发现孩子活动异常，请去看医生。医生会全面回顾孩子的健康史并进行物理检查。如果有肌肉缺陷的家族病史，请告诉医生，这也很重要。有几种血液测试可查出身体肌肉损伤的信号。也可以请遗传学家给孩子做DNA测试，看看有无基因缺陷。详情请咨询医生。

类型

儿童肌肉萎缩症主要分为两种：

杜兴氏肌肉营养不良症。这是肌肉萎缩症最常见的形式，也是最严重的一种。大约每3500个男孩中就有一个受到影响。女孩会携带缺陷基因，但不会表现症状。到5岁时，患有这种肌肉萎缩症的男孩通常会开始出现症状。初期最容易受到影响的是骨盆区域的肌肉组。随着病情发展，背部、手臂、肩部和腿部肌肉也会受到影响。到青春期早期，大多数杜兴氏肌肉萎缩症患儿需要坐轮椅。最终，辅助呼吸的肌肉会受到影响，患者需要佩戴特制的呼吸器。更悲伤的是，杜兴氏肌肉萎缩症患者的平均寿命只有20岁左右。

贝克氏肌肉萎缩症。这种肌肉萎缩症类似杜兴氏肌肉萎缩症，不过它没那么普遍，也没那么严重。大约1/30000的男孩会受到影响。女孩同样不会表现出症状。这种肌肉萎缩症通常要到10多岁才开始出现症状。和杜兴氏肌肉萎缩症一样，贝克氏肌肉萎缩症通常从骨

盆区域开始，然后影响肩部和背部，较少影响手臂和腿。大多数贝克氏肌肉萎缩症患者能够拥有正常寿命，一般不需轮椅。

还有几种更为罕见的肌肉萎缩症，我们在此不作讨论。详情请咨询儿科医生。

治疗

悲伤的是，目前没什么办法能够治疗肌肉萎缩症。不过，医生和研究者正在非常努力地寻找解决之道。好消息是，现在有许多方法可以帮助减缓病情发展，提高患者生活质量。肌肉萎缩症需要各学科综合治疗，治疗组应该由几位不同科目的专家组成。物理治疗和特制支架能够帮助维持肌肉健康和强度。治疗组里应该有一位有执照的理疗师，确保为患者提供恰当的锻炼技巧。人们发现类固醇治疗能够减缓肌肉萎缩的速度，也许还能够帮助延长孩子自行行走的时间。随着病情发展，呼吸肌和心肌会衰退，患者可能需要佩戴特制呼吸器。肌肉萎缩症患儿更容易发生肺部感染，需要及时治疗。杜兴氏肌肉萎缩症患儿最后需要坐轮椅。

134. 指甲损伤（手指和脚趾）

手指甲或脚趾甲受伤非常痛，愈合时间很长，不过总会好的。手指甲和脚趾甲损伤的治疗方法相同。为了帮助孩子，你应该知道这几件事。

压伤

压伤（什么东西重重摔落或是砸在指甲上）应该每小时冰敷 20 分钟，持续几小时，然后在接下来一两天内每天冰敷约 3 次，这能帮助消肿。如果指甲下出现暗红色或紫红色瘀痕，请注意观察指甲下面有无将甲床（指甲与皮肤的交界处）顶起的明显血肿。判断方法如下：从侧面观察另一根未受伤的手指或脚趾，你会注意到甲床向下弯曲，进入皮下，而皮肤向上形成一个角度（像是一个很窄的“V”）。如果受伤的甲床和皮肤之间形成直线（没有“V”），或者更糟糕肿成了一个倒“V”字，这样的压迫会很痛，需要治疗，否则甲床的活性部分（在皮肤下面）可能死亡，指甲不会再长出来。儿科医生（或急诊中心的医生）可以用电灼器在指甲上烧穿一个洞，释放压力。听起来很痛，但实际上很简单，也不痛。不用着急，这种情况在 24 小时内处理即可，与此同时，冰敷可以帮助消肿。

撕裂或断裂伤

这可能是最疼痛的指甲损伤，它可能是压伤造成的。在这种情况下，指甲被部分拔出，指头上可能也有一部分组织被割伤或拉伤。这种外伤需要去急诊室，因为大部分常规诊所没有足够的时间和人员来处理这种复杂的伤口。如果急诊室医生认为需要修复指甲，他会麻醉整根手指，将指甲推回原位然后缝合；如果指头本身有撕裂伤，可能也需要缝合。处理过程非常痛苦，但应该是值得的。如果不把指甲固定回原位，它可能不会再长出来了。

正常的愈合时间

新长出来的指甲组织可能会厚一点，也没那么好看，受伤的旧指甲开始脱落，这很正常。如果指甲带来不便，你可以随意修剪。一旦受伤的指甲完全长出来（一两个月后），一两年内新指甲可能仍然有些厚、不均匀，但最终会恢复成正常光滑的状态。

135. 肚脐外凸

有的宝宝肚脐“内凹”，而有的宝宝会“外凸”。宝宝的肚脐就像发质一样因人而异。你家宝宝的肚脐是内凹还是外凸，取决于脐带的残余部分如何愈合，与剪断脐带的方式无关。愈合过程中，脐带的残余部分通常会皱缩起来，藏到肚脐眼里。肚脐周围是两条长肌肉，从肋骨延伸至盆骨。开始几个月里，你常常能摸到这两条肌肉之间有一根手指或两根手指那么宽的缝隙。随着宝宝的发育，这些肌肉会长到一起，外凸的肚脐可能会凹陷下来。就算不变，也没有什么坏处。随着这些肌肉长到一起，宝宝的腹部还会变得更结实，肚子看起来就没那么圆滚滚的了。细小的组织变化极快，宝宝的肚脐现在是这个样子，等到她能穿比基尼的年纪又会大变样。若是为了美观，你只需要等等看（相关讨论见 P541，“脐疝”）。

136. 颈部疼痛和拉伤

颈部疼痛和拉伤在成年人中很常见，但父母常常想不到孩子也会抱怨这个。实际上，颈部疼痛在儿童中并不罕见。孩子可能哭着醒来，脖子动弹不得；他可能歪着脖子或者扭向一边；你想把他的头掰正，结果他尖叫起来。无论听起来有多严重，但这通常只是无害的肌肉或韧带拉伤。下面我们将帮助你解决这一危机，告诉你如何判断孩子是否有更严重的疾病。

原因

孩子突然脖子痛，可能的原因如下：

颈部拉伤。有时候，迅速转头或是睡觉时脖子角度不当会导致背部或颈侧的某条肌肉、韧带突然拉伤，带来疼痛。车祸也可能造成颈部拉伤(挥鞭伤)。

孩子会僵着脖子，让颈部保持最舒服的角度，因为一旦转头就会剧痛。

喉部感染。这可能导致颈部前方或侧面疼痛。它的严重程度远不如拉伤，孩子应该能够比较自如地转动脖子。详见 P512。

脑膜炎。孩子发烧、脖子痛，很多父母自然会担心是脑膜炎。重要的是确定到底是脖子哪里痛。脑膜炎引起的疼痛出现在后颈，孩子无法低头，因为拉伸颈部会加剧疼痛。如果疼痛位于颈部前方或侧面，那发烧和脖子痛很可能不是脑膜炎。如果是后颈痛，但没有发烧或头痛症状，那也不是脑膜炎。详见 P404。

斜颈。连接耳后与胸骨的肌肉突然疼痛痉挛，导致孩子歪着头偏向一边，类似普通的颈部拉伤，但在这种情况下，受到影响的是负责转头的主肌肉（颈部拉伤影响的是后颈的小肌肉或韧带）。孩子可能会指着某个地方说痛，于是你就知道是哪边的肌肉紧张痉挛。详见 P538。

治疗

你可以查询本书中关于感染和斜颈的对应章节。普通的颈部拉伤治疗方法如下：

冰敷。颈痛当天请冰敷患处（孩子应该能指出来是哪里痛），每小时敷 20 分钟。积极冰敷能够大大加速拉伤的愈合。

布洛芬。这种抗炎药兼止痛剂能够有效治疗颈部拉伤。它不但能暂时止痛，还能大大加速拉伤的愈合。孩子可以每 6 小时吃一次。

其实有这两种治疗就够了。三天内拉伤就会愈合。

什么时候该担心

如果拉伤稳定恢复，那你没什么可担心的。如果出现下列情况，必须去看医生：

- 车祸或运动意外。如果孩子受伤或发生事故后抱怨脖子痛，最好请医生看看，确认颈部骨骼和脊髓没有问题。看医生也有助于记录下当时的情况，以便日后追溯责任。
- 神经性症状，例如手臂或腿麻木、刺痛、虚弱。
- 剧痛。如果冰敷和布洛芬无法有效止痛，那可能意味着更严重的损伤。

137. 流鼻血

几乎每个孩子总会有几次自发性流鼻血（又叫鼻出血），这也是我们最常见到的问题之一。流鼻血常常突如其来，没什么明显的原因，一般只有一边鼻孔流血，家长和孩子都会吓一跳。幸运的是，只要给予一点点治疗，几乎所有流鼻血都会被安然解决。

原因

鼻子里有很多名叫毛细血管的小血管。这些毛细血管位于鼻子中间的肉壁（鼻中隔）上。这些血管离皮肤表层很近,所以受到刺激就会突然爆起出血。儿童反复流鼻血的三大原因是抠鼻子、鼻过敏和空气干燥。

怎么办

绝对不要抠鼻子。造成儿童反复流鼻血最普遍的原因是抠鼻子。孩子可能会习惯性抠鼻子，或是鼻子受到了刺激就去抠。抠鼻子会损伤鼻中隔上的血管，导致出血。

健康小贴士：抓住孩子抠鼻子

孩子一般不肯承认是自己抠鼻子引起的出血，所以在诊所里我们常常玩这么一个小把戏。我们不会问孩子有没有抠鼻子，而是问："你用哪根指头抠的鼻子呀？"孩子常常会不假思索地举起自己的食指。

预防过敏。鼻过敏是儿童流鼻血最常见的原因之一。鼻子痒痒，孩子就会抓挠，导致本来已经敏感发炎的鼻道内壁进一步受到刺激而出血。除了阻止小手习惯性抠鼻子以外，请剪短孩子的指甲，利用下列家庭疗法保持鼻部舒适，这样孩子就不需要再抠它了。请从卧室防过敏开始：

- 在孩子的卧室里安装 HEPA（高效空气过滤器）或离子空气过滤器，在采暖通风口处也装一台过滤器。
- 移除所有可能的过敏源和容易积聚灰尘的东西，例如填充玩具、宠物和毛茸玩具。
- 使用防过敏的床上用品。
- 孩子周围严禁吸烟,尤其是卧室里。
- 记住西尔斯医生治疗鼻塞的经典家庭疗法:"冲鼻子"和"蒸汽浴"（方法见 P021）。

感冒。孩子感冒时，鼻道内壁可能肿胀发炎。在这种情况下，哪怕是最轻微的刺激都可能导致出血,例如打喷嚏、咳嗽或者揉鼻子。

滋润、安抚鼻子。干燥的鼻部分泌物会让鼻子发痒、堵塞鼻孔，还会吸引不安分的小手。请打开暖雾加湿器：卧室里较高的湿度会软化鼻子里的分泌物，减少刺激，缓解中央暖气造成的干燥。睡觉前用棉签蘸一点羊毛脂擦拭，安抚鼻黏膜。

止鼻血的最佳方案

对大多数孩子来说，用拇指和食指捏住恰当的地方（鼻子硬骨和软骨的交界处，大约就在鼻侧正中央）就能止住鼻血。轻轻捏住鼻孔也行。要预防鼻子再次流血，通常需要按压 10 分钟。让孩子坐下来，头部稍微前倾，不要后仰，避免鼻血流进喉咙里导致窒息或呛咳。

如果以适当的压力按压 10 ～ 15 分钟后还不能止血，请将棉球或纸巾揉成和鼻孔差不多大小的团状，用凉水浸湿后塞进流血的鼻孔，然后再捏住鼻子。这会给流血点造成更大的压力。让棉球在鼻子里塞一个小时，然后再慢慢地掏出来，以免触动已经凝结的出血点，导致再次出血。

如果孩子出现其他症状，例如脸色苍白、感觉发飘、呼吸急促或脉搏异常，请立即求医。

预防反复流鼻血

流鼻血可能很快复发。这是因为出血点虽然已经凝结，打喷嚏、揉鼻子或是抠鼻子却很容易让凝结的血块松动。

我们常常告诉病人，流过鼻血之后应该每天用盐水或盐溶液轻轻喷几次鼻孔，冲掉干燥的血块和堵塞物。然后在鼻子里搽一点软膏，例如凡士林或羊毛脂软膏，预防流鼻血复发。

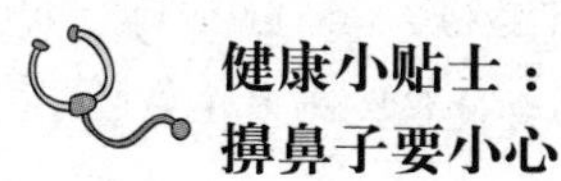

健康小贴士：擤鼻子要小心

教孩子轻轻擤鼻子，不要太用力，以免流鼻血。

反复流鼻血可能是鼻过敏的信号。某些鼻喷雾和其他药物也许能够帮助控制过敏症状，从而控制流鼻血。儿科医生检查后一般可以告诉你孩子流鼻血是不是过敏引起的。

反复流鼻血的原因也可能是鼻内细菌感染，医生会检查确认。你可以用手指轻轻在孩子的鼻子里涂抹非处方抗生素软膏(和搽伤口的一样),每天两次，持续两周。轻轻捏住鼻孔可以将软膏揉进鼻子。如果没有效果，那可能需要处方抗生素软膏。

什么时候去看耳鼻喉专科

采取上述预防措施之后，如果孩子仍然流鼻血，那可能意味着鼻子里的血管很粗，容易被刺激。ENT（耳鼻喉）专科医生可以进行烧灼治疗，防止再次流血。如果没有效果，在较为罕见的情况下，反复流鼻血可能是凝血功能障碍的信号。除了反复流鼻血之外，凝血障碍患儿常常出现其他症状，例如：

- 容易瘀青
- 身上有很多瘀伤，就连不容易受伤的部位也有瘀伤
- 割伤或抓伤要过很久才能止血
- 牙龈很容易出血

如果儿科医生怀疑是凝血障碍，可通过血检确认。

138. 鼻子受伤

摔倒、发生意外或在运动中受伤时，鼻子常常最先受伤。鼻骨折在婴儿和年幼儿童中并不常见，因为在这个阶段鼻骨大部分是软骨，受压后会反弹回去，不会折断。但是如果发育中的鼻子发生骨折，破坏了鼻子的结构，如果不进行恰当治疗，可能造成呼吸问题。事实上，成人期的鼻部畸形很多都是因为童年期的鼻部损伤未能及时发现和治疗。

怎么办

鼻子被撞击以后，软骨更容易变形而非折断。鼻子一侧或两侧被压平、向外鼓起，导致肿胀。这时候父母或照管者应当立即：

- 安抚孩子。
- 冰敷鼻子两侧，尤其是肿胀区域。
- 如果流鼻血，请止血（见P425，“止鼻血的最佳方案”）。
- 如果没有持续流血，孩子受伤的鼻孔可以呼吸，你可能不需要立即寻求急救。

接下来的一周里，请注意：

- 正面观察时，鼻子是直的还是歪的（鼻子单侧或双侧的鼓胀可能仍未消退）？
- 孩子两边鼻孔都能正常呼吸吗？

如果外观和呼吸都没有问题，你可以再等几天，看看消肿后的鼻子是不是直的。如果外观有问题或者呼吸有困难，请去看医生。

医生可能会做什么

医生会像你一样检查有无外观异常和呼吸障碍。他会用一种名为鼻镜的光源检查两边鼻孔，确保孩子能吸入足够的空气。如果医生没发现外观问题或呼吸问题，他很可能会建议你继续等等看。鼻部肿胀或扁平通常会在几天内自行复原。在这个阶段照X光并无帮助，因为儿童的鼻部结构大部分还是软骨。如果医生发现下列三个症状之一，他会建议你去看儿童耳鼻喉专科医生：

(1) 外观畸形
(2) 鼻中隔歪向一边引起气流堵塞
(3) 鼻中隔上的凝血点（血肿）阻碍气流，可能需要消肿

如果孩子被转到耳鼻喉科，专科医生可能会等待 7 ~ 10 天，观察消肿后鼻部结构能否自行复原，然后再决定是否需要修复。如果鼻部结构未能复原，医生可能需要在局部麻醉或全身麻醉的情况下“重塑”孩子的鼻子。

健康小贴士：
有怀疑就查清楚

鼻部受伤最好请医生检查。1 ~ 6 岁的孩子鼻子发育很快，早期损伤如果不加治疗可能造成以后的畸形。虽然大部分受伤的小鼻子都会自行复原，但谨慎点总不会错，“有怀疑就查清楚”。

---

139. 鼻内异物

孩子会塞进鼻孔里的东西可不光是手指头。他们还喜欢把玩具零件（例如小珠子）和食物（例如葡萄干）塞进鼻子里。孩子流鼻涕可能是鼻部异物引起的，线索如下：

- 孩子的鼻子里有明显的臭味
- 只有一边鼻孔（被堵住的那边）流出很浓的绿色鼻涕
- 没有感冒的迹象

怎么办

你可以先试试下面介绍的家庭疗法，不过，更安全的办法是请医生移除异物。医生可以用特制的钳子、吸鼻器或钩子移除特别大的堵塞物。如果你移除异物的手法不当，孩子可能会将异物吸进肺里。就算你决定请医生来操作，下列措施也能让医生的工作轻松一些：

- 轻轻“冲鼻子”“蒸汽浴”（方法见 P021）。有时候这种方法能够让厚厚的分泌物变得松动，让堵塞物更容易被擤出来。
- “冲鼻子”和“蒸汽浴”之后，用吸鼻器轻轻吸出剩余的鼻涕，堵塞物很可能会一起被吸出来（方法见 P021）。有一种必须塞进鼻子里、带有小橡胶头的吸鼻器，不要用这种。因为它可能将堵塞物推向鼻腔深处。请使用可以在鼻孔外面用的，且带有宽塑料头的吸鼻器。
- 请按压未堵塞的鼻孔，将它密封。然后让孩子用力打喷嚏或者擤鼻子。这种方法通常能将异物喷出来。

移除异物后——无论是你自己动手，还是请医生操作——请务必教育孩子不要再往鼻子里塞东西。画一张鼻子结构图，告诉孩子抠鼻子、塞东西为什么会造成损伤。移除异物后最好继续冲几天鼻子，做几天蒸汽浴。

140. 肥胖：西尔斯医生的儿童瘦身计划

如果孩子超重（其实我们想说脂肪过多）或肥胖，现在我们将帮助你制定个性化的解决方案，我们称之为儿童瘦身计划（L.E.A.N 计划），这四个字母代表保持苗条所需的四大要素：生活方式（Lifestyle）、锻炼（Exercise）、态度（Attitude）和营养（Nutrition）。

最重要的健康关键词是苗条。我们所说的苗条并不是指瘦削或皮包骨头，这种状况通常不健康。我们的苗条是指身体里的脂肪量不多不少，刚好符合自身体型。苗条意味着几乎所有疾病的风险都会降低，例如糖尿病、心血管疾病和癌症。脂肪过多会带来全身性的健康问题：认知能力减弱、情绪障碍、牙科问题、视力问题、哮喘、心血管问题、高血压、皮炎、关节炎等，一切你能想到的炎症。

我们将过多的脂肪（尤其是腰部）称作“腰部毒药”，最新研究表明，它的新陈代谢与其他脂肪不同。腰部堆积的多余脂肪就像是毒药工厂，它会在体内产生大量污染物，实实在在地阻碍孩子心血管系统的发育；它还会倾泻致炎化学物，损伤周围几乎所有的器官，致使孩子的发育无法达到最佳水平。腰部的多余脂肪会让孩子无法正常代谢糖类，不但影响发育，还会导致多种炎症，增加糖尿病风险。

说到糖尿病，家长们，我们有麻烦了！卫生局局长将儿童期肥胖列为最严重的公共健康问题。近 40 年儿科实践中的所见所闻让我们认同了这一看法。好消息是，这也是最容易预防的问题。下面我们将介绍我们在实践中采用的循序渐进的体重控制方案，适用于全年龄段，因为要孩子保持苗条，全家都得保持苗条。根据孩子的超重情况，你可以选择采取哪些措施、严厉到哪种程度。

健康小贴士：
儿童瘦身计划轻量版

有的孩子只有一点点超重，所以他们只需要做出一点点改变，例如每天少吃 50 大卡或多消耗 50 大卡，即每天少吃半块饼干的热量或跑上 10 分钟就行。就这么简单！每天减少 50 大卡相当于一个月减少 0.2 千克脂肪，一年就能减少约 2.5 千克。这份轻量版的瘦身计划也能帮助成年人保持苗条。

循序渐进的瘦身计划如下：

体检

请和医生预约一次体检，提前告诉医生你需要的时间较长，检查的目的是控制体重。带上纸和笔，记下医生检查了哪些项目。体检的时候医生会检查下文表格中提到的项目，可能还会做几项表格中推荐的化验。请记录下本次体检的各项数据，并在瘦身计划进行 3 ～ 6 个月后再次测量。

瘦身计划前的体检数据	计划开始 3 ～ 6 个月后的数据
身高：	身高：
体重：	体重：
BMI*：	BMI*：
腰围：	腰围：
空腹血糖：	空腹血糖：
脂质谱：	脂质谱：
胰岛素水平：	胰岛素水平：
其他化验：	其他化验：
*BMI 的计算方法请见 P092。	

设定目标

我们不会用“体重控制计划”或“减肥计划”之类的名称，任何有关肥胖的名字都不用。孩子瘦身不仅仅是为了漂亮的体型，也是为了提高自己的能力。我们首先会问孩子，“你想提高自己的哪方面？比如说跑得更快、在足球队表现得更好或者排球打得更好？”然后，我们会为孩子制定个性化的方案，例如“苏茜的足球计划”。让孩子列出自己的目标，例如“我的目标是跑得更快”“为了让精力更加充沛”。让孩子在日志中写下自己的目标。

健康小贴士：
最低目标

几乎所有孩子都能达成这两个简单的目标：

- 一年内体重不变
- 一年内腰围不变

我们发现，这是最容易达到的目标。孩子的身高增长，但体重和腰围不变，于是体型变得更理想。我们称之为“抽条”，从其貌不扬的童年期中期到苗条的青春期，大多数孩子会自然经历这一阶段。

签署承诺书

让孩子填写一份承诺书，格式如下：

我承诺至少 12 周内遵循儿童瘦身计划：

签名：________

日期：________

你最喜欢哪种体育运动？

____

你平均每天运动多长时间？

____

我承诺每周 5 天参与这些活动：

____

____

记录瘦身日志

让孩子记录“改变”日志，每天至少记录一项更健康的“改变”，例如：

L.（生活方式）：我们没去经常光顾的快餐店，而是去了一家有很大的沙拉台、台子上有许多“成长食物”的餐馆。

E.（锻炼）：我没玩电子游戏，而是在户外玩了 20 分钟。

A.（态度）：我没有瞎担心……而是想了很多开心的事情。

N.（营养）：我没喝汽水，喝了清水。

交通灯饮食指南

执行计划的严格程度具体应该取决于孩子超重的程度。如果孩子真的很胖（超过理想体重 20%），肚子上的肥肉多得可以捏起来，那么在他达到目标体重之前，应该完全禁食红灯食物、偶尔吃一次黄灯食物，见 P431 表格。

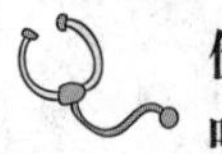

健康小贴士：吃真正的食物

“吃真正的食物”，这是控制体重的关键点。我们相信，除了久坐之外，儿童期肥胖盛行的主要原因是现在的孩子不再喜欢健康的、真正的食物。如果家长能够做到这一点，全家人都会变得更苗条：只吃真正的食物，少吃或完全不吃包装食品。所谓真正的食物，是指自然生长的食物，尽量少加工。

要让家里的膳食变得更健康，请吃真正的食物，这是可行性最强、最容易实现的方案。尽早给孩子吃真正的食物，以便尽早培养孩子的口味（这也是控制体重的良方），让孩子爱上健康的、真正的食物。今天，大多数孩子偏爱包装食品里的人造脂肪、甜味剂、色素和香料，于是他们抛弃了真正的食物。

在实践中我们发现，如果孩子从婴儿期到幼儿期只吃妈妈自制的食物，那他们长大后会拒绝垃圾食品，这样的孩子更健康、更快乐、更苗条。习惯了包装食品、不爱吃真正食物的孩子更容易生病、没那么快乐、体型也更胖。

交通灯饮食指南		
绿灯食物	黄灯食物	红灯食物
挺好的，请随意享用！这些成长食物随时都可以吃。	悠着点儿，别吃太多！这些食物只能偶尔吃吃。	别吃！换点儿健康的！不要吃这些食物。它们不是成长食物，而是有害的食物。
所有水果	黄油	含糖或含玉米糖浆的饮料，例如汽水
所有蔬菜	自制饼干	棉籽油
低脂奶酪	冰冻酸奶	色素和防腐剂
蛋	纯果汁	含有人造甜味剂的食物
亚麻籽油或亚麻籽粉	蜂蜜	含有氢化脂肪的食物
瘦肉	比较肥的肉	凝胶型甜品
有机低脂牛奶	意大利面	棉花糖
坚果和种子	自制油酥糕点	含有亚硝酸盐的肉
橄榄油	白面包	谷氨酸钠（味精）
野生三文鱼		预包装或在商店里买的烘焙食物
豆制品，例如豆腐		
全谷物		
有机酸奶		

避开食品标签上的三个“坏词”

孩子4～5岁来做学前检查时，我们会提醒父母教育孩子避开食品标签上的三个“坏词儿”：

- 高果糖玉米糖浆
- 氢化（幸运的是，这种糟糕的脂肪终于被逐步淘汰掉了）
- 任何带有数字后缀的词儿，例如红色40号、蓝色5号

这种简单的办法可以帮助孩子分辨垃圾食品和真正的食物。

填饱全家人的肚子

多吃富含蛋白质和纤维的食物，它会占掉胃里的很多空间，饱腹感也出现得更快，这样孩子不容易吃过量。不要给孩子吃纯碳水化合物零食，你应该给

它配上一两个“朋友”：纤维和蛋白质。我们这样向小病人解释“好的碳水化合物”和“坏的碳水化合物”：“好的碳水化合物有两个朋友：纤维和蛋白质。它从来都不一个人玩儿。这两个朋友会减缓碳水化合物进入血流的速度。而从另一个方面来说，坏的碳水化合物没有朋友，它只好一个人玩儿。它没有朋友可以拉住自己，所以总会一下子冲进血液，血液里的糖一下子变多了，于是你感觉很累、紧张不安，甚至会长胖。”

美味的饱腹食物包括蔬菜、水果、酸奶和坚果酱。你可以给它们起个名字——“成长食物”，让孩子觉得吃了这些食物就会跑得更快，长得更壮。“成长食物”的概念会让孩子相信健康饮食是一件很酷的事情。真正的食物（“成长食物”、绿灯食物，随你怎么叫）恰好能带来更强的饱腹感，所以孩子很少吃过量。

健康小贴士：先吃沙拉

吃饭的时候先吃沙拉（尽量挑深绿色蔬菜，少吃“薄得透明”的生菜和卷心生菜），沙拉的健康热量通常可以满足强迫性过度进食的孩子，这样就能让他们少吃那些不太健康的食物。

减少孩子盘子里的食物

孩子常常对食物的分量做出错误的判断，他们的小眼睛总是比肚皮大。记住，孩子的胃和他的拳头差不多大小。让孩子用小盘子吃饭，给他吃的分量少了，但看起来却挺多的。让孩子自己盛饭菜。研究表明，孩子自己盛的饭菜比父母盛的少。

遵循西尔斯医生的“2 原则”

教育孩子：

- 吃 2 倍餐数
- 吃 1/2 分量
- 咀嚼 2 倍时间

身体和大脑会在适当的时候告诉孩子停止进食。肚子饱了，身体就会向大脑发出信号：“别吃了，你吃得够多了！”可是大脑可能要到 10 ~ 20 分钟后才会收到这个信号。给孩子添饭之前先等 10 分钟。10 分钟后孩子可能就感觉饱了，不想吃了。鼓励孩子小口吃饭，吃一口聊几句。让他多嚼嚼。告诉孩子每吃一口至少嚼 10 次。让孩子少食多餐。研究表明，如果吃的食物种类和热量都相同，少食多餐的人比正常一日三餐的人苗条。正如你在 P040 学到的，孩子体内的激素协调，胰岛素水平就会稳定，从而避免过多的脂肪积聚。少食多餐有助于保持这一平衡。

杜绝无意识的大吃大喝

别让孩子边看电视边吃东西。孩子的注意力不在肚子上的时候很容易吃多。如果他真的很想边看电视边吃零食，给他吃蔬菜类的。他以前可能不愿意吃蔬菜类的零食，趁这个机会再推销一次。

超市里的智慧

超市就是巨大的营养教室。走进超市的时候告诉孩子，“我们只买最边上一圈的东西。”

“为什么呢，妈妈？”孩子可能会问。

“因为‘成长食物’就在这里。来，我们挑一个黄色的蔬菜，再挑两个绿色的，然后三个红的……”

下一步，请去面包区（我们最爱的营养课）。让孩子一只手拿白面包，另一只手拿 100% 全麦面包。让孩子告诉你二者有什么区别。你很可能听到这样的答案：“白面包比较轻，比较软……全麦面包比较重，感觉更结实。”你可以扩展一下孩子的观察结果，告诉他，“这是因为白面包就像空气做成的一样，它里面没有‘成长食物’。全麦面包比较重，也没那么软，因为它含有很多‘成长食物’。你希望自己的肌肉像白面包一样又松又软，还是像全麦面包一样又

尽量吃健康零食

下面我们介绍一些富含蛋白质和优质脂肪的健康零食：

- 一把生的坚果
- 什锦豆
- 苹果片涂花生酱
- 全熟煮鸡蛋
- 原味酸奶，添加坚果、新鲜水果或麦片
- 自制燕麦片、葡萄干饼干，加一杯低脂牛奶
- 日本青豆（新鲜的日本豆子）
- 小胡萝卜蘸鹰嘴豆泥
- 奶酪丝配一片水果
- 农家干酪和水果
- 皮塔饼涂鹰嘴豆泥
- 米糕配花生酱、香蕉
- 一片全麦面包涂上融化的帕尔马干酪
- 酸奶拌蓝莓
- 纯空气爆米花
- 芹菜条蘸花生酱
- 樱桃番茄配奶酪块
- 水果和酸奶奶昔
- 大豆酱和蔬菜条
- 任何水果
- 全麦小松饼（最好自制）
- 蔬菜切片配辛香番茄酱和墨西哥玉米片

结实又强壮？”你们还可以去酸奶区(天哪，食品工业对酸奶这样的健康食物干了什么)，让他“用小眼睛偷偷观察一下”酸奶标签。让孩子挑一盒标签上没有坏词儿（“高果糖玉米糖浆”、带数字的色素和添加剂）的有机酸奶。

养育苗条宝宝

要让宝宝从小养成健康的饮食习惯，你可以采取以下两个最重要的措施：

母乳喂养。尽量长时间、尽量频繁地喂宝宝母乳。美国儿科学会（AAP）提倡，母亲应该至少给孩子哺乳一年；世界卫生组织（WHO）建议母乳喂养至少两年。是的，我们说的单位是年！新研究表明，母乳喂养的宝宝更能养成苗条身段。母乳喂养能够帮助控制体重，原因如下：

• 母乳喂养更能控制宝宝的饮食——每次吃多少、多久吃一次。哺乳的妈妈对宝宝吃奶的线索更为敏感，因为你没法直观地看到宝宝吃了几盎司奶，也没法鼓励他“把这瓶喝完”。从另一个方面来说，用配方奶喂养宝宝的妈妈可能更喜欢鼓励宝宝“喝完这瓶”。

• 母乳宝宝可以靠不同的吸吮方式来控制自己吃多少奶、吃什么质量的奶。如果宝宝饿了，他会贪婪地吸吮，喝下高热量的母乳；渴了或是只需要抚慰的时候，宝宝吸出来的可能是低脂肪、低热量的母乳。通过这种方式，宝宝能够控制自己摄入的热量。

• 随着宝宝的成长，母乳中的脂肪含量会自然变化——从最初几个月的“全脂”奶变成第一年快结束时的“低脂”奶。

• 母乳宝宝天然就会少食多餐。他们吃奶的频率比配方奶宝宝高，而且母乳消化的速度大约是配方奶的两倍。母乳宝宝和配方奶宝宝习惯的“肚子里的感觉”不同，也许母乳宝宝习惯了肚子里没那么饱的状态，他们觉得这才是正常的感觉。

给宝宝吃真正的食物。尽量长时间、尽量频繁地自制宝宝的辅食。如上所述，这能够培养宝宝的饮食习惯，让他爱上真正的食物。记住喂养宝宝的关键词：培养孩子的口味！

了解更多

要为全家制定全面深入的体重控制方案，请参考以下资源：

•《西尔斯医生的儿童瘦身计划》，这本书通俗易懂地详细介绍了儿童瘦身计划。

• 成为西尔斯医生认证的瘦身教练。你可以参加为期 3 天的研习班，也可以在线听课。

• 西尔斯医生的儿童瘦身计划新手版。我们为加州的孩子们总结出了这套健康饮食、健康生活的计划，已在我们的诊所和多家儿童俱乐部成功推行。这份计划包含几本小册子和一张 DVD，尤其适合学龄前儿童。

让孩子动起来

不管年龄多大，光节食不运动都行不通。习惯久坐的人储存的脂肪比燃烧掉的多，这会导致肥胖。我们教育父母：“在家定个规矩，运动的时间要和坐着的时间一样长。给孩子提出要求，在外面运动的时间至少要和坐在屏幕前的时间一样多。”给孩子戴个计步器，这个小工具大小和火柴盒差不多，它可以别在孩子的腰带上，记录孩子当天走了多少步。做个表格贴在冰箱上，记录孩子每天的步数。鼓励孩子刷新前一天的纪录。比如说，第一天可能是 5000 步，到一周结束的时候，可能增加到了 10000 步。孩子喜欢看到自己的进步出现在显眼的地方。

鼓励孩子边看电视边运动。比如说，看电视的时候他可以在迷你蹦床上跳一跳、用拉伸带锻炼或是骑动感单车，还可以玩需要蹦蹦跳跳的电子游戏。

141. 过度使用损伤（重复性压力损伤，RSI）

在孩子快速成长的阶段，例如 12 ~ 15 岁的青春期爆发成长期，关节疼痛、触痛和肿胀十分常见，最容易出问题的是肩关节、肘关节、腕关节、膝关节、踝关节和髋关节。造成 RSI 的原因是过度使用或不当使用。在缺乏热身、休息和训练的情况下重复使用某关节可能造成与关节相连的骨骼、肌肉或肌腱发炎。比如说，曾有一种过度使用损伤被叫作“任天堂综合征”，它是指玩电子游戏造成的手腕和拇指重复性劳损。

不当使用是指动作超出肌肉本身能力，这常常是因为孩子没有进行足够的热身或训练。例如，网球肘就是肘关节侧面的肌腱发炎。如果网球运动员没有正确拉伸、热身、训练肘关节处的肌肉或肌腱，就很可能出现网球肘。如果成长中的关节会说话，他们会说，“不要过度使用、不当使用。请帮我拉一拉、热热身、循序渐进地锻炼，这样我才能变得更强，你用起来也更方便。这样我会表现得更好，而且不会受伤。”

过度训练也会造成 RSI。舞者可能会着重训练某组肌肉，造成失衡。关节承受的压力太大，导致发炎。治疗 RSI 一般需要休息 2 ~ 3 周，每天冰敷几次患处时间长度是 20 分钟，有需要的话吃一点布洛芬，然后在可以忍受的前提下小心地恢复活动。

腕管综合征（CTS）

腕管综合征（CTS）又叫重复性压力损伤或运动损伤，在年纪较大的儿童和青少年中，这种疾病越来越普遍。CTS 的原因是重复做出压迫手腕组织的动作，它之所以叫这个名字，是因为受到刺激的神经经过腕管（一条保护鞘）。这条神经被紧紧束缚在手腕的组织中，如果手腕反复受压，就会导致慢性炎症和神经痛。

CTS 的常见原因包括长时间打字而没有适当的休息、过度使用电子游戏手柄以及严重压迫手腕的运动，例如举重或拉拉队（拉拉队的舞蹈动作和抬举重物都会压迫手腕）。

CTS 引起的疼痛通常会慢慢恶化。如果不加治疗，疼痛可能会在几周、几个月或几年内愈演愈烈。如果孩子抱怨剧痛从前臂靠近手掌的地方经过手腕延伸至手掌，那可能是 CTS。儿科医生可以运用专门的检查方法排除 CTS 的可能性。

怎么办。为了预防和治疗 CTS，请帮助孩子：

- 避免或调整会压迫到手腕的活动。
- 如果无法避免这些活动，请适当休息，让手腕“喘口气”。
- 佩戴特制的护腕以帮助恢复。
- 抗炎药可短期缓解症状，但你应该遵医嘱，且不能长期使用。
- 如果病情严重，请进行物理治疗。
- 试试替代疗法，例如针灸或按摩，这些方法已被证明对某些成人有效。尝试替代疗法之前，请务必与儿科医生讨论。

网球肘

肘部外侧肌腱因重复性使用而发炎，就会导致网球肘。人们常常认为网球肘的原因是挥舞网球拍的动作不当，但实际上，许多与手腕有关的动作都会造成网球肘，例如拧螺丝刀、使用某些园艺工具、画画。控制手腕和手的肌肉与手肘相连，如果这里的肌腱被过度压迫，就会出现网球肘。

症状。网球肘的信号包括：

- 手肘外侧有触痛感
- 前臂肌肉疼痛
- 用手抓、捏物品时疼痛加剧
- 早晨肘关节疼痛或僵硬

怎么办。如果是打网球或其他活动造成的损伤，一段时间内孩子最好不要再参加这些活动，好让身体慢慢愈合。为了加速愈合，你可以：

- 每天三次冰敷肘部 20 分钟，如果不得不参加导致损伤的活动，那更应该冰敷。
- 在医生的指导下吃布洛芬消炎。
- 用吊索把胳膊挂起来。这能够缓解手臂压力，限制手肘活动。
- 请理疗师或运动损伤专科医生教育孩子强化锻炼的正确方法和技巧，避免损伤复发。

休息治疗几天后，疼痛应该会好转。不过，恢复活动可能引起复发，所以孩子可能需要暂停几周引起损伤的活动。如果休息治疗几天后疼痛没有好转，或是恢复活动后网球肘复发，请去看医生。

腱鞘炎

类似腕管综合征，腱鞘炎也是重复性压力损伤，影响前臂和手腕，范围比 RTS 大。过度拉伸、重复拉伸肌腱会导致该区域发炎、疼痛。最常见的是大拇指腱鞘炎，一般要到青春期晚期或成年期早期才会出现。常常会有很大一片地方痛，从前臂直到大拇指。

治疗腱鞘炎一般需要避免或调整造成损伤的活动。有时候特制的矫正器能够帮助加速愈合，偶尔还会用布洛芬之类的抗炎药，抗炎药的使用应当遵从医嘱且不得长期使用。哪怕采取最好的治疗，手腕损伤也要数周，甚至数月才能痊愈。

142. 安抚奶嘴的使用

安抚奶嘴已经流行了几十年，人们用它来安抚烦躁的宝宝。父母常常担心什么时候该用安抚奶嘴、什么时候该抛弃它，下面我们介绍使用安抚奶嘴的注意事项。

母乳宝宝请勿使用安抚奶嘴。至少最开始 6 周内，母乳宝宝请勿使用安抚奶嘴。因为这时候宝宝还在学习如何吃奶，所以不要把别的东西塞进他嘴里，这样新生儿就只需要学会吮吸妈妈的乳头，不会受到其他干扰。安抚奶嘴毕竟是人工制品，如果太早使用，宝宝可能会更喜欢它，或者分不清哪个是安抚奶嘴，哪个是妈妈的乳房。吸吮安抚奶嘴的时候宝宝不需要张大嘴巴，可是要正确吮吸妈妈的乳房，他得学会尽量张大嘴巴，含住乳晕。如果宝宝用吸吮安抚奶嘴的方式吃妈妈的奶，嘴巴就张得不够大，这不利于哺乳。如此一来，妈妈的乳头会痛，宝宝则可能吃不到足够的奶。

安抚奶嘴还会让宝宝叼着乳房的时间变短，从而导致泌乳量下降。对于母乳喂养的妈妈，我们建议在新生儿学会正确吮吸、母乳稳定充分供应之前不要使用安抚奶嘴。研究表明，使用安抚奶嘴的宝宝会更快放弃吃奶。

不用安抚奶嘴还有一个理由，频繁哺乳能够推迟月经的恢复，从而避免频繁怀孕。

用手指代替安抚奶嘴。如果宝宝总想叼着什么东西，而你的乳头需要休息，这时候可以给他吮手指。把你的食指伸进宝宝嘴里 4 厘米（大约在第一节和第二节指节之间），有指甲的那面向下。这样叼在嘴里更像乳头带来的感觉。

如果奶瓶喂养的宝宝总想叼着奶头，请给他安抚奶嘴。宝宝天生喜欢吸吮，奶瓶提供的吸吮时间可能不够。吸吮能够安抚婴儿，还能刺激唾液分泌，有利于口腔卫生，同时还能为成长中的消化道提供天然的健康汁液。宝宝可能偶尔某天特别想吸吮什么东西，这样的孩子我们戏称为“棒棒糖”。

宝宝吸吮安抚奶嘴时请抱着他。橡胶奶嘴永远不应该取代真正的、活生生的人，宝宝吸吮奶嘴时请一直抱着他，可以偶尔放下来休息一小会儿。让宝宝“无意识”地好几个小时叼着“安抚奶嘴”不利于他的发育。

什么时候戒掉奶嘴

对大多数婴儿来说，使用安抚奶嘴是无害的安抚习惯。但是如果出现下列情况，可能你就得考虑戒掉奶嘴了：

母亲产生对安抚奶嘴的依赖性。如何判断安抚奶嘴的使用是否过度？线索如下：宝宝哭了，你发现自己条件反射地去摸安抚奶嘴而不是去抱宝宝，那就该戒掉奶嘴了。

宝宝过度依赖安抚奶嘴。如果你发现宝宝比依赖父母更依赖安抚奶嘴，请戒掉奶嘴。

出现牙科问题。宝宝吸吮安抚奶嘴的力气比较大，如果这个习惯维持到幼年期，可能导致覆咬合或其他牙科偏斜问题。

宝宝频繁耳部感染。《儿科学》上刊登的一项研究表明，使用安抚奶嘴的婴儿更容易耳部感染。医生建议家长少用安抚奶嘴之后，耳部感染的概率下降了。虽然这只是统计上的相关性，但持续吮吸安抚奶嘴可能干扰咽鼓管的正常功能，造成中耳积液。

如何戒除安抚奶嘴

是的，戒掉安抚奶嘴的时候到了。

如果宝宝出现上述迹象，请采取下列措施戒除奶嘴：

给他替代品，转移注意力。你可以充当真人版的奶嘴，也可以用其他东西安抚宝宝，例如洋娃娃或泰迪熊。宝宝不开心或焦虑的时候，带他玩有趣的游戏转移注意力。

做个买卖。经过我们的亲身实践，这个小花招效果最好。带孩子去玩具店，让他挑一个安抚玩具“换掉”安抚奶嘴。这买卖不坏：安抚奶嘴扔进玩具店的垃圾桶，孩子带着娃娃或小熊回家。有经验的玩具店员工已经习惯了这种交易游戏。

奶嘴不见了。把安抚奶嘴藏起来。如果孩子在家里到处寻找他的“橡胶朋友”，请用有趣的活动转移她的注意力。然后宣布安抚奶嘴“丢了”，给他几件可爱的新玩具，再多花点时间陪陪他。

剪掉奶嘴。剪掉奶嘴的头，越剪越多，直到孩子不再喜欢它。

“奶嘴仙子”来访。告诉孩子，昨天晚上“奶嘴仙子”来过，她拿走了安抚奶嘴，留下了更好玩的礼物哦。

利用小伙伴带来的压力。让孩子和不用安抚奶嘴的伙伴一起玩。如果孩子真的很爱安抚奶嘴，为他办个告别奶嘴的派对，孩子把奶嘴扔进垃圾桶，所有人都为他鼓掌。

逐步戒除。如果孩子真的很依赖安抚奶嘴，就逐步减少他吮吸奶嘴的频率和时长。只有你觉得他真正需要的时候，才让他叼一小会儿，同时逐步引入其他替代品来安抚他。

记住，戒除安抚奶嘴就像断奶，不需要立即断掉，我们可以让孩子慢慢从这件安抚物品转移到另一件安抚物品。不管你选择哪种方法，戒除奶嘴的同时，请用能够带来安抚的物品和人包围孩子。

简而言之，安抚奶嘴请慎用，不要过度依赖，时候到了就戒掉。

143. 阴茎问题

孩子成长过程中阴茎可能偶尔出现问题，不过一般都会自愈，不会带来任何并发症。P049 我们讨论了包皮环切术和术后护理，如果不做环切术，阴茎通常不需要任何特别的照料，但有的孩子可能会出一些小毛病，下面我们将详细介绍。

照料完整的男性包皮

如果孩子没做包皮环切术，照料起来很简单，一言以蔽之：什么都不用干。以前医生觉得男孩小时候家长应该有意识地把包皮往后拉，但现在我们知道，这样的行为可能留下疤痕、引起感染，甚至导致孩子长大后包皮过紧。只要年纪到了，包皮会自然回缩。大部分专家完全不推荐往后拉包皮，哪怕轻轻拉也不行。过去，人们认为孩子 3 岁后，家长应该逐渐将包皮向后拉；但现在，几乎所有专家都反对这种观点，他们认为包皮最终会自行回缩。某些孩子三四岁时包皮会自然回缩，其他孩子可能要等到10来岁。包皮回缩之前，洗澡时用肥皂和水清理阴茎外部即可。

一般而言，孩子两到3岁时包皮会开始自然回缩，这时候可以轻轻拉一拉，但力气不要太大。一旦包皮开始回缩，就应该教给孩子基本的清理方法。很简单，轻轻拉一拉，洗澡时用肥皂和水清洁一下就行了。

有时候，父母发现儿子的包皮下面有泛白的东西，于是忧心忡忡地来看医生。这是包皮垢，它是死皮细胞与体液的混合物。包皮垢的出现完全是自然现象，不用担心，只要日常清洁时轻拉包皮，清理一下就好。

包皮过紧（包茎）

在没有外力帮助的情况下，未经环切的包皮开始回缩（年龄因人而异，早的两岁，晚的可能要到13岁），有时候会看起来有点紧或者真的有点紧。就算包皮过紧，一般也不会影响排尿，无需治疗。但有时候包茎可能干扰阴茎的正常功能。

什么时候该担心，怎么办。就算包皮过紧，儿科医生很可能也会推荐你等等看，因为到四五岁的时候，大多数孩子的包皮会进一步回缩。如果医生发现包皮没有自行回缩，最终可能影响排尿，他也许会建议：

- 每天给孩子洗澡的时候轻柔缓慢地向后拉一拉。阴茎每天会自然勃起10次以上，同样会起到拉伸包皮的作用。
- 只要孩子尿尿的时候不痛，那就不用担心。请观察孩子排尿是否受阻。

如果你注意到阴茎上有个“气球”，孩子尿尿时包皮前端像气球一样鼓起（就像在往气球里灌水），这可能意味着包皮过紧。应该请儿童泌尿科医生来评估，决定此时是否需要手术矫正。

嵌顿包茎。

如果拉扯包皮的时候用力过度，包皮被翻得太远，无法自行复原，就会发生嵌顿包茎。上翻的包皮勒住阴茎上的血管，导致阴茎肿胀，于是嵌顿的包皮就把阴茎给“勒住”了。这种情况十分紧急，需要及时治疗，通常是局部注射麻醉剂，然后手动将嵌顿的包皮恢复原位。较罕见的情况下需要部分环切，等到包皮恢复正常后再进行完全环切。

包皮感染

包皮感染叫龟头炎，是指未环切的包皮下方发生感染，如果情况严重，肿胀可能堵塞排尿，引起尿路感染。

如何判断。龟头炎的信号包括包皮严重肿胀、发红、触痛，流出绿色或黄色液体。如果肿胀比较严重，排尿时包皮前方可能出现“气球”，和包皮过紧的症状一样；或者孩子可能完全拒绝排尿。

怎么办。如果你发现问题的时候红肿还很轻微、包皮还没开始渗液、没有排尿困难，那么用温水浸泡阴茎后涂抹抗生素软膏（见下文），许就能消除感染，不用去看医生。如果孩子出现了严重龟头炎的所有症状，请立即求医。医生可能会取患处组织或脓液（如果有的话）进行培养，确认引起感染的是哪种细菌。等待培养结果的时候，医生很可能开一些合适的口服抗生素。除了抗生素治疗以外，医生可能还会建议你：

- 涂抹抗菌软膏，处方药或非处方药都行。
- 用温水浸泡阴茎，轻轻向后拉包皮，清理分泌物。

清除感染之后，请咨询医生，按照上文列出的方法照料孩子的包皮。每次洗澡的时候，正常清理分泌物之后请务必拍干龟头再将包皮复位。龟头过于潮湿可能导致发炎感染，引发龟头炎。

如果你教给了孩子正确清理阴茎的方法，龟头炎完全可以预防。

包皮环切后发生粘连

包皮环切的伤口愈合后，残余的包皮应该能够翻开，露出龟头的边缘。但是，愈合过程中，有时候新鲜的包皮可能再次与龟头发生粘连，部分或完全遮盖其边缘。最开始几次复查的时候，聪明的儿科医生会经常检查，在粘连还不太牢固时轻松翻开包皮。但是，这样的粘连常常要到几个月后才会被发现，如果包皮粘连比较严重，就难以轻易翻开。这时候当爸的会觉得宝宝的阴茎看起来很滑稽，因为看不到完整的龟头。

包皮粘连分为两种，治疗方法大不相同：

简单粘连。包皮内层（明红色的皮层，相对于靠外那层正常的皮肤）与龟头粘连。一般拉一下就能分开（就像勃起时一样）；粘连的部分会从龟头上脱落，留下新鲜的包皮，搽几天凡士林就能轻松愈合。可能有点痛，但医生操作起来相当简单。提前 30 分钟在患处涂抹麻醉霜也许能减轻孩子的痛苦。如果粘连无法轻松分开，可以在医生的指导下搽一些处方氢化可的松霜剂。

皮桥。这种粘连要严重得多。阴茎外层皮肤长到了龟头上，形成一道“桥梁”,它看起来十分明显,就像胶带一样。这种粘连医生也无法轻松拉开。可以用处方氢化可的松霜剂软化皮桥，然后注射麻醉剂或搽麻醉霜，再用无菌设备夹住皮桥进行切除。如果儿科医生经验丰富、熟悉这种小手术，婴儿期就可以给孩子做掉。如果一岁以后才发现孩子长了皮桥，最好别去碰它，等到孩子长大、能理解手术的必要性之后，再请儿童泌尿科医生来操作。

包皮环切后周围出现白点

包皮环切术之后，有些孩子（尤其是很小的婴儿）环切过的包皮与龟头的交界处会长出珍珠似的白色小点。它们形成的原因是：包皮下方会积聚天然润滑剂包皮垢，这些包皮垢如果不加清理，就会形成小白点。

怎么办。它们一般不会造成什么问题，随着包皮边缘彻底回缩，尤其是在发育和勃起的时候，这些小白点会自行消失。有时候，小白点持续存在，儿科医生可能会向你演示如何轻拉包皮，用温和的肥皂和温水搓掉阴茎边缘的小白点。搓掉以后，包皮边缘可能留下一些受到刺激的小点，可能发生感染。在这种情况下，医生可能会推荐你在患处涂抹一些润滑剂或抗菌软膏。随着孩子的成长，这些讨厌的分泌物会成为历史。

消失的阴茎!

不管你信不信，多年前我们诊所曾经接到过一个电话，一位忧心忡忡的母亲说：“他的阴茎消失了！”不，实际上孩子的阴茎没有消失，只是暂时被一堆脂肪遮住了。在第一年里，有的宝宝阴茎根部周围可能会堆积许多脂肪，遮住割过包皮的阴茎，只有勃起和撒尿的时候你才会看到小鸡鸡冒出头来。这是一种无害的发育性小毛病，不是健康问题。随着小男孩变得苗条，可爱的婴儿肥逐渐消融，他的阴茎会再次出现。第一年里宝宝阴茎的长度和尺寸与其成年后的尺寸完全无关。

144. 蛲虫

蛲虫就像一小段白线，长约0.8厘米。它们在儿童的肠道里生活、交配。怀孕的雌虫会顺着肠道从肛门里出来产卵，一般是在夜间。这些活动会导致直肠瘙痒。孩子抓挠屁股的时候虫卵会粘到手上，然后虫卵会进入孩子的嘴巴、传染给其他孩子或家人。虫卵被吞下后会在肠道里孵化，之后开始新一轮的循环。对女孩来说，蛲虫可能还会导致阴道瘙痒。雌虫产卵后常常会死亡，所以患者传染给别人的不是虫子本身，而是虫卵。蛲虫只有在人体内才能生存，但虫卵可以在体外生存几周。床上用品、浴巾、玩具上都可能沾染虫卵，虫卵还可能通过接触散播到其他地方。

信号和症状

- 孩子抓挠屁股，尤其是在晚上。
- 女孩抓挠阴道。
- 女孩的肛门或阴道周围有抓痕。
- 他坐着的时候会扭来扭去，磨蹭屁股。

晚上，请掰开孩子的屁股，用手电照射直肠。在肛门和阴道附近你可能会看到白线似的小虫；孩子早上醒来的时候，你可能偶尔会在孩子的大便、尿布或内裤上发现蛲虫。

怎么办

看到了蛲虫也别慌。虽然蛲虫有刺激性，但没有其他害处，你不需要在半夜里和儿科医生分享你的大发现。

- 如果你怀疑孩子长了蛲虫却没有看见，请将胶带反贴在冰棍的木棍上，然后用有黏性的一面在孩子的肛门或阴道周围粘一粘。最好在孩子醒来后或洗澡、大便之前进行。然后把胶带送到医生诊所或医生推荐的化验室，放到显微镜下检查有无虫卵。
- 如果高度怀疑或确认有蛲虫，医生会推荐处方或非处方的口服杀虫药，让全家人都吃。第一次服药10～14天后，请务必再给孩子吃一次药，以便消灭在此期间新孵化的蛲虫。全家都要吃药，这非常重要，否则会不断交叉感染。
- 剪短孩子的指甲，别让他咬指甲。
- 提醒孩子便后要洗手、清洁指甲。
- 别让孩子挠屁股。
- 清洗孩子的床上用品、睡衣和衣服，杀灭可能残余的虫卵。治疗期间，请每天给孩子更换干净的内裤和衣服，降低他吃下虫卵的风险。

（更多治疗方法请见P458，“直肠瘙痒”。）

145. 白色糠疹

白色糠疹是一种常见的皮肤问题，通常影响6～12岁儿童，不过其他年龄的孩子也可能感染。白色糠疹患儿皮肤上会出现浅色斑块，通常是在脸上，不过有时候也会长在颈部、胸口和手臂上。

医生并不清楚白色糠疹的确切原因，但一般认为它是一种湿疹（见P304，“湿疹”）。白色糠疹在阳光明媚的夏季更加明显，因为未受影响的皮肤颜色会变深，而浅色斑疹却会保持原状。浅色斑块可能要凑得很近才能看得见，皮肤白皙的孩子尤其如此。它不痒也不痛。

诊断

医生看到标志性的白色斑块一般就能确诊。不过，真菌引起的花斑癣（见P345）症状与此相似。医生可以取一小片患处皮肤放在载玻片上，加入特殊的液体，然后在显微镜下观察以分辨它到底是哪一种。如果是花斑癣，医生会观察到真菌。

怎么办

几乎不需治疗，因为这种疾病会逐渐自愈。斑块完全消失可能要几个月，每天在患处涂抹润肤霜也许能够加速恢复。可以用氢化可的松或类似的类固醇软膏，不过一般不推荐使用，除非孩子的情况十分严重。类固醇霜剂的使用一般不应超过两周，除非有医嘱。

健康小贴士：
大多数轻微皮疹是无害的

如果皮疹不痒、不会渗出液体、没有扩散，那就别担心，开心点儿！

---

146. 玫瑰糠疹

玫瑰糠疹相当普遍，患者一般是较大的儿童和年轻成人。确切病因未知，但人们认为它与某种病毒有关。

症状

请注意以下信号：

- 春秋季节更为常见。
- 刚开始时常常是腹部、胸口或背部出现单个红色或棕色斑块。
- 首次爆发几天后会出现更多斑块，一般较小。
- 斑块可能呈圆形或椭圆形。
- 斑块通常干燥、粗糙。
- 斑块通常会瘙痒、发红或发炎。瘙痒可能十分轻微，也可能相当严重。

玫瑰糠疹的独特之处在于刚开始时只有一块斑，叫作前驱斑，然后在周围会出现多个较小斑块。

诊断

一般单靠皮疹的外观就能做出诊断。如果有疑问，或者皮疹严重恶化，医生也许会做皮肤活检。

怎么办

如果症状轻微，则无需治疗。为了缓解刺激与瘙痒，可采用燕麦浴、润肤乳液或非处方氢化可的松霜剂。大于两岁的儿童可口服抗组胺药（请务必遵医嘱）止痒。根据经验，日晒也能促进愈合，不过要小心，不要晒伤。

皮疹通常至少要 3 周后才会消失，痊愈时间最长可达 4 个月。

玫瑰糠疹会传染吗？

一般认为玫瑰糠疹无传染性，但医生也不能完全肯定。不过，这种皮疹没有表现出强传染性，儿童一般只会得一次玫瑰糠疹。

147. 肺炎

如果孩子老是咳嗽，或者咳得很厉害，父母常常担心会是肺炎。下面我们将指导你辨认肺炎的症状，告诉你应该采取什么措施。

症状

普通感冒和咳嗽病毒侵袭期间，胸部黏液的分泌增多，细菌在黏液中过度滋长，常常导致肺炎。肺部被感染的部分无法吸收氧气，孩子会开始感觉缺氧。请小心下列症状：

- 呼吸急促。发烧期间，孩子的呼吸会略微急促一点，这很正常，但如果退烧后孩子仍然呼吸急促（每分钟超过 40 次）仍持续几个小时，那可能是肺部感染的信号。
- 呼吸吃力。肺炎患儿通常需要更加努力地呼吸才能得到足够的氧气。你也许会注意到孩子每次呼吸时要耸起肩膀。
- 发出咕噜声。在这里我们不是指学小猪叫唤。医学术语中的“咕噜”指的是人每次呼气时发出低沉的哼声或呻吟声。这样实际上能让部分空气在肺里停留更长时间，从而吸收更多氧气。孩子通常不会故意发出这种声音，咕噜声更大程度上是肺部对抗感染的表现。
- 鼻孔外翕。孩子无法得到足够氧气的时候，身体会自动启动另一项对抗机制：每次吸气时张大鼻孔，吸入更多空气。
- 高烧、昏睡伴有轻微咳嗽。有的肺炎患儿可能完全不怎么咳，于是诊断变得更为困难。如果孩子异常顺从，病情看起来远不止是轻微的咳嗽，请去看医生。
- 呕吐。呕吐一般是胃肠道疾病的信号，但如果呕吐伴有其他肺炎信号，那可能是孩子肺部感染了。

如果孩子出现上述症状，请当天去看医生。如果是下班时间请直接去急诊室或急诊中心。

你能做什么

家庭疗法通常不足以治疗肺炎。不过，针对支气管炎的清肺法（见 P207）能促进肺炎的康复。

医生可能会做什么

儿科医生会用听诊器仔细听孩子的呼吸，观察他有无呼吸急促或吃力的信号。大部分肺炎病例会出现某些异常的呼吸声，医生应该能听见。不过，就算呼吸没有异声也不能完全排除孩子患肺炎的可能性，某些症状可能在检查中未被发现。医生可能采取下列方式诊断肺炎：

- 症状明显。如果孩子出现明显的细菌性肺炎症状，但是孩子脸色正常、呼吸自如，而且医生单靠听诊器就能确认肺部发生了感染，那他很可能会直接开抗生素，不做进一步检查。
- 症状模糊。如果孩子看起来有病容，但无法确诊，医生可能会照个X光以确诊，同时确定感染情况是否严重，是否需要住院。
- 呼吸急促、吃力、脸色苍白。如果孩子十分痛苦，医生很可能会直接把他送到急诊室吸氧、进行呼吸治疗、照X光，然后进行下一步治疗。

治疗

治疗方法取决于感染的严重程度。轻微肺炎也许吃一点口服抗生素就好；如果肺炎严重或者孩子呼吸困难、脸色苍白，那么一般需要住几天院，必要的话需要静脉注射抗生素、吸氧。

148. 毒漆藤和毒葛

毒漆藤常常能导致儿童和成人皮疹。美国全境内都有毒漆藤。这种植物的特征是红色的茎上长着三片有光泽的叶子，它是一种藤本植物。记住这句老话："远离三片叶子的草！"

毒葛多见于西海岸地区，外形是灌木。像毒漆藤一样，它也是红色茎秆上长着三片有光泽的叶子。

这些植物会让你身上长出红色瘙痒的皮疹，实际上罪魁祸首是叶子里的油脂。这些油脂通过接触进入皮肤，引起类似过敏反应的症状。具体症状因人而异，反应的严重程度与接触剂量有关。毒漆藤和毒藤一般不会传染给别人，但油脂可能通过抓挠感染身体其他部位。油脂还会粘在衣服、鞋子和宠物上，在首次接触后反复刺激患者。我们不建议烧掉这些植物，因为油脂可能通过烟雾扩散，导致接触烟雾的人发生反应。

症状

与毒漆藤或毒葛接触过的部位会出现红色凸起的片状皮疹或条痕。其他症状包括：

- 皮疹通常会在接触后2～3天内出

现，可能持续超过 3 周。

- 皮疹非常痒。
- 可能会出现大片的肿块，形成水疱。
- 皮疹的严重程度因人而异，也与接触的剂量有关。

怎么办

尽快用肥皂和温水彻底清洗身体。在接触后 30 分钟内彻底清洗也许能够预防油脂进入皮肤，减轻皮疹、缩短病程。药房和野营商店中可以买到一些非处方产品，里面含有能中和有毒油脂的成分，接触后立即使用能够极大地减轻症状。

健康小贴士：
提前计划好如何应对毒漆藤

如果你计划外出野营，请带上针对毒漆藤的药物。野外你可能没法立即找到肥皂和温水。

要预防和治疗毒漆藤过敏，你还能采取下列重要措施：

- 用肥皂和热水彻底清洗所有的衣物和鞋子，清除有毒油脂。
- 待在凉快的地方！炎热和汗水会加剧瘙痒。
- 用刷子刷干净指甲缝。这能预防油脂扩散到身体其他部位。
- 如果宠物接触了毒漆藤，请尽快给它洗个澡。人沾到动物毛皮上的油脂也会出现反应。
- 用炉甘石洗剂和氢化可的松霜剂减少水疱和瘙痒。
- 吃口服抗组胺药止痒。
- 尝试用醋酸铝敷压患处，干燥皮疹。
- 试试燕麦沐浴露，可以止痒。
- 如果病情严重，请和医生讨论是否口服或注射类固醇缓解瘙痒和发炎，促进皮疹康复。

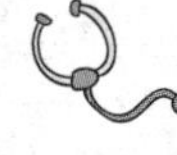

健康小贴士：
家庭疗法

你可以自制燕麦沐浴露。把生燕麦片放进长筒袜，然后把袜子开口的那头系在浴缸水龙头上，打开龙头。不用跑去药房！

149. 银屑病

银屑病是 15 ～ 35 岁人群中常见的皮肤问题。它一般会伴随终身，有时好转有时恶化。

症状

银屑病患者身体各处通常会出现受

刺激、发痒的斑块。这些粗糙脱皮、受刺激的斑块可能有几种颜色，从粉红到红色，不过它们大部分是银色的。斑块通常凸出皮肤表面，下列部位最容易出现斑块：

- 膝盖正面或背面
- 手肘正面或背面
- 胸腹
- 头皮

银屑病与关节炎。大约 30% 的银屑病患者可能也会出现关节炎症状，这叫银屑病关节炎。

原因与诱因

医生并不确定银屑病的确切原因，一般认为这是一种自身免疫缺陷，身体的免疫系统把健康的皮肤细胞当成了危险分子，由此引发炎症反应，导致患者出现典型的银屑病症状。

人们相信银屑病恶化的诱因包括：

- 空气或皮肤干燥
- 压力
- 病毒或细菌感染
- 上呼吸道感染
- 药物，包括锂、β-受体阻滞药和治疗疟疾的药物
- 晒伤
- 日晒不足
- 过量摄入酒精

诊断

银屑病的外观典型而独特，所以通常只需检查即可诊断。偶然情况下，如果不能确诊，医生可能会做皮肤活检以排除其他疾病的可能性。如果孩子抱怨关节痛，可能还会照 X 光。

治疗

银屑病的治疗取决于病情的特性和严重程度。轻微的银屑病一般可通过非处方或处方药治疗，例如：

- 润肤霜和乳液
- 用类固醇霜剂控制爆发，例如氢化可的松
- 煤焦油霜剂和软膏
- 头皮上的斑块可以用去屑洗发水
- 燕麦浴
- 含维生素 A 的药物
- 光照疗法，用低强度的紫外线照射患者以控制爆发

如果这些方法不足以控制症状，现在有一些更新的药物能够帮助抑制身体免疫反应。非常严重的银屑病也可采用免疫抑制剂治疗。请与儿科医生讨论这种新疗法的详情。

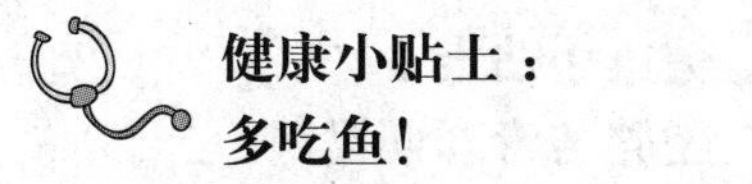

健康小贴士：多吃鱼！

ω-3脂肪是抗炎食物，所以它对皮肤很有好处。每天服用含有DHA和EPA（一种ω-3脂肪）的补充剂，也许能够帮助皮肤保持湿润，预防银屑病爆发。

什么时候该担心

银屑病可能出现以下并发症：

- 严重爆发引起的继发性细菌感染（医生可能会开抗生素）
- 严重关节炎或关节炎恶化

银屑病可能很难治疗，具体取决于病情的特性和严重程度。主要目标是避免爆发，爆发时寻找有效治疗方案（皮肤保健的一般性建议请见P030）。

150. 青春期问题——青春期提前或迟缓

青春期提前

儿童青春期提前的医学术语叫做性早熟。男孩和女孩都可能出现这种情况，不过在女孩中更为常见。性早熟的医学定义是：女孩在8岁（男孩9岁）前出现青春期开始的信号。在这种情况下，亲子双方都将面临物理和心理两方面的巨大挑战。

信号和症状。如果你注意到孩子出现下列症状，那可能是青春期提前的信号：

8岁以下女孩：

- 开始长腋毛或阴毛
- 胸部开始发育，乳头周围出现有触痛感的肿块
- 月经初潮
- 井喷式快速发育
- 出现类似成年人的体臭
- 脸上或身体其他部位开始长痤疮

9岁以下男孩：

- 开始长腋毛、胡须或阴毛
- 声音开始变得异常低沉
- 阴茎和睾丸开始长大
- 井喷式快速发育
- 出现类似成年人的体臭
- 脸上或身体其他部位开始长痤疮

注意：如果只是提前出现体臭或痤疮，却没有其他信号，也没有出现井喷式发育，那孩子可能不是性早熟。

性早熟的孩子可能出现以上某个或全部信号，不过，有的孩子会表现出部分性早熟。孩子出现某些性早熟信号，但随后这些信号又消失了，没关系，他还会继续正常发育。某些时候，年纪很

小的女孩很早就就开始长出乳芽，大一点以后又消失了。当然，如果你注意到孩子出现上述任何信号，请咨询儿科医生。

原因。许多性早熟案例背后没有发现健康问题。不过，这样的说法更适用于女孩。男孩过早进入青春期（早于9岁）更可能是因为隐藏的健康问题。

在较为罕见的情况下，性早熟可能有下列健康原因（再说一遍，这非常罕见）：

- 脑瘤或其他大脑结构性问题
- 脑部感染（又叫脑膜炎）
- 头部外伤造成大脑损伤
- 女孩卵巢（男孩睾丸）发育问题
- 甲状腺问题
- 大脑中负责制造性激素的腺体出现问题

如果孩子出现任何性早熟的信号，请去看医生。如果医生怀疑孩子有隐藏的健康问题，他可能会通过测试来确认，包括：

- 验血测量体内激素水平
- 大脑 MRI 扫描
- 超声波检查卵巢或睾丸
- 给孩子的手腕照一种特殊的X光，比较骨龄和孩子的真实年龄是否匹配。某些性早熟儿童的骨龄会大于实际年龄。

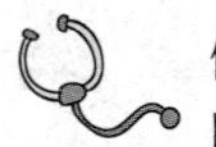

健康小贴士：
肥胖与青春期提前

超重儿童更容易过早进入青春期，因为多余的体脂常常会产生多余的雌激素。这是保持孩子健康体重的又一重要原因。

治疗。如果儿科医生担心孩子过早进入青春期，他可能会建议你去看儿童内分泌专科医生，他们是治疗性早熟的专家。治疗的主要目标是阻止或逆转孩子的性发育，直至他长到青春期开始的正常年龄。在较为罕见的情况下，性早熟背后有隐藏的健康原因，要解决性早熟，就得先治病（例如治疗脑瘤）。不过，正如我们在上文中讨论的，大多数性早熟案例没有隐藏的健康问题，在这种情况下，医生通常会用一种名为促黄体素释放激素类似物的特殊激素进行治疗。这种激素会阻碍孩子的身体产生导致性早熟的性激素，治疗通常会持续到医生认为孩子可以开始青春期的时候为止，女孩通常为11～12岁，男孩为12～13岁。

长期并发症。如果不加治疗，性早熟可能带来一些长期影响。过早进入青春期的孩子最终身高通常偏矮，无法达到正常发育的高度，这会带来长期的情感和心理影响。性早熟还会对孩子的社交关系造成极大影响，他们也许会被同伴戏弄，可能会觉得自己“和别人都不一样”，从而造成情感和心理上的痛苦。

好消息是，如果得到正确的治疗（如上所述），大部分青春期提前的孩子都能得到矫正，继续成长为健康、正常的成年人。

青春期迟缓

孩子十四五岁时，可能会出现这个问题。孩子也许会发现伙伴的身体已经开始发生变化，自己却一如既往。你一定能想到，这会让孩子和父母都担心不已。

信号和症状。每次常规检查时，医生应该评估孩子是否开始进入青春期，以确认孩子物理发育正常。青春期迟缓最常见的信号包括：

女孩：

- 13 岁时乳房仍未开始发育
- 14 岁时阴毛仍未开始发育
- 16 岁时仍未月经初潮
- 乳房开始发育与月经初潮之间相隔超过 5 年

男孩：

- 15 岁时阴毛仍未开始发育
- 14 岁时睾丸仍未开始增大
- 阴茎开始发育 5 年后仍未完全成熟

如果能够满足这些条件，那就没什么可担心的，每个孩子都有独特的性发育节奏。在八年级的教室里你很容易看到，青春期儿童的体格、体型各异。

女孩青春期的开始时间为 8 ～ 13 岁，男孩是 9 ～ 15 岁。正如你看到的，虽然年龄跨度很大，但都属于正常范围。

原因。大部分青春期迟缓是体质性迟缓，也就是孩子发育得比较晚。这种情况通常无需治疗，只要检查确认孩子的身体没问题就好。体质性迟缓通常有家族遗传倾向。孩子的兄弟姐妹、表（堂）兄弟姐妹、父母、姑（姨）妈和叔伯通常也有同样的问题。发育晚的孩子最终也会长成正常的成年人，身高、体型、成熟度都没有问题，虽然可能比同龄人慢一些。

不过，在较罕见的情况下，一些健康问题可能导致青春期迟缓，包括：

- 慢性病（如糖尿病、哮喘或肾脏问题）患儿可能出现青春期迟缓。
- 脑垂体（负责制造性激素）问题或甲状腺问题可能引发青春期迟缓。
- 营养不良可能造成青春期迟缓。
- 非常爱运动的女性可能出现月经迟缓。
- 染色体异常的孩子可能出现性发育迟缓。女孩中最常见的是特纳氏综合征，男孩是克氏综合征。

正常的青春期发育：坦纳氏期

医生用五个发育阶段来描述正常的青春期发育过程：

坦纳氏期（女孩）			
坦纳氏期	乳房组织	阴毛	其他
1	无	少量浅色毛发	
2 （平均年龄：11 岁）	乳晕变大，下面出现小的乳芽	阴唇周围出现稀疏的较深色毛发	阴蒂增大，阴唇变黑
3 （平均年龄：12 岁）	乳晕以外的区域出现更多乳房组织	阴唇上出现粗糙卷曲的毛发	出现腋毛、痤疮
4 （平均年龄：13 岁）	乳晕凸出，出现明显的乳房轮廓	阴毛和成人差不多，但大腿上没有	开始月经来潮
5 （平均年龄：14 岁）	出现成人的乳房轮廓	成人式的阴毛扩展到大腿部位	外阴完全成熟

坦纳氏期（男孩）			
坦纳氏期	外阴	阴毛	其他
1	与婴儿期相同	少量浅色毛发	
2 （平均年龄：12 岁）	阴囊变薄、变红；睾丸稍许增大	阴茎根部出现稀疏的较深色毛发	
3 （平均年龄：13 岁）	阴茎变长，睾丸继续增大	粗糙卷曲的毛发向上扩展	声音开始变化，肌肉发育
4 （平均年龄：14 岁）	阴茎增大，包括龟头（阴茎头）；阴囊变黑	阴毛和成人差不多，但大腿上没有	变声，出现腋毛、痤疮
5 （平均年龄：15 岁）	成人尺寸的阴茎和睾丸	成人式的阴毛扩展到大腿部位	开始长胡子，肌肉继续发育

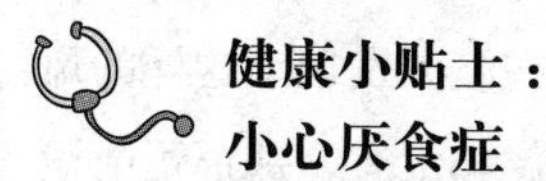

健康小贴士：小心厌食症

异常瘦削、营养不良或是非常在意体重和食物摄入量的女孩，应该由医生评估厌食症（详见P145）风险。男孩也可能发生厌食症。月经迟缓（女孩）和性发育迟缓可能是潜藏的饮食障碍的信号。

如果儿科医生怀疑孩子发育迟缓不光是因为发育较晚，他可能会做几个测试确认孩子是否有更严重的问题，这些测试可能包括：

- 验血检查性激素和甲状腺激素水平
- 检查有无染色体异常
- 给孩子的手部和腕部照特殊的X光，测量“骨龄”，确认骨骼发育是否正常
- 给大脑做MRI或CT扫描，检查是否有脑垂体问题或其他脑部问题

如果发现任何异常，请立即转儿童内分泌科进行更加深入的检查和治疗。

治疗。治疗方案取决于孩子是否有隐藏的健康问题。一般来说，一旦找到了性发育迟缓的原因并加以治疗，接下来孩子会进入正常的青春期发育。大部分体质性迟缓无需治疗，告诉孩子“你早晚会赶上其他人”就好。儿童内分泌专科医生可能会短期给孩子补充性激素，“点燃”孩子的性发育，不过最好不要这么做。除非孩子有其他潜藏的、可治疗的健康问题，并且青春期迟缓给孩子带来了极大的情感和心理压力，医生才会慎重考虑是否使用性激素。

长期并发症。绝大多数青春期迟缓的案例没有长期并发症，孩子最终会长成身高体型完全正常的成年人。较罕见的情况下，如果性发育迟缓背后有隐藏的健康问题，解决这些问题后孩子也会正常发育。青春期迟缓带来的问题主要是心理和情感上的，孩子可能担心自己的身体不会像别人一样发生变化。一旦排除了严重疾病的可能性，你应该采取的重要措施就是支持、安抚孩子，向他保证他的身体没有任何问题，长期来看他会和其他同伴一样长大成人。

151. 皮疹

每个孩子总会多多少少长点儿皮疹，事实上，所有皮疹从长期来看都没什么坏处。最重要的是家长懂得判断皮疹是否严重，是否需要紧急诊治。一旦你知道了哪些情况不用着急，那你就能慢慢辨认出孩子长的是什么皮疹，找出长疹子的原因。下面我们将指导你理解和治疗童年期皮疹。

认出严重的皮疹

你必须认识的最重要的皮疹只有一种：瘀点，又叫紫癜。皮肤里的血管破裂，留下针尖大小的红点（瘀点）或较大的红色/紫色斑块（紫癜）。这种皮疹非常重要，你必须认识它，因为它的出现可能意味着非常严重的细菌感染，需要立即治疗。一旦孩子长了瘀点或紫癜，必须立即去看医生。

辨认这种皮疹的关键在于，它不会变白；如果你把手指放在瘀点或紫癜的两边，然后向相反方向拉伸皮肤，它不会消失。从本质上说，水痘、痱子等类型的斑点，受到按压和拉伸都会变白，而且其他类型的皮疹一般摸起来是凸起的。

你之所以阅读本页，很有可能是孩子长了神秘的疹子，所以，现在请花点时间确认孩子长的是不是瘀点或紫癜。如果不是，你就可以长出一口气，继续漫不经心地翻阅本节剩余的部分，以确认孩子此刻到底是为什么长了皮疹。

如果你觉得孩子的皮疹真的没有变白，很可能是瘀点或紫癜，那么最重要的是按照以下描述进行评估：

不用担心的瘀点或紫癜。再给你定定神，有时候瘀点和紫癜根本没什么严重的病因，完全无害。比如说，如果孩子反复呕吐或剧烈咳嗽，可能造成头部血压过高，导致脸部皮肤内的血管轻微破裂。如果你只在脸上发现了这样的斑点，身体其他部位都没有，那很可能没什么需要担心的。如果孩子大体感觉正常，也没有发烧，那就等下次诊所开门再去看医生吧。

什么时候该担心。如果你在孩子脸部以外的其他部位发现这种斑点（不是一个很小的斑点，而是好几个），请咨询医生。如果孩子有发高烧、剧烈头痛、昏昏欲睡或极其兴奋（见P404，脑膜炎的症状）的症状出现，同时又出现了瘀点或紫癜，请直接去急诊室。如果孩子看起来病得不是很严重，也没有发烧，那不太可能是脑膜炎，可能还不需要送急诊室。不过，最好立即去看医生，医生会检查孩子的血液，寻找孩子皮肤血管出血的原因并及时给予治疗。

常见的童年期皮疹

下面我们介绍最常见的童年期皮疹。下列所有情况都不需要立即送医院，不过其中某些需要及时的家庭治疗：

正常的新生儿皮疹。在生命最初两个月里，大多数新生儿会出现脂溢性皮炎。这些红色的肿块、丘疹和斑点通常出现在脸部和上半身，不过也可能出现在身体任何部分。这种无害的“宝宝青春痘”无需治疗就会消失。宝宝到两个月大的时候，就可以照张漂亮照片啦。

荨麻疹。荨麻疹是凸出皮肤表面的白色或红色斑块、条痕，它们大小各异，小的只有铅笔上的橡皮那么大，大的可能跟一块钱硬币差不多。荨麻疹的原因几乎都是过敏反应，皮疹通常出现得十分突然，多见于躯干部位（胸腹或背部），之后便很快扩散到其他区域，包括四肢。荨麻疹很少长到脸上，它常常从某个地方消失，又在另一个地方冒出来，几个小时内不断转移、变化。诊断荨麻疹有个简单的办法，吃一剂非处方抗组胺药，如果条痕好转或彻底消失，那几乎可以肯定是荨麻疹。详见P380。

湿疹。干燥敏感的皮肤遇上食物或环境中的过敏源就会引发湿疹。湿疹通常从手肘内侧和膝盖后面开始出现，不过它也可能出现在身体其他地方。湿疹一般是干燥的（有时候是湿润的）斑块，呈肤色或红色，摸起来有点儿粗糙。可能只有一小片，也可能有很多片，而且一般会很痒。如果你觉得孩子可能长了湿疹，请见P304。

一般的病毒性皮疹。能让孩子长皮疹的病毒有很多种，有的相当常见，很容易辨认，例如水痘、玫瑰疹和传染性红斑，我们在下文中将会讨论这几种皮疹。不过，其他大部分病毒性皮疹看起来十分相似，家长一般无法准确分辨。幸运的是，这些皮疹都没有害处、也无法治疗，所以不需要做出确切的诊断。因此，只要知道孩子得的是一般的病毒性皮疹就够了。辨认方法如下：

- 皮疹外观各异：红色蕾丝状大片花纹、星罗棋布的微型丘疹、较大的红色斑点，甚至可能长大片的皮疹。
- 病毒性皮疹一般（但不是绝对）从躯干部位开始出现，然后向四肢蔓延。
- 通常伴有发烧。
- 全身性疼痛和不适十分常见。
- 病毒性皮疹（除水痘以外）一般不痒。

大多数伴有皮疹的病毒性疾病有传染性，传染期为发病前一天至退烧后一天。皮疹可能逗留一周左右，但只要孩子感觉好转就不会传染了。

水痘。这是最容易辨认的皮疹。开始时，孩子的躯干部位长了几颗红色的肿块，看起来像是被昆虫叮咬的。在第一天里，身体各处会出现更多斑点；到第二天，头一天的斑点会变成小水疱（而昆虫叮咬第二天会变大，但一般不会变成水疱），里面有透明的液体，这一天还会长出更多的红色肿块；到第三天，你会看见三种斑点：初期的红色肿块蔓延到四肢和脸部，前一天的肿块变成了水疱，最后水疱破裂流干，结成硬壳。每一天的进程十分明确，所以水痘很好辨认。不要在第一天就冲到医生的诊所，指望医生能够确诊。如果孩子发烧并出现瘙痒的红色肿块，假设孩子所患的病有传染性，所以请让他留在家里。到第二天或第三天，你就能轻松判断孩子是不是出水痘了。诊治详情见 P219。

传染性红斑。这种皮疹是细小病毒引起的，特征是孩子的脸颊呈明红色，就像被扇过几巴掌一样。一到两天后，这种面部皮疹开始消退，孩子出现一般的病毒性皮疹（如上所述），有时候还会伴有发烧、流鼻涕、咳嗽和全身性疼痛。一旦面部皮疹消失，这种疾病就和其他病毒性疾病没什么区别了。传染性红斑无法治疗，几天后就会自愈。唯一的问题是，在孕期头 3 个月里接触过这种病毒的孕妇要格外小心，因为胎儿可能会出现某些并发症。如果有这种情况，最好向产科医生请教预防方法。

玫瑰疹。这可能是婴幼儿期发烧和皮疹最常见的原因。长玫瑰疹的原因是疱疹病毒（不是性传播的那种，也不是口腔疱疹），最初会发 3 天左右的高烧，基本没有其他症状（除了发烧引起的严重不适以外）。就在父母和医生开始担心的时候，孩子退烧了，身上开始冒出一般的病毒性皮疹。通常这时候可以得出诊断，依据不是皮疹的外观，而是它出现的时机——退烧后立即出现。这种病毒无须任何专门的治疗就会消失，唯一需要做的就是遵循 P306 的措施预防和治疗发烧。

脓包病。这是一种皮肤细菌感染。症状是出现红色丘疹，随后丘疹扩大，形成一层流脓硬壳。脓包通常出现在嘴巴和鼻子周围，不过也可能出现在身体其他地方。详见 P388。

蜂窝组织炎。这是一种深层皮肤（相对于发生在表层皮肤的脓包病而言）的细菌感染。诱因通常是割伤或昆虫叮咬，细菌通过伤口进入皮肤深层，引发炎症。症状是皮肤发红、发烫、肿胀，并逐步向四周蔓延。详见 P217。

接触性皮炎。这种凸出皮肤表面的瘙痒红疹有时候还会渗液，它出现的原因是皮肤接触了刺激性物品，例如毒漆藤和毒葛。通常在接触刺激物几小时或几天后出现皮疹。孩子抓挠的时候，刺激物可能会沿着抓痕扩散。详见 P248。

讨厌的痱子。这种皮疹虽然难看却无害，每个婴幼儿都会长无数次痱子。一般是在非常炎热的时候或是出了很多汗以后，孩子的颈部和上半身会出现很多红色的微型丘疹。只要保持凉爽就够了，天气炎热的时候，孩子可能每天都长痱子。详见 P368。

多形红斑。这种罕见的皮疹看起来和荨麻疹一模一样，不过抗组胺药对它无效。详见 P309。

夏季皮疹。夏天的阳光、高温、汗

水、太阳油、游泳池里的氯、沙子、青草和孩子接触的所有东西加起来，可能会引发一般性的红色肿块式皮疹。如果排除了其他皮疹的可能性，那孩子长的就是夏季皮疹，实际上它是讨厌的痱子和接触性皮炎的混合体。如果孩子不觉得很烦，那就别管，等夏天过去就好了。如果皮疹很痒或是有刺激性，非处方止痒霜能够减轻不适。

游泳性皮炎和海浴性皮疹。在海里游泳可能引发这种皮疹，它是微型海洋生物的无数次蜇咬在孩子身上造成瘙痒的肿块。它分为两种：一种只出现在被泳衣盖住的部位（因为小动物被困在了泳衣里面），另一种只出现在泳衣没盖住的部位。治疗方法包括口服抗组胺药、局部外用氢化可的松（也许需要处方强度的药膏）。

疥疮。它被看作已知的、最痒的人类皮疹。疥疮出现的原因是微小的螨虫（一种微型昆虫）深入皮肤，导致孩子身上长出瘙痒的肿块或斑块。抓挠可能导致螨虫顺着抓痕扩散，形成一条凸起的瘙痒红疹。诊断和治疗详见 P464。

猩红热（链球菌性喉炎皮疹）。链球菌感染喉咙，身体做出免疫反应，由此产生这种皮疹。症状是整个躯干上出现数百个针尖大小的红色丘疹，皮肤摸起来就像细砂纸。出现这种皮疹并不意味着链球菌性喉炎加重，实际上它能够帮助医生更轻松地诊断这种喉炎。详见 P515。

昆虫叮咬。这种瘙痒肿块形状大小各异，一般通过三个标准来诊断：一次通常只有几个；几天内一般会长大，肿块中央能看见叮咬的痕迹；发痒。详见 P194。

脸部口水疹。虽然这种皮疹无害，但可能十分顽固，父母非常烦恼，因为它减损了宝宝的天生丽质。口水疹与脸部脓包的区别在于它不会结壳渗液。在最开始几年里，口水疹可能会在好几个月内反反复复。

癣。虽然名字叫癣，但它实际上是一种真菌感染，而不是苔藓。症状是环形的红色凸起，而中间的皮肤相当正常。癣的尺寸各异，如果不加治疗可能会长大。一般只会长一个，不过也可能扩散，有时候它还会痒。它和湿疹的区别在于环形凸起中间的皮肤完全正常，而湿疹的圆形斑块通常会整体凸起，摸起来粗糙不平。详见 P344。

头皮皮疹。儿童在童年期可能发生多种头皮皮疹，详见 P346。

玫瑰疹。这种白色、红色或褐色的圆形小斑可能出现在身体任何部位，也可能会痒。详见 P456。

自身免疫疾病。这类疾病的原因是人体免疫系统对自己的身体产生了反应。为何会出现这种现象，确切原因未知。自身免疫疾病有很多种，在此不便完全列出，不过仍值得一提。如果慢性、不痒的红色皮疹伴有反复发作的无原因的发烧、关节和肌肉疼痛，手足/脸/关节肿大、频繁生病、胸痛或异常疲劳，那可能是自身免疫障碍的信号。

治疗

有时候，最细心的父母和医生也无法确定孩子到底长的是哪种皮疹。多试几种疗法，看看哪种有效，这样处理总没错。不需要知道皮疹的确切类型也可以摆脱这些讨厌的疹子，试试这些家庭疗法：

- 润肤乳液——也许能够安抚、治愈受到刺激的皮肤。
- 抗组胺霜剂——这种非处方止痒霜能迅速缓解症状。
- 氢化可的松霜剂——这种温和的非处方类固醇霜剂能够缓解几乎所有凸起、发痒或刺激性红疹，尤其是细菌感染。
- 抗真菌霜剂——这种非处方霜剂非常安全，无害，哪怕皮疹不是真菌引起的也没有坏处。

你可以同时使用2～3种霜剂，每种涂抹不同部位的皮疹，看看哪种效果最好。

如果治疗后皮疹恶化，立即停药，并请医生看看（除非你在诊所里，而医生和你一样摸不着头脑）。有必要的话请皮肤科医生看看（一般性的皮肤保健请见P030）。

152. 直肠瘙痒

孩子是不是经常挠屁股？下面我们介绍直肠瘙痒。

原因

幼儿直肠瘙痒有四个最常见的原因：

- 蛲虫（见P442）
- 食物过敏（见P201，“注意靶信号”）
- 真菌感染，通常出现在抗生素治疗之后
- 细菌感染

细菌感染。如果孩子的肛门周围出现顽固的圆形红色瘙痒丘疹或脓包，那很可能是细菌感染，通常是链球菌或葡萄球菌。如果出现下列情况，请考虑细菌感染：

- 如果不加治疗，皮疹会一直存在。
- 皮疹似乎在恶化：越来越红肿，有时甚至会出血。
- 护臀霜、抗真菌霜剂都没有效果。
- 排除了其他可能性。

如果儿科医生怀疑皮疹是细菌感

染引起的，他会开相应的抗菌霜剂。

怎么办

除了请医生诊断之外，你可以试试这些通用的家庭疗法：

- 在水里兑上小苏打粉（在浴缸的温水里加入半杯小苏打粉），给孩子洗个盆浴。
- 用护臂霜涂抹瘙痒部位，每天涂几次，尤其是睡前。
- 尽量剪短孩子的指甲。抓挠可能会加剧感染、造成扩散。

153. 玫瑰疹

这种常见的儿童期疾病是6型疱疹病毒引发的，这种病毒与外阴疱疹或口腔疱疹无关，只不过它也属于疱疹大家族而已。玫瑰疹的症状十分清晰：孩子发3天高烧，之后皮肤上出现一般的病毒性皮疹。皮疹刚开始一般出现在颈后和背部上半部分，看起来就是平坦的红点或肿块。玫瑰疹可能扩散到脸部和胸腹，偶尔还可能扩散到四肢。这种皮疹不痒，不需要乳液或其他任何治疗，可能持续几天到两周。有的孩子可能根本不出皮疹，只发高烧。虽然发烧可能很不舒服，但从长期来看没有害处。

玫瑰疹的传播途径类似普通感冒。从发烧前一天到退烧后约两天内，孩子的病有传染性；此后哪怕皮疹仍未消失，也不会再传染了。病毒的潜伏期大约为10天。这种皮疹没什么特别的治疗方法，注意退烧就好。

诊断

父母和儿科医生要等到孩子退烧、皮疹出现以后，才能确诊孩子是否染上玫瑰疹。最初的症状只有发烧，所以医生会查一查发烧有无其他明显原因，例如耳部或喉部感染。如果没找到确切原因，也没有其他任何症状可辅助解释发烧（例如咳嗽、鼻塞、腹泻），那医生会认为发烧很可能是病毒引发的。对于6个月～3岁的儿童，最可能的病毒是玫瑰疹。

如果皮疹出现之后再去看医生，考虑到之前发了3天烧，情况就很明显了。这时候有的孩子会开始流鼻涕、咳嗽、呕吐或腹泻。

什么时候该担心

玫瑰疹没什么可担心的，除非烧得厉害，若如此，请见P327关于发烧的内容。

154. 轮状病毒感染

轮状病毒会感染婴儿、儿童和成人

的消化道，引起恶心、呕吐和腹泻。轮状病毒是重大的公众健康问题，每年在美国引发300万例幼儿腹泻，其中约55000位幼儿住院。在美国，轮状病毒致死的案例十分罕见，但是在世界范围内，每年因轮状病毒而死亡的人数超过50万人。

轮状病毒感染者的粪便中带有病毒。如果婴幼儿接触了被这种粪便污染的物体或人，然后再去摸自己的嘴巴，导致病毒进入消化道，就可能被感染。这种病毒的传染性很强。婴幼儿聚集的地方常常爆发轮状病毒感染，尤其是托儿中心、儿童医院和孩子比较多的家庭。病毒扩散的原因常常是孩子和照顾孩子的人洗手不够频繁，尤其是饭前便后不洗手。被轮状病毒污染的小手常常去触摸小脸，这样很容易传播病毒。轮状病毒感染者表现出症状之前，粪便里就会出现病毒，这种情况一直延续到症状康复之后几周，所以预防病毒扩散十分困难。儿童可能会多次感染轮状病毒，不过一般首次感染最为严重。

症状

轮状病毒感染的症状如下：

- 发烧
- 作呕
- 呕吐
- 频繁拉稀
- 腹部抽筋
- 出现脱水信号（见下文）
- 可能会咳嗽或者流鼻涕

患儿可能出现一个或多个上述症状，5岁以下儿童可能病情十分严重。大一些的孩子症状可能十分轻微，甚至完全没有异常。成人通常只会受到轻微，的感染。

脱水信号如下：

- 口渴
- 没精打采
- 嘴巴和舌头干燥
- 易怒或亢奋
- 眼眶凹陷
- 皮肤干燥
- 24小时内湿尿布少于3片
- 已经学会使用厕所的孩子去洗手间尿尿的次数减少

（如何评估孩子的脱水情况详见P273。）

诊断

可以做大便测试，以确认孩子是否感染轮状病毒。通常病情严重时才会做这种测试，以便确定孩子是否有其他问题。儿科医生可能会给孩子做大便检测、血检或尿检，以便查明这些症状是否有其他原因。

什么时候该担心

寻求医治的主要目的是防止呕吐和腹泻造成中度到重度脱水。如何评估脱水的严重程度、什么时候寻求急救详见 P274。大部分轮状病毒感染不需要去急诊室，不过可能需要看医生。

治疗

由于这是一种病毒感染，所以抗生素无法治疗。主要的治疗措施是保证孩子水分充足，其他措施具体取决于症状的严重程度。

轻微腹泻。如果孩子只是轻微腹泻，没有脱水症状，照常进食即可，不过应该多给孩子喝清澈的液体。不要喝果汁或软饮料之类的加糖饮料，因为这可能加剧腹泻。最好选择清水、电解质饮料和无糖冰棍。如果孩子还在吃奶，请照常喂养，多给孩子喝一点。如果症状恶化，请咨询医生。

腹泻伴有轻微至中度脱水。 请咨询医生。当然，治疗的关键在于补充水分。给孩子喝非处方的口服电解质溶液，稀释过的白葡萄汁也可以。如果你还在给孩子哺乳，请继续；如果是配方奶喂养，暂时换成无乳糖配方奶或大豆配方奶，这能够加速腹泻的康复。一旦脱水得到矫正，请将那些温和的 RATY 食物重新加入孩子的食谱。如果孩子能够消化这些食物，那就可以正常进食了（治疗腹泻详见 P283）。

RATY 膳食

RATY 膳食是我们为这些温和食物起的名字，比较容易记忆。

R：大米（rice）

A：苹果酱（applesauce）

T：吐司面包（toast）

Y：原味有机酸奶（yogurt）

腹泻、呕吐伴有轻微至中度脱水。 补充水分仍是治疗的关键。鼓励孩子多喝清澈的液体——补充电解质溶液尤为重要。母乳喂养仍应继续，如果孩子呕吐，喝水时应该每次少喝一些，多喝几次，以免呕吐加剧。喝水没问题以后就可以吃温和的食物了。如果脱水症状恶化，请致电医生。

严重腹泻、呕吐伴有重度脱水。 请立即致电医生或送急诊室。严重的轮状病毒感染通常需要住院，静脉注射补充水分。6 个月以下的婴儿以及严重呕吐、腹泻无法喝水的患儿住院风险最高。小婴儿的体型太小，所以可能很快发生脱水。4 岁及以上儿童很少住院，一般在急诊室里补水就够了。

健康小贴士：脱水风险

和父母谈到孩子疑似轮状病毒感染时，我总会问他们："是上吐下泻还是只有一方面有问题？"只有腹泻或只有呕吐一般不会导致严重脱水。但是，如果孩子"上吐下泻"，脱水风险就会上升。我总会问的第二个问题是："他喝得下水吗？"喝得下水是个好兆头。再强调一次，如果孩子呕吐，请让他每次少喝一点水，多喝几次，这很重要。如果孩子呕吐、腹泻或上吐下泻，请告诉医生。

预防

你可以降低孩子感染轮状病毒的风险，不过事实上大多数人童年期早晚都会感染轮状病毒。下面的措施能够帮助你预防轮状病毒：

- 多洗手——尤其是饭前便后、拿过食物之后，如此能够降低感染风险。也可以用免洗消毒液洗手。
- 如果孩子接触了病毒，母乳喂养能够预防感染，或者至少能够尽量减轻症状。
- 感染了轮状病毒的孩子应该待在家里，腹泻痊愈之前不应去托儿所或参加其他集体活动。
- 照料孩子的人换完尿布后请务必洗手。
- 务必给孩子接种轮状病毒疫苗，这是预防感染的最佳方法。这种疫苗是口服剂，需要在孩子2个月、4个月和6个月时各服用一剂，一共3剂；AAP推荐的一岁前疫苗接种时间表中也有这种疫苗（详见P044介绍疫苗的部分）。疫苗能够极大降低孩子感染严重轮状病毒的风险。研究发现它能预防75%的普通轮状病毒感染、98%的严重感染。详情请与儿科医生讨论。

155.RSV：呼吸道合胞病毒

RSV是下呼吸道感染最常见的原因，也是一岁以下婴儿住院的最大原因。RSV的流行时间是深秋到早春。每年美国大约有125000位儿童因RSV住院，每年致死病例约为500例。RSV的传染性很强，所以在生命最初的两年内，几乎所有婴儿都会接触到它。

症状

RSV的初期症状可能类似于普通感冒：

- 低烧
- 流鼻涕
- 咳嗽

3岁及以上儿童一般不会出现其他异常症状，不过从另一方面来说，婴幼儿常常会出现类似哮喘的症状，因为RSV对肺部造成的刺激比普通感冒病毒要强。症状包括：

- 能听见的气喘
- 呼吸急促（婴儿一般每分钟呼吸24次左右；RSV患儿可能会增加到每分钟40～60次）
- 呼吸吃力（你可能会注意到宝宝每次呼吸时鼻孔都会张大，以及颈部和胃部内陷）
- 进食时喘不过气来

预防

从秋末到早春，所有婴儿都应采取基本的预防措施，包括：

- 可能的话，尽可能别去每个班都有很多人的托儿所
- 不要让一群朋友轮流抱宝宝
- 别让感冒的人抱宝宝
- 如果你在儿童聚会活动场所发现有孩子出现感冒症状，请离开
- 避开香烟烟雾

RSV在玩具和手上最多能生存12小时，所以在宝宝和其他孩子一起玩的时候要勤给他洗手。当然，你没法让孩子住在无菌室里，但你可以尽量降低孩子接触病毒的可能性。

早产儿（尤其是肺功能较差的早产儿）最容易出现严重的症状，需要住院进行积极治疗。所以，这样的孩子最好采取特别的预防措施，出生后第一年的秋冬季节应该注射一种名为帕利珠单抗的药物。它是一种中和RSV病毒的人造抗体，注射方式和接种疫苗一样。抗体会在婴儿血液系统中循环一个月左右，如果宝宝接触了RSV，抗体会击败它。每个月注射一次，一般从10月或11月开始注射，到3月或4月停止(每年的具体时间不同)，以保证整个RSV流行季节抗体都能起效。

医生可能会做什么

诊断。医生一般会根据宝宝的症状作出临床诊断，可能还会检查鼻部分泌物（采集方法是用盐水冲洗宝宝的鼻子，然后再吸出盐水）内有无RSV病毒。一般只有需要确诊的住院婴儿才会进行这种检查。

治疗。RSV是病毒，所以抗生素疗法无效。治疗RSV的方法和普通的感冒咳嗽相同(见P227)。如果宝宝出现明显的气喘，并伴有呼吸急促吃力，可以每4小时用喷雾器给予吸入式肌肉松弛

剂沙丁胺醇，以辅助肺部扩张、舒缓呼吸，这种药也用于治疗哮喘（见 P155）。有的 RSV 患儿只需要每天使用一到两次，持续几天；而有的可能需要每四小时使用一次，持续几天或更长时间，具体情况具体判断。出于未知的原因，沙丁胺醇可能对部分婴儿完全无效。儿科医生会根据孩子的反应调整治疗方案。如果孩子病情严重，可能需要使用类固醇进行治疗。

复发阶段

如果宝宝感染了 RSV，在接下来几年内，即使是宝宝感染其他感冒病毒也可能出现哮喘症状。你也许需要一次又一次找出喷雾器。幸运的是，大部分儿童到 5 岁时会度过这一阶段，感冒时不再出现气喘；小部分 RSV 患儿会留下长期的哮喘。

156. 疥疮

这种皮肤感染的肇事者是一种名叫疥螨的小虫子。全世界都有螨虫，它们可影响全年龄段人群。

螨虫会钻进皮肤表层产卵，它很容易在人与人之间传播，一般是通过皮肤接触。共用衣物、毛巾和床品也会传播螨虫。螨虫在无生命的材料（例如毛巾和玩具）上能存活 2 ~ 3 天。不过，如果待在人类皮肤上，螨虫能活一个多月。螨虫爆发在拥挤的场所更为常见，例如：

- 托儿机构
- 学校
- 家庭
- 医院
- 疗养院

症状

疥螨的症状通常是独特的皮疹，还有下列线索：

- 初期皮肤上出现类似丘疹或跳蚤叮咬的斑块。这些疹子出现在螨虫钻进皮肤产卵的地方，可能位于身体任何部位，不过一般出现在手指缝、脚趾、手腕、腋窝、阴茎、乳房、手肘、臀、肚脐和肩胛处。随着螨虫在皮下钻行，疹子会变成 1 厘米长的凸痕。
- 皮疹非常痒。
- 类似丘疹的肿块或水疱可能破裂结痂。
- 可能出现全身瘙痒，不光是长了皮疹的地方痒。
- 晚上痒得更厉害。
- 如果皮疹被细菌感染，触痛感可能会加剧。
- 首次接触疥疮后可能要过 4 ~ 6 周

才出现症状。

- 曾经感染过疥螨的孩子如果再次感染，可能只需要2～3天就会出现症状。
- 全身的肿块一般少于10个。
- 免疫系统较弱的人或者老人被感染，可能出现数百个肿块，病情严重。

诊断

儿科医生也许一看到皮疹就能做出诊断，因为疥疮的分布十分独特，外观特点也很鲜明，而且非常痒。医生可能会刮下一点被感染的皮肤，用显微镜寻找有无螨虫或虫卵。不过，就算没发现螨虫和虫卵，也不能完全排除疥疮的可能性。

治疗

疥疮必须由医生来治疗。儿科医生会开专门的霜剂或乳液。请务必完全遵照医嘱，这非常重要。全身都要涂药，除了脸部、口部和眼睛周围。乳液或霜剂必须至少8～12小时后才能洗掉，这极其重要。停留时间过短可能导致疥疮无法彻底治愈。就算完全遵照医嘱，一般也需要搽7～10天药才能好。

健康小贴士：别洗手！

是的，你没听错！给孩子脖子以下的身体搽完乳液后，不要洗掉你自己手上的乳液或霜剂。疥螨喜欢生活在手指缝里，给孩子搽完药后马上洗手可能会让你自己感染疥疮。

处方药之外，你还可以采取这些方法治疗疥疮：

- 与被感染者密切接触过的人以及家庭成员应该采取同样的方法进行预防性治疗，哪怕他们没有出现任何症状。
- 性伙伴必须同时治疗。
- 被感染者用过的所有床品、衣物、毛巾及其他衣饰都必须用热水洗涤并烘干。不能洗涤的毯子或其他物品必须在车库里单独放3天。如果没有温暖的身体提供养分，疥螨无法活过3天。
- 如果抓挠得太厉害，皮疹处可能出现继发性的细菌感染，这时，需要使用处方抗生素霜剂治疗。
- 口服抗组胺药也许能帮助止痒。
- 氢化可的松乳膏也许能帮助止痒。
- 被感染者开始治疗几小时后一般就没有传染性了。

- 孕妇和年龄较小的儿童应该用较温和的处方药。
- 如果身上不再长出新的皮疹，即可视作治疗成功，不过瘙痒可能还会持续 2 ～ 3 周。
- 如果治疗后出现新的疥疮和皮疹，请打电话给医生。

搽药 8 ～ 12 小时并洗掉以后，孩子就可以回去上学了。

预防

如果你或孩子密切接触过疥疮患者，那么没什么办法能够 100% 地预防感染。不过，你可以采取下列措施降低风险：

- 保持良好的卫生习惯，尤其要注意多洗手，特别是饭前。
- 鼓励孩子每天洗澡或淋浴。
- 穿干净的衣服。
- 不要和别人共用衣物或床品。

哪怕你做出再大的努力，疥疮也很容易在人与人之间传播。好消息是，疥疮很容易治疗。

157. 脊柱侧凸（脊柱弯曲）

每个人的脊柱都有某种程度的弯曲，但某些人的脊柱弯得太厉害，而且方向也不对。脊柱侧凸是指脊柱向侧面弯曲；脊柱上半部分向前方过度弯曲叫做脊柱后凸（驼背）；而脊柱下半部分过度弯曲叫做腰椎前凸（脊柱前凸）。轻微的脊柱侧凸（10 度左右）没什么坏处，孩子一般不会痛，也没有其他问题。更为严重的弯曲（30 度及以上）如果未经发现、不进行矫正，可能会限制胸腔的动作，损害呼吸和心血管功能。脊柱侧凸大部分是自发性的，也就是说没什么特殊的原因。这种脊柱侧凸一般会在青春期前的爆发性增长期明显表现出来，也就是 11 岁左右，这段时间脊柱发育速度很快，所以弯曲会变得明显。轻微的脊柱侧凸只需要几年时间可能就会明显恶化。所以，在爆发性成长阶段早早发现不明显的脊柱侧凸并加以适当治疗，尽量减小青春期侧凸角度，这十分重要。

脊柱侧凸也可能是先天性的，也就是说孩子一出生脊柱就是弯的，原因是某些脊椎骨发生畸变。神经肌肉型脊柱侧凸是指身体一侧肌肉比另一侧强健，于是较强的肌肉会将发育中的脊柱往自己那边拉。双腿不等长（一条腿比另一条长）可能导致整个骨盆倾斜，造成脊柱弯曲。这种原因引起的脊柱侧凸很少危害孩子，除非双腿长度差超过 2.5 厘米。

如何判断

每次常规检查时（尤其是从 8 岁左

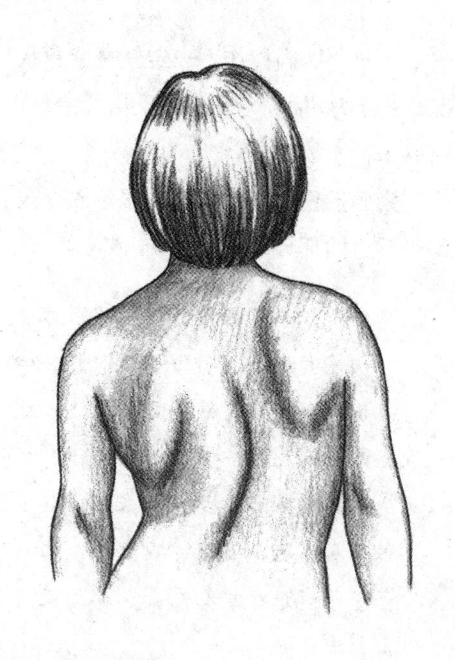

右开始），医生会检查孩子的背有无过度弯曲，你也可以在家评估。

弯腰测试。让孩子面对着你站在你的正前方，脱掉上衣，双腿并拢，膝盖打直，双臂自然下垂，然后慢慢向前弯腰低头，直到快碰到脚趾头为止。你站在孩子前方，视线与他的背处于同一高度，看看有没有哪边的背比另一边高（“驼起来”的地方）。也可以让孩子坐在桌子上（孩子站着可能会影响你的判断），这样可以排除双腿不等长引起的继发性脊柱弯曲。还是让孩子弯下腰来，然后你绕上一圈，从背后和侧面观察孩子的背。如果你发现他的两边肩胛不平或是两边的腰不平，最好带他去看医生。

检查双腿是否等长。让孩子并脚站立，你的两根食指分别抵住孩子腰部左右两侧的髋骨。如果你发现两根手指高度不一样，那很可能孩子的一条腿比另一条长。如果你观察到这种“骨盆倾斜”，请估计一下两边食指的高度差有多少（比如说 1 厘米、2.5 厘米），然后找一本厚度差不多的书垫在孩子较短的那条腿下面，看看脊柱有没有变直。

怎么办

如果你怀疑孩子脊柱侧凸，请务必让儿科医生查清楚。他可以用脊柱侧凸测量计（类似木匠的水平仪）估测侧凸角度。如果医生确认脊柱弯曲（无论是自发性弯曲，还是双腿不等长造成的继发性弯曲），下一步可能会给孩子照 X 光，叫作脊柱侧凸系列 X 光。之所以需要 X 光检查，有两个原因：

（1）确定脊柱侧凸的精确度数。

（2）作为参照基准。以后照的 X 光要与这次的对比，医生可借此确认弯曲有无好转或恶化。

如果脊柱侧凸很明显（通常是指超过 10 度），儿科医生可能会把孩子转去矫形外科，请专家制定治疗计划。大多数自发性的脊柱侧凸会在青春期之后自行矫正。但是，一小部分患者的侧凸可能会在青春期的爆发性发育阶段迅速恶化，所以需要请矫形外科医生密切关注。

现在学校里常常会做脊柱侧凸筛查，这是体格检查的重要组成部分。如果孩子的侧凸小于20度，矫形外科医生通常会推荐你小心观察、静观其变（孩子的背包最好不要超过体重的10%）。如果弯曲超过20度，矫形医生可能会推荐孩子佩戴背部矫形带。它没法掰直脊柱，但能避免侧凸恶化，尤其是在爆发性成长阶段；如果幸运，它也许还能帮助孩子躲过手术。如果脊柱侧凸非常严重，超过40度，那就需要通过手术矫正。

健康小贴士：
帮助医生作出诊断

自发性脊柱侧凸通常不会带来疼痛，也不会限制孩子的运动；但某些脊柱侧凸，尤其是脊椎骨畸形造成的脊柱侧凸，可能导致孩子反复背痛。“背痛”在儿童中十分罕见，所以请务必告诉医生。儿童反复背痛至少应该照个脊柱X光，以排除腰椎骨滑脱的可能性。

158. 眼睛擦伤

如果孩子的眼睛擦伤或者戳伤，父母会非常担心，孩子也会很痛。

不过，眼睛擦伤不一定就是紧急状况，它分为两种，一种会痛、需要治疗，而另一种不需要：

角膜擦伤。判断孩子的眼角膜（眼睛有颜色的部分）是否擦伤，方法如下：

- 疼痛。如果是角膜擦伤，眨眼时会有明显的疼痛，因为眼睑内壁会摩擦伤口。哪怕是很小的擦伤眨眼也会痛，闭上眼一般就不痛了。
- 感觉眼睛里有沙子。如果你检查了眼睛和眼睑，没有发现异物，但孩子坚持说眼睛里有东西，那可能是角膜擦伤。
- 可见的暗点。角膜表面通常光滑而明亮。虽然小的擦伤你可能看不见，但是如果伤口比较大，你也许会发现角膜上有暗淡的擦痕或小点。
- 红眼。剧痛会让孩子的眼白变得很红，受到刺激。

眼白擦伤。眼白里没有痛觉神经。如果孩子的眼睛擦伤或戳伤，孩子却没喊痛，那受伤的可能是眼白。这种擦伤不需要治疗。

诊断

儿科医生或急诊医生可通过荧光素染色检查（把一种无痛的黄色溶液滴进眼睛里）诊断孩子的眼睛是否擦伤。医生会用特制的光源（让白色衣服在黑暗里发光的那种）照射孩子的眼睛，如果角膜上有伤痕，它会变成明黄色。

如果你怀疑孩子角膜擦伤，最好送孩子去检查一下眼睛，不要光是打电话向医生求助。较大的擦伤更容易发生感染、愈合时间更长，还可能变成慢性问题。所以你和医生应该弄清孩子的病情。如果孩子受伤发生在夜晚，请医生开点眼药水撑过今晚，第二天一早再去诊所。

治疗

如果不加治疗，角膜擦伤一般也会在1～3天内愈合。不过，这段时间内伤口可能发生感染，所以必须使用2～3天处方抗生素眼膏或眼药水。一旦受到感染，角膜擦伤就无法顺利康复，还可能对视力造成长期影响。

闭眼多休息也能尽量减轻擦伤带来的刺激。大一些的孩子和成人可以戴眼罩。年龄较小的孩子可能受不了眼罩，那就不用戴，没有眼罩角膜也会康复。

你应该在3天内请医生复查，确保擦伤愈合良好。如果仍未愈合，医生会把孩子转去眼科继续治疗，以确保伤口最终能够康复。

159. 尖叫

1～2岁的孩子最喜欢尖叫，原因有两个：

- 幼儿喜欢试试自己的声音，尖叫的音量和力量常常会让他们自己惊叹不已。
- 这些小“海妖”还喜欢享受自己的声音给听众带来的影响。

怎么办

一旦幼儿发现自己的声音有很大的力量，他就会尖叫不已。想让他们闭上嘴巴，你可以采取这些办法：

追踪诱因。和对付幼儿期其他讨厌的行为（例如咬人、打人）一样，请记录诱发尖叫的环境，并尽量避免。

用温柔的声音回应。幼儿会尝试哪种声音能得到最好的回应。他叫得越厉害，你的回应就应该越轻柔，这样孩子就会学到，声音温柔才最有可能获得自己需要的东西。

“只有在草地上才可以尖叫。”我们用这种办法来对付喜欢尖叫的小朋友，你也可以试试。一旦孩子开始尖叫，立即用兴高采烈的声音打断他：“只有在草地上才可以尖叫。”然后赶快把他领到草地上，让他释放储存的声音。“屋子外面的声音就应该留在屋子外面！”

等到孩子学会了用语言和姿势流畅地表达需求，发现“温柔的声音”更为有效，喜欢尖叫的阶段就会成为历史。

稳定的引导能够帮助孩子更快度过这一阶段。

160. 痉挛

痉挛或抽搐是父母可能会面对的最可怕的情景之一。幸运的是，大多数发作只会持续几分钟，此后孩子一切如常。一旦孩子平静下来，就应该着手寻找痉挛发作的原因或理由。下面我们将介绍痉挛，告诉你儿科医生和神经科医生将如何帮助你解决这一问题。

如果孩子现在正在经历第一次痉挛，请放下本书，拨打 120，然后去孩子身边并立即寻求急救。大多数情况下痉挛不需要急救，不过第一次最好小心点。

信号

有时候痉挛十分明显：四肢节律性痉挛，身体僵硬，眼睛左右抽搐。听到“痉挛”这个词儿，大多数人脑子里就会出现这样的画面。但是，大部分婴幼儿的痉挛没有这么一目了然。在诊所里，我们见到的大部分病例远没有这么明显，我们必须花很多时间确认父母看到的到底是不是痉挛。要判断孩子的症状是否是痉挛，你应该知道什么样的抽搐和动作不是痉挛：

儿童期正常抽搐。如果孩子出现下面这些情况，你就不用担心：

- 睡觉时抽搐。婴儿和某些儿童渐渐入睡时整个身体会抽搐 5 ~ 10 次，这很正常。有的婴儿只有一条胳膊或腿会短暂地抽搐一下。
- 受到惊吓后的动作。如果受到惊吓，小婴儿可能会突然张开双臂。
- 踢腿。婴儿总会时不时无意识、有节律地踢腿，这也是正常的。
- 肌肉痉挛。有的婴儿下巴、胳膊或腿可能会快速抽搐几下，持续几秒。
- 婴儿或儿童在抽搐期间还能继续说话或互动，痉挛一般不会出现这样的情景。

痉挛的可能信号。如果出现下列线索，孩子的动作可能与痉挛有关：

- 节律性动作。有时候痉挛会表现为节律性抽搐，大约一秒一次。
- 强直性痉挛。另一些时候，痉挛可能更类似强直、颤抖式的抽搐。
- 持续性动作。如果节律性痉挛动作或抽搐持续超过 30 秒，那可能是痉挛。
- 婴幼儿心不在焉。痉挛期间，孩子通常不太会注意到周围发生的事情。
- 发作后孩子睡得很沉。这叫做发作后状态，如果出现这一信号，基本可以肯定是痉挛。

如果孩子出现可疑动作，时间规律

到你能够提前做好准备，那么请用视频记录下发作过程。这对医生的治疗有很大的帮助。

原因

所有父母最想知道的就是孩子为什么会出现痉挛，以及会不会再次发作。有时候痉挛可以检查出一些原因，但是大部分情况下，检查结果十分正常，我们也无法找到答案。可能的原因如下：

- 发烧。有时候，反复生病引起的高烧可能导致孩子痉挛。这种热性痉挛的诊治方法与其他痉挛不同。详见P472。
- 脑膜炎。有时候脑膜炎（见P404）患儿会出现痉挛。幸运的是，大部分痉挛的原因不是脑膜炎。
- 脑瘤。每位家长脑子里都在担心这个，但脑瘤引起的痉挛极为罕见。
- 低血糖。这是比较常见的原因。
- 电解质失衡。有时候，孩子体内的各种电解质（钙、钠、镁、钾）可能偏高或偏低，诱发痉挛。
- 中风。另一种罕见但严重的原因。
- 新陈代谢问题。某些婴儿出生时新陈代谢有缺陷，致使某些蛋白质或酸在体内积聚，常常引发痉挛。

儿科医生（或急诊医生）可能会做什么

到医院后，最重要的是确定有无需要立即矫正的紧急情况（如果痉挛仍未停止，先解痉）。医生可能会采取下列步骤：

热性痉挛。如果孩子正在发烧（或是当天发过烧），医生很或许不会太过担心，因为情况可能不太严重。他会检查确认孩子有无严重感染、感染是否可以治疗。见P472。

近期病史。医生会问很多问题，确认最近几天是否发生过可能诱发痉挛的异常事件。

物理检查。全面的物理检查很重要，可确认有无感染、创伤或神经问题的信号。

血检。医生可能会给孩子验血，看看是不是很容易治好的电解质失衡引起的痉挛。

如果没找到原因，所有检查结果正常，大部分医生会决定再等等看。很多孩子一次痉挛后再也没有发作过。医学界有个说法："第一次痉挛不要钱。"意思是说，大多数医生认为：首次发作的痉挛找一找直接原因就好，不需要立即进行进一步评估。

复发性痉挛

小部分儿童的痉挛会在几天、几周或几个月后复发。这种情况必须进行进一步评估。医生可能会采取以下措施：

EEG 测试。脑电图（EEG）能够全面测量孩子脑部的电活动，寻找哪些区域有轻微或持续性的癫痫信号。医生会在孩子的头上贴许多电极，然后让你陪着孩子在 EEG 检查室里坐上一个小时。儿科医生或家庭医生可以预约这种测试，同时孩子需要转去神经科（在大部分地区，预约 EEG 检查的速度比预约神经科医生快得多）。

去看神经科。下一步通常会由神经科医生接手，他会决定孩子需要做哪些检查和治疗。进一步的测试选择包括脑部 MRI（磁共振成像）、更全面的血检和更详尽的 24 小时 EGG。

痉挛药。如果孩子出现两次以上确切的痉挛发作，而且找不到可以治疗的原因（一般都找不到），医生很可能会开解痉药，尤其是在 EGG 检查结果显示孩子脑部可能有潜藏的癫痫活动的情况下。

走出痉挛阶段

幸运的是，大部分儿童会随着发育成熟走出痉挛阶段，不再发作，也不用再吃药。在药物的帮助下，如果孩子有 1 ~ 2 年时间不再发作，大部分神经科医生会允许停药，看看会不会复发。幸运的是，一般不会复发。

161. 热性痉挛

热性痉挛是指婴幼儿发烧期间出现的痉挛。热性痉挛患儿常常会失去意识，四肢中的某条或多条开始抽搐或痉挛。热性痉挛持续时间可能只有几秒，也可能长达 15 分钟，大部分热性痉挛持续时间超过 2 分钟。热性痉挛相当常见，大约每 25 个儿童中就有 1 个会出现热性痉挛。曾经出现过热性痉挛的儿童大约有 1/3 的复发几率。热性痉挛最常见于 6 个月 ~ 5 岁儿童。5 岁以后，孩子一般会走出这一阶段。

热性痉挛发生的确切机制仍属未知，我们也不知道为什么有的孩子发烧会出现热性痉挛，而有的孩子不会。热性痉挛最常见的情况是：孩子直肠温度迅速超过 38.9 度，然后痉挛；如果出现热性痉挛，一般是在发烧的第一天内。不过不用担心，哪怕孩子发烧超过 38.9 度，发生热性痉挛的风险也不是很高。

热性痉挛有害吗？

对父母来说，热性痉挛十分可怕，不过好消息是，绝大部分热性痉挛是无害的。父母常常会问我们：“热性痉挛的孩子会不会更容易得癫痫或者损伤脑部？”目前没有证据表明热性痉挛会造成任何形式的脑部损伤，而且大约98%的热性痉挛患儿不会发生癫痫。不过，一小部分（2% ~ 5%）患儿以后可能会出现癫痫。

如果孩子发生热性痉挛，请告诉医生，这很重要，医生可以检查确认孩子是否有更为严重或者可能威胁生命的疾病，例如脑膜炎或其他严重感染，因为痉挛可能是其他严重疾病的信号。

风险因素

下列因素可能会增加孩子热性痉挛的风险：

- 频繁高烧病史
- 热性痉挛家族病史
- 首次热性痉挛出现在出生后5个月内

诊断和治疗

大部分热性痉挛是家长或照顾孩子的人发现的，等到去看医生的时候，痉挛已经停止。儿科医生或急诊医生可能想做一些测试排除其他严重感染的可能性，例如脑膜炎。一旦排除了其他原因，大部分热性痉挛就不需要进一步治疗了。患儿一般不需要住院，不过，热性痉挛持续不退或有其他感染信号的患儿应该住院，接受进一步的诊治。

怎么办

- 保持冷静。
- 把孩子放到地板上，以免痉挛期间摔落。
- 不要试图按住或控制正在痉挛的孩子，因为这可能造成进一步的损伤。
- 尽可能取出孩子嘴里的东西，例如食物，然后让孩子侧躺以预防痉挛期间窒息。
- 不要把任何物品放进痉挛儿童的嘴巴。孩子可能会咬碎物品，导致窒息。
- 请拨打120，如果痉挛没能在短时间内停止，救援人员可以帮助你们。幸运的是，大部分情况下痉挛只会持续两三分钟，救护车到达时一般已经不需要急救了。但是有专业人员在身旁非常重要，以防万一。救护车很可能会把你和孩子送到最近的急诊室进行评估。请致电儿科医生并告知情况。

预防

热性痉挛风险较高的孩子要预防发病可能十分困难。对乙酰氨基酚或布洛芬之类的退烧药可辅助降温。没有任何证据显示退烧药能降低孩子热性痉挛的风险，但是，如果孩子发烧超过38.6度，最好吃退烧药让孩子舒服一点，同时预防体温过快升高。较罕见的情况下，热性痉挛风险很高的孩子发烧不退，医生可能会开解痉药（一种直肠栓剂）。

好消息是，几乎所有孩子到 5 岁时都会走出容易发生热性痉挛的阶段。

162. 感觉处理障碍（SPD）

感觉处理障碍是一种新确认的发育性障碍，SPD 患儿的大脑难以接受各种感觉信号并做出合适的行为与动作。每天孩子都会接触无数感觉信号：特定的衣物摩擦皮肤的感觉、拥挤的房间中嘈杂的声音、各种食物的气味和质地、游乐场上的滑翔旋转运动、做各种艺术品或手工艺品时手上黏糊糊的感觉。大部分孩子会不假思索地接受这些信号，而 SPD 患儿的中枢神经系统无法处理某些或全部感觉信号，于是他们不知道该作何反应。结果各种刺激源源不断地进入大脑，大脑却无法正确处理它们。随着时间推移，孩子慢慢成熟，SPD 患儿可能会逐渐学会过滤这些信号，处理得更好一些，但 SPD 可能会给孩子带来某些发育困难，因为他无法与周围的世界良好互动。幸运的是，SPD 可以治疗，因此早早发现很重要。

症状

不同年龄的孩子症状区别很大：

婴儿 SPD

- 有肠绞痛症状
- 某些特定的衣服或标签会让宝宝难受
- 睡不安稳
- 总喜欢动个不停
- 缩在怀里时坚持某个特定的姿势
- 可能不喜欢襁褓
- 无法承受拥挤嘈杂的环境

幼儿 SPD

- 大发脾气
- 拒绝穿感觉“不对头”的鞋袜
- 拒绝赤脚在沙子或草地上行走
- 拒绝穿不太合身的衣服
- 衣服上的标签会让他不舒服
- 平衡感和协调感的发育有些迟缓
- 进食习惯十分挑剔；拒绝吃某些质地的食物

学龄前儿童 SPD

- 不喜欢有蹦跳、旋转或滑翔动作的活动
- 异常活跃、坐立不安
- 社交发育很不成熟
- 有强迫症倾向

SPD 可能引起很多后果。大部分孩子会逐渐成熟，学会正确掌握感觉，完全不会发生任何问题。但是，某些孩子会继续挣扎，一旦进入学校，他们会难以理解社交行为中的微妙差别，与同伴互动也有困难。其他孩子也许会开始注意到SPD患儿的社交发育不够成熟。

了解更多

在《自闭症》一书中，鲍勃医生更加详细地介绍了SPD和其他各种治疗方案。即使SPD患儿没有自闭症，某些用于治疗自闭症的方法可能对SPD也有效果。

治疗

SPD通常由儿科职业治疗师作出诊断。儿童医院、大学的医疗中心、州政府出资的发育性问题治疗项目和针对各种发育性障碍的私家治疗中心都会配备儿科职业治疗师。如果你怀疑孩子患有SPD，请立即进行评估。SPD可能独立发生，也可能伴有更为明显的发育性障碍，例如自闭症。

治疗方案包括专业的疗法，目的在于逐渐让孩子习惯各种带来刺激的感觉。通过这种方式，孩子将学会如何适当处理这些感觉。根据孩子的年龄和具体需要，治疗师会采取不同的治疗手段。治疗过程应在接受过SPD专门训练的职业治疗师指导下进行。因为SPD是一种新确认的障碍，部分传统的职业治疗师并未接受过这方面的训练。

163. 性传播疾病（STD）

性传播疾病在青少年和年轻成人中越来越常见。下面我们简要讨论各种STD，告诉你什么时候应该怀疑孩子可能患有STD、可能有哪些并发症、应该如何治疗。

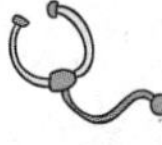

健康小贴士：早点和孩子谈谈

如果孩子即将或已经进入青春期，请和他谈谈性和性可能带来的严重后果。不要抱着审判式的态度，这很重要。告诉他本章中提到的危险就够了，提醒他，“安全性行为”也无法确保100%的安全。另外，请告诉他，药丸和安全套没法保护人的心灵。

衣原体

衣原体是今日美国最常见的性传播疾病。每年美国感染衣原体的人数超过百万。它的病原是沙眼衣原体细菌。

女性症状。大约70%的女性衣原

体患者可能完全没有任何症状，所以一切有性行为的女性必须筛查衣原体和其他 STD。如果女性出现症状，那是这样的：

- 排尿时有灼烧感
- 阴道有液体流出
- 性交时会痛
- 直肠疼痛
- 腹痛

男性症状。感染衣原体的男性比女性更容易出现症状。不过，感染衣原体的男性中完全没有症状的比例高达 25%。男性症状包括：

- 阴茎流出液体，液体可能是清澈的，也可能是浑浊的或呈黄色
- 排尿时有灼烧感
- 睾丸可能有触痛感
- 直肠疼痛或渗液

诊断。再说一次，所有有性行为的女性进行年度巴氏涂片检查时都应筛查衣原体和其他 STD，当然，如果出现其他症状，就更应该筛查。医生可以取男性或女性的外阴分泌物，检查有无衣原体感染。有的测试是检测尿样。还应采集所有性伙伴的样品，这也很重要。

治疗。衣原体是一种细菌感染，所以有多种抗生素能够有效治疗它。性伙伴也应同时治疗，以免再次感染。治疗结束后应复查。

预防。最重要的是采取性行为安全措施，而最有效的预防措施则是禁欲。每次性行为必须使用安全套，而且要鼓励一对一的稳定性关系。拥有多个性伙伴、无视"安全措施"的人感染衣原体的风险最高。

长期并发症。这种疾病可能引起一些长期并发症，女性患者尤其容易出现并发症，包括：

- 盆腔炎症性疾病（PID）
- 输卵管炎：输卵管炎症可能会在输卵管上留下长期疤痕，可能造成不育或异位妊娠（如果未能及早发现可能致命）

如果母亲分娩时有衣原体感染，新生儿可能出现并发症，因为新生儿通过产道时接触了衣原体细菌，所以可能出现严重的眼部感染或衣原体肺炎。

淋病

淋病又叫"白浊"，是另一种通过性行为传播的细菌感染。引发淋病的是淋病奈瑟菌，目前淋病是美国第二常见的 STD，每年大约影响 70 万人。这种细菌可通过阴道性交、口交或其他方式传播。

女性症状。女性的症状可能不明显甚至完全没有，也可能出现十分严重的症状，包括：

- 排尿时有灼烧感或痛感；受感染女性可能会尿频
- 阴道渗液
- 性交时会痛
- 严重感染会带来下腹痛
- 如果淋病是通过口交传播的，那么喉咙会痛
- 发烧

男性症状。在男性身上，淋病同样可能完全没有症状，也可能出现严重症状，包括：

- 尿频或尿意更频繁
- 排尿时有灼烧感和痛感
- 阴茎渗液伴有疼痛，液体可能是白色，也可能是浑浊的或呈黄色
- 睾丸可能有触痛感或轻微肿胀
- 如果淋病通过口交传播，那么会喉咙痛

如果你怀疑孩子有上述任何症状，请和儿科医生谈谈。有时候你很难说服孩子去看医生，因为青少年常常不愿意承认自己参与了性行为。

诊断。来自阴茎、阴道、直肠或喉咙的任何液体都可作为样品进行测试，也可以验尿。人可能会同时染上多种STD，所以淋病患者或许也应该检查有无其他问题，包括衣原体和人类乳突病毒（HPV）。

治疗。淋病与衣原体的治疗方法相似。它是一种细菌，所以医生会用一些抗生素来治疗。根据感染的严重程度，医生会制定相应的治疗方案。请检查患者所有的性伙伴有无淋病,这也很重要。早期的抗生素治疗十分重要，它能降低长期并发症的风险。

预防。要想躲开淋病，唯一保险的办法是禁欲。请告诉孩子淋病会通过口腔接触传播，这点很重要。稳定、一对一的性关系能够大大降低淋病风险。与任何性伙伴发生关系时请务必使用安全套，这非常重要。

长期并发症。淋病可能带来几种长期并发症。女性并发症与衣原体感染的类似（见上文）。如果不治疗或是不恰当治疗，淋病感染可能导致不育和异位妊娠，因为它会对女性输卵管造成永久性疤痕。其他可能的女性并发症还有：

- 盆腔炎症性疾病（PID）
- 长期的性交疼痛

可能的男性长期并发症：

- 排尿方面的长期问题
- 尿道狭窄，可能导致生育问题
- 输尿管周围形成脓肿
- 肾衰竭

淋病感染偶尔可能发展为全身性感染，这叫菌血症，可能威胁生命，需

要住院治疗。淋病甚至可能感染全身各处关节，尤其是膝关节。

和衣原体感染的情况一样，如果母亲患有淋病，婴儿通过产道时可能会被感染，出现各种并发症，包括严重的眼部感染（叫作淋病性结膜炎）、肺炎和败血病（一种血液感染，可能致命）。

乙型肝炎

这是一种侵袭肝脏的病毒。大部分成年乙肝患者能够安然康复，不会留下任何长期问题；但小部分患者可能会留下永久性的肝脏损伤，出现肝脏衰竭并终身携带乙肝病毒。乙肝的传播方式主要是无保护的性交、吸毒者共用静脉针头，偶尔也会通过输血、被污染的纹身针头或穿耳朵的工具传播。分娩时被母亲传染了乙肝病毒的婴儿、由于意外的血液接触染上乙肝病毒的儿童很可能出现慢性肝脏衰竭。甲型肝炎是食物中毒引起的肠道疾病（见 P371），相当温和，乙肝与它大不相同。还有一种丙型肝炎，见 P373。

症状。某些染上病毒的人完全没有任何症状，而有的人可能出现各种症状，严重程度不一：

- 黄疸：眼睛和皮肤发黄
- 腹痛
- 食欲不佳
- 疲劳
- 呕吐

诊断。乙肝通过血液测试诊断。

治疗。没有什么方法能够帮助患者度过肝病初期的阶段。一旦患者康复（如果能够康复的话），会变成慢性携带者，就可通过化疗药物有限度地控制进一步的肝脏损伤，也可能完全清除病毒。

预防。注意性行为的安全（或禁欲），吸毒者不要与他人共用静脉针头（最正确的做法是干脆别吸毒），这是预防乙肝病毒的主要途径。孕妇请检查，并确认是否呈乙肝阳性，以便给予新生儿恰当的治疗，避免传播病毒，这非常关键。所有婴儿都会接种乙肝疫苗以预防儿童期意外感染，还能为以后的性行为提供保护。如果你的孩子比较大，从来没有接种过乙肝疫苗，下次检查时请和儿科医生商量一下给孩子接种，一共三剂。

Ⅱ型单纯疱疹病毒（HSV-Ⅱ）

疱疹病毒有好几种，不过通过性行为传播的只有Ⅱ型单纯疱疹病毒。口腔疱疹（Ⅰ型单纯疱疹）请见 P374。

症状。首次接触生殖器疱疹感染后，症状一般会从发烧、头痛、疲劳、肌肉疼痛开始，最长可持续一周；几天后开始出现疼痛的红疮。对女性而言，红疮一般出现在外阴部位，包括阴唇、阴道内部和宫颈处；对男性而言，红疮一般出现在阴茎头或阴茎体，偶尔还会出现在阴囊、大腿、臀部等处。这些疮非常痛，一般会渗液。红疮持续几天（最长可达2周）后，开始缓慢结痂脱落。有的人可能没有症状。

不幸的是，和表亲口腔疱疹一样，外阴疱疹会复发。通常感染后第一年复发最为频繁，有的患者在这一年内可能复发10次以上。疱疹爆发之前一两天，患者常常会报告外阴部位有触痛感、痛感和灼烧感。爆发也与一些诱因有关，例如疾病、压力或焦虑、免疫系统衰弱。女性在经期尤其容易爆发。

诊断。 生殖器疱疹可通过化验确诊。医生通常会从疼痛的部位取一些样品进行病毒培养。

健康小贴士：儿童疱疹

确诊患有生殖器疱疹的儿童必须评估有无被性侵害迹象。

治疗。 没什么有效的治疗方案。一些抗病毒药能够缓解症状、缩短疱疹爆发时间。治疗生殖器疱疹的方法分为两种：一种主要是在爆发信号刚出现时及时使用抗病毒药，以此减轻症状；而另一种则是日常的抑制疗法，每天使用抗病毒药，减少爆发次数、降低病毒传染给性伙伴的风险。详情请咨询医生。

预防。 爆发期间不应性交。各位父母，请和孩子谈谈生殖器疱疹，告诉他们这是一种伴随终身的疾病。要100%地避免感染生殖器疱疹，唯一保险的方法是彻底禁欲，包括阴道性交和口交。根据记录，通过口交传染的生殖器疱疹日渐增多。生殖器疱疹会影响口腔，在口腔中引发类似症状，这样的情况越来越常见。如果孩子的性活动十分活跃，请着重强调安全性行为的重要性，教育他不要进行高危性行为，例如拥有多个性伙伴。我们应该清醒地注意到这一点：某些研究表明，大部分生殖器疱疹患者之所以被感染，是因为他们的性伙伴当时没有出现症状。

新生儿疱疹

这是一种罕见但严重的新生儿疾病，可能致命。它一般由Ⅱ型单纯疱疹（生殖器疱疹）引发，不过也有小部分可能是Ⅰ型单纯疱疹（口腔疱疹）引发的。新生儿一般是经过产道时受到感染；偶尔子宫中的胎儿也可能被感染。孕妇或准备怀孕的妇女若有生殖器疱疹病史，或是性伙伴有病史，或者可能接触过生殖器疱疹病毒，请务必告诉产科医生，这很重要。

症状。感染疱疹病毒的一般是早产儿，体重也很轻。初期症状可能不明显，也可能出现亢奋、嗜睡、发烧或进食不佳。如果婴儿出现上述症状，应该立即请医生进行评估，因为这很可能需要住院。然后患儿的皮肤、眼睛和口腔一般会出现疱疹皮损。刚开始出现症状的那几天，患儿可能还会痉挛。如果不加治疗，新生儿疱疹可能会发展为全身性感染，包括多器官衰竭。

诊断和治疗。如果新生儿出现疑似疱疹的症状，一般需要立即住院、全面检查。医生会从宝宝身体各处采集体液进行病毒培养，同时检查有无其他严重疾病。治疗方法一般是静脉注射抗病毒药。确认感染疱疹病毒的孕妇有时候需要在孕期的最后3个月口服抗病毒药进行治疗。

并发症。新生儿疱疹的并发症包括：

- 痉挛
- 肌肉抽搐
- 眼盲
- 学习障碍
- 协调性障碍

第一次孕检时，父母双方都应全面陈述性行为史。如果有STD，父母应咨询安全性行为事项并在整个孕期使用安全套。孕妇生产时如果处于疱疹活跃期，必须进行剖宫产手术，这会降低新生儿被感染的风险。

HIV（人类免疫缺陷病毒）

人类免疫缺陷病毒是一种严重而复杂的疾病。HIV的治疗手段一直在发展变化，所以我们决定在本书中不作详细介绍，预防措施类似其他性传播疾病。

人类乳突病毒（HPV）

人类乳突病毒包括一系列可感染人类的病毒。某些类型的HPV可导致生殖器疣，其他类型的HPV可导致女性宫颈癌。

如果被感染者与其他人发生性接触，生殖器疣会传播出去。这种疣通常出现在阴茎上或阴道靠外的位置。

风险因素。有性行为的人都有感染HPV的风险，尤其是曾有多个性伙伴的男性或女性。现在我们知道，如果女性在性交时接触了高致癌风险的HPV，可能造成病毒侵入宫颈细胞。女性自身免疫系统大约有90%的几率会清除HPV感染，不过HPV还有10%左右的概率导致宫颈细胞异常。随着时间流逝，这可能发展为宫颈癌。女性感染HPV通常是因为男性性伙伴携带了高致癌风险的HPV，却没有出现任何症状。

诊断。一旦开始性行为，女性应该

每年进行巴氏涂片筛查，以确认是否有HPV感染。除了传统的巴氏涂片以外，现在很多医生还会检查女性是否感染了高致癌风险的HPV。常规的巴氏涂片检查十分重要，因为它能在畸变细胞发展为癌细胞之前发现征兆。从本质上说，外阴所有能看见的疣都是由HPV引发的。医生可以化验这些疣，确认是否为高致癌性HPV。

治疗。治疗方案取决于HPV出现的位置：

- 生殖器疣。治疗生殖器疣有几种方法，最常见的是由医生或患者自己局部涂抹鬼臼树脂。其他典型疗法包括用各种酸进行化学灼烧或冷冻，也可采用电烙术、激光手术和外科手术切除。复发性疣常常出现在治疗过的区域附近，这种情况相当普遍。
- 宫颈HPV。如果青少年或成人的巴氏涂片结果显示异常，那么可能需要进一步的测试和治疗，包括宫颈活检，可能还会切除宫颈的异常细胞。

了解更多

请阅读罗伯特·西尔斯著作《疫苗全书》，了解HPV疫苗和乙肝疫苗。

预防。可以通过一些方法预防HPV感染。安全套能降低感染风险，避免高风险性行为（例如过早开始性行为、拥有多个性伙伴）也能降低感染概率。但最好的办法是禁欲。

这方面的最新突破是HPV疫苗。这种疫苗分为3剂，9～26岁的男性和女性可以接种。在所有年轻人接触到HPV之前提前给他们接种疫苗，我们希望通过这项措施显著降低女性巴氏涂片异常的数量，从而降低宫颈癌发病率。

梅毒

这种STD没有上面几种那么常见，不过梅毒发病率一直在稳定上升。梅毒的病原是一种名为梅毒螺旋体的细菌。20～29岁、性行为活跃的成人最容易受到感染。不过，小于20岁的人偶尔也会感染梅毒。这种疾病通过性接触传播。

症状。梅毒的初期症状一般只是无痛的溃疡（叫作硬下疳），可能只有一个，也可能有多个，通常在接触病原几周后出现。这种溃疡一般出现在腹股沟区域或女性阴道内，通常会在6周内消退。患者通常没有其他症状。如果不加治疗，梅毒会终身发展。长期并发症请见下文。

诊断。可通过几项血检诊断梅毒。

治疗。如果早作诊断，梅毒完全可

以治疗。因为这是一种细菌感染，所以会使用抗生素。注射青霉素最有效，一般也只需要注射青霉素。

预防。安全性行为（和每一位性伙伴性交时都使用安全套）能够极大地降低梅毒风险。100%保险的方法是禁欲。

长期并发症。如果在初期阶段不加治疗，梅毒会继续发展为后两个阶段。可能要过几十年才会发展为二期梅毒和三期梅毒，通常要过很久才会出现症状，神经系统、心脏、血管、皮肤和骨骼都可能出现问题。详情请咨询儿科医生。

先天性梅毒

如果孕妇通过胎盘将梅毒传染给胎儿，就可能出现这种不幸的情况——危及胎儿的生命。如果不加治疗，在子宫中感染梅毒的胎儿大约有一半几率胎死腹中，或是出生后很快死亡。和孕晚期感染梅毒的母亲相比，孕早期发生感染的母亲更可能在胎儿身上引发并发症。谢天谢地，今天这样的情况十分罕见。美国女性怀孕期间会筛查梅毒。

新生儿症状：

- 增重不足，又叫“发育不良”
- 眼睛里流出大量清澈液体
- 极度亢奋
- 手掌和脚底出现小红疹
- 皮疹变大，可能扩散到脸部、阴部和肛门
- 肺炎
- 鼻子形状异常或鼻子很小

婴幼儿症状：

- 骨头痛，通常是手臂和腿
- 关节肿胀
- 拒绝移动手臂和腿，因为太痛
- 牙齿形状异常
- 视力损失
- 听力损失或失聪
- 皮肤上有皮疹留下的疤痕

诊断。如上所述，美国所有孕妇都会检查梅毒。如果怀疑孩子有梅毒，医生会进行其他检测。

治疗。如果对梅毒早作诊断，医生可以进行有效治疗。梅毒测试呈阳性的孕妇会在孕期接受青霉素治疗，治疗胎儿的同时显著降低梅毒通过胎盘传给胎儿的风险。如果早作诊治，患儿的长期预后非常乐观。出生后，患儿也应接受青霉素治疗，以根除病菌。

长期并发症。如果未能及时治疗或完全不加治疗，先天性梅毒可能引发一些长期并发症，包括：

- 严重的听力损失或失聪
- 眼盲
- 多个面部器官和骨骼畸形

- 智力迟缓和其他神经性异常
- 牙齿异常

健康小贴士：了解更多

请学习 STD 的相关知识，然后以开放的态度教育孩子。STD 会带来伴随终身的健康问题和遗憾。政府网站 www.cdc.gov 上有许多关于 STD 的可靠信息。

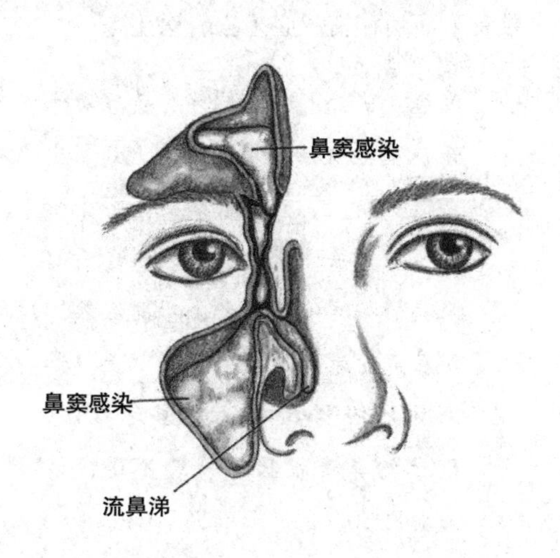

164. 鼻窦感染

婴幼儿一般不会发生鼻窦感染，因为孩子要到好几岁才会在眼睛和鼻子周围长出鼻窦腔。不过，鼻窦感染在儿童和成人中相当常见。你可以通过下面的方法诊治孩子的鼻窦感染。

症状

鼻窦炎一般不会无端冒出来，它通常是持续性感冒的并发症。感冒病毒带来鼻塞，促进黏液分泌；黏液停留在鼻窦中，细菌过度滋长，产生更厚、更绿的黏液，刺激鼻窦周围的面部骨骼和组织。请注意下列症状：

- 普通感冒 1 ～ 2 周后出现更厚、更绿的鼻涕
- 头痛，尤其是眼睛和额头周围
- 按压脸颊上半部分和眼睛周围有触痛感
- 上牙或上腭疼痛（鼻窦位于该区域正上方）
- 没有上述恼人症状，但孩子的黄绿鼻涕持续了 3 周以上
- 慢性咳嗽伴有流鼻涕症状，持续 1 个月以上

有的普通感冒病毒和流感病毒来势汹汹，起初可能也会带来上述症状，不过细菌通常要到 1 ～ 2 周后才有足够的时间造成真正的鼻窦细菌感染。所以别以为孩子需要立即使用抗生素，不要急着冲到诊所去看医生。

家庭疗法

治疗鼻窦感染的方法类似P228我们介绍的普通感冒疗法：冲鼻子、蒸汽浴，辅以天然疗法或非处方药。对于烦人的鼻窦感染，我们提供几条建议：

- 解充血药和止痛剂（布洛芬或对乙酰氨基酚）。组合使用可缓解窦性头痛和压力。在本书写作之时，不推荐4岁以下儿童使用非处方感冒药和咳嗽药。
- 冲洗鼻子。不要光用盐水喷雾清洁鼻子，试试我们在P021介绍的办法，每天冲冲鼻子，彻底清理鼻窦。
- 促进鼻窦和呼吸道健康的草药疗法。

健康小贴士：
抗生素？先等等！

几年前医学研究者发现，大部分鼻窦感染不用抗生素也会在几周后痊愈。细菌对抗生素的耐受性越来越强，美国儿科学会（AAP）出台了一项新的措施，推荐医生先观察几周，鼻窦感染症状出现的前几周不要给孩子开抗生素（除非孩子病得很厉害）。

什么时候去看医生

最开始几周医生可能不会开抗生素，所以别急着跑去诊所。许多患者刚出现几天症状就来到我们的诊所“看看是不是鼻窦感染。”事实上，最开始一两周没有必要搞清楚到底是细菌性鼻窦感染，还是时间很长的感冒，因为在这个阶段两者的治疗方法完全相同。此外，医生没法直接看到鼻窦里面是不是发生了感染（耳朵或喉咙可以直接目测），他很可能也没法确认。所以，不要早早跑去诊所，浪费时间和金钱。但是，如果有下面两种情况必须去看医生：

- 发烧、头痛、脸痛、伴有黄绿鼻涕等严重症状持续超过5天，如果出现这种情况，无论疾病处于哪个阶段都应该去看医生。如果孩子看起来病得很厉害，医生会开抗生素。
- 鼻塞、黄绿鼻涕持续3周以上。如果你已经勇敢尝试了家庭疗法，孩子的鼻窦症状却持续不退，请去看医生。

鼻窦感染很少需要去急诊室，一般可以等到下次诊所开门。如果是严重鼻窦感染，医生会开抗生素。抗生素需要服用整个疗程，一般是14天或21天。7～10天的常规疗程可能不足以彻底清除感染。不要光指望抗生素治愈疾病，继续在家治疗、用补充剂促进黏液排出，能够促使孩子更快康复。

165. 睡眠呼吸暂停

阻塞性睡眠呼吸暂停（OSA），又叫阻塞性睡眠呼吸暂停综合征（OSAS），它常常导致孩子睡觉不安分、睡眠不足，进而造成孩子敏锐性欠缺、行为不佳，但却常常被忽略。OSA的原因通常是孩子的鼻子或喉咙里有足以干扰呼吸的堵塞物——无论是鼻腔被堵塞还是扁桃体或增殖腺肿大。如果气道部分被堵塞，孩子会迷迷糊糊地醒来，因为缺氧而吓一跳。孩子吓坏了，肾上腺素急速分泌，进一步造成神经系统紧张，干扰睡眠。白天保持气道通畅的肌肉在睡眠时会放松下来，导致夜间气道变窄。空气通过这些狭窄部位时会振动呼吸道组织，产生鼾声。由于睡眠时呼吸道部分堵塞，孩子无法由浅度睡眠正常进入深度睡眠，虽然他看起来像是睡着了，但是睡眠质量不高。夜间的低质量睡眠会造成第二天孩子行为恶劣、学习能力减退。

信号和症状

- 鼾声很响。OSA患儿的鼾声音量常常和成年人差不多。如果你在客厅里也能听见孩子的鼾声，那可能是OSA的初期信号。
- 用嘴呼吸。OSA患儿在夜间很可能主要靠嘴巴呼吸（正常的孩子一般用鼻子呼吸）。你可能还会注意到，白天孩子也更喜欢用嘴巴呼吸。
- 呼吸有停顿。孩子睡觉时可能经常打鼾、呼吸有停顿。典型的OSA患儿在白天正常呼吸，但夜间打鼾的声音很吵，呼吸也会出现异常：频繁出现10～15秒的停顿，随后是沉重而迫不及待的吸气声。
- 睡觉时频繁扭动、翻身，睡觉姿势也很奇怪。OSA患儿喜欢扭来扭去，找到最舒服的睡觉姿势。他可能是趴着、仰躺，也可能是侧躺，或者伸长脖子，张大嘴巴。
- 凌晨时睡眠出现问题。OSA主要发生在REM（眼快动）睡眠期间，而REM睡眠阶段主要出现在凌晨，所以，在孩子正常醒来之前的那几个小时，OSA可能会恶化。这一点很重要，因为在这个时间段，父母最不容易听到或观察到孩子的睡眠呼吸问题。
- 白天过度疲惫。晚上没能得到充分的休息，孩子白天可能会更疲惫。
- 除上述情况外无法解释的行为问题。疲惫的孩子脾气会很暴躁。如果孩子晚上打鼾、白天行为不佳，请考虑OSA。

- 学习表现差。夜晚得不到充分的休息，白天大脑就无法集中注意力。

健康小贴士：
OSA 可能引发 ADD

OSA 可能引发 ADD（注意力缺失障碍）或 ADHD（注意力缺失多动障碍），但却常常被忽略。如果发现孩子患有 ADD，请评估孩子的睡眠质量。

怎么办

如果怀疑孩子患有 OSA，应该请儿科医生进行评估。但是去看医生之前，请在家监测一下孩子的睡眠情况。

家庭监测。你可以通过下列方法观察孩子、搜集数据：

- 观察孩子的睡眠。半夜里到孩子床边坐几个小时，观察他的睡眠。看看孩子是否用嘴呼吸、呼吸时是否有停顿、是否睡不安稳。你还可以定一个半夜响的闹钟，起来观察一小段时间，看看孩子的呼吸问题是否整夜持续。请在日志中记录下你每晚观察多长时间、发现多少次呼吸停顿。
- 用视频记录孩子的睡眠模式。只要看一看视频，儿科医生或 ENT（耳鼻喉）专科医生一般就能够作出诊断，或者至少高度怀疑 OSA。医生主要注意的是孩子的鼾声和呼吸困难的迹象。

耳鼻喉检查。请向儿科医生或耳鼻喉专科医生预约一次检查，务必带上睡眠日志和视频资料。医生会检查孩子的气道，先检查鼻子，然后重点检查扁桃体和增殖腺。他会询问孩子的病史、查看你记录的睡眠日志、观看视频，完成这几步以后，医生一般能够做出诊断并制定恰当的治疗方案。如果出问题的是扁桃体或增殖腺，医生会进行手术切除；如果不能确定睡眠呼吸暂停是否严重到需要做手术的程度，医生可能会推荐下列方法：

睡眠监测。夜间多导睡眠图——简称睡眠监测——是诊断、评估 OSA 的黄金标准。医生会让孩子在睡眠实验室里过夜（告诉孩子那里就像是装了很多摄像头的旅馆房间），将导线贴到孩子的头上和胸口上，记录孩子的睡眠模式，主要是看孩子是否有浅睡 - 沉睡的正常循环。医生还会在孩子的手指头上别一个无痛的小夹子，测量睡眠期间的血氧百分比。睡眠监测会测量孩子呼吸受阻期间血氧水平下降多少。医生还会给孩子做心电图（ECG），全面评估他在睡眠期间的生理变化，这很重要。如果 OSA 不加治疗、持续太长时间，不但会损害孩子的整体发育和学习能力，还会给心脏带来过高的负担。要判断孩子打鼾是不需要治疗的小毛病还是需要手术移除阻塞物的 OSA，睡眠监测是最准确的诊断方法。

精简版睡眠监测。如果觉得没必要在睡眠实验室里过夜，医生可能会推荐在孩子打盹时进行睡眠监测，在 2 ～ 3 小时的打盹时间内简单测量孩子的血氧水平和睡眠模式。不过，打盹监测只有在测量结果比较积极的情况下才可靠。而且，就算测量结果正常，也不能完全排除夜间 OSA 的可能性。做完精简版的监测之后，医生很可能会推荐更加全面的整夜监测。

如果孩子的 OSA 是扁桃体或增殖腺引起的，儿科医生很可能会推荐尽快移除这些阻塞组织（见 P535，扁桃体切除术）。此外，你还可以采取下列家庭疗法改善孩子的呼吸和睡眠：

- 净化卧室空气（见 P141）。
- “冲鼻子”“蒸汽浴”，清洁孩子的鼻腔（见 P021）。
- 治疗鼻过敏（见 P134），禁食所有过敏食物。
- 调整孩子睡觉的姿势，尽量减轻阻塞（主持睡眠监测的睡眠专家会根据监测结果向你提出建议）。

年龄较大的 OSA 患儿或成年患者有时候需要戴着特制的面罩睡觉，以保持气道畅通。这种方法叫做连续气道正压通气（CPAP）。

健康小贴士：
认真对待 OSA

如果你怀疑孩子睡眠、行为或学习问题的原因是 OSA，请务必和医生一起全面评估孩子的情况，找到合适的治疗方案。根据我们的经验，许多行为问题和学习问题都与 OSA 有关，但家长和医生常常会忽略这一点。

166. 睡眠问题

“到底要怎样才能让宝宝整夜安睡？”这是儿科医生最常听到的问题之一，也是最难回答的问题之一。下面我们介绍十个久经考验的方法，让全家人在夜里得到更充分的休息：

（1）建立健康的睡眠态度

不要想着赶紧让孩子睡着，而是要把孩子哄睡着，因为你没法强迫婴儿睡觉。请创造一个适合休息的环境，让睡眠自然到来，这样孩子会更加心甘情愿地入睡，睡眠时间也足够满足身体需要。

记住，晚上哄孩子睡觉的终极目标是逐步给宝宝灌输健康的睡眠态度：睡眠是一种舒适的状态，一点儿都不可怕。玛莎曾在育儿日记中写道：一旦我调整了对待宝宝夜间惊醒的态度，事情就变得容易多了。彼得半夜醒来吃奶的时候，我会和他依偎在一起，就我们俩，远离外界的纷扰。我学会了珍惜这样的亲密时光，我知道，这样的时光不会太长久，它总会在你仍恋恋不舍的时候悄悄溜走。

(2) 让宝宝在固定的时间上床

虽然你没法强迫宝宝睡觉，但你可以创造合适的环境，让宝宝自然地入睡。如果宝宝有固定而合理的上床时间、睡觉前有一套例行公事的流程，那你就更能预见他的睡眠情况。请不断尝试不同的上床时间和睡前流程，直至找到能让宝宝得到最佳睡眠的组合。我们更喜欢“流程”这个词，因为比起“程序”来，“流程”没那么死板。婴儿是习惯动物，一套相对固定的睡前流程会让宝宝更容易入睡，睡前流程搭建好舞台，静待睡眠上场。从心理学上说，上床时间是一种“设定事件”，固定的流程会让你自然而然地期待惯例的下一步。比如说抱着宝宝摇一会儿，用婴儿背带把他背在身上，在家里走一圈，洗个澡让他放松，讲个睡前故事，帮他挠挠背，或者其他相对固定的流程，这些事一旦开始，宝宝自然会期待下一步的睡觉。睡前流程帮助孩子学会把这些事情联系起来：先是放松，继而入睡。宝宝的脑子里会逐渐建立这样的模式。

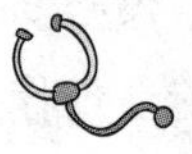

健康小贴士：享受睡前时光

西尔斯家有个哄孩子睡觉的秘诀，我们家的所有宝宝都享受过这个待遇：快到上床时间了，我们用背带把宝宝系在身上，听着轻音乐带他在家里走上几圈。走动和摇晃会让宝宝渐渐平静下来，进入甜美的睡眠。如何安全使用背带请见 P241。

(3) 熟悉宝宝想睡觉的信号

你没法强迫不困的宝宝入睡。请制作一张“睡意时间表”，帮助你辨认宝宝“准备睡觉”的信号：眼皮耷拉下来、揉眼睛、行为心不在焉、活动减缓。每天晚上记录宝宝什么时候想睡觉，一周后分析一下表格上的信息。宝宝每天晚上想睡觉的时间相同吗？比如说7:30～8:00左右。请记录在“睡意时间表”内。小睡时间也采用同样的方法记录。熟悉宝宝想睡觉的信号，这能帮助你更轻松地总结出宝宝的上床时间。睡意是循环出现的。如果晚上 7 点宝宝的眼皮开始耷拉下来，但是你到 7 点半还没发现，也许你就错过了这次机会窗口，宝宝可能要再过一个小时才会想睡。

(4) 把宝宝“摇”进梦乡

宝宝喜欢你摇晃着或是走来走去哄他睡觉。这一点都不奇怪，因为宝宝在子宫里习惯了摇晃的感觉。还记得吗？宝宝在子宫里的时候，你还在动，宝宝却睡着了，而你想睡觉的时候，宝宝却醒着动来动去。摇晃和走动不但能让宝宝放松下来，还能让筋疲力尽的爸爸妈妈放松下来。来回摇晃请保持在每分钟 60 次左右，也就是近似心跳的频率，宝宝在子宫里已经习惯了这个频率。

“穿”着宝宝走动的时候，请哼着歌轻轻拍打他的小屁股。安抚的动作、轻柔的声音和充满爱意的抚摸能够帮助宝宝入睡。等他熟睡后再把背带解下来或是把他放下来。如果宝宝还没完全睡着你就试图把他放下来，他可能会抗议。如何判断宝宝是否熟睡、是否可以放下来？请观察宝宝肢体放松的信号：四肢完全放松下来，就像布娃娃一样，平常握成拳头的小手也摊开了，于是你就知道他已经睡熟了。

(5) 哺乳促进睡眠

吮吸的韵律、母亲的温暖和亲密、小肚子里满当当的母乳会帮助宝宝进入梦乡。如果是母乳喂养，请尝试“哺乳催眠法”。这不光能安抚难哄的宝宝，还能让疲惫的母亲放松下来。和宝宝一起侧躺下来，在你自己的后腰、双腿之间和脑袋下面各放一个枕头。让宝宝也侧躺在你身旁，给他吃奶。哺乳催眠法既能帮助宝宝入睡，也能让你们俩享受一段亲密的睡前时光。等到宝宝熟睡后再从他嘴里掏出乳房，然后小心翼翼地溜走，或是把他放到婴儿床上。还有一种方法叫作“联想式睡眠”。用固定的流程和物品哄宝宝睡觉，让他习惯。如果你总是用相同的方法哄宝宝睡觉，他就会产生期待。妈妈用哺乳哄宝宝睡觉，爸爸用奶瓶哄宝宝睡觉，你还可以尝试其他方式，例如“穿”着宝宝走动（见上文）、放轻音乐、抱着宝宝摇晃或者简单地把昏昏欲睡的宝宝放下来，轻拍哄他睡觉。

(6) 为宝宝准备好睡眠的舞台

试试这些有利于入睡的环境：

舒适的睡衣。请务必为宝宝准备舒适柔软的睡衣，比如说棉质的。在实践中，很多妈妈告诉我们，宝宝穿了有刺激性的合成纤维睡衣就会睡不安生。

舒适的温度和湿度。温度21摄氏度左右、湿度50%左右的环境最适合入睡。暖雾加湿器能够保持宝宝卧室里的温度和湿度，避免干燥的空气损害宝宝的鼻腔。卧室里的温度适宜，宝宝更不容易惊醒。

调暗灯光。上床时间到了，请调暗家里的灯光，尤其是宝宝睡觉的地方。光线由明转暗会刺激大脑分泌促睡眠激素——褪黑素。

哼哼歌儿。哼唱催眠曲是哄宝宝睡觉的好办法。用低沉的声音哼唱轻柔的曲子，音调、节拍和音量不要有突然的变化。单调的旋律也许能帮助宝宝入睡。

清理宝宝的鼻子。宝宝如果呼吸受阻就没法好好睡觉。上床前请好好清理宝宝的鼻子（冲鼻子的手法见P021）。

清除空气中的刺激物。如果宝宝经常鼻塞，那可能是过敏。为了尽量清除宝宝卧室里的过敏源，请务必拿开毛茸茸的毯子、盖腿的毛毯和容易积灰的毛绒玩具、打开空气过滤器。过滤器不但能滤除刺激物，它的“白噪音”也许还能帮助宝宝入睡。清除宝宝卧室空气中的刺激物，例如香烟烟雾、爽身粉、发胶和动物皮屑（清除卧室过敏源详见P141）。

（7）缓解出牙痛

宝宝半岁左右开始出牙，接下来一年半的时间里，宝宝夜里经常因为出牙带来的不适而惊醒。宝宝的口水打湿了小脑袋下面的床单、脸颊和下巴上长出口水疹、牙龈肿胀一碰就疼、发低烧，这些都是出牙的信号，宝宝睡不好觉也许就是这个原因（见P521，“出牙”）。

（8）用关键词训练宝宝睡觉

往宝宝脑子里植入的与睡眠有关的东西越多越好。睡眠关系物可以是词语、声音或环境，让宝宝把这些东西与“入睡”、“睡眠”联系起来，此前我们已经介绍过一些。如果宝宝晚上醒来，请利用你平常哄他睡觉的关键词和声音，重复这些关系词常常能够帮助宝宝重新入睡。让这些声音成为宝宝入睡前最后的记忆，如果宝宝半夜惊醒，请重复：睡睡……安安……高高兴兴……睡睡……嘘。妈妈的“嘘”声有天然的生理基础，时间证明它的确能够哄宝宝入睡。嘘声类似子宫里血液流动的声音，宝宝还没出生就已经习惯了这种声音。宝宝快要醒来的时候，赶紧提醒他一下：“嘘……睡睡。”以这种方式告诉宝宝，起床时间还没到呢。

（9）度过宁静的白天

宁静的白天会带来安睡的夜晚。试试“密集哺乳”，白天更加频繁地哺乳，填饱宝宝的肚子，这样晚上他能安睡更长时间。每天用柔软的婴儿系带把宝宝

给爸爸的夜间育儿指南

西尔斯家的男人向你介绍适用于父亲的夜间育儿指南，这些方法不但能够帮助宝宝入睡，还会让你在疲惫的妈妈眼中大放光彩：

抱着宝宝睡觉。一旦宝宝出现想睡觉的信号，请抱起宝宝，让他的头靠在你的颈窝处，用你的声带和下颌骨托起宝宝的小脑袋。然后轻轻哼唱单调低沉的歌儿，例如《老人河》，或者试试我们最喜欢的这段："睡吧，睡吧，睡吧，我的小宝宝。睡吧，睡吧，睡吧，我的小男孩。"在传统的催眠曲里加入你自创的歌词。

男性低沉的声音、哼唱时声带和颧骨的低沉振动很容易让宝宝入睡。宝宝不但能靠鼓膜听到你的歌声，还能靠颅骨感受到你的声音带来的振动。

给他温暖的胸膛。让宝宝贴在你的胸膛上，和他肌肤相亲。故意加深呼吸，加剧胸膛的起伏，同时轻轻哼唱。等到宝宝睡熟了，再把他放到婴儿床上。

把宝宝"穿"在身上。用系带把宝宝"穿"在身上，在家里走动，直到宝宝睡熟，然后把他放到床上。

把宝宝递给妈妈。6个月以下的婴儿每晚至少要醒来吃几次奶，尤其是母乳喂养的宝宝。如果宝宝醒来，请不要翻身假装睡着了。请下床把宝宝抱到妈妈身边，让宝宝吃奶，然后再把宝宝送回婴儿床上。妈妈不用起床，就更容易再次入睡。记住，哺乳意味着"安抚"，虽然只有妈妈能够哺乳，但爸爸也能安抚宝宝。

入睡前最后一次抚摸。除了边吃奶边睡以外，应该让宝宝学会其他入睡的方式，让爸爸来负责宝宝最后的入睡。妈妈喂完奶，宝宝已经很困了，但还没有完全睡着，这时候请妈妈轻轻把宝宝递给你，然后你抱着宝宝或是把宝宝"穿"在身上，哄他入睡。

让妈妈睡个好觉。周末、假期或是其他父母双方都不用上班的日子里，早上宝宝第一次醒来吃完饭后，请带宝宝出门，享受一段"父子时间"。爸爸在外面照顾宝宝，让妈妈好好睡一觉。

慎用他人的经验

该怎样哄宝宝睡觉，别人的经验要谨慎鉴别，尤其是各种“让他哭”的变体方案。记住，你没法强迫婴儿睡觉。哄宝宝睡觉意味着给宝宝创造舒适的睡眠环境，让宝宝入睡并安睡整夜。对于以前那些严格的睡眠训练建议，我们有两个顾虑：

睡眠训练会让父母不再敏感、无法识别宝宝发出的信号。从生物学上说，所有让宝宝“哭个够”的睡眠训练法都是不正确的（详细讨论见 P257）。站着说话不腰疼，别人当然可以建议你让宝宝哭个够，可是凌晨 3 点他不在场。大部分尝试过“让他哭”的妈妈告诉我们，“我就是做不到。”因为从生物学上说，妈妈听见宝宝的哭声必然想要做出反应，她没法忽略宝宝的哭泣。听听科学的意见吧，研究表明，宝宝哭泣的时候，流向妈妈乳房的血液会增加，同时妈妈会本能地想要抱起宝宝、安抚宝宝。这是母亲的生理机制。我们不应该干扰这样美好的机制，强迫妈妈让宝宝哭个够。

睡眠训练会掩盖宝宝夜间惊醒的真正原因。鼓吹老办法的人宣称，宝宝惊醒是因为“睡眠习惯不好”。很多时候他们说得没错，所以我们的大部分建议旨在帮助宝宝养成良好的睡眠习惯。但是，请小心这个论断，因为它可能会蒙蔽你和医生的眼睛，让你们忽视宝宝夜间惊醒背后的健康问题。最常见的问题是胃食管反流病（见 P347），另一种可能是食物过敏。对小朋友来说，夜晚十分可怕，所以对于那些从感觉上就不对头的办法，请务必小心使用。

“穿”在身上至少 3 小时。亲密接触更容易让宝宝平静下来。如果宝宝白天宁静而安详，晚上他也不太可能焦虑。白天安抚宝宝的烦躁，晚上宝宝就更平静。如果你在外工作，白天有好几个小时不在宝宝身边，那么宝宝夜间可能更容易醒来。因为他想在晚上补偿白天错过的亲密时间——有时候还有吃奶时间。所以白天照顾孩子的人请尽量多给孩子一些亲密接触的时间，这有助于夜晚的睡眠。

（10）给宝宝找个睡觉的地方

儿科医生常常听到这样的问题：“宝宝该睡在哪儿？”答案通常来自儿科医生本人的育儿经验，或者可能来自育儿书籍中的模糊信息。我们的答案是：家里其他人在哪儿睡得最安稳，宝宝就应该在哪儿睡觉。宝宝所处的发育阶段不同，合适的睡眠地点也许会变化。

请考虑以下地点：

父母卧室里的婴儿床。至少在第一年里，婴儿应该和父母睡在同一个房间里。美国儿科学会（AAP）也推荐这种做法。记住，对小朋友来说，夜晚很可怕，分离焦虑在最初一两年里很常见，尤其是晚上。

安装在大床旁边的婴儿连睡床。连睡床类似婴儿床，能够安全地装在父母的床边。妈妈和宝宝彼此伸手可及，方便安抚宝宝和哺乳，而且宝宝和父母都能拥有独立的睡眠空间。

健康小贴士：站在宝宝的角度思考

新手父母常常不知道对宝宝的夜间需求应该作何反应（让他闹一会儿看他能不能自我安抚、立刻安抚、喂奶、唱歌……到底该怎样呢），尤其是现在，各种训练宝宝睡觉的书籍钻进了父母的卧室。下面我们介绍一个绝对傻瓜式的办法，帮助你做出恰当的反应。宝宝夜间惊醒，你不知该如何是好，这时候请立即站到宝宝的角度，问问自己，“如果我是宝宝，我希望父母如何反应？”你总会想出正确的答案。如果你是宝宝，你是愿意在黑暗安静的屋子里醒来，孤身一人，分不清方向，周围都是栏杆，于是你不得不哭够了再次入睡，还是愿意醒来时你喜欢、熟悉的人在身边保护你，安抚你很快再次入睡？

和父母一起睡。这种最自然的习惯曾经风靡世界，现在却饱受争议，人们也说不清它到底科不科学，实在让人遗憾！在本书写作之时，宝宝与父母同睡是否科学、是否安全，人们仍在争议不休中，本书中也不作全面讨论。一方面AAP不推荐宝宝与父母同睡，因为这种情况下宝宝有窒息的风险，虽然风险很低。而从另一方面来说，只要坚持《宝宝安睡魔法书》中介绍的安全指南，就能完全排除这种风险。世界一流的睡眠研究者詹姆斯·麦肯纳博士是一位人类学教授，同时领导着美国圣母大学母婴睡眠行为实验室，他发表的研究成果表明，宝宝和父母同睡最安全，实际上，和父母同睡的宝宝出现SIDS的概率更低。

西尔斯家族最后提供一条安睡建议：请珍惜与宝宝共度的珍贵夜晚。半夜，宝宝依偎在你的臂膀里，在你的床上吮吸你的乳房，这样的时光如此短暂，但是你对他的爱、时时刻刻的贴身关怀却将伴随他的一生。

了解更多

我们相信，与其说服父母不要和宝宝同睡，医学专业人士更应该做的是教育父母如何安全地和宝宝同睡。如果你确信宝宝应该睡在你们的床上，下面两本书能够帮助你更安全地做到这一点。这两本书还会告诉你，从科学角度讲，与宝宝同睡有哪些健康方面的益处：

- 《宝宝安睡魔法书》，作者：威廉·西尔斯，罗伯特·西尔斯，詹姆斯·西尔斯，玛莎·西尔斯
- 《和宝宝一起睡觉：父母如何与宝宝同睡》(*Sleeping with Your Baby*)，作者：詹姆斯·J. 麦肯纳

167. 吸烟：二手烟的危害

我们认为，在儿童周围吸烟是一种虐待。每年美国约有3000万～4000万儿童和青少年暴露在二手烟中。香烟烟雾中含有数百种有毒或致癌化学物，包括苯、甲醛、砷、一氧化碳，等等。

二手烟如何危害儿童健康

接触二手烟与多种幼儿及儿童健康问题有关：

- 如果母亲在孕期和分娩后吸烟，孩子罹患婴儿猝死综合征的风险更高。
- 孕期吸烟的母亲更可能生出低体重婴儿。
- 二手烟会增加婴儿和年龄较小的儿童罹患支气管炎、肺炎和耳部感染的风险。
- 暴露在二手烟中的儿童更可能出现哮喘、过敏和其他呼吸道问题。
- 二手烟会增加儿童罹患癌症的风险。
- 暴露在二手烟中与儿童学习表现不佳、行为问题和认知问题有关。

记住，任何程度的二手烟都可能导致上述儿童健康问题，没有所谓的“安全线”。

如何避免接触二手烟

下列方法能够降低或消除孩子接

触二手烟的风险：

- 戒烟，戒烟，戒烟！如果你或任何家庭成员吸烟，请务必戒烟。戒烟也许很难，但是孩子的健康难道不值得努力维系？如果你、你的配偶或其他任何家庭成员已经开始尝试戒烟，请和医生谈谈戒烟的方法。
- 不要在孕期吸烟。如果你考虑怀孕，请立即戒烟。
- 不要允许任何人在你的车里吸烟，哪怕孩子当时不在车里。烟雾会在车内的织物纤维里停留很长时间。
- 不要带孩子去允许吸烟的餐馆或其他场所。我们还建议不要光顾有吸烟区的餐馆。
- 不要允许任何人在你家里吸烟。
- 问清楚孩子的临时保姆或照料者是否吸烟。如果他吸烟，请另雇一位。因为烟雾会停留在头发和衣服里。
- 和孩子谈谈吸烟的危害。如果你们看到电视或电影里有人吸烟，请利用这个机会教育孩子。请告诉孩子，吸烟者是在损害自己和他人的健康。
- 孩子长到 10 多岁时，请参与他的社交生活。弄清楚他有哪些朋友吸烟、孩子自己是否有可已经吸烟了。
- 住酒店的时候，请务必选择无烟房间。

记住，二手烟没有“安全线”。儿童比成人更容易受到二手烟中有毒物质的影响。也许你看不见，但二手烟对孩子的肺十分有害。

健康小贴士：到外面去

父母常常问我们："我在屋子外面吸烟行不行？这样孩子是不是就接触不到二手烟了？"我们总会告诉这些父母，他们必须戒烟。不过，如果一定要吸烟，请到屋子外面吸。知道这一点很重要：香烟烟雾不光会漂浮在周围的空气中，它还会钻进吸烟者的衣服，停留在吸烟者的手、手指、口腔、嘴唇和头发等处。香烟会在这些地方停留很长时间，这时候吸烟者已经回到屋子里，和孩子在一起了。如果你一定要吸烟，吸完以后请换掉全身衣物，清洗接触过香烟或烟雾的皮肤——主要是手、手指和嘴唇。这样能够减少留在衣服和身体上的烟雾。

---

168. 打鼾

对于大部分孩子而言，打鼾只是件

麻烦事儿，太吵；不过它也可能暗示孩子有隐藏的健康问题。

鼾声是气流振动气道里的软组织发出的声音，类似簧乐器发出的乐声。新生儿呼吸的声音很响，因为他们的气道小而狭窄，而且鼻子和喉咙里会分泌很多带气泡的液体。空气流经这些多泡的黏液，就会发出很响的呼吸声。随着宝宝的成长，他们的气道也会发育。宝宝会逐渐学会吞下喉咙里的分泌物，新生儿打鼾、呼吸太响的阶段会逐渐过去。

怎么办

一般性的指导原则：鼾声没有干扰孩子的睡眠和呼吸就别担心。不过鼾声可能暗示着某些潜藏的气道结构问题，或者宝宝的气道里有障碍物，所以请考虑以下措施：

告诉医生。下次常规检查时，请告诉医生宝宝打鼾的情况。医生会注意到这条线索，仔细检查宝宝的气道，排除下列结构性问题：

- 鼻中隔偏曲。有时候鼻中隔（分开两边鼻孔的那块骨头）会被推向一边，阻碍这边鼻孔的气流。作为补偿，孩子会用没堵塞那边的鼻孔吸入更多空气，于是发出噪音。
- 扁桃体或增殖腺较大。医生会检查孩子的扁桃体和增殖腺是否阻碍呼吸（见 P485 相关章节，“睡眠呼吸暂停”）。
- 喉软骨软化。儿科医生会观察宝宝呼吸时颈部正面的情况。在开始的几个月里，气管周围的软骨有时候会软化，导致孩子深呼吸时气管发生部分折叠。如果出现这种情况，宝宝吸气时医生会看到胸骨正上方的正常凹痕略微内陷。随着宝宝的成长，软骨会变得更为强健，这种气管的小毛病就会消失。

小心鼻过敏。儿科医生会检查孩子的鼻腔有无过敏信号如果有过敏，鼻甲骨会肿胀，气道会被分泌物部分堵塞（见 P134，“过敏”；P021，“冲鼻子”和“蒸气浴”）。

改变睡觉姿势。观察一下孩子在哪种姿势下鼾声最响。帮孩子翻个身，例如让他趴着（一岁以上的婴儿）、侧躺或仰躺。在日志中记录哪种姿势孩子睡得最舒服，然后告诉儿科医生。你和医生需要做出的主要判断是：嘈杂的呼吸或者说打鼾，是否干扰了孩子的睡眠质量。如果有所怀疑，医生可能会给孩子预约多导睡眠图，用专门的设备记录孩子的睡眠模式。这种测试可以在卧室里简单做一下，如果需要更详细的结果，那就必须去睡眠实验室（很多大医院里都有）。你的日志能够帮助医生：经过长时间的观察，如果你注意到打鼾影响了孩子的睡眠质量，那可能需要详尽的睡眠监测（见 P485 相关章节，“睡眠呼吸暂停”）。

169. 大小便失禁

故事一般是这样的：“我 5 岁的儿子总是懒得去厕所大便，他总是会弄脏裤子。我骂他，他就告诉我：‘爸爸，我只是不知道什么时候该去厕所。’”听起来很熟悉吧？

弄脏裤子的医学术语叫作大便失禁，在小肠子成长的过程中，这样的小毛病很常见。男孩更容易弄脏裤子，所有年龄段的男性都不如女性重视身体发出的信号，它主要是机制和成熟度方面的问题，而非心理问题。

原因

首先，我们希望你能明白孩子弄脏裤子的四个主要原因：

忙碌的小肠子。长着小肠子的小男孩很健忘。他们太专注于玩游戏，完全忽略了“快去上厕所”的信号。

懒惰的小肠子。孩子排队或是玩游戏的时候肯定不愿意丢掉自己的位置或者暂停游戏去上厕所。上厕所多麻烦呀，你得脱掉裤子再穿上，再回到游戏里。所以他会忽略身体的信号。

难为情的小肠子。上课的时候，孩子可能很害羞，不好意思告诉老师自己要去上厕所，尤其是在玩伴面前。所以你需要教育孩子，上厕所和吃饭一样是生命中的一部分：“妈妈和爸爸每天都要上厕所，你的老师、朋友也要上厕所。”

堵住的小肠子。你也许会很惊讶：大便“跑了出来”，可背后的隐藏问题常常是慢性便秘。肠道里密结的大便会带来压力，于是就会有东西漏出来，把孩子的内裤搞得臭烘烘的。

怎么办

如果出了麻烦，请利用这样的机会教育孩子，目的有二：首先，让孩子发现你是有价值的资源，你能够帮助他解决不适而尴尬的问题；第二，帮助孩子了解自己身体重要的组成部分。讨论结束后，孩子大概会比其他同龄人更了解肠道健康的知识。下面我们列出十条建议，根据孩子的年龄和发育阶段，你可以调整一下教育的方式和内容。

（1）让肠子说话。玩玩看图说话。画一张肠道图，告诉孩子便便是从哪里来的：“食物里的废料会汇集到肠道里，那就是便便。开始的时候，便便和热狗肠差不多大。肠壁上有一些小神经，如果肠子里装满了便便，这些神经就会发现，然后给你的大脑发信号。肠子就会对大脑说：‘大脑啊，我满了。’

大脑说：'那就去厕所。'于是你就会觉得想上厕所。可要是你忙着玩儿，不照大脑说的做，最后大脑就不和肠子说话了，他们不再是朋友了。大脑说：'要是你不听我的，我就不跟你说话。'这样你就不知道什么时候该去厕所了。便便就会开始长大，有时候会长到棒球那么大。便便长到棒球那么大的时候，拉出来就会痛，所以拉便便就更难了。因为拉便便会痛，所以你就更不想拉了。肠子就像肌肉一样，如果棒球继续长大，就会拉伸肌肉，肌肉功能就被削弱了。你就真的有麻烦了，因为有两个问题：神经变弱了，不再和大脑说话；肌肉也变弱了，你就没法把便便推出去。

在肠道的头上，也就是便便出来的地方，有一条肌肉叫作'甜甜圈肌肉'。这条肌肉会收缩，不让便便跑出来。它也会变弱，于是就没法挡住便便，便便就会漏到你的裤子上。亲爱的，你说的没错，你压根就不知道什么时候该去上厕所，因为你的甜甜圈肌肉和肠子里的肌肉都不和大脑说话了。所以我们必须要做四件事：

- 让大脑和肠子重新开始说话。
- 让'必须去厕所'的信号重新出现，这样你才能知道什么时候该去拉便便。
- 让'甜甜圈肌肉'重新变得强壮起来。
- 让便便从棒球那么大缩小到热狗肠那么大。"

健康小贴士：
做个老师，别做法官

你希望孩子把你看作可靠的信息来源，那就要以正面、积极的方式向孩子传授肠道问题的知识，而不是以惩罚的方式。

你想打破这个邋遢循环：慢性便秘拉伸肠道肌肉和"甜甜圈肌肉"，孩子感觉不到应该去上厕所，于是便便漏出来，可是孩子感觉不到也闻不到，因为他已经习惯了。然后便秘进一步恶化，肠道敏感度进一步降低。

（2）**制定清肠计划**。如果孩子大便失禁已经好几个月了，那他的慢性便秘可能十分严重，肠道肌肉相当衰弱，你得先好好清理一下他的肠道。请儿科医生给孩子检查一下。通过直肠检查，医生能够判断"甜甜圈肌肉"的衰弱程度，还常常能在孩子的下腹部摸到高尔夫球大小的粪便。如果医生觉得孩子严重便秘，你可能需要先给孩子用几天灌肠剂，然后再吃一周泻药。医生可以开这些药（灌肠剂和泻药见 P247）。

（3）**食疗调整肠道活动**。消化道上端吃进去的东西会极大影响消化道下端的活动。请让孩子少食多餐，试试西尔斯医生的“2”原则：2 倍餐数、1/2 分量、2 倍咀嚼时间。食物在消化道上端消化得更完全，进入下端肠道的残渣就更少，肠道受到的刺激也更小（根据孩子的理解能力，你可以画一幅图来向他解释，胃里装的食物比较少，如果嚼得比较细，在这些食物“变成便便”之前，身体才能够更充分地利用它们）。

（4）**给小肠子浇浇水**。记住，你的目标之一是帮助孩子大便得更舒服。确保孩子摄入充足的水分，每千克体重每天至少要喝 56.7 毫升水。如果大便在肠道内停留的时间太长，肠道会偷偷将水分吸收回去，大便会变得更硬，你肯定不希望这样。告诉孩子：“你喝的水越多，拉便便就越容易。”如果孩子的膳食中富含纤维（水果、蔬菜和全谷物），那么多喝水就显得尤为重要。如果没有足够的水，高纤维膳食反而会加剧便秘。

（5）**奶昔软化大便**。在医疗实践中，我们常用奶昔来缓解便秘和其他多种肠道问题。给孩子做一杯奶昔，其中至少要有 3 种软化大便的成分：

- 亚麻油，1 匙（一种健康的泻药）
- 酸奶，226.8 毫升（酸奶中的健康细菌有利于肠道健康）
- 水果，例如蓝莓、芒果、木瓜、菠萝

还可以加入高纤维谷物之类的特殊成分，比如说一匙车前子壳、麦麸或亚麻籽粉。

（6）**沙拉软化大便**。用绿色蔬菜、鹰嘴豆、芸豆、葵花子和橄榄油做成高纤维沙拉，让孩子多吃。

（7）**运动你的肠道**！活动身体，运动肠道。如果孩子久坐，肠道里的东西也会坐着不动。

（8）**安排蹲厕所的时间**。吃完早餐、午餐（如果不上学的话）和晚餐后，鼓励孩子至少蹲 10 ～ 15 分钟厕所。这个习惯有利于帮助身体建立生理性的肠道反射，叫作胃结肠反射。消化道上面装满了，下面的肠子就会收到信息：该清空啦。

健康小贴士：
别让腿悬空

孩子坐在马桶上的时候，给他个小凳子垫脚。如果双腿悬空，“甜甜圈肌肉”会被拉紧，排便就会更为困难。记住，孩子需要你尽可能地提供帮助。告诉孩子，“把脚放在凳子上，‘甜甜圈肌肉’就会放松，便便更容易拉出来。”

（9）**把最好的“虫子”装进碗里**。慢性便秘会损害肠道整体健康。健康的肠道中生活着数百万健康细菌——益生菌，酸奶里也有益生菌。慢性便秘期间，

肠道里常常会出现有害的细菌，益生菌可以把这些坏家伙挤出去（见 P028，益生菌）。

（10）**先让孩子自己清理**。让孩子对自己的身体负责，鼓励他先把脏裤子清理一下，然后再放进洗衣机里。注意你的方式，不要表现得像是惩罚，而是自然而然的行为：他需要对自己的身体负责。

正如你能看到的，弄脏裤子主要是机制性问题，但是它也可能变成行为问题。孩子可能会难为情，因为伙伴会嘲笑他："臭烘烘的家伙来啦！"尤其是"臭烘烘的家伙"本人还感觉不到也闻不到，因为他已经完全习惯了。然后，难为情的孩子会退缩，把自己的脏内裤藏起来，他可能还会因此而更加难为情。所以在问题恶化之前及早发现，这非常重要。你希望孩子遇到任何难为情的事儿都能自然地来找你。在生命之路上，孩子还会遇到很多尴尬事儿，现在你有机会向他传达这样的信息："无论你有什么问题，我都会帮助你解决。"孩子自然就会什么都愿意跟你说。你帮助孩子制订计划解决问题的同时也加深了亲子之间的关系（见 P245，"便秘"）。

170. 言语迟缓和说话晚

有的孩子走路比较晚，自然也有孩子说话比较晚。言语发展分为两个方面：语言接收（孩子能听懂多少）和语言表达（孩子会说多少）。语言接收反映的是孩子的听力和理解能力。如果幼儿语言接收能力正常，也就是说他能听懂简单的要求，那就不用担心。幼儿来检查时，父母常常主动提起："他什么都能听懂，可是不怎么说话。"很多幼儿仍会用身体语言表达自己的需求。记住，言语是指孩子口头说出来的东西，但语言包括动作、姿势和所有类型的身体语言。你希望孩子能够自如地以各种方式交流，而不光是说话。说话晚在男孩中更常见，人们常常戏称其为"爱因斯坦综合征"，因为众所周知，这位天才很晚才开口说话。

正常的言语发展里程碑

语言发展的个体差异很大。下面我们列出的里程碑是指绝大部分幼儿在相应年龄会说的最少词语数量。如果孩子距离这些目标有所差异，也并不意味着你需要担心。你可以在下次检查时和医生讨论孩子的言语发展情况。

- 1 岁：1 ～ 2 个词
- 15 个月：5 个词
- 18 个月：10 个词
- 2 岁：50 个词，2 个词的短语，陌生人大约能听他讲的懂一半话

- 3岁：4个词的句子，会讲故事，能听懂他讲话内容的3/4

什么时候该担心

如果孩子没能达到上述里程碑，你应该和医生讨论；如果出现下列情况，你也应该去看医生：

- 孩子有频繁耳部感染病史。
- 你担心孩子的听力。
- 孩子的社交技巧较差。
- 孩子其他方面出现发育迟缓，例如走路。

怎么办

记录言语日志。和其他发育里程碑一样，有进步远比死抠时间点重要。如果孩子每周大约增加1个词的词汇量，2岁时他会说2个词的短语，3岁时会说合理的句子，那就不需要担心。但是，如果孩子“停滞不前”，3～6个月都没有学会很多新词，那你应该咨询儿科医生或言语专家，看看孩子是否有问题：发育性问题（例如自闭症，见P171）和结构性问题（例如舌系带过紧、唇腭畸形或口舌肌肉不协调）都可能导致语言发展迟缓、言语脱节。

培养孩子的沟通能力

给孩子读书。和孩子一起读图画书，对照图片向他提问：“球在哪儿呀？”利用我们所谓的“扩展”概念——从一个词扩展到一个想法。比如说，你正在读书的时候孩子提问：“那是什么？”你回答：“那是鸟儿。”然后你补充说：“鸟儿在天上飞。”你不光要回答孩子的问题，还要告诉他与词语有关的想法——鸟儿在天上飞。你们一起读书的时候，指着书上的图片向孩子提问，例如：“狗狗在哪儿呀？”“那个男孩在哪儿呀？”鼓励孩子在图片中寻找相应的物体指给你看。通过这种方式，他会学到如何将词语的发音与图片联系起来。

寻找教育机会。言语发展是机会教育。研究表明，由孩子主动发起的互动比父母发起的互动更有意义。寻找合适的教育机会。如果你们正在公园里散步，孩子指着一条狗，你可以说：“狗狗会跑，会跳，会叫。”孩子很可能会模仿这些声音。如果孩子指着天上，含糊不清地说“了”（鸟），请补充正确的发音：“是的，那是鸟。我们再找找别的鸟。”利用孩子自己发起的机会，不断重复孩子感兴趣的词语。

玩游戏，识器官。幼儿喜欢关注自己的身体，给自己身体的各个部分起名字。问问孩子他的眼睛、鼻子和肚脐在哪儿，鼓励他指出这些地方。这不光是一堂简短的解剖课，还是教孩子正确的器官名称的机会。

做个解说员。日常活动中，例如帮孩子洗澡、换衣服的时候，请一边做一边介绍："现在我们换块新尿布""现在我们穿衣服"，等等。你自己穿衣服或是在屋子里做家务时，告诉孩子你正在做什么，就像讲故事一样。小家伙的耳朵可尖着呢，他正在发育的语言中心会处理每一个听到的词语。父母爱唠叨，孩子就更容易学会说话。

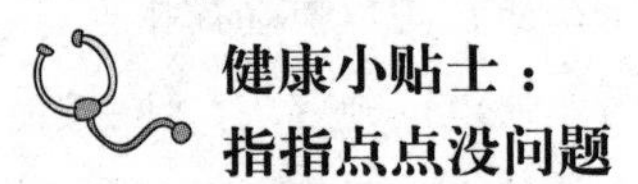

健康小贴士：指指点点没问题

如果孩子喜欢指指点点，别担心。许多说话晚的孩子会用指点和姿势来表达自己的需求。如果孩子指着饼干罐子咕哝"饼，饼"，请把他的需求说出来："告诉妈妈你想要什么！你想要饼干吗？"

"看着我，听我说。"教育孩子专心听你说话。让他把声音与嘴唇的动作、面部表情联系起来，这样有好处。

遵循 KISMIF 原则。简单点，有趣点（Keep It Simple，Make It Fun）。对待刚开始说话的孩子，多用夸张的短句，拉长元音，比如说"好——宝——宝！"让语言生动起来。说话的时候伴以夸张的面部表情，幼儿更容易学会。幼儿喜欢动作，比如说，挥手的同时告诉他"跟爷爷拜拜"。为了让孩子专心听你说话，请用唱歌的方式说话，关键词要夸张一下。

问问题。孩子喜欢较高的音调，提问的时候自然地升高音调，"苏茜想去外面玩吗？"同时鼓励孩子积极地回应。

多唱歌。比起说话来，唱歌能够更大程度地调动大脑里的语言中心。

171. 关节扭伤和骨折

每个孩子多多少少总会受点伤，扭到脚踝啦、膝盖啦，摔伤胳膊啦、腿啦。手指和脚趾常被撞伤、手肘和手腕也很容易受伤。在这种情况下我们主要关注两个问题：有无扭伤或骨折，是否需要照 X 光。弄清了这两个问题，再做出恰当的治疗。

扭伤是指某个关节处的一条或多条韧带过度拉伸或部分撕裂。韧带是一种坚韧的组织纤维，连接在两块骨头之间。比如说，踝关节韧带连接着腿骨下端和脚骨。如果脚踝过度弯扭，韧带就会受到拉伸，导致扭伤。如果整个韧带被撕裂，那叫韧带撕裂。如果运动员膝盖受伤导致韧带撕裂，本赛季他就无法继续参赛。

有一个误解十分普遍，人们经常认为骨折仅仅是指骨头部分破裂。事实上，骨头任何部位的任何损伤都叫骨折。骨折的严重程度不一，骨折越严重，康复所需的时间就越长。

如果孩子受了伤，你需要知道下面这些事。

踝关节受伤

显而易见，踝关节是孩子在童年期最容易受伤的关节，因为它是孩子用得最多的关节，还常常被滥用。医生不但能查出扭伤的部位，还能判断扭伤的严重程度。大部分儿童和青少年踝关节扭伤的原因是突然扭了脚或是过度拉伸踝关节韧带。有跑、跳、突然转向等动作的运动更容易造成踝关节扭伤，例如篮球和体操。

记录细节。作为孩子的家庭医生，你的责任是向儿科医生提供手写的受伤记录，写下你能想得起来的一切细节，例如：

- 孩子怎么受的伤。比如说，孩子是从攀爬架上跳下来受的伤，还是打篮球时受的伤？
- 你和孩子注意到的第一个症状。一旦发生踝关节扭伤，孩子立即会感到疼痛，然后出现肿胀、触痛感，常常还有淤青。
- 孩子如何描述受伤那一刻的感觉。如果年轻运动员表示，"扑"或"啪"地一下，然后立即出现疼痛，那可能意味着更严重的撕裂伤。
- 孩子受伤的脚能否活动自如。脚弯到某个特定位置时是否会痛？
- 哪里痛。指着整个脚踝画圈、用食指指着特定部位说痛，这两种情况的伤情可能有所区别。
- 是不是疼得站不起来。如果孩子拒绝，不要强迫他忍痛站起来。带他去看儿科医生，医生可以在诊所里做出评估。
- 受伤后到医生检查之前，疼痛是否有所好转或恶化。

这些线索能够帮助医生做出正确的诊断，制定正确的治疗方案。

去看医生。回顾完孩子受伤的经过（你已经写下来随身带着了，对吧？）之后，医生也许会先检查健康的那边脚踝，别吃惊。医生之所以这么做，有两个原因：先活动一下不痛的那只脚，安抚孩子的焦虑；了解孩子正常脚踝的解剖学结构，好跟受伤的那边比较。

然后，医生会检查受伤的脚踝，判断有无骨折的可能性。是否怀疑骨折、决定什么时候去照 X 光要看具体情况，本书中不作详细讨论。

你也许会注意到，无论孩子或青少年扭伤了哪儿的关节，医生都会十分严肃地看待。原因如下：每块骨头端部都有一片生长面，在 X 光下看起来就是骨头端部和骨干之间的一条线。这片区域会不断产生新的骨骼组织，所以孩子才会长高。和发育成熟的青少年及成人不同，儿童扭伤关节时，贴在生长面上的韧带可能会把生长面从骨头里“拉脱”出来。这种情况如果未能得到正确的诊治，受伤的生长面可能会失灵，干扰这块骨头的发育。所以医生可能会给孩子照个X光，或是让孩子去看矫形外科。除了韧带扭伤之外，还可能有一块或多块踝骨的端部发生骨折。

治疗。如果踝关节发生骨折，应该转矫形外科。治疗方法取决于骨折的类型和严重程度。对于踝关节扭伤，医生会列出治疗计划，目的在于：

- 消肿止痛
- 在合适的时间让孩子“重新站起来”
- 预防长期损伤干扰关节活动或发育

治疗方案基本是延续我们前面介绍的“RICE”守则：

- 休息。务必让孩子明白不能让受伤的脚踝承重，这很重要。可以从药房买或租一副拐杖。关节完全不承重的天数越多，损伤就愈合得越好。大约3天后可以允许孩子试试受伤的脚踝。如果不痛，那可以让他适当走一走，小心点儿。走长路时（例如去上学）请继续使用拐杖，直至孩子能够走很长的路也不痛为止。
- 最初3天内，请照上面介绍的方法继续冰敷。

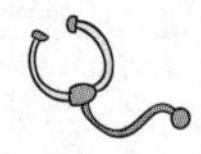

健康小贴士：RICE守则

身体任何部位出现扭伤或骨折，正确的急救能够极大地促进愈合。请遵循下列原则：

休息（Rest）：在医生评估之前，受伤的腿不应承重，受伤的手臂不应用力。48小时内受伤的骨头或关节不应承受任何压力，这能显著促进愈合。

冰敷（Ice）：用冰袋敷在伤处，最初几小时内敷15分钟休息15分钟，如此循环。冰敷不但能止痛消肿，还能让血管产生反射性扩张，于是血液中所有有利于愈合的天然营养物质能够更快到达伤处。在接下来的2～3天里，请继续冰敷（每天至少4次）或遵医嘱。

压紧（Compress）：可能的话，用Ace绷带包扎受伤的关节，减轻肿胀，不过不要包扎得太紧。包扎和冰敷能够最大限度地减轻疼痛和肿胀。

抬高（Elevate）：为了止痛消肿，孩子坐下、睡觉的时候应该让受伤的关节处于比心脏高的位置。睡觉时在脚踝下面垫个枕头会舒服很多。

- 用 Ace 绷带包扎踝关节。冰敷的时候可能需要解开绷带。
- 在最初的 2 ～ 3 天里，尽量抬高受伤的关节。
- 如无医嘱，请勿热敷，至少等待 24 小时且肿胀开始消退后才能热敷。热敷会加剧肿胀，不过消肿后再热敷能够促进血液循环，进而促进愈合。

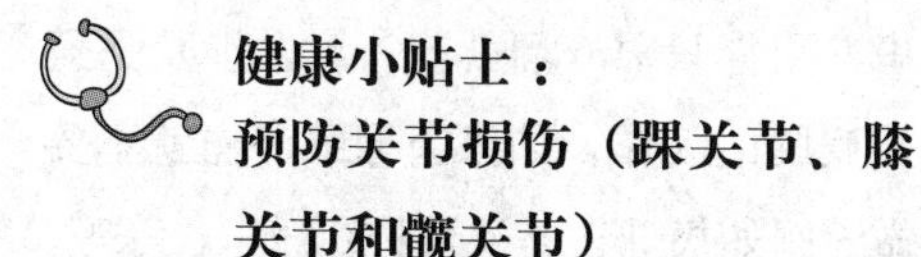

健康小贴士：预防关节损伤（踝关节、膝关节和髋关节）

鼓励孩子保持苗条。孩子超重得越多，这些关节受伤的可能性就越大。爬梯子或登山时，踝关节和膝关节承受的压力是平常站立姿势的 4 倍。

告诉孩子慢慢来。如果孩子正在尝试一项新运动，请提醒他不要急于求成，不要过度使用肌肉和关节。骨骼和肌肉要经过几周的训练才能变得更强壮，所以新运动起步阶段最容易出现扭伤和骨折。

别忘了恢复。你觉得什么时候孩子的关节最容易再次受伤？答案是：首次受伤后几周内。肌肉和骨骼的健康都遵循"用进废退"原则。为了促进愈合，孩子的关节会被固定一段时间，于是周围的肌肉会变弱。所以，孩子刚刚恢复活动的时候，肌肉和整个关节最容易再次受伤。

一旦医生同意孩子参加拉伸肌肉和关节的运动，请带孩子去游泳。游泳是关节损伤最理想的恢复方案，因为关节能够在不承受太多重量的情况下活动。

锁骨受伤

锁骨连接着胸骨和肩胛骨，它与手臂和肩膀的运动有关。如果难产，新生儿可能出现锁骨骨折；童年期和成人期的外伤也可能导致锁骨骨折。

症状。如果出现下列症状，宝宝出生时可能折断了锁骨：

- 移动手臂时痛得大哭（例如给宝宝穿衣服或翻身时）
- 受伤的那边胳膊不愿意动
- 医生按压时，骨折部位会轻微移动
- 受伤几天后，骨折部位出现葡萄大小的肿块（这是愈合期间软骨的正常增生）

儿童可能锁骨骨折的症状包括：

- 肩膀痛
- 手臂或肩膀活动困难
- 锁骨部位肿胀或瘀青

原因。各年龄组锁骨骨折的原因各异：

- 新生儿锁骨骨折一般是因为通过产道时受到挤压，尤其是难产儿。一般在新生儿常规检查时会被发现。
- 儿童和青少年锁骨骨折的原因通常是摔倒，尤其是摔倒时手臂伸开或是肩膀直接着地。
- 运动员锁骨骨折一般是因为冲撞、阻截或摔倒。年轻的橄榄球员经常锁骨骨折。

治疗。各年龄组的治疗方法并不相同：

- 新生儿。新生儿锁骨骨折并不罕见，所以很容易在检查时发现，医生一般不需要做 X 光来确诊。只要把宝宝的前臂水平固定在胸前就好，把宝宝的衣服下摆卷起来裹住前臂，安全地别在胸前。这样衣服就像宽松的吊索，把宝宝的手臂固定在一个舒服的位置，以便于接下来几周内伤口愈合。这种方法不是让你把宝宝的胳膊绑得很紧或是完全不能动。你应该每天让宝宝活动几次手臂，以防止它们僵硬。
- 儿童。如果怀疑儿童锁骨骨折，医生会给孩子照个 X 光以确诊。大部分情况下，只要固定一下手臂和肩膀就好。最常见的是“8”字交叉型固定带，包扎锁骨的绷带穿过腋下、绕过后颈，经过另一边锁骨再从腋下穿到背部。通常严重骨折才会用到这种绷带，例如骨头的一端刺破了皮肤，或是骨折处严重错位。在极罕见的情况下，锁骨骨折需要手术修复。

用夹板适当固定后，较大儿童的锁骨骨折一般会在 12 周内痊愈。更小的患儿可能只需 6 周就能痊愈，涉及手臂和肩膀的动作，如果会导致疼痛就不要做，例如扔球、提举重物、开车，等等。骨折点无痛的肿块可能会持续数月甚至数年。

牵拉肘（保姆肘）

牵拉肘或肘关节脱臼是幼儿最常见的肘关节损伤。请想象这样的场景：你牵着孩子的手走在繁忙的街道上，突然他发起了脾气，打算跑开。他朝外面挣扎，而你死死地拉住他的手。或者是你想保护他：孩子想朝大街上跑，但是他的手被你拽住了。

然后你注意到：孩子的这条胳膊不动了，手臂无力地垂下来，似乎很痛。孩子的肘关节很可能脱臼了。

信号和症状：

- 胳膊无力地垂下来。
- 孩子可能用另一只手握住受伤的手臂，就像用吊索把那条手臂托起来一样。
- 孩子不愿意动受伤的胳膊。
- 他可能会握住受伤的胳膊，让它微微弯曲、掌心向下。
- 可能会略微有痛感，不过肘关节不太可能出现肿胀或严重的触痛感。

为什么会出现牵拉肘。幼儿和学龄前儿童肘部连接上臂和前臂的韧带格外柔韧。快速拉拽前臂可能导致前臂的大骨头(桡骨)从肘关节中滑脱。随着孩子的成长，韧带的灵活性下降，所以7岁以上儿童不太会出现肘关节脱臼的情况。

怎么办。带孩子去看医生，医生能够轻松地将肘关节复位。在接下来几小时内，孩子有时候会乱动受伤的手肘，所以我们常常会用吊索将肘关节固定一

不要拉拽孩子的手臂，也不要抓着手臂提举孩子，提举时抓住孩子肩膀

手臂无力下垂、晃荡，这是牵拉肘的典型症状

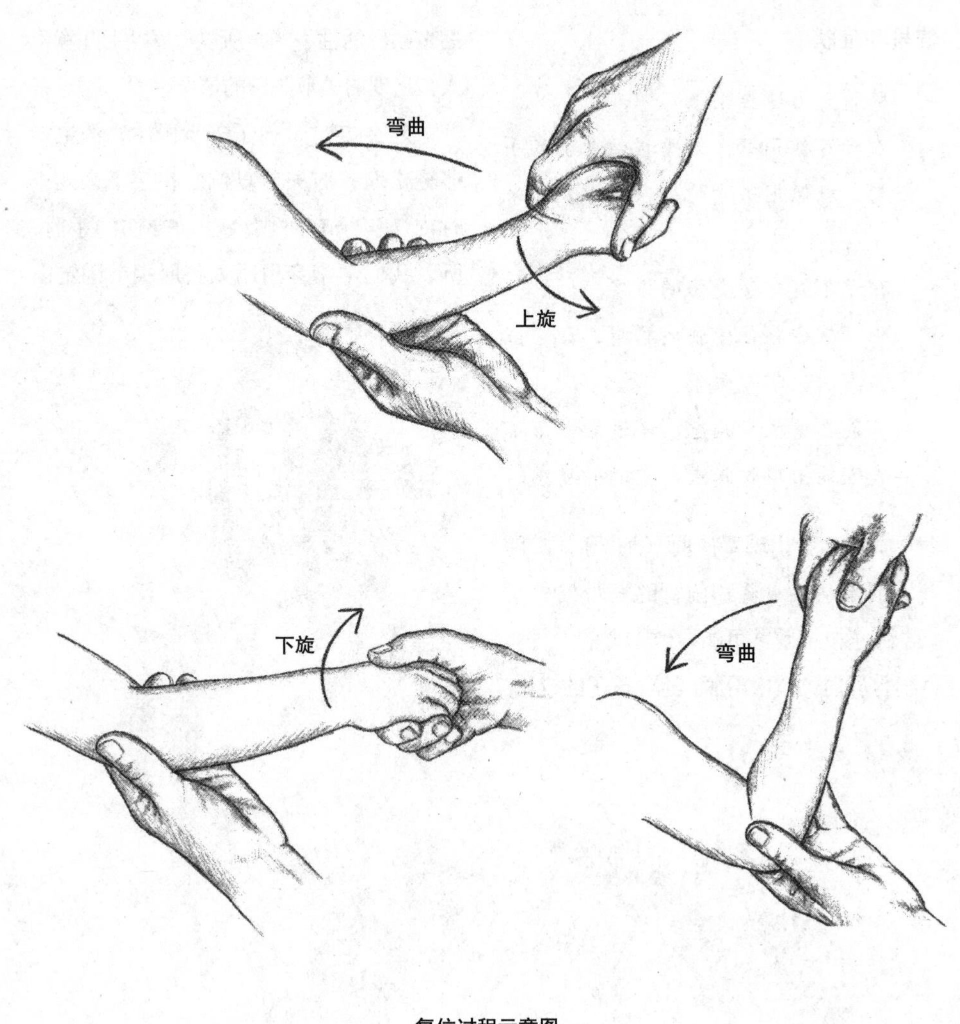

复位过程示意图

天，好让拉伤的韧带愈合。你也可以用孩子的上衣下摆裹住他的前臂，然后别在胸前，当做简易吊索。

如果孩子出现下列迹象，不要自行处理，须立刻就医：

- 根据孩子受伤时的情况判断，不太像是牵引肘（比如说既没有拉拽动作，孩子也没有摔倒）。
- 肘关节或腕关节周围剧烈疼痛、肿胀或触痛感严重。如果出现这种情况，孩子可能骨折了，需要专业的治疗。如果孩子用另一只手握住受伤的手臂，想调整到舒服的姿势，你可以先帮他自制一条简易吊索，然后再带他去看医生、照X光，以确诊。

健康小贴士：抱孩子的时候要小心

抱孩子的时候请务必从两边腋下抱住孩子的身体，并把这种方法教给其他照料孩子的人。永远不要抓着孩子的一条胳膊拽。

手指和脚趾受伤

手指和脚趾常被撞伤、挤伤、压伤。幸运的是，大部分情况都不需要看医生。下面我们介绍一些信息，帮助你采取最佳行动（指甲损伤见P421）。

骨折，还是扭伤？在实践中，除大拇指以外的其他四个指头受伤一般都不要紧。反正手指或脚趾骨折一般不需要夹板，所以你也不需要知道到底是不是骨折。首先，受伤当天请每小时冰敷约20分钟，然后把受伤的指头绑在旁边的指头上就好（详情见下文），接下来几周让它自己恢复。如果只过几天就感觉好些了，那很可能不是骨折。话虽如此，但某些指头损伤的确需要特制的夹板和矫形医生的细心照料，所以你最好带孩子去看医生，让医生帮助你决定是否需要照X光。如果出现下面的情况，那更需要看医生：

- 大拇指受伤。如果你觉得孩子的大拇指骨折（根据撞击的严重程度或疼痛、肿胀的程度），请去看医生。
- 指头弯折。如果受伤的手指或脚趾弯成了奇怪的角度（和另一只手或脚对比），那可能需要特别的治疗。
- 关节骨折。如果疼痛和肿胀在关节处格外严重，那也许需要照X光。某些关节骨折需要特别的治疗。
- 严重撕裂。如果你觉得孩子可能骨折，而且伤口比较大，请当天去看医生。因为这种外伤很容易感染。
- 无法弯曲。如果是轻微的骨折，孩子受伤的指头应该能够弯曲，哪怕可能会痛。如果无法弯曲，那可能意味着伤情较重。
- 运动员。如果孩子参加了某项运动或是特别活跃，随时可能再次受伤，那最好去照个X光。如果有骨折，医生可以用石膏固定，促进愈合，于是孩子能够更快地重返运动场；或者恢复期间孩子需要继续参加运动，石膏也可以保护受伤的指头。
- 受伤时指头被弯折或拉扯。有的骨折发生在指尖，例如接球时挫伤或是手指被运动衫缠住拉伤，这种情况的确需要特别的夹板才能让指头恢复良好。

治疗。如果手指或脚趾轻微骨折，伤情简单，那愈合可能需要几周时间，不过肯定能自愈，也不需要打石膏。买一些纸带，裹住受伤的指头，然后和左右两边的指头中较大的那个绑到一起，不过如果没有医嘱，请不要包扎大拇指。不要让孩子把指头完全伸直，而应该保持自然微弯的状态。每天要解开一次纸带，让孩子小心地屈伸一下受伤的指头，以免造成肌肉僵硬。

膝关节受伤

膝关节扭伤十分常见，一般只需要休息和冰敷就能痊愈，不需要任何特殊治疗。不过，父母可能很难弄清孩子到底是韧带拉伤还是撕裂伤，不去看医生也很难确定伤情是否严重。下面我们将介绍各种类型的膝关节损伤，并告诉你如何判断什么时候该去看医生。

膝关节扭伤。膝关节轻微扭转或过度拉伸都可能造成某条韧带（把膝关节处的骨头连接在一起的纤维组织）被轻微拉伸，导致扭伤。弯曲膝关节或试图站立时，受伤部位会有轻微的疼痛，其他症状包括触痛感和肿胀。孩子的膝关节应该能够自如地活动，行走时也只有轻度到中度的疼痛。立即进行适当治疗能够尽量减轻疼痛和肿胀，加速愈合。

最重要的治疗措施是立即遵循“RICE”守则：

- 休息。尽量别让受伤的膝关节受力。撑一天拐杖（如果有的话）或是在孩子走路的时候扶着他。受伤后24小时内完全不受力能够促进轻微扭伤的愈合。拖着扭伤的膝关节一瘸一拐行走会加剧疼痛和刺激，不利于愈合。
- 冰敷。冰敷整个膝关节20分钟，然后休息20分钟，如此循环，持续几个小时，接下来24小时减少到每小时冰敷20分钟（如果有可能的话，请继续敷20分钟休息20分钟）。
- 压紧。不冰敷的时候，用Ace绷带包扎膝关节。
- 抬高。坐着的时候尽量让孩子把腿抬起来，下面垫一个枕头。这能消肿、减轻炎症。
- 止痛药。布洛芬能够消肿、减轻炎症。

什么时候该担心。第二天扭伤应该有所好转，三四天应该就能痊愈。如果情况并非如此，那可能是比较严重的韧带损伤（见下文）。

韧带损伤。如果膝关节处有某条韧带过度拉伸、撕裂或完全断裂，那疼痛和肿胀会来得更为迅速，也更加严重。孩子会感觉膝盖不稳定，承重时可能觉得支撑不住。矫形医生仔细检查后一般能够区分扭伤和韧带损伤，不过还是需要做 MRI 来彻底确诊。

除了初步的 RICE 措施和布洛芬以外，孩子可能还需要：

- 佩戴几个星期或更长时间髌骨带。
- 做几个月理疗。
- 如果理疗无法修复韧带，那可能需要手术帮助恢复。

半月板或软骨撕裂。半月板是膝关节的缓冲组织，它让膝关节能够顺畅地活动。软骨是骨骼的摩擦面。如果这些组织受到损伤，初期可能不会有太多的疼痛和肿胀，但慢性疼痛会一直存在或反复发作，孩子会觉得膝关节老是“咯噔”响或者有摩擦感。MRI 能够查出撕裂的组织，治疗手段一般是手术。

髌骨骨折。如果孩子摔倒时直接磕在膝盖上，可能会出现这种罕见的损伤。疼痛十分剧烈，尤其是按压髌骨的时候。髌骨骨折能通过 X 光诊断，一般需要手术修复。

腕关节受伤

腕关节受伤在儿童中十分常见，因为孩子向前摔倒时承受冲击的常常是手腕。重要的是判断腕关节损伤到底是扭伤还是骨折。如果不加适当治疗，受伤的关节以后可能会出问题。

腕关节扭伤。摔倒或事故可能导致腕关节扭伤——肌腱或韧带受伤。这些结构连接着肌肉和骨头，受伤后它们可能会发炎、肿胀、疼痛。扭伤的线索如下：

- 孩子抱怨受伤部位整片疼痛。
- 你也许会注意到受伤部位周围肿了起来。
- 孩子活动腕关节时疼痛可能加剧。

腕关节扭伤可能要过几周才能痊愈。不要让孩子的手腕承受过大的压力，因为可能会延长愈合时间。扭伤通常不需要看医生，但是如果你有怀疑，请在下次诊所开门时，带孩子去看医生。

健康小贴士：扭伤 Vs 骨折

某个点有触痛感可能意味着骨折，应该照个 X 光看看。如果孩子一直指着同一个地方说痛，而且你按压的时候孩子会哀号，那很可能是骨折。如果孩子的描述比较模糊，指着某个地方画圈但没有明确的点，你无法确定疼痛的具体位置，那么更可能是扭伤。如果有怀疑，请让儿科医生检查。

手腕骨折。好动的儿童和青少年常常摔得很重，造成手腕骨折。滑板、滑雪或者任何摔倒着地时需要用双手支撑的运动都可能造成手腕骨折。如果发生事故，你怀疑孩子的手腕骨折，应该当天请儿科医生或急诊医生评估。如果不及时诊治，可能造成永久性的手腕残疾或活动不便。

在宝宝生命最开始的那几年，他手上的腕骨很细,所以一般不会骨折。但是，随着腕骨的生长发育,它越来越容易受伤。如果摔倒时用双手撑地，前臂的两根骨头(桡骨和尺骨)很容易骨折。如果发生骨折，孩子一般会抱怨手腕剧痛肿胀。

健康小贴士：
骨折可能会让骨头变短

臂骨靠近手腕的这头有生长面，这些特殊的骨组织细胞会迅速分裂增殖，骨头因此变长。如果生长面受损，骨骼的生长可能受到影响。你会注意到医生“叩击”生长面所在的位置，检查是否有疼痛肿胀。

骨折带来的疼痛通常在某个点最为严重，与此相对，拉伤和扭伤引起的疼痛比较分散。儿科医生会检查孩子的手腕，判断是否需要照 X 光勘察骨折。

治疗包括给手腕打石膏或绑束带，持续 4 ~ 6 周，目的是固定手腕，促进骨头愈合。

健康小贴士：
准备好迎接肿块

骨折痊愈几个月后，如果你发现孩子曾经受伤的部位出现肿块，别惊讶也别紧张，这是正常的愈合过程，骨头正在重新成型。

172. 链球菌性喉炎

链球菌性喉炎是 A 群链球菌引起的喉部感染。链球菌有很多种，但是只有这一种会引发链球菌性喉炎。链球菌性喉炎是最常见的喉部细菌感染，多见于 5 ~ 15 岁儿童，更小的年龄组中远没有那么常见。

链球菌通过接触传播，通常的媒介是唾液或鼻部分泌物。这些细菌在人群亲密接触的地方很容易扩散，例如家庭和教室。哪怕只是接触了带菌者打喷嚏或咳嗽时从呼吸道里喷出的小液滴也很容易被传染。与带菌者握手是另一种常见的传染途径。

症状

链球菌性喉炎有时候很难与其他

类型的喉部感染区分开来。喉咙痛大部分是病毒感染引起，抗生素无法治疗。只有儿科医生才能准确判断孩子得的到底是不是链球菌性喉炎。

链球菌性喉炎患儿可能出现以下某种或全部症状：

- 喉咙痛
- 吞咽困难
- 扁桃体和喉咙发红肿胀
- 扁桃体和喉咙处有白斑
- “草莓舌”：味蕾发炎变红
- 颈部淋巴结肿大，有触痛感
- 头痛
- 发烧
- 打寒战
- 食欲减退、作呕
- 腹痛
- 皮疹
- 肌肉疼痛
- 关节僵硬
- 鼻塞
- 颈痛

患者接触细菌后 2 ～ 5 天开始出现症状，这种链球菌的潜伏期比大多数细菌短，而且一般来势汹汹，第一个症状常常是发烧。从上面这张长长的单子里你应该能看出来，诊断链球菌性喉炎有时候颇为困难。症状的严重程度区别也很大，有的人症状十分轻微甚至完全没有，而有的人可能十分严重，于是诊断变得更加困难。

怎么办

如果怀疑孩子患了链球菌性喉炎，或是孩子亲密接触过已经确诊的患儿，立即带他去看医生。看医生之前，尽量不要让孩子接触其他儿童。儿科医生会询问接触史并检查孩子的喉咙，有时候他一眼就能看出“明显的链球菌性喉炎”。诊所里可以做链球菌快速检测，医生用棉签取喉部样品，然后进行检测。这大约要花 5 分钟时间，准确性为 95% 左右。不过，某些情况下快速检测可能查不出链球菌，如果检测结果呈阴性，还应进行样本培养。医生会用另一根棉签取喉部样品进行专门的培养，如果有链球菌存在，它会生长。样本培养要 48 个小时，这是最准确的检测方法。如果培养结果呈阴性，那么基本上可以完全排除链球菌性喉炎的患病可能。

治疗

如果确诊是链球菌性喉炎，应该采用抗生素治疗，哪怕孩子看起来似乎在好转。链球菌引起的喉咙痛一般自己会好转，但是仍需抗生素治疗，原因如下：

- 症状改善后孩子仍有传染性。如果使用抗生素治疗，那么用药后 24

小时～48小时就不会传染了。如果不用药，传染期最长可达21天。

- 用药之后症状会更快好转。
- 预防并发症，详情见下文。

产生抗药性的细菌越来越多，所以链球菌有时候对药效比较轻微的普通抗生素没有反应。如果孩子在2～3天内没有改善，请联系医生。

健康小贴士：
用完整个疗程！

抗生素要用完整个疗程，这非常重要。如果太快停止治疗，哪怕孩子感觉好些了，病情也可能复发。

除了正确使用抗生素以外，下列措施也能促进康复：

- 确保孩子摄入足够的水分，预防脱水。
- 有一些清淡的汤和茶专门针对链球菌性喉炎设计，这些东西也能安抚疼痛的喉咙。
- 用盐水漱喉能辅助止痛。
- 布洛芬能辅助止痛消炎，还能退烧。

如果孩子仍在发烧或者仍有传染性，不要把他送回学校。链球菌性喉炎患儿开始治疗多长时间后（24小时或48小时）才能返校，各学校有不同的政策，请咨询学校负责人。记住，开始抗生素疗程的同时也要给孩子补充益生菌。

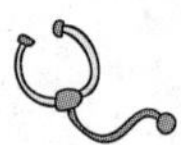

健康小贴士：
远离刺激性食物

如果孩子得了链球菌性喉炎，不要给他喝酸性饮料，包括橙汁、柠檬汽水、葡萄果汁和其他可能刺激喉咙的饮料。

并发症

如果不加治疗，链球菌性喉炎可能引发下列并发症。

脓肿。喉部感染偶尔会扩散到周围的颈部组织，导致颈部出现有传染性的大片肿胀，这叫扁桃体周脓肿。脖子旁边会冒出来一个大肿块，孩子可能出现吞咽困难甚至呼吸困难。这种情况需要立即去诊所或急诊室评估，并静脉注射抗生素。

风湿热。极罕见的情况下，链球菌会进入血液，流入心脏，在某片心脏瓣膜上安营扎寨。细菌会在瓣膜上形成小型感染，干扰心脏功能。症状包括胸痛气短、发烧不退。如果确知患有链球菌性喉炎的人出现这些症状，请立即去急诊室进行积极的静脉抗生素治疗。

肾小球肾炎。这个听起来很高深的词儿意思是说肾脏发炎。这种情况实际上不是肾脏被链球菌感染，而是免疫系统产生抗体对抗链球菌，但这些抗体同时误伤了肾脏，导致肾脏暂时性停止工作。尿血（红色或可乐色）是肾小球肾炎的信号之一，可能需要住院治疗。

猩红热。这并不是真正的链球菌性喉炎并发症，只是免疫系统对细菌产生的一种类似过敏的反应，导致患者全身出现凹凸不平的红色丘疹。实际上，猩红热并没有链球菌性喉炎危险，虽然孩子可能感觉病情加重了。这种皮疹无法治疗，只能用抗生素对抗感染。

预防

要预防链球菌性喉炎，教育孩子保持良好的个人卫生习惯很重要。勤洗手是个好法子，尤其是学校里已经爆发了链球菌性喉炎。告诉孩子咳嗽或擤鼻涕时捂住嘴巴，然后要洗手。如果孩子得了链球菌性喉炎，请把他的餐具、牙刷与家里其他人的分开放置。

如果孩子的病似乎好得太快了，那家里可能有人携带链球菌。携带者没有任何症状，但他的喉咙里藏着链球菌，他还会把病菌传染给别人。用抗生素治疗携带者能够彻底清除细菌，打破反复感染的循环。在偶然情况下，孩子年复一年反复罹患链球菌性喉炎，那可能需要切除扁桃体。

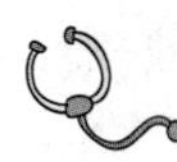

健康小贴士：
扔掉旧牙刷！

如果孩子得了链球菌性喉炎，请给他买一把新牙刷，吃两天抗生素后换掉旧的牙刷。如果不换，细菌会藏在刷毛里，抗生素疗程结束之后孩子可能再次感染此疾病。

173. 口吃

刚开始说话的孩子常常说得不太流利，这很正常。孩子学说话的时候常常会犹豫不决或是重复同样的词语和音节，例如："我—我—我想……"，"妈妈什—什—什么时候……回家……""可—可—可以给我吃块饼干吗？"他们换词或者改变思路时常常使用含混的音节，这叫作填充音，如"呃""啊""唔"。而且，孩子有些时候特别容易口吃，例如紧张、疲累、激动、焦虑、急着说话、谈论新话题或复杂话题、感觉回答问题有压力的时候。某些比较难的发音尤其容易造成口吃，例如"L"。年幼的语言学习者常常不知道自己说的"不对"。小朋友喜欢实验各种发音和顺序，这很正常。

什么时候该担心

如果出现下面的线索，那么孩子也许不光是正常的阶段性口吃，可能需要言语治疗：

- 孩子显得不太喜欢开口说话，例如眨眼、摆头、避开眼神接触。
- 口吃出现6个月后仍无改善。孩子说话越来越困难，第一个音节总会重复3次以上："西—西—西……小猫。"
- 某个词卡住的时候，孩子常会把正常的元音换成"啊"，如"砸—砸—砸……自行车"或"嘛—嘛—嘛……猫"。

健康小贴士：别给孩子太大压力

最重要的言语治疗建议：先让孩子能够轻松自如地开口说话，然后再考虑说的是否正确。

怎么办

记录言语日志。如果你注意到6个月内孩子逐步改善，说话越来越流利，那么更可能是正常的阶段性口吃，不需要专门治疗。请寻找孩子说话紧张的诱因。孩子口吃时是否疲累、焦虑、紧张、匆忙或者说话对象是陌生人？情绪紧张，舌头也会紧张。如果情况并非如此，孩子在其他时候也会口吃，而且6个月都没有改善，请考虑言语治疗。

让说话变得有趣一点。如上所述，先让孩子觉得说话是件轻松自如的事，然后再专注于正确地说话，这很重要。年幼的语言学习者不会注意到自己说的"不对"，他只是喜欢实验各种声音和顺序。请让他自由地实验，不要挑剔他、给他压力。此外，不要让他注意到自己"口吃"或是"说得不对"。

看着眼睛说话。教孩子一边说话一边自如地使用身体语言。如果说话时孩子心不在焉，请叫她的名字，告诉她："萨利，看着我的眼睛，听我说。"

专心倾听。如果聆听者认为孩子说的东西很重要，孩子就能说得更清晰。

健康小贴士：讲故事促进言语发展

谈到喜欢的话题时，孩子说话更流利。邀请孩子给你讲讲他喜欢的东西，让他知道他说的东西很有趣，你喜欢听他的故事。再强调一次，不要挑剔他说的对不对。

耐心倾听。孩子着急的时候更容易口吃。如果孩子说到某句话开始打结，请

忽略。保持惯常的专注和眼神交流，耐心等待他说完。此外，请忍住自己的冲动，不要替孩子说完那句话，也不要催他。让他自己尝试不同的发音，犯几个错误。

言语发展是机会教育。不要纠正孩子的发音，你只要自己重复一遍正确发音就好，让孩子自己听到应该怎么说。说得慢一点、清晰一点，给孩子机会，让他模仿你的言语模式。你可以用更温柔的方式纠正孩子，恰到好处地告诉他慢一点或者再跟我说一遍。

什么时候带孩子去看言语治疗师

如果孩子说话越来越不自在，最好早点寻求帮助。你希望孩子进入学校的时候能够自如地说话、交流，因为口吃的孩子可能成为被嘲弄的对象。如果出现下列情况，请带孩子去看言语治疗师：

- 孩子的年龄已超过 3 岁，但根据你的言语日志，6 个月内他没有任何进步。
- 你觉得孩子说话越来越不自在。

有执照的言语治疗师会告诉你孩子到底是处在正常的口吃阶段还是真的有问题。他还会提供建议，告诉你如何在家帮助孩子，并为你提供一些有趣的说话游戏。最后，训练有素的言语治疗师还能发现干扰孩子正常言语能力的结构性问题，例如舌系带过紧（见 P533）或舌头前顶。他会教孩子如何正确地使用舌头。

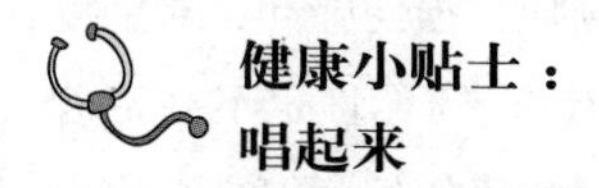

健康小贴士：唱起来

唱歌是一种有趣的言语治疗。唱歌能教会孩子如何正确地使用舌头和声带肌肉。唱歌既有趣又轻松，孩子可以尽情地拖长元音和其他音节。比起言语治疗课程来，孩子也更喜欢上"唱歌课"吧？

174. 婴儿猝死综合征（SIDS）

宝宝在睡梦中突然死去却无法解释，每位父母脑海深处都萦绕着这样的恐惧。虽然我们仍不知道这一悲剧的确切原因，但至少现在的家长不用像从前那样无助。新研究表明，父母可以采取一些措施减少自己的忧虑、降低宝宝猝死的风险。下面我们介绍已被证明能降低 SIDS 风险的三种方法：

请勿在宝宝周围吸烟，无论是宝宝出生前还是出生后。在孕妇或是宝宝待的房间里吸烟是 SIDS 最显著的风险因素之一——妈妈完全可以避免这种风险。暴露在香烟烟雾中会让 SIDS 的风险翻倍。试想一下，你正要带着宝宝走进一个房间，然后你注意到一块牌子，上面写着："警告！本房间中的有毒气体含有约4000种化学物质，其中某些化学物会导致癌症、损伤肺部，对宝宝的呼吸道尤其有害。"你肯定不会带着宝宝进去。但是如果妈妈频繁带着宝宝进入有人吸烟的房间，那情况恰恰就和上面的描述一样。吸烟还会干扰天然的母性，吸烟的母亲催乳素水平较低。催乳素不但能够调节母亲乳汁的分泌，还能增加妈妈对宝宝健康的警惕性。

让宝宝仰躺着睡觉，不要趴着睡。过去十年来，"仰躺睡觉"运动将SIDS的发病率降低了50%。1995年，SIDS的发病率是1/1000，而2005年这个数字降低到1/2000。研究表明，仰躺睡觉的宝宝比趴着睡觉的宝宝更容易唤醒，这是宝宝天生的保护性机制。宝宝趴着睡觉的时候，头可能陷进床垫里，周围形成一个"气泡"，宝宝只能反复吸入自己呼出来的空气，得不到足够的氧气。仰躺时宝宝的呼吸最顺畅。

母乳喂养。2007年，美国医疗保健研究与质量局出版了一份报告，报告中分析了9000项关于母乳喂养与幼儿健康的研究。他们的结论之一是：母乳喂养的宝宝死于SIDS的风险比其他方式喂养的宝宝低36%。从理论上说，母乳喂养能够降低SIDS风险，原因是母乳中含有促进大脑发育的物质，或者说"成长因子"，这些物质也许能促进神经系统的发育，尤其是呼吸控制中心的发育。母乳对宝宝的气道更有益，因为它不含过敏源。母乳喂养的宝宝更容易从睡眠中被唤醒，而且母乳似乎还能促进呼吸及吞咽的协调性。

怎么办

基于上述原因，请尽量让宝宝仰躺睡觉。虽然仰躺睡觉能降低约一半的SIDS风险，但这只是统计学上的相关性，并不能据此认为你的宝宝趴着睡觉就更容易出现SIDS。有的SIDS研究者相信，晚上宝宝会自然而然地采取最舒服的睡觉姿势，让睡眠和呼吸达到最佳状态。也许这就是某些宝宝晚上扭来扭去、不断翻身的原因。对于某些宝宝来说，仰躺睡觉会让胃酸反流进入食道，于是他们会在夜间痛苦地惊醒。如果你家宝宝拒绝仰躺睡觉，那你也许应该请健康服务提供者检查一下，宝宝可能有GERD（见P347）。

了解更多

想进一步了解如何预防SIDS，请阅读威廉·西尔斯作品《SIDS：婴儿猝死综合征预防指南》（*SIDS: A Parent's Guide to Understanding and Preventing Sudden Infant Death Syndrome*）。

婴儿仰躺楔怎么样？美国儿科学会（AAP）和 SIDS 组织不推荐使用楔子或支撑垫迫使宝宝仰躺睡觉。从未有任何证据表明这些东西能够安全或有效地降低 SIDS 风险。

175. 晒伤

家长和孩子应该遵循我们在 P033 介绍的防晒措施，但不可避免的是，孩子一年到头总会晒伤几次。如果孩子晒伤，你应该做这些事：

严重晒伤，起了水疱：这是二级烧烫伤（见 P210，“烧烫伤”）。处方烫伤膏也许会有帮助。

如果孩子的皮肤发红、疼痛，但没有起水疱：

- 可以用浸透凉水的毛巾加压冷敷。如果是躯干部位晒伤，可以把 T 恤放到凉水中浸湿再给孩子穿。
- 涂抹芦荟凝胶，安抚、软化皮肤，预防脱皮。
- 吃两三天布洛芬，每天两次，可以止痛并减轻红肿。
- 保证孩子摄入足够的水分。晒伤、剥落的皮肤会变干，每千克体重每天至少喝 56.7 毫升水。

健康小贴士：
儿童太阳镜

孩子在最需要戴太阳镜的年龄常常不愿意戴它。实际上，幼儿和儿童的眼睛被太阳灼伤的风险更高，因为他们的瞳孔相对较大，于是进入眼睛的破坏性紫外线更多。过多的紫外线会带来“氧化”，也就是破坏视网膜和眼睛里的其他组织，增加孩子成年后出现白内障和黄斑退化的风险。孩子长到十多岁以后，眼睛的“镜片”就能过滤掉更多破坏性的紫外线。

为小眼睛挑选合适的太阳镜。眼科医生推荐带有“阻挡 99% 的紫外线”或“符合美国国家标准协会要求”标志的眼镜。除此以外，请不要购买玩具太阳镜，尤其是很暗的那种。玩具太阳镜可能比阳光更有害，因为瞳孔不得不放大，从而允许更多的紫外线进入眼睛。如果孩子拒绝佩戴太阳镜，你自己戴个时髦的，他肯定想跟着戴。其他保护眼睛的措施还有教育孩子永远不要直视太阳、让他养成戴帽子（棒球帽或其他遮阳帽）的习惯。

---

176. 游泳性耳炎（外耳炎）

游泳性耳炎是耳道内壁感染，也叫外耳炎，相对于发生在鼓膜后的中耳感染（见 P291，中耳炎）。耳道内壁中的腺体会正常分泌保护性的蜡质层，既能防水又能防酸，同时阻挡入侵的微生物。游泳或潜水时，水会进入耳道，冲走保护层，为细菌提供温暖潮湿的成长环境。温水或被污染的湖水更容易让孩子罹患游泳性耳炎，因为比起冷水或是用氯消过毒的水，这样的水含有更多的微生物。

症状

如果孩子出现下列症状，那可能是游泳性耳炎：

- 游泳后不久耳朵发痒或疼痛。
- 游泳 1 ～ 2 天后耳朵开始痛，然后迅速恶化。
- 耳道里流出臭臭的液体，看起来就像鼻涕一样。

试试西尔斯医生的拉耳垂测试法：拉一拉耳垂，或是按压耳道口的那块小软骨——这会压迫发炎的耳道。如果孩子畏缩或是抱怨很痛，那很可能是游泳性中耳炎。

如何区分外耳炎和中耳炎。中耳感染一般出现在感冒症状之后，或是伴有感冒症状，例如流鼻涕、眼部渗液和低烧。夜间孩子躺下时中耳痛常常会加剧，拉耳垂一般不会痛。如果中耳感染的发炎液体冲破鼓膜进入耳道，有时候会出现继发性的耳道感染。在这种情况下，你也许会看到耳道里有液体流出，但孩子反而“感觉好些了”，因为鼓膜已经破裂，减轻了中耳的压力（见 P291 介绍中耳炎的相关章节）。

预防

不用给孩子配耳塞或是棉球，因为通常没什么效果。耳塞和棉球不但会漏水，还会把堵塞的耳垢推进耳道深处。下列措施能够有效预防游泳性耳炎：

- 不要让孩子在被污染的水中游泳。
- 不要让孩子把脑袋钻进热浴缸的水里，这样很容易发生外耳炎。
- 向孩子示范，游泳后如何向一边歪头摇晃，让耳朵里的水流出来。孩子歪头时可以上下拉扯耳朵让耳道变直，好让水流出来。
- 用食指和拇指将一小片棉纸搓成条，伸进耳道里 1 厘米左右，吸收残余水分。
- 把电吹风调到最低档，在十几厘米外对着耳朵吹 30 秒，烘干耳道。

孩子游完泳以后，立即采取下列家庭预防措施，这个法子我们已经实践了几十年：

每次游泳后请用白醋溶液清洗耳道。以1 ：1的比例将白醋和水配制成溶液。醋含有醋酸，它能够杀灭细菌，恢复耳道里抑制细菌生长的酸性环境。让孩子躺下来，然后轻轻拉一拉他的耳朵，让耳道变直。用滴管向耳道内滴入至少 5 滴白醋溶液，停留几分钟后再清理干净。另一只耳朵遵循同样的步骤。

如果白醋未能预防感染，你可以换成白醋和医用酒精的 1 ∶ 1 溶液，效果可能更好。你也可以去药店购买预防游泳性耳炎的滴耳液。

治疗

最好的“治疗”是采用上述措施预防感染。但如果孩子真的得了游泳性中耳炎：

- 每天四次用白醋及水溶液清理耳道。这时候不要加入医用酒精——刺激性太强。
- 如果疼痛持续不退（尤其是在疼痛恶化的情况下），或者你发现孩子耳朵里流出黏稠的恶臭液体，请去看医生，孩子可能需要处方抗生素滴耳液、止痛滴耳液或可的松滴耳液来消肿止痛、治疗感染。
- 对乙酰氨基酚或布洛芬能够帮助止痛。
- 最好让孩子这几天不要游泳，直至感染开始消退。

177. 出牙

对小宝宝和父母来说，出牙可能是最无害的挑战，却十分烦人。宝宝好几周都很烦躁，晚上也经常惊醒，全家不得安宁。我们见过许多这样的情况：宝宝烦躁不安、流口水、抓耳朵，父母把他送到诊所来，担心宝宝生了病。我们也找不到宝宝有哪儿不对劲，最后归结为出牙痛，父母松了一口气的同时又有些埋怨，因为宝宝“耍”了他们，害大家白跑一趟。

健康小贴士：
出牙还是耳部感染？

大多数宝宝出牙时会拉扯耳朵，这是为了缓解头痛和下巴痛。不过宝宝耳部感染时也会抓耳朵。白跑一趟诊所的原因中，出牙痛高居榜首。它和耳部感染的区别如下：如果是耳部感染，宝宝还会出现感冒症状（鼻塞、咳嗽），常常发烧超过 38.3 摄氏度。如果宝宝拉扯耳朵却没有感冒症状，那很可能只是出牙。

症状

第一颗牙通常要到 6 个月才会冒出来，但宝宝可能在三四个月时开始出牙痛，接下来两年内，出牙痛还会不断反复。症状包括：

- 过度流涎

- 喜欢咀嚼、啃咬
- 晚上更加频繁地惊醒
- 能看见牙龈肿胀
- 没有其他明显原因的烦躁
- 低烧（低于 38.3 摄氏度）
- 大便松散
- 口水在喉咙里积聚，引起咳嗽

治疗

下面介绍我们最喜欢的久经考验的疗法：

来点儿冷的。冻过的出牙嚼环、冰冻香蕉、冰冻湿毛巾、放在婴儿袜里的冰块或者冰冷的金属勺子，这些物品能够麻醉疼痛的牙龈，而且随处都能找到。

药物。对乙酰氨基酚和布洛芬能够有效抑制出牙痛，但不应过度使用。我们推荐父母把这些药留到大家都没法睡觉的晚上使用，连续服用不得超过 7 晚。

出牙凝胶或药水。你可以把这些东西揉进宝宝的牙龈里。我们不推荐麻醉凝胶。虽然麻醉凝胶的效果很好，但它会麻醉整个口腔和舌头，可能会让宝宝更难受。药店和健康食品店里也有天然的出牙药，里面含有丁香油、天然甘草精、甘菊和顺势疗法颠茄等成分，非常安全有效。

178. 睾丸疼痛和肿胀

阴囊、睾丸疼痛或肿胀会让男孩和父母担心不已，完全可以理解。这些问题背后有几种原因，有的需要立即医治，有的不需要。下面我们将介绍儿童和青少年睾丸疼痛肿胀最常见的原因。有一点很重要：如果男孩抱怨阴囊或睾丸疼痛，请立即去医院检查。

附睾炎

附睾直接连接着睾丸，左右两边都有。附睾炎就是附睾发炎，最常见于 15 ～ 30 岁年龄组，偶尔也会有年纪更小的患者。青少年和年轻成人附睾发炎最常见的原因是性传播疾病（STD），一般是衣原体或淋病。儿童附睾炎的病原通常是细菌，例如大肠杆菌，它还会造成膀胱感染。年龄较小的患儿膀胱或尿道可能有潜藏的结构性异常。医生会给孩子做尿检，查明是哪种细菌引起的感染。

症状。附睾炎最常见的症状是阴囊疼痛和肿胀逐渐加剧。患者排尿时可能有疼痛或灼烧感，出现尿频或是突如其来的异常尿急。还可能发烧、打寒颤、尿道有分泌物。症状的严重程度不一，有的男孩症状可能很轻微，甚至完全没有。

治疗。儿科医生会全面检查孩子

的阴囊、睾丸和阴茎，再做个尿检。如果不能确诊，医生可能会做进一步的影像检查。可能需要做超声波，尤其是较小的儿童，目的是排除睾丸扭转的可能性（见P525）。超声波一般能够显示出附睾炎的证据。一旦确诊，医生会开抗生素。此外，如果疼痛十分严重，医生可能还会要求孩子卧床休息，同时支撑、抬高阴囊以缓解症状。可能还会用冰袋和抗炎药，例如布洛芬。较罕见的情况下，附睾炎可能复发。最好咨询泌尿科医生并进一步检查膀胱、输尿管和尿道有无结构性异常。

腹股沟疝

男性胎儿发育期间，睾丸位于腹腔内。胎儿在子宫内发育，睾丸会和精索一起穿过腹腔壁上的开口，顺着一条特殊的管子下降到阴囊里。大多数情况下，这个过程在分娩前完成。后来，睾丸向阴囊移动时穿过的那个洞口附近可能出现薄弱点，导致腹股沟斜疝。一部分小肠可能穿过薄弱点，沿着同一条路掉进阴囊，导致阴囊逐渐肿大；这种情况在成年男子中更为常见，不过儿童也可能出现疝气。

什么时候该担心。疝气通常发展得很慢，基本无痛。父母和孩子常常一无所知，直到儿科医生在常规检查中发现疝气。疝气没被发现的时间越长，就会变得越明显，因为进入阴囊的肠子越来越多。很多人多年来一直患有疝气，却一直没什么问题，因为肠子一般会被推回腹腔里。如果肠子被卡在阴囊里，就会出现并发症，医生称之为绞窄性疝，需要立即手术。疝气引起的疼痛常常是绞窄性疝的信号。一旦出现疼痛，应该立即去看医生，并进行手术评估。

医生会做什么。常规检查或运动检查中，医生会检查孩子的阴茎和睾丸，还会让他“咳两声”，这就是在检查疝气。疝气常常很早就在常规检查中被发现，病人甚至都不知道自己有疝气。医生会小心检查，确认疝气能够“还原”，就是说掉下来的肠子能够轻松地推回腹腔壁里。如果疝气十分轻微、易于还原，医生常常会让你等等看。不过他也可能为孩子预约一次手术会诊。什么情况需要手术矫正，什么情况只需要密切监视，这个问题尚有很大争议。如果手术成功，病情一般不会恶化也不会出现绞窄性疝。当然，如上所述，疝气一旦出现疼痛就应立即进行手术评估。

阴囊积水

阴囊积水最常见于新生儿。胎儿发育期间，睾丸最初位于腹腔壁内，然后通过一条特别的管子下降到阴囊里。到宝宝出生的时候，这条通路一般已经闭合，但在偶然情况下，通路未能完全闭合,腹腔里的液体可能从这里漏进阴囊,导致男性婴儿阴囊肿胀。父母常常会担心,但实际上阴囊肿胀一般不会引发任何痛楚。进行新生儿常规检查时,儿科医生会排除其他严重问题的可能性。阴囊积水看起来可能像是疝气,但是摸起来是软的,也没法把肿块推回去,而且在“灯光测试”下呈阳性结果:医生轻轻将微型手电压在肿块上,如果是阴囊积水,肿块会变亮,而疝气是不透光的。

治疗。随着那条管道逐渐闭合,阴囊里的液体会慢慢被身体吸收,阴囊积水一般会在几个月内自行消退。几个月后仍未消退的情况比较罕见,如果出现这种情况,孩子罹患腹股沟疝的风险会升高。如果管道仍未闭合、肿胀恶化或出现疝气,可能需要手术矫正。不过,绝大部分阴囊积水能够自愈。

睾丸炎

睾丸炎是指不牵涉阴囊内其他组织的睾丸发炎。流行性腮腺炎病毒感染引起的继发性睾丸炎最为常见。自从腮腺炎疫苗列入常规疫苗,睾丸炎的发病率也大幅下降。还有几种病毒与睾丸炎有关,细菌感染也可能导致睾丸炎,但现在睾丸炎已经不太常见了。

症状。症状类似附睾炎,阴囊疼痛肿胀逐渐加剧,可能伴有尿痛、尿频。患者可能还会出现流行性腮腺炎症状,包括发烧、肌肉疼痛、全身不适。睾丸炎通常在感染流行性腮腺炎几天后出现。流行性腮腺炎的症状因人而异,有的患者可能症状十分轻微甚至完全没有。大约有 20% ~ 40% 的流行性腮腺炎患儿会出现睾丸炎(详见 P419,“流行性腮腺炎”)。

治疗。儿科医生会检查孩子的阴囊和睾丸,了解过往病史。如果怀疑是流行性腮腺炎,医生可能会验血以确认。如果不能确诊,可能需要请泌尿科医生进一步检查。如果是病毒引起的睾丸炎,治疗措施主要是卧床休息、垫高阴囊、冰敷、抗炎。几乎所有的睾丸炎都能彻底痊愈,但如果是流行性腮腺炎引起的继发性睾丸炎,大约 7% ~ 13% 的男性患者可能不育。细菌引起的睾丸炎需要抗生素治疗。

睾丸癌

虽然十分罕见,但 15 ~ 34 岁的男性的确有可能罹患睾丸癌。睾丸癌的症状之一是阴囊突发性肿胀或积水,睾丸可能还会疼痛,也许还能摸到睾丸上有肿块或增生。通过全面的检查和进一步的研究(例如超声波),儿科医生能够排除睾丸癌的可能性。详情请咨询医生。

阴囊肿胀或睾丸疼痛应该立即由儿科医生评估。虽然大部分时候都不用担心,但也有可能发生严重的并发症。如果孩子出现这样的情况，立即去看医生。

睾丸扭转

这种情况比较罕见，但是需要立即联系医生。精索连接着睾丸，负责为睾丸输送血液。睾丸自由地悬挂在阴囊内，所以可能发生扭转。一旦出现睾丸扭转，可能会切断睾丸的血液供应，最终导致睾丸组织死亡或受损，可能造成不育。

症状。诊断的线索如下：

- 阴囊或睾丸突然开始疼痛，且持续不退，通常出现在运动后或腹股沟部位受伤后。
- 受影响的阴囊上方肿胀、有触痛感、变红或变青。
- 恶心呕吐。
- 孩子走路时会痛。
- 孩子受到影响的那条腿蜷缩起来。
- 扭转的睾丸向上收缩。

如果腹股沟区域受伤，初期的睾丸扭转可能很难与阴囊疼痛肿胀区分开来。如果是后者，疼痛和肿胀会逐渐缓解，而睾丸扭转则不会缓解。如果有所怀疑，可以请外科医生进行检查。

医生会做什么。儿科医生会仔细检查睾丸和阴囊。如果高度怀疑睾丸扭转，需要立即进行手术评估，因为拖延可能导致睾丸坏死。等待手术评估时，医生可能会用超声波检查阴囊，评估流向睾丸的血液是否充足。如果确诊为睾丸扭转，应该立即手术，手术时间最好在疼痛开始后 6 小时内。外科医生会解开扭转的精索，通常还会进行睾丸固定术，也就是固定睾丸、防止扭转复发。较罕见的情况下，受影响的睾丸可能因缺血而坏死，必须切除；但不太可能导致不育，因为男性只有一个睾丸也能生育。扭转的精索也许会自行解开，无需手术，但如果出现这种情况，请密切跟踪观察，可能还需要再做一次超声波，确认血液供应正常。

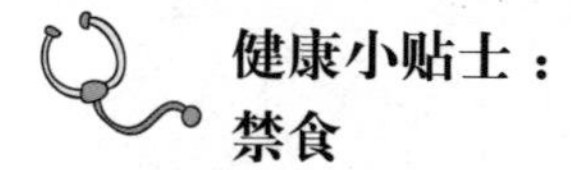

健康小贴士：禁食

睾丸扭转的孩子可能痛得什么都不想吃，不过就算想吃也不能给他吃——因为要准备手术。

附睾扭转

附睾是指每个睾丸上方连接的结构性组织，它是婴儿期发育的残留物，没有任何功能。附睾很容易发生扭转，也是儿童阴囊疼痛的常见原因。附睾扭转最常见于 6 ～ 13 岁男孩。

症状。最常见的症状是阴囊疼痛，这种疼痛一般没有睾丸扭转那么迅猛，偶然情况下疼痛也可能迅速恶化。疼痛程度不一，从轻微到严重都有。其他常见症状包括触痛感、肿胀、恶心、发烧。通过这些症状，常常可以区分出附睾扭转和更为严重的睾丸扭转（见 P525）。

治疗。儿科医生会全面检查阴囊、睾丸和阴茎，根据检查结果决定是否应该进一步探查。通常需要做超声波以排除睾丸扭转的可能性。一旦确诊附睾扭转，治疗措施主要是止痛，包括冰敷、减少活动、支撑阴囊。抗炎药也能缓解部分疼痛。较罕见的情况下，疼痛可能十分剧烈，需要手术切除附睾。附睾扭转引起的疼痛通常会在一周内消退，偶尔可能持续几周。

睾丸损伤

显然，外伤也会导致阴囊和睾丸疼痛肿胀。任何男人都可以作证，睾丸外伤会在短时间内带来巨大的痛楚。根据外伤的严重程度，疼痛可能很快消失，也可能持续几分钟。

治疗。用袜子装上碎冰放到孩子的内裤或护具里，帮助止痛消肿。在这段时间内，你要密切观察，确认孩子疼痛的症状是否有所缓解。如果疼痛持续一小时以上或肿胀加剧，需要请医生来检查评估（见 P525，“睾丸扭转”）。

精索静脉曲张

这种情况也可能导致阴囊肿胀。阴囊积水是因为腹腔液体进入阴囊，而精索静脉曲张是因为阴囊里的血管扩张。阴囊的血液供应系统十分精密，内含大量血管。这些血管里有单向的瓣膜，能够防止血液倒流回心脏。如果这些瓣膜出了问题，血液就可能滞留在阴囊的血管里，导致血管扩张。成人腿部出现静脉曲张也是同样的道理。

精索静脉曲张一般会引发无痛的阴囊肿胀，最常见于 15 ~ 25 岁男性，一般会出现在左边。在诊所里，我们见过许多罹患精索静脉曲张的年轻男子，他们觉得自己的睾丸长了肿块，担心是睾丸癌。如果孩子的睾丸周围出现增生或是你怀疑有增生，请去看医生。医生会检查确认孩子的症状到底是因为精索静脉曲张，还是有其他更严重的病因。如果物理检查后不能确诊，医生会用超声波检查睾丸。

治疗。如果精索静脉曲张不严重，患者没有其他症状，医生会让你等等看。但是，如果肿胀持续恶化或是患者出现其他症状，例如感觉不适，那可能需要手术修复。

179. 喉部感染

孩子常常抱怨喉咙痛。这种情况一般不是喉咙本身被感染，而是普通的流感、感冒、咳嗽或病毒性疾病引起的喉咙痛。但是，有时候的确会发生喉部感染。下面我们将指导你诊治喉咙痛和喉部感染。

原因

普通病毒。喉咙痛的原因常常是感冒和流感病毒。喉咙本身不一定会发红，但喉咙痛可能相当严重。

感染喉咙的特殊病毒。有的病毒会瞄准喉咙进攻，导致孩子的淋巴结肿大、扁桃体肿胀、喉咙发红疼痛，还常常会出现病毒性溃疡。这些病毒中，柯萨奇病毒是最常见的一种，它还会在口腔中引发病毒性溃疡，患者的手足处长出小水疱，这叫手足口病（见 P415）。

链球菌性喉炎。这是典型的细菌性喉部感染。症状常常是腭部出现暗红色斑点、扁桃体红肿流出白色液体、淋巴结肿大。重要的是使用抗生素治疗以防并发症。

扁桃体炎。除了链球菌以外，有时候其他细菌也会影响扁桃体，导致扁桃体红肿，流出白色液体。扁桃体炎也可使用抗生素治疗。

过敏。过敏可能导致某些儿童喉咙疼痛，可能还会发痒。如果孩子的喉咙慢性疼痛却没有其他症状，那可能是过敏（见 P134）。

喉炎。原因通常是声带和喉咙被病毒感染（“声音嘶哑”详见 P382）。

什么时候去看医生

孩子抱怨喉咙痛，父母和医生主要得搞清楚是不是链球菌性喉炎在作怪。因为如果不加治疗，链球菌可能扩散到心脏和肾脏，导致严重的并发症。幸运的是，这种情况相当罕见。你可以安全地等待一两天，等到诊所开门再带孩子去看病。其他细菌引起的喉咙痛一般不需要治疗。

链球菌性喉炎。如果出现下列症状，应该去看医生：

- 孩子的主要症状是喉咙痛。
- 喉咙发红，尤其是腭部出现血红色斑点。
- 味蕾可能发炎、变成暗红色，舌头看起来像草莓一样。
- 扁桃体明显化脓。
- 有头痛和腹痛症状。
- 吞咽时疼痛会加剧。
- 孩子 3 岁以上。3 岁以下的孩子很少会得链球菌性喉炎。
- 季节是深秋或冬天，这段时间链球菌性喉炎比较常见。
- 发烧。虽然发烧也可能意味着病毒性感染，但是如果没发烧，那孩子感染链球菌性喉炎的概率较小。

如果医生怀疑孩子得了链球菌性喉炎，可以用棉签擦拭孩子的喉咙进行化验。诊治详见 P512。

病毒性喉咙痛。如果孩子出现下列症状，那可能是病毒感染，不需要去看医生。

- 看不到喉咙发红，也没有化脓。
- 出现其他病毒性症状，例如咳嗽、流鼻涕、腹泻。
- 没有发烧。
- 口腔或喉咙处出现白色溃疡。
- 咳嗽时疼得更厉害，但吞咽没有问题。
- 早上疼得比较厉害，之后会缓解，喝水也能缓解。

如果你拿不准，或者担心，那最好去看医生。

健康小贴士：
早上喉咙痛

非链球菌引起的喉咙痛通常在早上更严重，之后会有所缓解。如果孩子醒来时觉得喉咙痛，请给他喝点水，照常安排日常生活，然后再看看他感觉如何。如果是链球菌性喉炎，症状不会好转；如果是病毒感染或者干脆不是感染，正常的日常活动开始后孩子通常会减少对疼痛的抱怨。

治疗

无论是病毒感染还是细菌感染，一般都需要止痛。下列方法能够有效安抚孩子的疼痛：

- 使用对乙酰氨基酚或布洛芬之类的止痛药。如果孩子疼得厉害，请两种药换着吃。
- 用温盐水漱喉（大一些的孩子）是个好办法，能够暂时缓解痛楚。0.5 ～ 1 匙盐兑 226.8 毫升水。
- 润喉糖和麻醉喷雾也有帮助。

180. 甲状腺问题

甲状腺位于颈部前方，它分泌的激素会帮助我们调节新陈代谢。如果甲状腺无法分泌足够的激素，就会出现甲状腺功能减退（甲减）。儿童基本不可能出现甲状腺激素分泌过多，也就是甲状腺功能亢进（甲亢）。

原因

最常见的一种甲减（桥本甲状腺炎）大部分发生在成年人身上。不过，儿童和青少年也可能出现这种情况。人们认为桥本甲状腺炎的原因是身体自身免疫系统攻击了甲状腺，这一过程的具体原因和过程我们尚不清楚，不过，病毒性疾病与桥本甲状腺炎的发展有关。

在这种情况下，甲状腺分泌的激素会减少。成人及儿童甲减还可能是这几种相对罕见的原因：

- 手术切除甲状腺
- 甲状腺遭受辐射
- 炎症

有一种罕见的先天性缺陷，叫做先天性甲状腺功能减退症，发病率约为1/4000。谢天谢地，现在美国大部分州在新生儿常规检查中会筛查这种缺陷。

症状

症状包括：

- 疲劳
- 虚弱
- 怕冷
- 增重
- 抑郁
- 便秘
- 指甲比较脆
- 头发比较脆
- 关节或肌肉疼痛
- 女性月经不调
- 言语含糊
- 极度嗜睡
- 脱发
- 发育迟缓

患者可能出现以上某种或全部症状。

治疗

如果医生怀疑甲减，他会通过血检测量孩子体内的甲状腺激素水平。如果患者确诊为甲减，一般只需要每天服用甲状腺激素药进行矫正。医生很可能会先开比较小的剂量，然后逐渐增大剂量，直至达到合适的水平。患者可能需要终身服药。

181. 蜱叮咬

蜱是一种昆虫，生活在高草丛、灌木较多的田野和树林里。蜱落到人的皮肤上以后会向身体潮湿、温暖的部位转移，例如头发、腋下或腹股沟处，然后蜱会贴在皮肤上吸血。蜱虫大小不一，有的小得看不见，有的大得像图钉。

大部分蜱虫不携带疾病。但是有几种疾病会通过蜱叮咬传播，包括：

- 莱姆病
- 科罗拉多蜱热
- 落基山斑疹热
- 野兔病（兔热病）

移除蜱虫的最佳方法

如果你发现孩子身上有蜱虫，而且附近有医疗机构，请让专业人士移除蜱虫。但是，如果你们在野外，无法得到医疗援助，最好先采用我们介绍移除蜱虫的方法：

(1) 用镊子或你的指甲捏住蜱虫的头部或口部。
(2) 缓慢而稳定地直接拔出蜱虫。
(3) 检查确保没有残余的肢体留在皮肤里，例如蜱虫的头或口器。
(4) 用肥皂和水彻底清洗蜱虫叮咬的部位。
(5) 密切监测孩子有无病状。

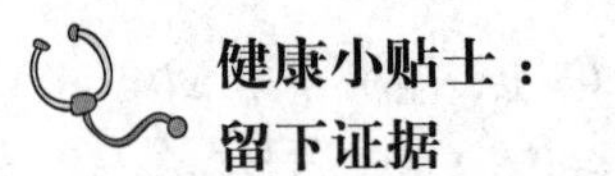

健康小贴士：
留下证据

移除蜱虫后，把它放到一个密封的罐子里保存几周。原因有二：首先，这样可以检查蜱虫的身体，确保没有残肢留在孩子的皮肤里；第二，如果孩子染上了蜱虫传播的疾病，应该让医生知道是哪种蜱虫叮咬了孩子。

不要用这些方法移除蜱虫：

- 用火柴或打火机去烧。
- 用酒精、油或凡士林闷死蜱虫。
- 拔出蜱虫的时候用力拧。

蜱虫传染的疾病症状

孩子被蜱虫叮咬后，如果感染了疾病，他通常会在 1 ～ 3 周内出现症状。请警惕下列线索：

- 发烧
- 头痛
- 颈部僵硬
- 肌肉或关节痛
- 淋巴结肿大
- 虚弱
- 类流感症状
- 被叮咬的地方出现靶子似的圆形皮疹，并向外扩散
- 身上出现斑点
- 麻痹或肌肉无力
- 心悸
- 胸痛
- 呼吸困难

健康小贴士：
勤检查，防蜱虫

孩子在可能遭受蜱叮咬的地区度假时，请经常检查，预防蜱虫。仔细查看孩子的衣服和皮肤上是否有蜱虫，一天结束时或是回家后，全家人都应该脱下衣服，检查全身，尤其要注意头皮、腋下、腹股沟处。

如果孩子被蜱虫叮咬后出现以上某种或全部症状，请立即寻求医疗救助。如果能够及时发现，蜱虫传染的疾病能够得到有效治愈。

预防蜱叮咬

在可能隐藏蜱虫的地方走动时，请务必让孩子穿上长衣长裤，戴上帽子。上衣扎进裤子，裤脚塞进袜子，防止蜱虫沿着腿往上爬。鼓励孩子穿浅色衣服，这样更容易发现蜱虫。在衣服上喷洒驱蜱剂。

182. 嵌甲

脚趾甲也有成长痛。如果你得过嵌甲，你就知道那真的很痛，而且真的很难摆脱。

大部分嵌甲发生在大脚趾处。偶然情况下，大脚趾的趾甲会嵌进肉里，趾甲外缘向内生长，嵌入皮肤。随着时间推移，这可能会破坏正常的皮肤屏障，于是这里的皮肤就失去了预防感染的能力。细菌侵入皮下的软组织，嵌甲处会慢慢发炎，如果不加治疗，感染常常会恶化，导致脓肿或感染扩散，引起蜂窝组织炎。脚趾嵌甲症状包括趾甲边缘发红、疼痛和肿胀。

治疗

嵌甲的治疗取决于病情的严重程度：

- 每天数次用泻盐兑上温水浸泡嵌甲的脚趾。
- 每次浸泡后涂抹非处方抗生素软膏。
- 给孩子穿敞口凉鞋。
- 儿科医生可能会尝试轻轻抬起脚趾甲边缘，避免嵌甲恶化。他可能还会建议你在家也这么做。
- 有必要的话，医生可能会开口服抗生素。
- 如果上述方法不足以治疗嵌甲，医生可能会切除部分趾甲。首先给脚趾打一针麻醉剂，避免疼痛；如果操作得当，手术过程中患者感觉不到什么疼痛，甚至完全不痛。然后，医生会用钳子将趾甲从甲床上剥开并用剪刀剪掉一部分。剩余的趾甲可能会脱落，也可能不会。不过别担心，它还会再长出来的！这种方法几乎能够确保嵌甲不再复发。

预防

- 不要买太紧的鞋子，也不要让孩子穿太小的鞋子。
- 不要穿挤压脚趾的鞋，例如高跟鞋和礼服鞋。脚趾长期被挤压在狭窄的空间里容易引发嵌甲。
- 在保证安全的前提下，鼓励孩子尽量多穿敞口凉鞋。
- 如果你注意到孩子的趾甲边缘出现内嵌，或者他开始抱怨趾甲疼痛、发红或有触痛感，最好用指甲锉小心地轻轻抬高趾甲边缘，每天 1 ～ 2 次。这也许能够剥离正在开始内嵌的趾甲，防止情况恶化。不过，只有在感染不太严重的时候才能采用这种方法。如果你不敢或是不愿意操作，可以请儿科医生帮忙。

健康小贴士：
趾甲剪成方头，别剪成圆头

养成修剪脚趾甲的正确习惯，尤其是大脚趾，这十分重要。不要把大脚趾的趾甲剪成月牙形，而应该从这头平着剪到另一头，这样不容易发生嵌甲。如果把趾甲边缘剪成弧形，趾甲更容易继续向下生长，导致嵌甲。

183. 踮脚走路

踮脚走路通常是暂时性小毛病，很多孩子在 1 ～ 2 岁时会经历踮脚走路的阶段，这十分正常。初学走路的孩子喜欢实验以各种方式站立、行走、奔跑，所以他们也会试着踮脚走路。一旦孩子发现这样站立和走路不舒服，他们就会慢慢地把脚跟放下来。

原因

踮脚走路主要有三个原因：

- 大部分孩子踮脚走路只是因为好奇和幼稚，无需任何干预他们也会走过这个阶段。
- 有的孩子是因为跟腱过紧，可能需要拉伸（见下文）。
- 较罕见的情况下，踮脚走路可能是某些发育性问题的征兆，孩子还会出现其他发育延迟的信号。

什么时候该担心

记录日志。记录孩子踮脚走路的频率、频率是否有变化。

如果孩子的情况如下，那你就不用担心：

- 孩子不是一直踮脚走路，有时候他的步态完全正常。
- 睡觉或躺在地板上休息时，孩子的脚没有指向前方。
- 你能够轻松地上下屈伸孩子的小脚，不用花太大力气。

如果孩子出现了下列症状，请去看医生：

- 孩子整天都踮着脚走路，看起来就像芭蕾舞演员一样。
- 哪怕是休息或睡觉的时候，孩子的小脚仍保持向前弯曲的姿势。
- 你用力屈伸孩子的跟腱和小腿肌肉时，觉得太紧。

医生可能会做什么

儿科医生会做三件事：

- 观察孩子走路。
- 弯一弯他的小脚，看看跟腱是否正常，再看看孩子是否能够放下脚跟平着站立。
- 评估孩子的整体发育水平、肌肉状态和协调性，有必要的话请医生提供进一步的帮助和测试。

如果跟腱或小腿肌肉过紧，医生可能会把孩子转去理疗科，让理疗师向你演示拉伸跟腱的方法，你就能在家给孩子做。将孩子的脚向小腿正面弯曲，每天约 10 次。你可以一边做一边唱歌，像是在玩游戏而非治疗。你还可以把这个步骤加入换尿布的流程。对于大一些的孩子，可让他面朝墙壁，前倾靠在墙壁上，同时脚板紧贴地面，膝盖向墙那边弯曲，以作为康复训练。

184. 舌系带过紧

舌系带过紧（又叫舌粘连）在儿童中十分常见。一条带状组织（舌系带）连接着舌头背面和口腔底部。在胎儿发育过程中，舌系带会逐渐向舌头根部后退。出生后,宝宝短短的舌头开始变长，从而拉伸系带。有时候，系带仍连接在舌尖上。大多数情况下，舌系带过紧不会引发问题，它会随孩子的成长而逐渐自我矫正。可是有时候，舌系带过紧会让母乳喂养的婴儿难以吮吸乳汁，以后还可能影响孩子说话。

信号和症状

如果出现下列信号，孩子可能舌系带过紧：

舌头呈心形。请注意我们所称的“心形信号”。宝宝哭泣或是张大嘴巴时，请观察舌系带是否紧紧贴在口腔前部，导致舌头变成心形，粘连的部位看起来就像是红心顶上的月牙。如果出现心形信号，第一次检查时请告诉医生，或者越快越好。

下一步，观察舌系带的紧度和厚度。有时候舌头看起来似乎有些粘连，但系带只是一层薄膜，这样的情况不用太担心，因为孩子通常能够自我矫正。但是，如果系带看起来很厚，即使你把手指伸到舌头下面也没法把舌头抬起来，那就需要多加注意。正常情况下，宝宝微笑、大笑、放松时，舌尖能够盖住下牙龈；如果舌尖没法伸出来舔到嘴唇，而且舌尖形成一个凹槽，那可能就是舌系带过紧。

你还可以观察孩子有无“驼背舌”。如果舌根处向上凸起，而舌尖处仍贴着口腔底部，那也可能是舌系带过紧。

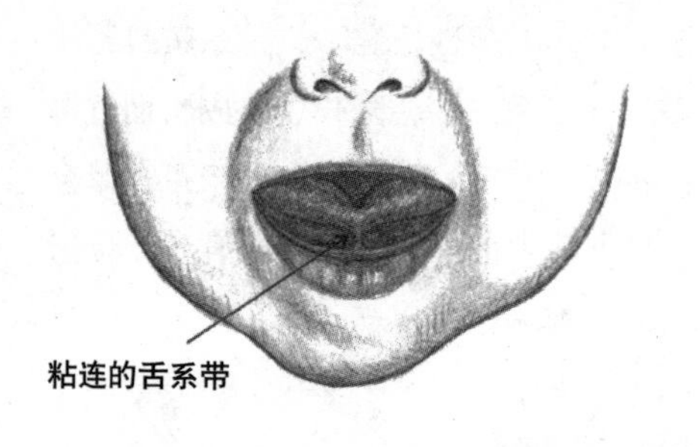
粘连的舌系带

宝宝出现吮吸问题。宝宝出生后不久，你就发现他吃奶的技术不好，而你的乳头开始疼痛，乳汁供应不足，宝宝增重不足，这可能意味着宝宝的舌系带过紧，他没法贴紧乳房吸出足够的乳汁。另外，舌系带过紧的宝宝不得不用更大的力气吮吸，所以他们更容易疲累。这样的宝宝吃奶时可能经常会从乳房上“掉下来”。正如拉·莱希联盟说的：“吮吸母乳主要靠舌头。”

健康小贴士：怀疑就查清楚

对于如何对待舌系带过紧，儿科医生分为两派：一派主张“等等看”，另一派主张“剪开就好”。我们属于“剪开派”，因为在35年的医疗实践中，我们看到过许多因为舌系带过紧引起的哺乳问题，而且很多宝宝没法自我矫正。10秒钟的手术就能让宝宝享受到高质量的母乳，可能还能帮助宝宝更好地说话。

幼儿说话困难。如果两三岁的孩子吐字越来越不清晰，而且孩子的舌系带看起来还是有点紧，医生可能会把孩子转去言语治疗师那里，让专业人士分析孩子正常说话时舌头的运动情况。如果问题的确是舌系带过紧，孩子应该会被转去耳鼻喉科剪开系带。

医生能做什么

舌系带过紧听起来似乎挺严重，但实际上只是小事一件。我（比尔医生）记得有一位母亲开了好几个小时的车来到我们的诊所，就是为了咨询孩子舌系带过紧的问题；她的医生做出了正确的诊断，不过那位医生想把宝宝转去耳鼻喉科，看起来像是“孩子需要住院以剪开舌系带”！这位聪明的母亲想听听别人的意见。后来我检查了一下宝宝，同意那位医生的诊断（但是我觉得没必要转科）。宝宝张大嘴巴的时候，我用纱布迅速抓住他的舌尖（如果嘴巴张得够大，那可能没必要抓住舌头），一秒钟就把舌系带给“咔嚓”了。这个过程完全无痛，也没有流血。我还记得那位母亲惊讶地问道：“就这么简单？”是的，就这么简单。手术之后，效果立竿见影，宝宝可以立即叼住乳房寻求抚慰，妈妈也会感觉到宝宝的吮吸技术好多了。有时候，剪开舌系带会流几滴血，但血很快会止住，不会给宝宝带来麻烦。我们相信，对新生儿来说，无法得到足够的乳汁或是必须很用力才能吃到奶比剪开舌系带难受多了。

早点剪开舌系带还能带来一些好处。在最初的一个月左右，舌系带一般是很薄的肉膜，里面没有太多血管，所以更容易被剪开，给宝宝带来的干扰也比较少。拖的时间越长，薄膜肌肉化越严重，于是手术变得更为困难，创面也更大。如果你等了几个月或一年，舌系带增厚、血管增多，手术就会变得更加复杂，需要缝合或烧灼止血。

舌系带过紧可能是幼儿期早期最被低估、最少得到治疗的问题。如果宝宝会说话，他没准会说："把那东西拿开！这样我才能好好吃奶，好好说话！"

很久以前，传统的做法是不去理会舌系带过紧，让它自己松开。这种保守的方法曾盛行一时，直至母乳喂养卷土重来，因为舌系带过紧不会影响用奶瓶吃奶的宝宝。现在，母乳喂养的女性比以前多，于是了解舌系带过紧的医生也更多了。

185. 扁桃体和增殖腺增大

扁桃体和增殖腺的重要性长期以来饱受争议。这两者都是淋巴组织，负责制造对抗感染的血细胞和促进免疫力的物质（它们的位置也具有战略意义，扁桃体和增殖腺位于喉咙和气道周围，大部分微生物都是通过这里进入人体的），医生认为它们能够帮助儿童击退微生物，所以，如果扁桃体和增殖腺没有危害孩子的健康，就不应该切除。扁桃体的大小和弹子球差不多，位于喉咙两侧，孩子张大嘴时你常常能够看到它们。增殖腺位于扁桃体上方、悬雍垂(上腭后方垂下来的一小片组织）后方。增殖腺一般要用专门的光源才能看见。它位于鼻腔后方，所以一旦增殖体肿胀，孩子很难通过鼻子呼吸。而如果扁桃体肿大,孩子会出现吞咽困难。一般而言，感染期间扁桃体和增殖腺都会肿胀。

孩子 6 岁之前，扁桃体和增殖腺会逐渐增大，然后再逐渐缩小。扁桃体和增殖腺最大、最烦人的时候，也就是孩子最容易发生上呼吸道感染的时候——学龄前的那段时间。

健康小贴士：
了解孩子的扁桃体

请熟悉孩子扁桃体正常时候的大小。让他抬头看天花板，张大嘴巴，说"啊"或"呃"，至少持续 5 秒钟，与此同时你观察他的扁桃体。

应该切除扁桃体或淋巴结吗？

要判断孩子是否需要做扁桃体切

除术或淋巴结切除术，主要是看它们是否影响孩子：

- 进食
- 睡眠
- 发育

父母如何帮助医生决断。在这样的时刻，父母的日志会大放异彩。请记录以下信息：

- 增大的腺体是否影响孩子的睡眠？如果影响，有多严重？
- 孩子有吞咽困难吗？
- 孩子是否频繁出现严重的扁桃体感染？
- 孩子进行抗生素治疗的频率有多高？
- 孩子频繁出现耳部感染吗？肿胀的增殖腺会阻挡咽鼓管的正常排液，这根小管子连接着中耳和喉咙，于是感冒期间中耳内的液体和黏液会通过它流出来。
- 感染是否严重影响孩子的成长发育？孩子缺课吗？胃口不好吗？

阅读日志的时候，儿科医生或耳鼻喉专科医生会做出两个判断：扁桃体和淋巴结是否严重干扰孩子；情况有所恶化、好转，还是保持没变。

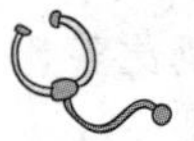

健康小贴士：
睡眠问题——切除腺体！

如果孩子出现阻塞性睡眠呼吸暂停（OSA），那么扁桃体或增殖腺必须切除。OSA 详见 P485。

186. 扁桃体炎

扁桃体是阻挡微生物进入喉咙的第一道防线，所以它很容易感染，尤其是在童年期早期。

症状

扁桃体炎的线索包括：

- 孩子睡觉时突然出现呼吸杂音和鼾声，睡不安稳
- 孩子抱怨喉咙痛
- 吞咽困难
- 声音嘶哑、带喉音
- 发烧和全身不适
- 下颌骨下方出现肿块，有触痛感
- 扁桃体红肿，覆有一层厚厚的白色黏膜
- 口臭

医生会做什么

孩子的扁桃体红肿化脓，伴有发

烧、颈部淋巴结肿大，医生不用想也知道是什么病，这些症状综合起来几乎可以肯定是细菌性扁桃体炎。如果孩子的病情看起来相当严重，通常必须进行为期 10 天的抗生素治疗。如果孩子的感觉不是太糟糕、扁桃体肿得不太厉害，脓液也不多，那可能是没那么严重的病毒性喉咙痛（见 P526），医生可能会建议等等看。如果医生怀疑是链球菌引起的扁桃体炎（腭上有暗红点，出现“草莓舌”，见 P513），他可能会用棉签取喉部样品进行化验；要是其他家庭成员或密友也出现了类似症状，医生就知道这是感染了链球菌，然后会及时给予治疗。

扁桃体炎有个麻烦：它可能是单病毒引起的，完全与细菌无关。单病毒感染可能同扁桃体发炎一样，伴有发烧、颈部淋巴结肿大症状。如果出现下列五种症状，那孩子更可能是单病毒感染，而非细菌性扁桃体炎：

- 扁桃体完全被脓液覆盖，这几乎可以肯定是单病毒。如果是细菌性扁桃体炎，脓液的分布会呈分散的斑块状。
- 腋下或腹股沟部位也有淋巴结肿大。
- 肋骨下方、腹腔左边能摸到脾脏增大。
- 孩子出现轻微的红色斑疹。
- 孩子对抗生素出现过敏反应。如果医生给孩子开了治疗细菌性扁桃体炎的阿莫西林或阿莫西林克拉维酸钾（安灭菌），单病毒会与抗生素反应，导致孩子全身出现红色丘疹或斑疹，类似过敏。如果发生这种情况，医生应该验血检查是否单病毒感染，不要光给孩子贴上“阿莫西林过敏”或“安灭菌过敏”的标签，然后再换一种抗生素。

健康小贴士：临床症状

孩子的表现比喉咙的症状更值得重视。发高烧的时候，孩子很可能会病恹恹的，烧退了又重新活跃起来，这是个好兆头。医生需要你提供的信息，才能判断孩子的整体情况到底是好转还是恶化了。

你能做什么

除了医生开的药以外，你还可以采取这些家庭疗法对付喉咙痛和扁桃体炎：

- 给孩子吃无刺激性、比较软的东西，缓解吞咽带来的疼痛。
- 试试“喝着吃”奶昔等食品。为了避免发烧引起脱水，请务必为孩子补充足够的液体。

- 孩子常常爱喝家里烧的汤，比如妈妈的招牌鸡汤。

187. 扁桃体结石

有一天，你看了看孩子的喉咙，发现扁桃体或是扁桃体和喉咙后壁之间的皮层下面，长了个豌豆大小的白色肿块。孩子抱怨喉咙不舒服，同时你注意到他有点口臭。你看到的白色肿块叫作扁桃体结石。

扁桃体结石是汇集到喉咙后面的各种废物（死皮细胞、后鼻滴液等）堆积而成的。身体会把这些垃圾搜集起来，整整齐齐地放进一个小白球里。这些石头就在扁桃体的犄角旮旯里定居了下来。

如何判断

扁桃体结石的线索如下：

- 口臭
- 孩子抱怨吞咽时不舒服
- 孩子抱怨“喉咙里有东西”

怎么办

不需要冲到电话旁边打给儿科医生，你可以等到方便的时候再预约一下。扁桃体结石的形成时间很长，通常来源于久拖不愈的鼻窦感染或徘徊不去的感冒产生的后鼻滴液。预防扁桃体结石的最佳方法是：

- 预防和治疗后鼻滴液
- 对于大一些的孩子，每天清洁牙齿时用盐水漱漱喉，刮一刮舌头根部

如果采取上述保健措施，有时候扁桃体结石会慢慢消失；但是，如果结石给孩子带来了困扰，你可以请儿科医生或耳鼻喉科医生将它取出来。医生会在喉咙处喷一些局部麻醉喷雾，然后用钳子取出结石。如果孩子非常合作，连局部麻醉都不需要，我们在诊所里这样操作过很多次。看到钳子末端的小石头，医患双方的感觉通常都不错，而且孩子的表现会立刻好转。我们还会问孩子要不要把这块臭烘烘的小白石头放进剪贴簿里，父母通常都会谢绝！

188. 斜颈

斜颈（意思是颈部扭曲）的原因是胸锁乳突肌（SCM）痉挛，这块大肌肉起自颅骨耳后，经过颈侧，止于锁骨和胸骨之间的关节处。它是颈部倾斜、转动的主肌肉。

信号

医生在宝宝最初几次检查时就能发现他是否是斜颈，不过父母也要警惕下列信号，如果出现就告诉医生：

- 如果某侧肌肉过紧，宝宝的头会一直向这边肩膀歪。
- 宝宝喜欢朝肌肉不紧的那侧转头。
- 摸起来感觉 SCM 肌肉很紧。
- 你托住宝宝的头向肌肉过紧的那边转动，宝宝会抗拒。

比如说，如果宝宝右侧的 SCM 肌肉过紧，他的头会歪向右边肩膀，同时他喜欢朝左边转头。

原因

斜颈的原因应该是 SCM 肌肉受损，受伤的肌肉发生痉挛，变得更紧、更短，拉扯这一侧的后脑勺。人们一度认为 SCM 肌肉受损的原因是宝宝在子宫里的姿势异常——也许宝宝扭成了某个特别的姿势，或者两边 SCM 肌肉承受的压力不平衡。斜颈宝宝出现其他姿态问题的风险较高，例如内八字或髋关节脱位。

另一种可能性较小的理论认为，宝宝的 SCM 肌肉在分娩过程中受到了拉伸，造成扭伤。也许有血液流入受伤肌肉，形成纤维性组织，导致 SCM 肌肉明显缩短、变紧，很多父母会在宝宝的脖子上摸到标志性的肿块。缩短的肌肉发生痉挛，拉着后脑勺向这一侧肩膀倾斜，导致宝宝的下巴朝向另一侧肩膀。

如何判断

有的宝宝只是喜欢朝着某一边转头，但斜颈患儿的头总是歪向一边，请注意，是“歪斜”而不光是“转头”。受影响的那一侧 SCM 肌肉比较短，摸起来更硬，似乎在痉挛。而且，如果你试图把宝宝的头转向另一边，感觉会很吃力。

如果你有所怀疑，请告诉医生，他不光会检查宝宝的脖子，还会检查孩子有无其他姿态问题，例如髋部、腿部和脚部。

健康小贴士：
儿童歪头——请去看医生

较大的婴儿或幼儿歪头可能是为了补偿视力问题，例如弱视。

治疗

斜颈的原因是肌肉紧缩僵硬，所以治疗的目的在于逐步拉伸受影响的肌肉。医生会向你演示两种类型的锻炼方法：一种是让你帮助宝宝拉伸颈部肌肉，另一种是鼓励宝宝自己拉伸肌肉。要教会宝宝锻炼受损肌肉，可以试试下面的窍门：

- 从未受影响的那侧靠近宝宝，鼓励他向着这边转头。靠近宝宝的时候发出儿语或是摇晃他喜欢的玩具，宝宝就会想朝这边转头，于是就锻炼了未受影响的肌群。
- 转头拉伸。每次换尿布的时候，捧住宝宝的脑袋两边，轻轻左右旋转。开始时转动的角度小一点，然后逐步增大旋转角度，直至他的下巴快要碰到肩膀的程度。
- 让宝宝趴着玩。对斜颈患儿来说，趴着玩很重要。每天趴着玩几次，每次 15 ～ 30 分钟，这会让宝宝的脖子变得更强壮、更灵活，而且效果十分显著。把玩具举在宝宝的上方，鼓励他朝着玩具转头。
- 在宝宝睡觉的时候，把他的头转向未受影响的那边，预防受影响的肌肉变得更紧。
- 抱宝宝的时候采取"橄榄球抱"（让宝宝"骑"在你的手掌上，头靠在你的肘窝处）。把他的头朝外转向未受影响的那边。
- 带宝宝散步的时候，让宝宝面朝前方。带着他稍微远离那些有趣的景色，这样宝宝就不得不努力向着好玩的东西转头，从而拉伸受影响的肌肉。

拉伸锻炼之后，脑袋总会"弹回去"，所以请尽量多拉伸，把拉伸融入你和宝宝玩耍的日常流程。转头拉伸的锻炼至少要每换一次尿布做一次。

儿科医生可能会让你转去理疗科，让理疗师向你演示 SCM 拉伸手法。你肯定希望理疗师能承担大部分拉伸工作，不过我们总会教给父母转头拉伸的方法，这样两边的颈部肌肉都能得到一点锻炼。总而言之，理疗的重点在于克服肌肉收缩带来的阻力，将宝宝的头和脖子转向另一边。肌肉将宝宝的头拉向一边，导致颈部向相反一侧轻微旋转，你的拉伸锻炼就是反其道而行之：让宝宝的头转向被影响的那一边，并且把头抬起来。

理疗 3 ～ 6 个月后，大部分幼儿的颈部会恢复正常，一般只要几个星期或一个月，你就能看到进步。如果宝宝在出生两个月内被发现斜颈，并接受理疗锻炼，他通常到一岁时就会完全康复。如果有了积极的物理治疗，但情况到一岁后仍无改善，医生可能会和你讨论其他治疗选择，例如手术矫正。有时候必须进行手术才能拉长受影响的肌群，不过斜颈患儿中必须做手术的比例很小。

健康小贴士：
如何最好地“使用”治疗师

在医疗实践中，我们与很多治疗师合作过，于是我们学到了这些东西：每周去看一两次治疗师，持续好几个月，这实在是件麻烦事儿。对于大部分小毛病（但不是全部）而言，治疗师的首要作用是顾问。去做几次治疗，让治疗师教给你如何在家锻炼。这样你可以省下路上的时间在家里治疗；而且你还可以调整时间，等到宝宝情绪最好的时候再做治疗。如果宝宝情绪沮丧、紧张，这时候做拉伸效果肯定不好。有时候你不得不礼貌地坚持一下才能说服治疗师同意你的做法，比如说，“宝宝坐车太难受了。可不可以这样呢，我只做几次治疗，然后你教教我怎么在家自己做？”在家治疗，并且定时与治疗师沟通进展，这样的做法很明智。

较大儿童斜颈

出生后几周或几个月内出现的斜颈叫做先天性斜颈，因为人们认为它的原因是 SCM 肌肉在出生前或分娩过程中受到了损伤。获得性斜颈出现在年龄较大的儿童中，它是肌肉损伤或肌肉周围的组织发炎带来的继发症。最常见的原因之一是病毒感染或喉咙痛引起颈部肌肉附近的淋巴结发炎。这种斜颈又叫“歪脖子”，它的特征是孩子的脑袋向着未受影响的那边倾斜，受影响的肌肉会痛。向着未受影响的那边转头似乎能够缓解疼痛或刺激。

一旦隐藏的刺激源愈合，这种斜颈通常会自愈，无需任何治疗。有时候用温暖湿润的东西敷压受影响的肌肉也能缓解疼痛，但最好不要拉伸发炎的肌肉。

189. 脐疝

宝宝哭泣或是用力时，“凸出”的肚脐变大，这叫脐疝。疝的意思是“肠子通过缺损部位凸出”。疝气可能只有子弹球大小，也可能有高尔夫球那么大。

原因

胎儿在子宫中时，脐带穿过腹腔壁进入胎儿的身体，为胎儿供应血液。宝宝出生后脐带脱落，肚脐周围的腹腔壁肌肉开始挤压闭合。如果这些肌肉层未能在出生后短时间内完全闭合，宝宝就会出现脐疝。

有时候宝宝腹腔壁肌肉之间的空隙比较大，肌肉层下面的肠子就会透过薄薄的腹腔壁从缝隙里挤出来，尤其是在宝宝哭泣、用力造成腹腔内压升高的时候。到两岁时，宝宝的腹腔壁肌肉的缝隙一般会闭合，这种无痛、无害的疝气也会随之愈合，所以脐疝通常不需要治疗。较罕见的情况下，肚脐上方的肌肉有缝隙，造成疝气，这种疝气自愈的可能性较小，以后可能需要做个小手术。脐疝在非洲裔美国婴儿和早产儿中更加常见。虽然有一些证据表明“捆扎”（用胶带捆住比较大[凸出体外 1 厘米以上]的疝气）也许能加速愈合，但大部分儿科医生推荐父母不要管它。

什么时候该担心

较罕见的情况下，透过缝隙凸出来的肠道组织会被卡住或绞死，需要立即手术修复。这种情况必须去急诊室。在超过 35 年的儿科实践中，我们见过数千例脐疝，而出现这种并发症只有一次。脐疝绞死的信号如下：

- 宝宝十分疼痛。
- 凸起的部位比平常硬。
- 凸起的部位不像平常那样能够轻松地推回去。
- 凸起部位变色。
- 一碰凸起部位，宝宝就很痛。

不必担心错过这些信号，因为它们和普通的脐疝区别很大。

190. 疫苗反应

在美国，疫苗是预防疾病的重要手段。不过有的孩子会出现疫苗反应，谢天谢地，大多数反应相当轻微，也没什么害处。极罕见的情况下，孩子可能出现更严重的疫苗反应。在这部分中，我们将讨论轻微的正常疫苗反应及其处理方案，同时与你分享如何辨认严重的疫苗反应。

正常的疫苗反应

大多数宝宝接种疫苗之后或多或少会有点反应。下面我们列出常见的疫苗反应，并告诉你如何缓解孩子的不适：

烦躁。这是最常见的反应。大多数宝宝打疫苗时会痛，然后疫苗溶液可能刺激皮肤或肌肉，导致肌肉疼痛持续几小时到几天。宝宝多多少少会哭闹一阵子。

发烧。这相当常见。很多宝宝会发低烧，有的可能还会发一两天高烧。发烧是因为免疫系统正在与疫苗反应。

注射点红肿。有的孩子注射后会有轻微的红肿。

注射点的包块持续不退。注射点可能出现暗伤，淤血散去后，里面的钙却留了下来，于是有的孩子就会出现包块不退。不用担心，包块一般会在一两个月后消失，没什么害处。

皮疹。众所周知，MMR（流行性

腮腺炎、麻疹和风疹）疫苗和水痘疫苗会在注射约一周后引发全身性皮疹。这是免疫系统正常的疫苗反应，不会传染。

上臂或大腿严重红肿。较罕见的情况下，孩子打疫苗的那条胳膊或腿的上半部分会出现更为严重的肿胀，一部分是因为疫苗成分带来的刺激，另一部分是过敏反应。你可以通过下面的方法控制红肿，但出现这样的情况可能意味着孩子不应该再接种这种疫苗。

上述情况都不需要在下班后询问医生，下次去诊所时告诉医生就好。

健康小贴士：
不要过度用药

如果宝宝的疫苗反应比较严重，例如高烧或极度烦躁，布洛芬可以缓解症状。但是，不要昼夜不停地给孩子吃布洛芬。适当拉长吃药的周期，这样你才能观察到宝宝的实际情况。如果宝宝的反应真的非常严重，需要昼夜不停地吃几天药，那可能意味着你应该更小心地安排下一轮的疫苗。

治疗和预防正常疫苗反应

接种之前。宝宝接种疫苗之前，你可以采取下列措施预防疫苗反应：

- 用塑料袋装一袋冰块带去诊所，接种之前几分钟冰敷注射点，以麻痹神经。
- 打针的时候给宝宝哺乳，转移他的注意力。
- 安抚奶嘴蘸上糖水给宝宝含着（如果他不用安抚奶嘴，用你的手指也可以）；这能减轻宝宝对疼痛的反应。
- 打针之前约 30 分钟左右给孩子（3 个月及以上儿童）吃布洛芬止痛抗炎。也可以吃对乙酰氨基酚，它适用于任何年龄段的孩子，但效果可能不如布洛芬理想。

接种之后。打针之后你可以通过下列方法为孩子止痛、缓解不适：

- 打针后冰敷 5 分钟。如果你发现注射点有红肿迹象，可以继续冰敷几天，这对于严重的肿胀反应尤其有效。
- 如果孩子发烧或烦躁，可以给他吃几天布洛芬或对乙酰氨基酚。如果没有症状，不要常规性地给孩子吃，有必要时才吃。
- 如果出现严重肿胀或其他任何过敏反应，可以吃苯海拉明。

什么时候该担心

较罕见的情况下，疫苗可能导致严重的反应，发生率约为 1/100000，不过并没有确切的统计数据。严重疫苗反应包括痉挛、脑部发炎肿胀（脑炎）、各种神经性机能失调、突然晕倒或休克、严重过敏反应、自身免疫反应和身体各器官机能失调。我们不知道如何预测或预防这些反应，但幸运的是，这样的情况极度罕见。

如果孩子出现上述严重反应，请立即带他去看医生，如果情况紧急，请拨打 120。

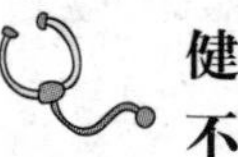

健康小贴士：
不要忽视极度烦躁和发烧

有一种颇为罕见的疫苗反应时时发生，它叫脑炎。疫苗成分刺激神经系统，导致脑内炎症，就会出现脑炎。大脑本身可能轻微红肿（如果你能看到的话），宝宝会发高烧、极度兴奋，这种症状会持续几天。他可能会长时间声嘶力竭地哭闹。几天后反应消退，炎症和肿胀减轻，宝宝就会恢复正常。脑炎肯定不是件愉快的事情，但几乎所有出现脑炎反应的宝宝都不会留下任何后遗症。有必要的话，可以每 6 小时给宝宝吃一剂布洛芬，尽量抗炎退烧。但是，如果再次接种相同的疫苗组合，脑炎反应下次可能会更加剧烈，导致神经性损伤。我们建议你和医生谈谈，分散注射这些疫苗，以尽量降低风险。

疫苗和疫苗反应详见罗伯特 · 西尔斯作品《疫苗全书》。

191. 阴道问题

就像男宝宝的阴茎一样，女宝宝的阴道通常也能自我调适，不会出现太多健康问题。但是，女宝宝的家长需要警惕一些常见的小毛病，例如：

新生儿阴道出血

新生儿体内会残余一些母体激素，所以某些刚刚出生的女宝宝在最初几周可能有轻微的阴道出血，这很正常，从本质上说就是缩微版的月经。随着母体激素的影响消耗殆尽，女宝宝下一次“月经”就要等到十几年后了。

阴道渗液

正常的生理性阴道渗液。婴幼儿期阴道会开始分泌液体，防止阴道内膜干燥。通常情况下，这种分泌物的外观和质地类似蛋清，几乎没有气味。医学上这叫生理性阴道渗液（“生理性”就是医学术语中的“正常”），有的小女孩分泌物比较多，小裤裤上经常能看到这种蛋清似的液体，快要进入青春期的时候，分泌物也开始增多。这样的渗液很正常，但是如果孩子感到困扰，请试试下页的建议。

阴道感染引起的渗液。微生物喜欢潮湿、温暖、阴暗的环境，尤其是酵母菌。因此，阴道很容易被酵母菌、念珠菌之类的微生物感染。念珠菌是全年龄段最常见的阴道感染。如果出现下列信号，孩子可能有阴道酵母菌感染：

- 分泌物又厚又白，有点像农家干酪，可能有轻微的霉味儿。
- 阴道有些发红。
- 通常出现在抗生素治疗1～2周后。
- 孩子抱怨阴道瘙痒。

虽然在年龄较小的儿童中，细菌性感染引起的阴道渗液不太常见，但的确存在这样的情况。细菌性感染的线索包括：

- 分泌物呈深黄色。
- 腐败味儿比较明显。
- 孩子抱怨阴道疼痛或有灼烧感。
- 阴道看起来很红。
- 阴部出现暗红色丘疹。

阴道发红、受到刺激

某些日常因素可能刺激孩子的阴道，例如太紧的内裤或泳衣、灰尘、香皂、尿布（大一些的婴儿）、粪便或手淫。这些因素可能导致阴道发红疼痛，但一般不会渗液。下面我们将介绍如何诊断和安抚一般性的阴道刺激。

健康小贴士：
帮助孩子大方地接受检查

从婴儿期到幼儿期，再到童年期，在孩子的成长过程中，阴道渗液、受刺激和炎症都很常见，医生需要检查她的阴部。你可以用下面的方法帮助孩子感觉自在一些。请尽量不要把你对阴道检查的焦虑传染给孩子。让孩子舒服地躺在你的腿上，让她张开双腿，保持换尿布的姿势。以适合女儿年龄的措辞向她解释医生为什么要检查她的阴道。把阴道和其他身体器官并列："医生会用手电筒照照你的耳朵，数数你的牙，掰开你的嘴巴，摸摸你的肚子，检查你的阴道……"也许可以带个娃娃："这样医生也可以帮娃娃检查一下……"

防治阴道感染和刺激

确认诱因。阴道刺激和感染不会无缘无故地出现，总有什么诱因。常见的诱因有：

- 抗生素
- 过紧的衣物带来的摩擦
- 泡泡浴、油等物品带来的刺激（洗澡水里的各种乳液、药水和肥皂都可能刺激宝宝敏感的阴道组织，导致"肥皂性外阴炎"）
- 普通手纸带来的刺激。有的孩子对

手纸里的漂白剂或其他化学品特别敏感。试试健康食品店里的无化学添加手纸

- 排泄物刺激
- 阴道异物（如果宝宝的阴部很臭，那代表阴道被异物卡住了！）
- 蛲虫

避开诱因。一旦找到诱因，就能够尽量避开：

- 鼓励女儿穿宽松合身的棉质内裤和泳衣。
- 教孩子从前往后擦拭，避免将直肠微生物传入阴道。
- 教育孩子任何东西都不能放进阴道里。孩子热爱探索，他们会把东西（例如蜡笔、纸巾）放进身体的任何孔腔里（耳朵、鼻子、阴道）。
- 不要给孩子洗泡泡浴，也不要让孩子在肥皂水里坐10分钟以上。如果她正处于阴道感染的恢复期，请给她洗淋浴。
- 使用抗生素之后要补充益生菌。如果酵母菌感染的症状恶化，可以给孩子的外阴部位涂抹成人用的非处方阴道抗酵母菌药膏，每天一次，直至病情好转。请用7天一疗程的药膏，只搽一天或3天的药膏效果太强。另外家长还需注意，不要把药膏弄进阴道。
- 如果孩子正处于手淫阶段，你怀疑这是造成刺激的原因，请加强监管（见P402，“手淫”）。
- 检查蛲虫（见P442，“蛲虫”）。
- 为了安抚阴道瘙痒，请用温水（清水，或加几茶匙小苏打）给她洗盆浴。

健康小贴士：
两头一起治

如果宝宝反复出现阴道酵母菌感染，那可能是口腔内的鹅口疮（口腔酵母菌或念珠菌感染）引起的。治疗这一头，通常也能缓解另一头的病情。反复发作的鹅口疮还常常导致念珠菌性尿布疹（见P555，“酵母菌属感染”）。

阴唇粘连

你带着4个月的小宝贝来做常规检查，谢天谢地，她完全健康。医生从头到脚地检查孩子，检查到阴道口时，医生说的吓了你一跳：“宝宝的阴道好像合起来了。”这种常见而无害的小毛病叫作阴唇粘连。

原因。在宝宝刚出生的几个月里，母体残余的雌激素会让阴唇内壁保持平滑。宝宝长到三四个月时会发生两个变化，导致阴唇粘连：母体的雌激素耗尽，与尿布的摩擦持续刺激阴唇引起炎症。

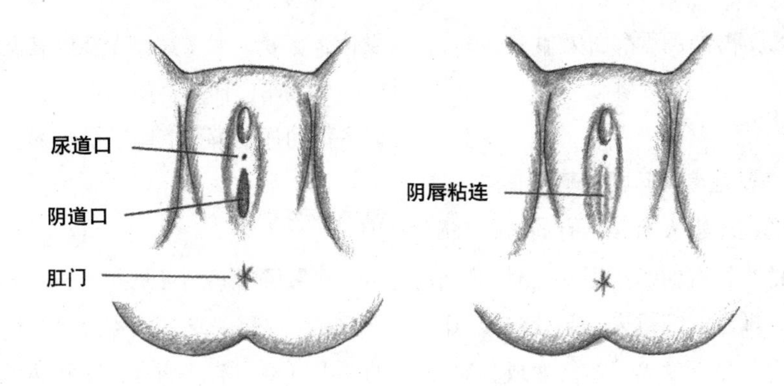

发炎的组织会粘连起来，例如抓伤和割伤。

怎么办。只要阴唇区域的粘连不影响排尿，就没有害处，影响到排尿的情况十分罕见。大多数情况下，孩子会开始探索自己的阴道，在这个过程中，她自己会将粘连的阴唇逐渐分开，没有任何痛苦。童年期结束后仍粘连在一起的阴唇通常会在青春期自行分开，因为此时孩子自身分泌的雌性激素会促使阴唇成熟。不过，有时候阴唇仍会紧紧粘在一起，不肯分开。如果阴唇处的开口很小甚至完全封闭，阴道分泌物和经血就没法流出来。这种情况必须由妇科医生进行分离手术。最好的方法是在一开始就避免阴唇粘连（见P063），如果可能的话，一旦发现粘连请立即轻轻将阴唇分开。

根据阴唇内膜的外观，医生会选择相应的应对方法：如果内膜薄而透明，只是部分粘连在阴唇上，医生很可能会等等看，只在每次常规检查时注意一下粘连情况。大多数儿科医生喜欢等等看，因为这样的阴唇粘连一般无需用药，也无需人工分离，它会自然地分开。

如果阴唇粘得比较紧，几乎完全闭合，医生可能会开雌激素药膏来软化粘连部位。如果治疗后仍有部分粘连，医生会用金属工具将它分开。洗澡时注意检查阴唇是否粘连，如果你发现粘连正在形成，请在下次常规检查时告诉医生。

192. 白癜风

白癜风是一种无痛、无传染性的皮肤问题，特征是皮肤上出现斑驳的象牙色白斑。这些斑块可能出现在身体任何部位，但最常见于脸、手、手臂、腿等部位，而且两边都会出现，比如双手、双颊、双臂或双腿。人们相信，白癜风（来自拉丁语 viti 和 ligo，前者的意思是“瑕疵”，后者是“导致”）是一种自身免疫缺陷，身体的免疫系统攻击、削弱或摧毁了皮肤里制造色素的细胞——黑色素细胞。夏天这些白色斑块更加明显，因为周围的皮肤被晒黑了，白斑却一如既往。

如何判断

白癜风是美观问题，不是感染。这些斑块的结局因人而异。有的斑块会随时间而缩小，有的经年不变，有的可能会变大。随着时间过去，某些白癜风的斑块会自己重新变黑，最终变成和周围的皮肤差不多的颜色。人们经常会把白癜风和湿疹或真菌感染弄混，白癜风斑块的特征如下：

- 不痒
- 夏天更明显
- 斑块对称、双侧分布（例：两边脸颊、两只手上都有相似的斑块）
- 边界平滑、不规则（真菌感染的边界一般会凸起或呈圆形）
- 平滑（真菌感染和湿疹凹凸不平、干涩粗糙）

白癜风一般不用治疗，尤其是儿童白癜风，因为很多斑块会随时间而消退。如果10多岁的孩子觉得白斑不好看，请咨询皮肤科医生。PUVA光疗有时候能够有效治疗白癜风。

193. 呕吐

孩子呕吐，父母总是会担心，但是你可以放轻松一点，长期来看呕吐一般没什么害处。大多数孩子能够在几小时内吐好几轮，而身体不会脱水。下面我们将帮助你了解引起呕吐的疾病。

常见疾病

病毒感染。病毒是儿童和成人呕吐最常见的原因。这些病毒分为几种不同的类型（例如流感病毒、轮状病毒及其他病毒），但它们引起的疾病模式十分相似，传染途径一般是接触了另一位患者。这些病毒通常来得十分突然，患者出现发烧、疼痛、腹痛和呕吐症状，接下来可能还有腹泻。呕吐能够治疗，但疾病本身无法治疗，病毒性疾病自有周期。病毒感染详见P283。

食物中毒。被细菌污染的变质食物是呕吐第二常见的原因。症状类似胃部病毒，但通常病人不会发烧，身体也不会痛，呕吐之后几乎总会伴随腹泻。症状可能在吃下食物几小时后出现，也可能要等一整天后再出现。食物中毒引起的呕吐一般不会持续超过12小时。如果你能想到某种可疑食物，或是其他吃了同样食物的人也生了病，那孩子更可能是食物中毒而非胃部病毒。食物中毒也无法治疗。

传染性肠道细菌。这种原因没那么常见，不过可能更值得担心。有几种细菌能够引发这种情况，包括沙门氏菌、志贺氏菌、弯曲菌和大肠杆菌。传染途径可能是吃了被污染的食物（和食物中毒一样），也可能是接触了病人。症状多种多样，不过一般包括发烧、呕吐、腹泻（有时候会便血）和腹痛。有时候可以用抗生素治疗（见 P283，“腹泻”）。

喉部和耳部感染。有时候这些常见感染可能诱发呕吐。

晕车。年纪很小的儿童也可能晕车，见 P215。

罕见原因

需要做手术的紧急情况。某些肠道问题会诱发呕吐，包括肠梗阻和阑尾炎。不过，如果是这些疾病，第一个症状应该是剧烈腹痛，呕吐比腹痛要晚。我们在 P120 介绍腹痛的章节中讨论了这些紧急情况。

严重的膀胱感染或肾脏感染。如果伴有尿痛或尿频、发烧、背部下方至中央疼痛，那么呕吐可能是肾脏感染的信号。见 P197。

脑膜炎。呕吐伴有发烧、头痛、颈部僵硬、极度兴奋或萎靡、光敏感，那么应该立即评估。见 P404。

用药过量或中毒。如果你怀疑孩子吃下了有毒物品，请立即电话医生，或拨打 120。

头部损伤。呕吐可能是头部内伤的症状。如果孩子头部受了伤，见 P360。

偏头痛或腹型偏头痛。无法解释的呕吐伴有腹痛或头痛可能是偏头痛。见 P407。

脑瘤。显然，这种情况非常罕见，我们只是尽量全面地介绍一下呕吐的相关原因。如果呕吐在几周内逐渐变得频繁，伴有头痛、精神状态恶化，那可能是肿瘤的信号。在这种情况下，患者应该没有其他明显的肠道问题，例如腹痛或腹泻。

寻找原因

浏览上述原因也许能帮助你弄清孩子的病情。一般而言，呕吐伴有发烧、腹痛、腹泻应该是某种肠道疾病。如果大便不带血，那很可能是无法治疗的胃部病毒。腹泻带血可能意味着传染性疾病，应该请儿科医生进行评估。如果孩子呕吐、疼痛、腹泻却没有发烧，那可能是食物中毒。上面列出的罕见原因都有鲜明的特征，如果你怀疑孩子的情况是其中之一，请参考相关页面的详细介绍。

通常没必要在呕吐的第一天追寻具体原因。最重要的是确认孩子没有出现上述严重疾病的症状。

保证孩子水分充足

别慌。儿童通常能够忍受最长 12 小时的呕吐而不会严重脱水。呕吐有不同的阶段，每个阶段都有针对性的措施：

第一阶段：每 5 ～ 30 分钟呕吐一次。对父母和孩子来说，第一个阶段最吓人。你感到非常无助，因为你什么都干不了。任何处方药都没法治疗这种呕吐，你只需要让孩子保持直立，用桶接住呕吐物，等孩子吐完以后帮他擦擦脸就好。呕吐间歇期最好让孩子保持安静。第一个阶段可能持续 1 ～ 4 个小时，这段时间不足以引起脱水，所以你甚至不必尝试给孩子喝水，反正喝了马上也会吐出来。如果孩子很想喝水或吃奶，可以给他喝，虽然很可能喝不下去。

第二阶段：呕吐减缓到每 1 ～ 2 小时一次。一旦呕吐减缓，父母和孩子就能在间歇期多休息一下了。这段时间可以给孩子小口喝点水，不过你得小心点，如果喝得太多、太快，孩子可能会马上吐出来。每 5 ～ 10 分钟喝一两口水或含一块冰都是不错的应对措施。这个阶段短则几个小时，长则一两天。

第三阶段：呕吐进一步减缓。呕吐减缓到每天 1 ～ 4 次，最终彻底停止。一旦情况改善，在不引发频繁呕吐的前提下，孩子想喝多少水就给他喝多少。如果孩子连续 12 个小时以上喝水都没有问题，如果他想吃，那可以尝试给他吃点儿温和的东西，例如薄脆饼干、面包或汤。如果他没说想吃，那可能是小肚子还没准备好。如果进食引发呕吐，别惊讶。吐完了再禁食一段时间就好。

喝什么。清水无法满足孩子的需求，他们需要糖、盐和电解质。口服电解质饮料是个好选择，药店有售。还在吃奶的宝宝最好继续给他哺乳。也可以给他喝白葡萄汁、用水 1 ：1 稀释的运动饮料或是吃冰棍。不过，不要给孩子喝苹果汁、梨汁或樱桃汁，因为这些果汁中的糖分可能会加剧腹泻。

处方药

医生可以开一些栓剂来减缓呕吐或止吐。处方药在第一阶段和第二阶段尤其管用，可以预防脱水。如果这段时间带孩子去看医生，医生很可能会给孩子开止吐药，有需要的话可以每 6 小时用一次。一旦孩子进入第三阶段，最好别用药，让他偶尔吐一下更好。

这些药会让孩子昏昏欲睡，两岁以下的儿童有过度镇静的先例，所以医生对幼儿用药会更加谨慎。

健康小贴士：为夜晚做好准备

如果孩子下午或晚上开始呕吐，你可以带他去看医生或打电话让医生开点止吐栓剂，因为呕吐可能持续到半夜。

什么时候别担心

如果出现下面这些常见的情况，你一般不需要担心，也不需要求医：

最开始几个小时。如果呕吐处于第一阶段，而且孩子出现了上文描述的胃部病毒、食物中毒或肠道感染的症状，那你不需要去看医生。所以，若是孩子半夜开始呕吐，那你可以等到早上再联系医生。

每天只吐几次。如果呕吐伴有其他常见疾病的症状，例如一般性的肠道病毒或胃肠型流感，那么哪怕轻微的呕吐持续两三天，孩子也不需要去看医生。

反弹性呕吐。有的孩子可能会好转一两天，然后呕吐再次恶化，这种情况并不罕见。

呕吐带血丝。这可能是因为喉部轻微溃疡，也可能是鼻血，不需要担心。如果吐出来的血比较多，请见下文。

咳嗽引发呕吐。这并不是真正的呕吐类疾病。详见 P227 关于感冒和咳嗽的章节。

什么时候该担心

中度到重度脱水。这种情况一般需要求医。轻微脱水很正常，不用担心。但是，如果婴儿持续呕吐超过 6 小时，幼儿超过 12 小时，或是儿童超过 16 小时，请联系医生。如何判断孩子的脱水情况是否应该电话医生，详见 P273。

呕吐伴有腹泻带血。这可能意味着传染性肠道细菌感染。不过不需要冲去急诊室或是半夜里咨询医生，等到下次诊所开门再去看医生就好。详见 P284。

呕吐带血。呕吐的压力致使食道内的血管撕裂，就会出现这种情况。如果血液呈鲜红色，且量比较大，请立即去急诊室。

其他危险信号。如果出现 P549 描述的需要做手术的紧急状况、肾脏感染、脑膜炎、中毒或头部损伤等症状，就要立即去诊所，如果是下班时间，则直接去急诊室。

194. 疣

疣是一种常见的皮肤感染，几乎每个孩子早晚都会长疣。病毒进入皮层深处，导致皮肤细胞硬化形成疣。儿童比成人更容易长疣，疣可能出现在身体任何部位。

疣的种类

普通疣。普通疣就是儿童中最常见的疣。通常出现在手指、膝盖、手、肘处。一般是凸起的小硬块(小于1厘米)，内部常有黑点。

跖疣。跖疣类似普通疣，但是它只出现在脚底，一般长得比普通疣大。因为跖疣位于脚底，所以常常引起不适。

软疣。软疣可能出现在身体任何部位，外观是薄薄的小水疱（大约相当于1/4个铅笔头上的橡皮，或者更小），中间微凹。详见P412。

生殖器疣。见P480。

疣会传染吗？

会，但是只有持续性密切接触疣才会传染。疣可能从身体某部位扩散到其他部位，如果孩子去抠，那疣扩散到其他部位的风险会上升。疣不会通过日常的普通接触传染。

治疗

疣一般会自行消失。不过这个过程可能长达几年。如果孩子觉得不舒服（例如跖疣）或是疣继续长大，医生一般会将它去除。有几种方法可供选择：

非处方去疣酸。如果坚持涂抹，这种药能有效去除小型疣。不过，可能要花几周或几个月的时间。如果疣长在脸上或外阴，用药之前请咨询医生。

液氮。这是医生诊所里最常用的方法。液氮会冻住疣、杀灭里面的病毒。治疗后几天，疣通常会脱落，或者可以揭下来。如果疣比较大、位置比较深，可能需要2～3次液氮治疗。液氮冷冻要小心使用，因为冷冻部位周围的皮肤会起水疱，可能留下疤痕。

健康小贴士：胶带解决一切问题

我们常常向父母推荐一种行之有效的家庭疗法：胶带。胶带一般能够去疣，但是可能要花6周～3个月时间。使用这种方法之前，请先咨询医生：

（1）用温水浸泡患处10～15分钟，然后用指甲锉磨掉疣最外层的皮肤。

（2）浸泡磨皮之后，在疣上贴一小块胶带，然后再用邦迪或胶纸固定。如果孩子每天都洗澡，你可以给他用防水型的邦迪。

（3）3天后揭下胶带，重复步骤1。

（4）重复步骤2。如此循环几周，疣就会慢慢消失。

记住，要这个办法成功的时间可能长达3个月。如果贴过胶带以后疣没有消失甚至恶化，请咨询儿科医生。

激光治疗。如果液氮无法去疣，或是冷冻之后仍反复长疣，那下一步可以采取激光治疗。激光应由接受过专门训练的皮肤科医生操作。

疣只是比较讨厌，但没有别的害处。如果非处方药无效或是疣长在脸部、指甲附近或外阴处，最好去看医生。如果疣看起来发生了感染，立即去看医生。

195. 百日咳

百日咳是百日咳杆菌感染呼吸道引起的强传染病。它的特征是患者长时间极其剧烈、无法控制的咳嗽。被感染者咳嗽或擤鼻涕的时候，携带病菌的唾液或黏液散播到空气中，如果这些小液滴被另一个人吸入，他就会染上百日咳。百日咳爆发的场所通常是家庭、学校或托儿所。

症状

百日咳十分危险，因为它会产生大量厚重的黏液，堵塞小小的气道，阻碍呼吸。这些多余的黏液能够引发标志性的咳嗽和气喘。孩子需要靠咳嗽来排出气道内堵塞的黏液。他咳得越来越厉害，也越来越费力，每次会爆发性地咳15～30秒，每咳一次，黏液就往外移动一点，直到黏液被咳出体外或咽下去。每一阵咳嗽结束时，孩子急需空气，他会迫不及待地吸一大口气，并发出喘声。孩子平静下来休息一个小时左右，然后再次重复这样的循环。剧烈咳嗽的阶段可能会持续6～12周，百日咳的其他症状可能有：

- 低烧
- 流鼻涕
- 剧烈咳嗽一阵后呕吐
- 如果咳得太厉害导致大脑缺氧，孩子可能会短时间失去意识
- 腹泻
- 剧烈咳嗽一阵后，婴儿的脸色发青

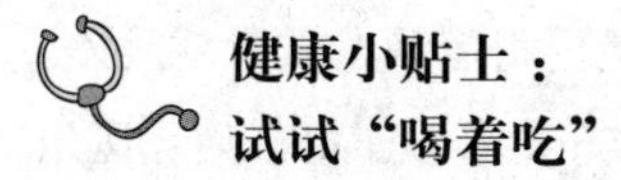

健康小贴士：
试试“喝着吃”

喂养百日咳患儿实在是个挑战。显然，重要的是别在孩子剧烈咳嗽的时候给他吃东西，因为这可能导致窒息。而且，如果他的小肚子被填得圆滚滚的，那么频繁的咳嗽可能引发呕吐。在咳嗽的间歇期给孩子吃东西，或者咳完一阵后再吃。孩子咳完一阵以后，请尝试给他喝奶昔。奶昔既容易喝下去，也容易消化。所以，它很容易进入孩子的胃，然后快速排出去。

诊断

用棉签擦一下孩子的鼻腔或喉咙，送去实验室培养，检查有无百日咳杆菌。不过，感染了百日咳的孩子

测试结果也可能呈阴性，这并不罕见。如果医生高度怀疑百日咳，他可能不会进行化验。如果医生觉得有必要的话，可能会给孩子做血检或胸部X光检查。

治疗

医生可能开什么药。百日咳很难治疗,所以我们着重强调用疫苗来预防它。百日咳是细菌引发的，所以医生常常会开抗生素。但是，抗生素在病程早期使用最有效，使用得越晚，效果就越差。不过，哪怕孩子已经咳了好几周，医生通常也会开一些抗生素，因为抗生素可能缩短病程，减轻孩子的传染性，预防继发性感染。如果家里有人确诊百日咳，医生可能会推荐全家人都吃一个疗程的抗生素。

百日咳对婴儿和老人的威胁最大，但很少会致命。6个月以下的百日咳患儿可能需要住院密切观察、辅助呼吸。一般而言，非处方咳嗽药和止咳剂无法有效治疗百日咳症状。4岁以下儿童在无医嘱的情况下不应使用这类非处方药。

你在家能做什么。除了抗生素以外,你可以采用一些家庭疗法稀释黏液,让孩子能够更容易地把它咳出来：

- 蒸一蒸。请见P021“蒸汽浴”，了解稀释支气管分泌物的方法。
- 浇浇水。保证孩子水分充足，让黏液变薄一些。
- 拍一拍。这叫“胸部理疗”，儿科医生会向你演示如何拍打孩子的后背，让堵塞的黏液松动一些。
- 休息好。每次剧烈咳嗽后请务必让孩子好好休息。他需要养精蓄锐，迎接下一次爆发。
- 不要盲目止咳。咳嗽是最好的“内部药物”，因为它能够让堵塞的黏液变得松动。所以我们建议父母白天不要给孩子吃止咳药，等到晚上，如果孩子咳得睡不着，那可以吃一点止咳药，不过请先咨询医生。医生可能会向你推荐一些替代品，例如化痰剂或缓解咳嗽的药物，而非一味止咳。

健康小贴士：
“一勺蜂蜜……”

最近的研究表明，比起非处方药右美沙芬来，蜂蜜能够更安全、更有效地缓解咳嗽。但是，不要给一岁以下的婴儿吃蜂蜜。

预防

目前，官方推荐所有婴儿接种百日

咳疫苗，一般在2个月、4个月、6个月和18个月时分别注射一剂，4～6岁时再注射一次增强剂。百日咳疫苗一般与白喉疫苗、破伤风疫苗组合为百白破疫苗（详见P044介绍疫苗的章节）。常规疫苗计划启动后，百日咳的发病率大幅下降。

但是，过去20年来，研究者发现青少年和成人的百日咳发病率有所上升，因为百日咳疫苗在4～12年后会失效。这意味着虽然疫苗有效地保护了婴儿和儿童，但等到孩子进入青春期或成人期早期，疫苗可能失去作用。现在，官方推荐11～18岁的青少年注射百日咳疫苗增强剂，即Tdap。这项举措保护了青少年和成人，以免他们在接触患者后染上百日咳。请与儿科医生讨论是否给你家孩子注射增强剂。

其他重要的预防措施包括保持良好的家庭卫生习惯，医生可能也会推荐全家使用抗生素治疗。6个月以下婴儿和老人罹患百日咳的风险最高，这一点十分重要，所以我们再次强调。

现在，官方推荐65岁以下的成人接种百日咳疫苗增强剂，只需注射一次。如果家里有新生儿，注射疫苗增强剂更显得重要。

196. 酵母菌属感染

酵母菌属感染的病原通常是白色念珠菌。在本章节中，我们将讨论两种主要的儿童酵母菌属感染：鹅口疮和真菌性尿布疹。阴道酵母菌属感染请见P545。

鹅口疮

鹅口疮是一岁以下婴儿常见的口腔、喉部酵母菌属感染。酵母菌喜欢温暖、潮湿的环境，而母乳喂养和奶瓶喂养都能提供这样的环境。鹅口疮的外观是一层黏膜或白色斑块，通常出现在舌头上、口腔和脸颊内，甚至可能出现在喉咙后壁。黏膜或斑块的质地类似凝乳，如果这样的黏膜能够刮下来，那孩子很可能得了鹅口疮。鹅口疮通常无痛，但是如果病情严重，它也可能引起疼痛和刺激。

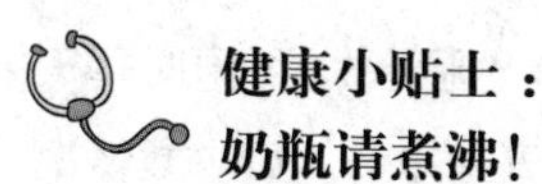

健康小贴士：奶瓶请煮沸！

如果宝宝是配方奶喂养，请务必保持良好的卫生习惯。奶瓶的奶嘴是念珠菌的天然温床，请定期用水煮沸安抚奶嘴和奶瓶的奶嘴，预防酵母菌感染。

治疗。抗真菌药液能迅速缓解大部分鹅口疮症状。用法一般是在每边脸颊内滴少量药液，每天用药 3 ～ 4 次，或遵医嘱。

健康小贴士：
延长治疗时间

使用抗真菌药液后，如果孩子的鹅口疮有所好转，我们总会告诉父母，症状完全消失后至少再继续用药两三天。有的父母停药的时间早了一点，于是鹅口疮就复发了。

鹅口疮会影响哺乳吗？会。宝宝可能会把鹅口疮传染给妈妈的乳头，导致乳头极端疼痛、瘙痒、灼烧感。婴儿和哺乳的母亲常常交叉传染鹅口疮。

如果哺乳的妈妈抱怨乳头有刺激感、疼痛，我们也会给予治疗。我们推荐每次哺乳后在乳头上涂一点白醋溶液（一茶匙醋兑 226.8 毫升水），同时每天搽三次非处方抗真菌霜剂。极少数情况下，妈妈需要口服抗真菌药以清除乳头上的念珠菌。

其他原因。一般而言，一旦孩子断奶，鹅口疮就不再成为问题了。但是，较大的儿童有时候也可能被感染，原因包括：

- 使用抗生素。抗生素会杀灭口腔和消化道里的正常健康细菌，于是酵母菌过度繁殖，导致鹅口疮。一旦抗生素疗程结束，鹅口疮通常也会消失。咨询医生之前不要擅自停用抗生素。
- 使用吸入式类固醇或口服类固醇。长期使用吸入式类固醇或口服类固醇也可能导致鹅口疮。如果孩子正在使用类固醇并出现鹅口疮，最好咨询儿科医生，和医生讨论之前不要停用类固醇。
- 免疫系统受损。免疫系统缺陷（如白血病或 HIV）患儿更容易发生酵母菌感染。这是因为他们的身体很难击退过度增殖的酵母菌。

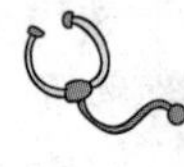

健康小贴士：
使用抗生素期间请小心

我们推荐使用抗生素的同时补充益生菌（例如嗜酸乳杆菌或双歧杆菌），预防酵母菌过度增殖。

真菌性尿布疹

这是婴儿成长过程中第二常见的酵母菌问题。

原因。真菌性尿布疹的肇事者通常是白色念珠菌，它喜欢宝宝尿布里潮湿的环境，尤其是在腹股沟、外阴和直肠部位那些潮湿的皱褶。我们常常看到这种典型的“赖着不肯走的尿布疹”。几乎每个宝宝都会出现某种形式的酵母菌性尿布疹，其中某些类型的皮疹会很严重。

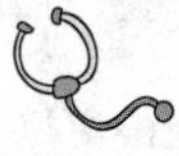

健康小贴士：
酵母菌感染的信号

真菌性尿布疹与其他尿布疹区别很大。如果是酵母菌引起的尿布疹，红肿发炎的症状通常要严重得多，某些皮疹甚至可能破裂出血。腹股沟、外阴和直肠部位通常会发红、出现红点，红点还常常扩散到外面。

治疗。治疗取决于皮疹的严重程度。如果症状比较轻微，我们通常会推荐含有克霉唑的非处方抗真菌软膏或霜剂，每天使用 3 ～ 4 次。你还应采取下列措施：

- 勤换尿布。
- 用水和温和的肥皂轻轻清洗尿布区域，冲洗干净，然后拍干。
- 尽量别给孩子包尿布。
- 涂抹抗真菌软膏的间隙请给孩子搽一层白色氧化锌护臀膏。
- 在孩子的食物或饮料里加入益生菌，每天吃两次，帮助击退酵母菌。

顽固性酵母菌尿布疹。上面的方法通常可以治好轻微的真菌性尿布疹。但是，有的孩子真菌性尿布疹可能比较严重，尤其是在好几周都没有得到治疗的情况下。如果孩子的皮疹比较严重，医生可能会开效果更强的处方抗真菌软膏或霜剂。请务必遵医嘱使用，如果搽了处方药后皮疹恶化或复发，就要去咨询医生了。

健康小贴士：
尿布疹

抗生素可能带来鹅口疮，也可能引发真菌性尿布疹。如果孩子出现这种情况，请勿停用抗生素，除非有医嘱。采取上述措施治疗尿布疹，再强调一次，使用抗生素期间给孩子吃益生菌（例如嗜酸乳杆菌或双歧杆菌）也许能够帮助预防真菌性尿布疹。

附录一：喂孩子吃药

儿科医生开了药，可是亲手喂孩子吃药的人是爸爸医生和妈妈医生。无论在家还是在诊所，我们都会用到这些方法：

理解使用说明。请确保你自己理解了医生告诉你的用药注意事项。向医生提问，例如：吃多少？多久吃一次？饭前还是饭后？要叫醒孩子给他吃药吗？不小心漏吃了一次怎么办？在药房取到药以后，如果瓶子上的使用说明跟医生或药剂师说的不一样，或者你不太明白剂量和用法，请向医生问清楚。

记录药效。记录哪一种药、什么味道的药、什么形式的药孩子用了效果最好。下次医生开药的时候，请主动向他介绍以前的情况。比如说，“上次那种抗生素（药物名称），他吃了以后拉肚子拉得很厉害，但是以前吃过的另一种（药物名称）就不会。”告诉医生孩子更喜欢哪种形式的药。有的孩子喜欢口服液，有的喜欢咀嚼片，大一些的孩子可以直接吞胶囊。

伪装一下。还记得玛丽·波平斯的歌词吗？“加上一勺糖，吃药更容易”。在实践中，我们更喜欢“洒粉末”的法子。如果是胶囊药，你可以打开胶囊，把里面的药粉洒在孩子最喜欢的食物上。为了改善口味，儿童型的口服液里常常含有色素和甜味剂，胶囊就没有这个问题。如果孩子不喝口服液，请用两个勺子把咀嚼片碾碎给他吃。为了让药变得更好吃一点，请把碾碎的药末放进三明治里、和到果酱里或是埋到花生酱下面，吃完以后再给孩子喝一杯他最喜欢的果汁。另外要确保孩子咬几口就能吃下所有的药，以防他吃不完这份食物。

麻痹舌头。吃药之前让孩子慢慢吮一支冰棍或者喝一杯冷奶昔，或者提前把药放在冰箱里冻一会儿。麻痹味蕾能够大大增加宝贝敏感的小舌头接纳药物的机会。

神奇的糊糊。大部分婴儿喜欢液体，如果宝宝老是把口服液吐出来，请让医生开咀嚼片或普通药片。用两个勺子碾碎药片，再加几滴水，调成厚重的糊糊。为了绕开挑剔的小舌头，请用指尖蘸满药糊，填在宝宝的口腔侧面，如此重复，直至孩子吞下全部药糊。

鼓起腮帮子。西尔斯一家最喜欢这种方法，不过可能需要两个成人来共同操作，熟练后可单人操作：让孩子坐在你的腿上，微微后仰；你的手托住孩子的下巴，用中指或食指拉开孩子的嘴角，让他的腮帮子鼓起来。这样可以固定孩子的头，同时让他的嘴保持张开，拉开嘴角他就没法把药吐出来。用另一只把药放进鼓起的腮帮子里面，每次放一点；同时让孩子的头微微后仰，于是药可以绕过舌头上敏感的味蕾，孩子更可能顺利地吞下去。需求是发明之母，在这里或许我们应该说“发明之父”。18个月的孩子该吃药的时候，玛莎（我们家的喂药皇后）丢下我（比尔医生）一个人在家，于是我发明了这种方法。

避开舌头。记住，孩子的舌尖和舌头中间的味蕾最敏感。用刻度滴管把药水挤进孩子的口腔侧面，也就是脸颊和牙龈之间。慢慢挤，滴管的开口朝向脸颊那边。如果朝喉咙里挤得太用力，孩子可能会呛到。

试试用勺子喂药。如果用勺子喂药，试试“扫过上唇”。为了把勺子里的所有药都送进孩子嘴里，抽出勺子的时候请用勺子凹陷的部位轻轻顶住孩子的上嘴唇内侧，好让上嘴唇把勺子里的药“擦干净”。

预防窒息。吃药的时候请让孩子坐起来或是微微后仰。这个姿势孩子更不容易呛到，且不会把药吐出来。如果孩子躺着，请让他侧过来，把药慢慢送进嘴巴挨着床垫的那边。

轻松吞药片。孩子往往很难吞下药片。把药片放在孩子的舌尖附近，让他喝一口水含住；然后让他低头，下巴贴着胸口，然后迅速抬头同时吞咽。药片会漂浮在水面上也就是靠近喉咙的位置，水一冲就轻松吞下去了。

健康小贴士：别把药片当糖豆

虽然你很希望能让药片变得美味一点，但不要骗孩子说药片是糖果，否则孩子肯定受不了这样的诱惑，他会把药橱翻个底朝天。如果你知道药的味道不怎么样，就别骗孩子说很好吃；你骗了他一次，就别想让他再吃第二次。

玩个吃药游戏。试试这个方法：把药放在勺子里，让孩子从5米外朝你这边跑，然后猛地在装药的勺子前面停下来。让他立刻把药吃掉，喝口水冲下去，然后继续往前跑。作为额外的诱惑，你还可以在勺子后面一点的地方放上他最喜欢的零食。游戏结束的时候，和他一起快乐地大喊“都吃完啦！”

附录二：专业术语中英文对照表

英文原文	中文译文	备注
halitosis	口臭	
rash	皮疹	
diabete	糖尿病	
antibiotic	抗生素	
prescription	处方药	
ear infection	耳部感染	
premature	早产儿	
Sears Family Pediatrics practice	西尔斯家庭儿科诊所	
well-baby and well-child exam	健康儿童常规检查	
discipline	纪律	
parenting style	教养方式	
parenting philosophy	教养理念	
colic	婴儿肠绞痛	
sleep apnea	睡眠窒息	
tonsil	扁桃体	
managed care	管理式医疗	
ADD	注意力缺失障碍	多动症
attachment parenting	亲密式育儿	
sling	绑带	
croup	哮吼	
appendicitis	阑尾炎	

英文原文	中文译文	备注
pills-skills	多保健，少吃药	
chronic asthma	慢性哮喘	
GERD	胃食管反流病	gastroesophageal reflux disease
chronic diarrhea	慢性腹泻	
recurrent fever	反复发烧	
anti-inflammatory medicine	消炎药	
antihistamine	抗组胺药	
NDD	营养不良	nutrition deficit disorder
flavonoid	类黄酮	
phytonutrient	植物营养素	
antioxidant	抗氧化剂	
phytos	植物素	
BBB	血脑屏障	blood/brain barrier
neurotransmitter	神经递质	
carb	碳水化合物	
insulin	胰岛素	
glucose	葡萄糖	
aspartame	阿斯巴甜	
hydrolyzed vegetable protein	水解植物蛋白	
MSG	味精	monosodium glutamate
mitochondria	线粒体	

英文原文	中文译文	备注
excitotoxin	兴奋性神经毒素	
pesticide	杀虫剂	
NGF	神经生长因子	nerve growth factor
PET	正电子发射扫描	
glucocorticoid neurotoxicity	糖皮质激素神经毒性	
astaxanthin	虾青素	
anthocyanin	花青素	
carotenoid	类胡萝卜素	
lutein	叶黄素	
zeaxanthin	玉米黄素	
conjunctivitis	结膜炎	
sinus	鼻窦	
high blood trglyceride level	高血脂	
coronary artery disease	冠心病	
endothelium	内皮	
American Academy Pediatrics	美国儿科学会	AAP
hyper-cholesterolemia	高胆固醇血症	
HDL	高密度脂蛋白	
LDL	低密度脂蛋白	
SIDS	婴儿猝死综合征	Sudden Infant Death Syndrome
cilia	纤毛	

英文原文	中文译文	备注
epidermal growth factor	表皮生长因子	
probiotics	益生菌	
intestinal flora	肠道菌群	
gastroenteritis	胃肠炎	
immunoglobulin	免疫球蛋白	
lactic acid	乳酸	
antacid	抗酸药	
heartburn	胃灼热	
colitis	结肠炎	
inflammatory bowel disease	炎症性肠病	IBD
short-chain fatty acid	短链脂肪酸	SCFA
prebiotics	益生元	
lactobacillus bulgaricus	保加利亚乳杆菌	
lactobacillus acidophilus	嗜酸乳杆菌	
fructooligosaccharides	果寡糖	
inulin	菊粉	
lactobacillus GG	鼠李糖乳杆菌	
eczema	湿疹	
lactobacillus reuteri	罗伊氏乳杆菌	
epidermis	表皮层	
keratin	角质	

英文原文	中文译文	备注
dermis	真皮层	
melanin	黑色素	
collagen	胶原蛋白	
elastin	弹性蛋白	
sebaceous gland	皮脂腺	
petrolatum	凡士林	
sunblock	隔离霜	主要是隔绝紫外线，无须补涂，较厚，可能造成毛孔堵塞
sunscreen	防晒霜	主要是分解紫外线，须补涂，较薄
diaper rash cream	护臀膏	
para-aminobenzoic acid	对氨基苯甲酸	PABA
sun protection factor	防晒指数	
docosahexaenoic acid	二十二碳六烯酸	DHA
myelin	髓磷脂	
fatty deposit	脂肪沉积	
plaque	血管斑块	
proinflammatory	促炎	
echinacea	紫锥菊	
Sinupret	仙璐贝	
growth hormone	激素	
thyroid hormone	甲状腺激素	

英文原文	中文译文	备注
serotonin	血清素	
endorphin	内啡肽	
receptor site	受点	
cortisol	皮质醇	
insulin resistance	胰岛素抵抗	
diphtheria	白喉	
tetanus	破伤风	
pertussis	百日咳	
DTaP	白百破疫苗	
PCV	肺炎球菌疫苗	
pneumococcus	肺炎球菌	
meningitis	脑膜炎	
pneumonia	肺炎	
Rotavirus	轮状病毒	
haemophilus influenzae	流感嗜血杆菌	
measle	麻疹	
intestinal flu	肠流感	
cervical cancer	宫颈癌	
ibuprofen	布洛芬	
acetaminophen	醋氨酚	泰诺、扑热息痛
petroleum jelly	凡士林	

英文原文	中文译文	备注
jaundice	黄疸	
acidophilus	嗜酸菌	
pearl	上皮珠	
milia	粟粒疹	
tongue-tie	舌系带过紧	
painful gas	胃胀气	
arachidonic acid	花生四烯酸	
oral thrush	鹅口疮	
hemangioma	血管瘤	
gross motor	大肌肉动作	
fine motor	精细动作	
erythema toxicum	毒性红斑	baby acne 婴儿痤疮
cradle cap	乳痂	
torticollis	斜颈	
labial adhesion	阴唇粘连	
respiratory syncytial virus	呼吸道合胞病毒	RSV
poison control hotline	防中毒热线	
roseola	玫瑰疹	
impetigo	脓疱病	
viral sore throat	病毒性咽炎	
reactive airway disease	反应性呼吸道疾病	RAD

英文原文	中文译文	备注
body mass index	身体质量指数	体质指数，BMI
intestinal obstruction	肠梗阻	
upset stomach	胃不适	
Simethicone	二甲基硅油	
intussusception	肠套叠	
H.pylori	幽门螺杆菌	
asperiodic syndrome	腹型偏头痛	
P.acnes	痤疮丙酸杆菌	
benzoyl peroxide	过氧化苯甲酰	
liquid nitrogen roll-on	液氮冷冻疗法	
Accutane	泰尔丝	
retinoid	类视黄醇	
clindamycin	克林霉素	
erythromycin	红霉素	
tetracycline	四环素	
isotretinoin	异维 A 酸	
Food and Drug Administration	美国食品药品监督管理局	FDA
Anaphylaxis	全身性过敏反应	
epinephrine	肾上腺素	
diphenhydramine	苯海拉明	
benadryl	苯那君	

英文原文	中文译文	备注
cardiopulmonary resuscitation	心肺复苏	人工呼吸，CPR
nasal allergy	过敏性鼻炎	鼻敏感
hay fever	花粉热	
chlorpheniramine	氯苯那敏	
chlor-trimeton	扑尔敏	
loratadine	氯雷他定	
claritin	开瑞坦	
cetirizine	西替利嗪	
zyrtec	仙特明	
fexofenadine	非索非那丁	
allegra	艾来锭	
decongestant	解充血药	
desloratadine	地氯雷他定	
levocetirizine	左旋西替利嗪	
steroid	类固醇	
commitee on nutrition for the American Academy of Pediatrics	美国儿科学会营养委员会	
strep throat	链球菌性喉炎	
juvenile rheumatoid arthritis	幼年型类风湿性关节炎	JRA
autoimmune reaction	自体免疫反应	
septic arthritis	败血病关节炎	
psoriatic arthritis	银屑病关节炎	

英文原文	中文译文	备注
crohn's disease	克隆氏症	
ulcerative colitis	溃疡性结肠炎	
asperger's syndrome	阿斯伯格综合征	
carryover effct	延滞效应	
exercise-induced bronchospasm	运动性支气管痉挛	
albuterol	舒喘灵	
cromolyn	色甘酸	
peak flow meter	峰值流量计	
leukotriene	白三烯	
lotrimin	克霉唑	
Tinactin	发癣退	
micatin	咪康唑	
attention deficit hyperactivity disorder	注意力缺失多动障碍	
cross-situational	跨情境一致性	
obstructive sleep apnea	阻塞性睡眠呼吸暂停	
international society for neurofeedback and research	国际神经反馈和研究学会	
sensory integration	感觉统合治疗	
Pervasive Developmental Disorder Not Otherwise Specified	待分类的广泛性发展障碍	非典型自闭症
High-functioning autism	高功能自闭症	
non-verbal learning disabilities	非语言学习障碍	
sensory processing disorder	感觉处理障碍	SPD

英文原文	中文译文	备注
discrete trial training	分解式操作训练	回合教学法
picture exchange communication system	图片交换沟通系统	
occupational therapy	职业治疗	职能治疗
orthopedic specialist	骨科专家	
stork bite	鹳咬痕	
betadine	必妥碘	
brown recluse	棕色遁蛛	
Itch-X	盐酸普莫卡因凝胶	
vesico-ureteral reflux	膀胱输尿管反流	VUR
voiding cysto-urethrogram	排泄性膀胱尿道造影	
bladder reflux	膀胱回流	
deflux	防反流	
staphylococcus aureus	金黄色葡萄球菌	
Bronchipret	百里香 - 常春藤叶合剂	
silvadene	烧伤宁	磺胺嘧啶银
mederma	美德	
bartonella henselae	汉塞巴尔通体	
periorbital cellulitis	眼眶蜂窝组织炎	
Maalox	美乐事	
Mylanta	胃能达	
Reye's syndrome	雷尔氏综合征	

英文原文	中文译文	备注
Acyclovir	阿昔洛韦	
reactivated chicken pox	再活化水痘	
heimlich maneuver	海姆利希急救法	
infant wheezing	婴幼儿喘息	
cold sore	感冒疮	fever blister
sensory integration disorder	感觉统合失调	
sensory integration occupational therapy	感觉统合职业疗法	
second-impact syndrome	二次冲击综合征	
Colace	多库酯钠	
Senna	番泻叶	
contact dermatitis	接触性皮炎	
poison ivy	毒漆藤	
hydroxyzine	羟嗪	
Automated External Defibrillator	自动体外去颤器	
seborrheic dermatitis	脂溢性皮炎	
craniosynostosis	颅缝早闭	狭颅症、颅缝骨化症
positional plagiocephaly	体位性斜头畸形	
anterior fontanel	前囟门	
epiglottitis	会厌炎	
metatarsus adductus	跖内收	
clubfoot	足内翻	

英文原文	中文译文	备注
positional curvature	位置性弯曲	
ricket	佝偻病	
tibial torsion	胫骨扭转	
femoral anteversion	股骨前倾	
steri-strip	伤口缝合胶贴	3M
skin glue	皮肤粘合剂	
benzoin adhesive liquid	安息香胶液	
cystic fibrosis	囊性纤维化	
diabetic ketoacidosis	糖尿病酮症酸中毒	
metabolic syndrome	代谢症候群	
tethered cord	脊髓栓系	
Augmentin	安灭菌	
clavulanic acid	克拉维酸	
Atopiclair	爱妥丽	
pimecrolimus	吡美莫司	
tacrolimus	他克莫司	
leukotriene inhibitor	白三烯抑制剂	
erythema multiforme	多形红斑	
hyphema	眼前房积血	
moraxella	莫拉氏菌	
sty	睑腺炎	

英文原文	中文译文	备注
hordeolum	麦粒肿	
chalazion	睑板腺囊肿	
failure to thrive	发育不良	
Tylenol	泰诺	
Advil	雅维	
Motrin	美林	
feverall	安乃近	
petechiae	瘀点	
pronation	内翻	
febrile seizure	热性痉挛	
fever fit	发烧惊厥	
spelt	斯佩尔特小麦	
kamut	卡姆小麦	
quinoa	藜麦	
ringworm	金钱癣	
pityriasis rosea	玫瑰糠疹	
psoriasis	银屑病	
tinea versicolor	花斑癣	
thrush	鹅口疮	
trichotillomania	拔毛癖	
telogen effluvium	休止期脱发	

英文原文	中文译文	备注
echocardiogram	超声心动图	
ASD	房间隔缺损	
VSD	室间隔缺损	
rheumatic fever	风湿热	
heat stroke	热射病	
hepatocellular carcinoma	肝细胞癌	
herpes simplex virus	单纯疱疹病毒	
Pavlik harness	帕夫利克矫正带	
juvenile rheumatoid arthritis	青少年类风湿性关节炎	
slipped capital femoral epiphysis	股骨头骨骺脱位	
legg-calve-perthes disease	雷卡佩氏病	幼年畸形性骨软骨炎
Betadine	聚维酮碘	
cephalohematoma	头颅血肿	
Osgood-Schlatter disease	奥斯古德 - 施克拉特氏病	
Nix	氯菊酯	
Ulesfia	苯甲醇洗液	
Koplik's spot	科泼力克斑	麻疹粘膜斑
meningococcal meningitis	流行性脑膜炎	脑膜炎球菌性脑膜炎
feverfew	小白菊	
rebound headache	反弹性头痛	
melanoma	黑素瘤	

英文原文	中文译文	备注
molluscum contagiosum	传染性软疣	
Aldara	艾达乐	
mononucleosis	单核细胞增多症	
Coxsackie virus	柯萨奇病毒	
Xylocaine	利多卡因	
methicillin-resistant staph aureus	耐甲氧西林金黄色葡萄球菌	MRSA
mupirocin	莫匹罗星	
Septra	复方新诺明	Bactrim 另一种商品名
clindamycin	克林霉素	
calf pseudohypertrophy	腓肠肌假性肥大	
duchenne muscular dystrophy	杜兴氏肌肉萎缩症	
Becker muscular dystrophy	贝克氏肌肉萎缩症	
whiplash	挥鞭伤	
fasting blood sugar	空腹血糖	
lipid profile	脂质谱	
trail mix	什锦豆	
repetitive stress injury	重复性压力损伤	
de quervain's tenosynovitis	大拇指腱鞘炎	
paraphimosis	嵌顿包茎	
poison oak	毒葛	
psoriatic arthritis	银屑病关节炎	

英文原文	中文译文	备注
betablocker	β - 受体阻滞药	
precocious puberty	性早熟	
Tanner stage	坦纳氏分期	
LHRH analog	促黄体素释放激素类似物	
constitutional delay	体质性迟缓	
pituitary gland	脑垂体	
turner's syndrome	特纳氏综合征	性功能延迟发育综合征
klinefelter's syndrome	克氏综合征	克莱恩费尔特综合征
purpura	紫癜	
fifth disease	传染性红斑	
swimmer's itch	游泳性皮炎	
scabies	疥疮	
Synagis	帕利珠单抗	
sarcoptes scabiei	疥螨	
scoliosis	脊柱侧凸	
electroencephalogram	脑电图	EEG
pelvic inflammatory disease	盆腔炎症性疾病	PID
neisseria gonorrhea	淋病奈瑟菌	
bacteramia	菌血症	
podophyllin	鬼臼树脂	
treponema pallidum	梅毒螺旋体	苍白螺旋体

英文原文	中文译文	备注
chancre	硬下疳	
attention deficit hyperactivity disorder	注意力缺失多动障碍	ADHD
nocturnal polysomnography	夜间多导睡眠图	
continuous positive airway pressure	连续气道正压通气	CPAP
co-sleeper	婴儿连睡床	
deviated nasal septum	鼻中隔偏曲	
laryngomalacia	喉软骨软化	
psyllium husk	车前籽壳	
gastrocolic reflex	胃结肠反射	
pulled elbow	牵拉肘	桡骨小头半脱位，RHS
group A streptococcus	A 群链球菌	
glomerulonephritis	肾小球肾炎	
tongue thrusting	舌头前顶	
Agency for Healthcare Research and Quality	美国医疗保健研究与质量局	AHRQ
macular degeneration	黄斑变性	
otitis externa	外耳炎	
hashimoto's thyroiditis	桥本甲状腺炎	
congenital hypothyroidism	先天性甲状腺功能减退症	
colorado tick fever	科罗拉多蜱热	
rocky mountain spotted fever	落基山斑疹热	
tularemia	野兔病	

英文原文	中文译文	备注
epsom salt	泻盐	
ankyloglossia	舌粘连	
salmonella	沙门氏菌	
shigella	志贺氏菌	
campylobacter	弯曲菌	
bordetella pertussis	百日咳杆菌	
dextromethorphan	右美沙芬	
candiada albicans	白色念珠菌